큐브수학 실력 무료 스마트러닝

첫째 QR코드 스캔하여 1초 만에 바로 강의 시청

둘째 최적화된 강의 커리큘럼으로 학습 효과 UP!

서술형 문제 풀이 강의

서술형 풀이를 쓰기 어려울 때 문제 해결 전략 강의를 통해 서술형 풀이를 체계적으로 완성합니다.

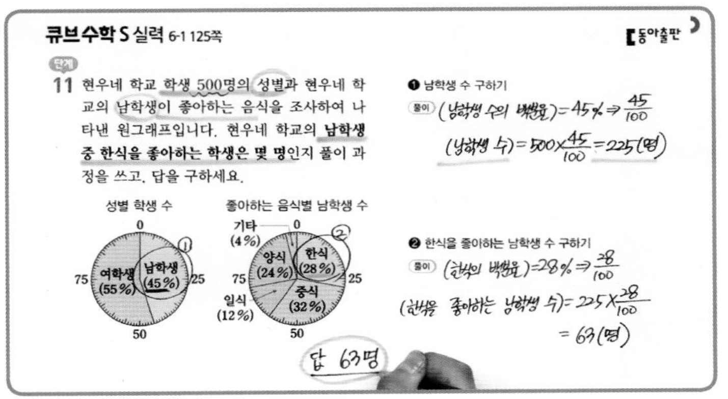

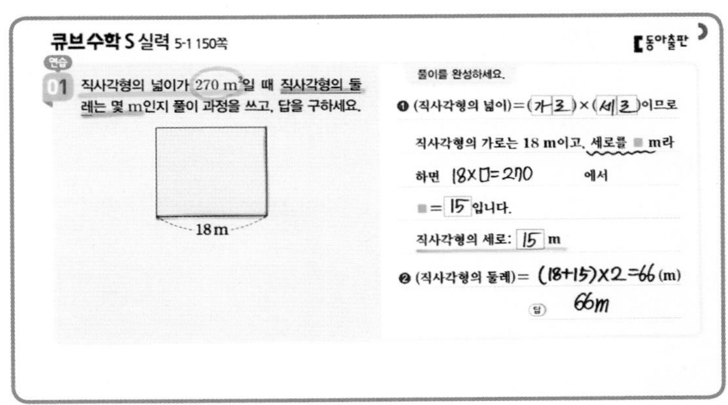

#큐브수학 #초등수학 #무료

큐브수학 실력 **초등수학 5학년** 강의 목록

구분	단원명	학습 내용		공부한 날	동영상 확인
서술형 강의	1. 자연수의 혼합 계산	서술형 해결하기	020쪽	월 일	
		서술형 해결하기	021쪽	월 일	
	2. 약수와 배수	서술형 해결하기	046쪽	월 일	
		서술형 해결하기	047쪽	월 일	
		서술형 해결하기	048쪽	월 일	
		서술형 해결하기	049쪽	월 일	
	3. 규칙과 대응	서술형 해결하기	064쪽	월 일	
		서술형 해결하기	065쪽	월 일	
	4. 약분과 통분	서술형 해결하기	090쪽	월 일	
		서술형 해결하기	091쪽	월 일	
		서술형 해결하기	092쪽	월 일	
		서술형 해결하기	093쪽	월 일	
	5. 분수의 덧셈과 뺄셈	서술형 해결하기	118쪽	월 일	
		서술형 해결하기	119쪽	월 일	
		서술형 해결하기	120쪽	월 일	
		서술형 해결하기	121쪽	월 일	
	6. 다각형의 둘레와 넓이	서술형 해결하기	150쪽	월 일	
		서술형 해결하기	151쪽	월 일	
		서술형 해결하기	152쪽	월 일	
		서술형 해결하기	153쪽	월 일	

큐브수학 초등수학 5학년 **학습 계획표**

학습 계획표를 따라 차근차근 수학 공부를 시작해 보세요.
큐브수학과 함께라면 수학 공부, 어렵지 않습니다.

단원	회차	진도북	매칭북	공부한 날
1단원	1회	006~013쪽	01쪽	월 일
	2회	014~017쪽		월 일
	3회	018~019쪽	02~04쪽	월 일
	4회	020~021쪽	05쪽	월 일
	5회	022~024쪽		월 일
	6회		47~49쪽	월 일
2단원	7회	026~031쪽	06쪽	월 일
	8회	032~035쪽	07~08쪽	월 일
	9회	036~039쪽	09쪽	월 일
	10회	040~045쪽	10~12쪽	월 일
	11회	046~049쪽	13~14쪽	월 일
	12회	050~052쪽		월 일
	13회		50~52쪽	월 일
3단원	14회	054~059쪽	15쪽	월 일
	15회	060~063쪽	16~17쪽	월 일
	16회	064~065쪽	18쪽	월 일
	17회	066~068쪽		월 일
	18회		53~55쪽	월 일
4단원	19회	070~075쪽	19쪽	월 일
	20회	076~079쪽	20~21쪽	월 일

단원	회차	진도북	매칭북	공부한 날
4단원	21회	080~083쪽	22쪽	월 일
	22회	084~087쪽		월 일
	23회	088~089쪽	23~25쪽	월 일
	24회	090~093쪽	26~27쪽	월 일
	25회	094~096쪽		월 일
	26회		56~58쪽	월 일
5단원	27회	098~103쪽	28쪽	월 일
	28회	104~107쪽	29~30쪽	월 일
	29회	108~111쪽	31쪽	월 일
	30회	112~117쪽	32~34쪽	월 일
	31회	118~121쪽	35~36쪽	월 일
	32회	122~124쪽		월 일
	33회		59~61쪽	월 일
6단원	34회	126~133쪽	37쪽	월 일
	35회	134~139쪽	38~40쪽	월 일
	36회	140~143쪽	41쪽	월 일
	37회	144~149쪽	42~44쪽	월 일
	38회	150~153쪽	45~46쪽	월 일
	39회	154~156쪽		월 일
	40회		62~64쪽	월 일

큐브 수학 실력

|진도북|

5·1

구성과 특징

진도북 3단계 학습법

STEP ① 개념 완성하기

알차게 구성한 개념 정리와 개념 확인 문제로 개념을 완벽하게 익힙니다.
기본 유형 문제로 다양한 유형 학습을 준비합니다.

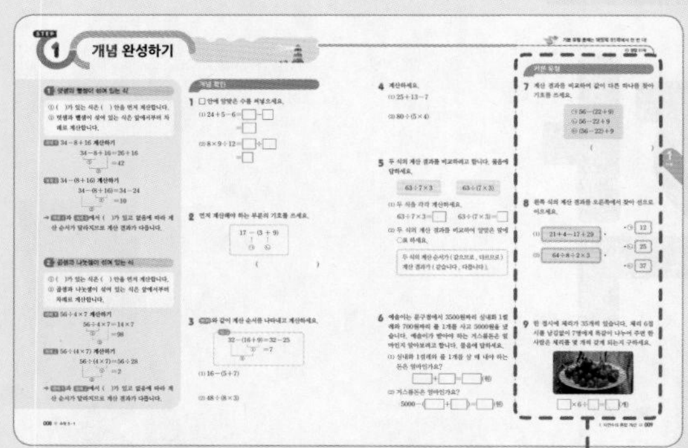

STEP ② 실력 다지기

학교 시험에 잘 나오는 문제와 다양한 유형의 문제를 유형 확인 강화 의 3단계로 학습하여 실력을 키웁니다.

약점 체크 틀리기 쉬운 문제를 집중적으로 학습합니다.

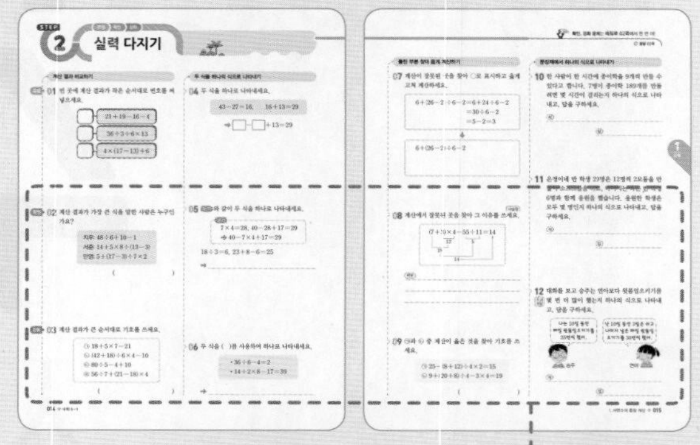

매칭북 1:1 매칭 학습

STEP1 한 번 더 개념 완성하기

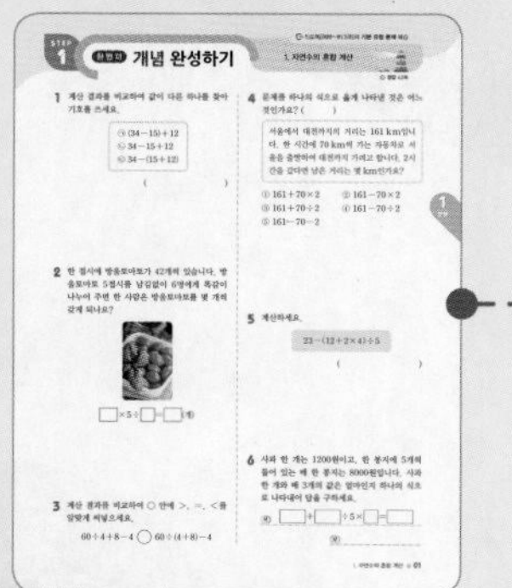

STEP1의 기본 유형 문제를 **한 번 더** 공부하여 개념을 완성합니다.

STEP2 한 번 더 실력 다지기

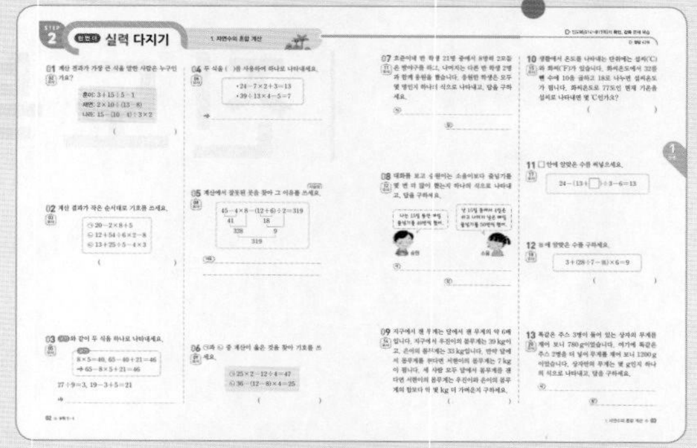

STEP2의 확인, 강화 문제를 **한 번 더** 공부하여 실력을 다집니다.

큐브수학 실력의 특징

❶ 유형 학습 **하나의 주제**에 대한 필수 문제의 **3단계 입체적 유형 학습**

❷ 매칭 학습 진도북의 각 코너를 **1:1 매칭**시킨 매칭북을 통해 **한 번 더 복습**

❸ 서술형 강화 수학 핵심 역량의 접목/풀이 과정을 자연스럽게 익히면서 쓸 수 있는 **3단계 서술형 학습법**

STEP 3 서술형 해결하기

풀이 과정을 자연스럽게 익히면서 쓸 수 있는 체계적인 연습 단계 실전 의 **3단계 학습**으로 서술형을 완벽하게 대비합니다.

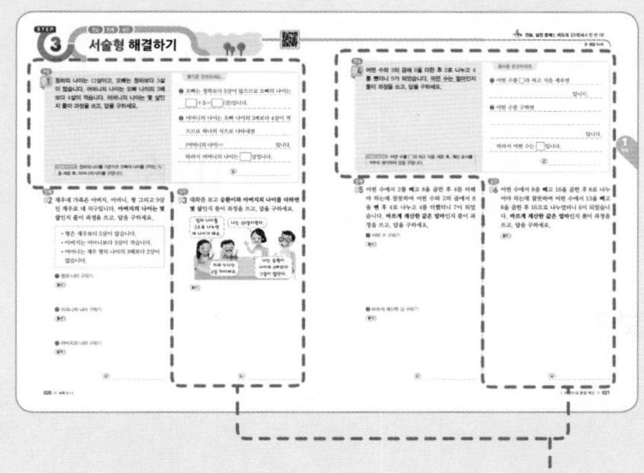

단원 마무리

한 단원을 마무리하는 단계로 해당 단원을 잘 공부했는지 확인하여 실력을 점검합니다.

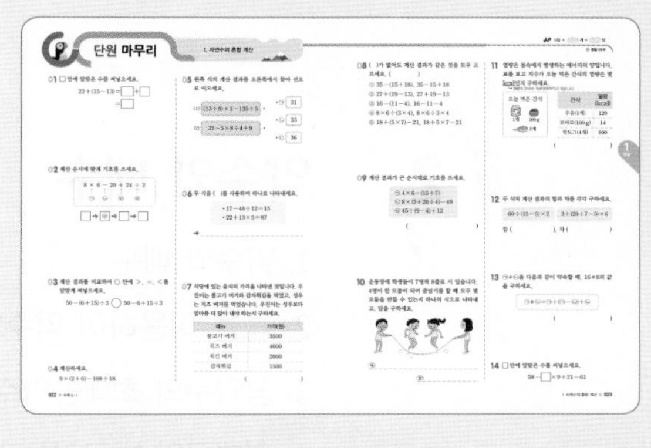

STEP3 한 번 더 서술형 해결하기

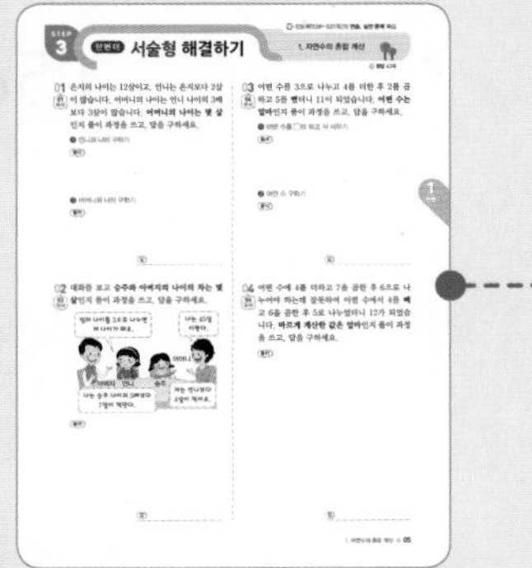

STEP3의 연습, 실전 문제를 **한 번 더** 공부하여 서술형을 해결합니다.

단원 평가

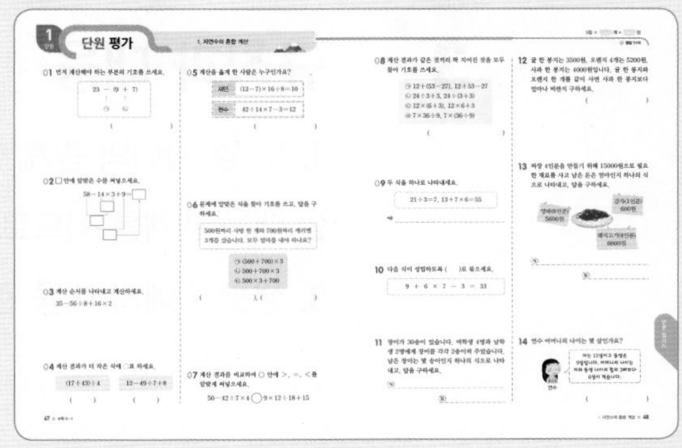

단원별로 실력을 최종 점검합니다.

차례

1 자연수의 혼합 계산

학습 계획표

공부할 날짜를 적고 〈**진도북**〉과 〈**매칭북**〉의 쪽수를 찾아 공부하세요.

학습 내용	계획 및 확인					
	진도북			매칭북		
STEP 1 **개념 완성하기**	008~013쪽 →	월	일	01쪽 →	월	일
STEP 2 **실력 다지기**	014~019쪽 →	월	일	02~04쪽 →	월	일
STEP 3 **서술형 해결하기**	020~021쪽 →	월	일	05쪽 →	월	일
단원 마무리	022~024쪽 →	월	일	47~49쪽 →	월	일

대표 유형

- 이번 단원에서 꼭 공부해야 할 **〈대표 유형〉**입니다.
- 학습한 후에 이해가 부족한 유형은 □ 안에 ○표 한 후 반복하여 학습하세요.

- □ 계산 결과 비교하기
- □ 두 식을 하나의 식으로 나타내기
- □ 틀린 부분 찾아 옳게 계산하기
- □ 문장제에서 하나의 식으로 나타내기
- □ (　)가 없는 식의 활용
- □ □ 안에 알맞은 수 구하기
- □ (　)가 있는 식의 활용
- □ 식이 성립하도록 계산식 완성하기
- □ 약점 체크 식에 알맞은 문제 만들기
- □ 약점 체크 약속한 기호대로 계산하기
- □ 약점 체크 계산 결과를 가장 크게(작게) 만들기
- □ 약점 체크 크기 비교에서 □ 안에 들어갈 수 있는 수 구하기

STEP 1

개념 완성하기

1 덧셈과 뺄셈이 섞여 있는 식

① ( )가 있는 식은 ( ) 안을 먼저 계산합니다.
② 덧셈과 뺄셈이 섞여 있는 식은 앞에서부터 차례로 계산합니다.

예제 1 $34-8+16$ 계산하기

$34-8+16=26+16$ (① $34-8$)
$=42$ (② $26+16$)

예제 2 $34-(8+16)$ 계산하기

$34-(8+16)=34-24$ (① $8+16$)
$=10$ (② $34-24$)

➜ 예제 1과 예제 2에서 ( )가 있고 없음에 따라 계산 순서가 달라지므로 계산 결과가 다릅니다.

2 곱셈과 나눗셈이 섞여 있는 식

① ( )가 있는 식은 ( ) 안을 먼저 계산합니다.
② 곱셈과 나눗셈이 섞여 있는 식은 앞에서부터 차례로 계산합니다.

예제 1 $56\div4\times7$ 계산하기

$56\div4\times7=14\times7$ (① $56\div4$)
$=98$ (② 14×7)

예제 2 $56\div(4\times7)$ 계산하기

$56\div(4\times7)=56\div28$ (① 4×7)
$=2$ (② $56\div28$)

➜ 예제 1과 예제 2에서 ( )가 있고 없음에 따라 계산 순서가 달라지므로 계산 결과가 다릅니다.

개념 확인

1 □ 안에 알맞은 수를 써넣으세요.

(1) $24+5-6=\square-\square$
$=\square$

(2) $8\times9\div12=\square\div\square$
$=\square$

2 먼저 계산해야 하는 부분의 기호를 쓰세요.

$17 - (3 + 9)$
(↑ ㉠ : −, ↑ ㉡ : +)

( )

3 보기와 같이 계산 순서를 나타내고 계산하세요.

보기
$32-(16+9)=32-25$ (① $16+9$)
$=7$ (② $32-25$)

(1) $16-(5+7)$

(2) $48\div(8\times3)$

4 계산하세요.

(1) $25+13-7$

(2) $80\div(5\times4)$

5 두 식의 계산 결과를 비교하려고 합니다. 물음에 답하세요.

$63\div7\times3$　　$63\div(7\times3)$

(1) 두 식을 각각 계산하세요.

$63\div7\times3=$ □　　$63\div(7\times3)=$ □

(2) 두 식의 계산 결과를 비교하여 알맞은 말에 ○표 하세요.

두 식의 계산 순서가 (같으므로 , 다르므로)
계산 결과가 (같습니다 , 다릅니다).

6 예솔이는 문구점에서 3500원짜리 실내화 1켤레와 700원짜리 풀 1개를 사고 5000원을 냈습니다. 예솔이가 받아야 하는 거스름돈은 얼마인지 알아보려고 합니다. 물음에 답하세요.

(1) 실내화 1켤레와 풀 1개를 살 때 내야 하는 돈은 얼마인가요?

□ + □ = □ (원)

(2) 거스름돈은 얼마인가요?

5000 − (□ + □) = □ (원)

기본 유형

7 계산 결과를 비교하여 값이 다른 하나를 찾아 기호를 쓰세요.

㉠ $56-(22+9)$
㉡ $56-22+9$
㉢ $(56-22)+9$

(　　　　　)

8 왼쪽 식의 계산 결과를 오른쪽에서 찾아 선으로 이으세요.

(1) $21+4-17+29$ •
(2) $64\div8\div2\times3$ •

• ㉠ 12
• ㉡ 25
• ㉢ 37

9 한 접시에 체리가 35개씩 있습니다. 체리 6접시를 남김없이 7명에게 똑같이 나누어 주면 한 사람은 체리를 몇 개씩 갖게 되는지 구하세요.

□ × 6 ÷ □ = □ (개)

1 단원

STEP 1 개념 완성하기

3 덧셈, 뺄셈, 곱셈이 섞여 있는 식

① ( )가 있는 식은 ( ) 안을 먼저 계산합니다.
② 덧셈, 뺄셈, 곱셈이 섞여 있는 식은 곱셈을 먼저 계산하고, 덧셈과 뺄셈은 앞에서부터 차례로 계산합니다.

예제 1 $38-2\times3+5$ 계산하기

$38-2\times3+5=38-6+5$
$=32+5$
$=37$

예제 2 $38-2\times(3+5)$ 계산하기

$38-2\times(3+5)=38-2\times8$
$=38-16$
$=22$

4 덧셈, 뺄셈, 나눗셈이 섞여 있는 식

① ( )가 있는 식은 ( ) 안을 먼저 계산합니다.
② 덧셈, 뺄셈, 나눗셈이 섞여 있는 식은 나눗셈을 먼저 계산하고, 덧셈과 뺄셈은 앞에서부터 차례로 계산합니다.

예제 1 $8+30\div10-7$ 계산하기

$8+30\div10-7=8+3-7$
$=11-7$
$=4$

예제 2 $8+30\div(10-7)$ 계산하기

$8+30\div(10-7)=8+30\div3$
$=8+10$
$=18$

개념 확인

1 가장 먼저 계산해야 하는 부분에 ○표 하세요.

(1) $5\times(19-13)+7$

(2) $29-8+45\div3$

2 보기 와 같이 계산 순서를 나타내고 계산하세요.

보기
$40-5\times7+12=40-35+12$
$=5+12$
$=17$

(1) $14+(11-5)\times3$

(2) $64\div4+18-21$

3 누리와 동현이 중 옳게 계산한 사람을 쓰세요.

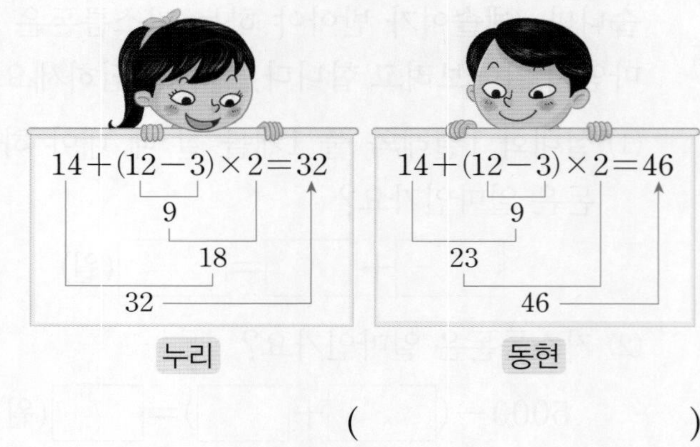

( )

정답 01쪽

기본 유형

4 계산하세요.

(1) $32+18-8\times5$

(2) $9+(24-6)\div3$

(3) $(11+3)\times4-9$

5 두 식의 계산 결과가 같으면 ○표, 다르면 ×표 하세요.

$20+(3\times4)-11$

$20+3\times4-11$

(　　　　　　)

6 캐러멜 28개를 어른 2명과 어린이 3명이 각각 3개씩 먹었습니다. 남아 있는 캐러멜은 몇 개인지 알아보려고 합니다. 물음에 답하세요.

(1) 먼저 계산해야 하는 부분을 ( )로 묶어 먹은 캐러멜은 몇 개인지 구하는 식을 쓰세요.

(□+□)×□=□(개)

(2) 남아 있는 캐러멜은 몇 개인가요?

28−(□+□)×□=□(개)

7 계산 결과를 비교하여 ○ 안에 >, =, <를 알맞게 써넣으세요.

$48\div6+10-1$ ○ $48\div(6+10)-1$

8 문제를 하나의 식으로 옳게 나타낸 것은 어느 것인가요? (　　　)

> 안산에서 목포까지의 거리는 334 km입니다. 한 시간에 80 km씩 가는 자동차로 안산을 출발하여 목포까지 가려고 합니다. 4시간을 갔다면 남은 거리는 몇 km인가요?

① $334+80\times4$　　② $334+80\div4$
③ $334-80\times4$　　④ $334-80\div4$
⑤ $334-80+4$

탁본: 비석이나 기와에 새겨진 글씨나 무늬를 종이에 그대로 떠내는 것

9 영준, 수민, 재희는 탁본 체험을 하려고 합니다. 놓여 있던 한지 14장에 더 받아 온 한지 22장을 합하여 3명이 똑같이 나누었습니다. 영준이가 한지 5장을 사용하면 영준이에게 남는 한지는 몇 장인가요?

(14+□)÷3−□=□(장)

개념 완성하기

5 덧셈, 뺄셈, 곱셈, 나눗셈이 섞여 있는 식

① ( )가 있는 식은 ( ) 안을 먼저 계산합니다.
② 덧셈, 뺄셈, 곱셈, 나눗셈이 섞여 있는 식은 곱셈과 나눗셈을 먼저 계산하고, 덧셈과 뺄셈을 계산합니다.

(1) 연산이 4번 섞여 있는 식

예제 1 $21-5+10\div5\times4$ 계산하기

$21-5+10\div5\times4=21-5+2\times4$
$=21-5+8$
$=16+8$
$=24$

(① $10\div5$, ② 2×4, ③ $21-5$, ④ $16+8$)

예제 2 $21-(5+10)\div5\times4$ 계산하기

$21-(5+10)\div5\times4=21-15\div5\times4$
$=21-3\times4$
$=21-12$
$=9$

(① $5+10$, ② $15\div5$, ③ 3×4, ④ $21-12$)

➔ 예제 1과 예제 2에서 ( )가 있고 없음에 따라 계산 순서가 달라지므로 계산 결과가 다릅니다.

(2) 연산이 5번 섞여 있는 식

예제 $42\div7+9\times(4+3)-15$ 계산하기

$42\div7+9\times(4+3)-15$ ( ) 안을 먼저 계산합니다.
$=42\div7+9\times7-15$ 곱셈과 나눗셈을 앞에서부터 차례로 계산합니다.
$=6+63-15$ 덧셈과 뺄셈을 앞에서부터 차례로 계산합니다.
$=69-15$
$=54$

참고 ( ) 안의 계산과 $42\div7$을 동시에 계산할 수도 있습니다.

$42\div7+9\times(4+3)-15=6+9\times7-15$
$=6+63-15$
$=69-15$
$=54$

개념 확인

1 계산 순서에 맞게 기호를 쓰세요.

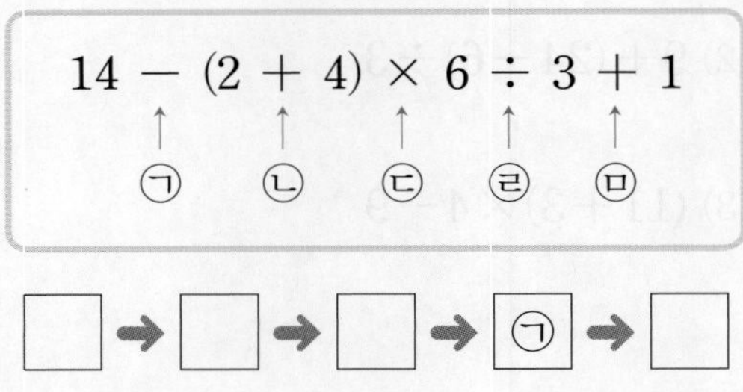

☐ ➔ ☐ ➔ ☐ ➔ ㉠ ➔ ☐

2 계산 순서에 따라 계산하세요.

$31-45\div9\times4+8=31-\square\times4+8$
$=31-\square+8$
$=\square+8$
$=\square$

(①, ②, ③, ④)

3 다음에서 계산 순서가 틀린 곳은 어디인가요? ( )

$72-12\times2+(34+26)\div2$ ①
$=72-12\times2+60\div2$ ②
$=72-24+30$ ③
$=72-54$ ④
$=18$

기본 유형

4 보기 와 같이 계산 순서를 나타내고 계산하세요.

보기
$50-13\times3+27\div9=50-39+3$
$=11+3$
$=14$

(1) $64\div4-(11-7)\times3+24$

(2) $(47+25)\div6-2\times5$

5 계산하세요.

(1) $45\div5+3\times4-13$

(2) $31-(13+2)\times4\div6$

6 왼쪽 식의 계산 결과를 오른쪽에서 찾아 선으로 이으세요.

(1) $2\times(6+12)\div3-4$ •

(2) $4\times(2+3)-32\div2$ •

•㉠ 3

•㉡ 4

•㉢ 8

7 계산 결과가 더 큰 것의 기호를 쓰세요.

㉠ $43-12\times3+40\div8$
㉡ $(43-12)\times3+40\div8$

(　　　　　　　　　)

8 계산하세요.

$11+(29-3\times7)\div4+5$

(　　　　　　　　　)

9 볼펜 한 자루는 500원, 연필 한 타는 2400원입니다. 볼펜 한 자루와 연필 4자루의 값은 얼마인지 하나의 식으로 나타내어 답을 구하세요. (단, 연필 한 타는 12자루입니다.)

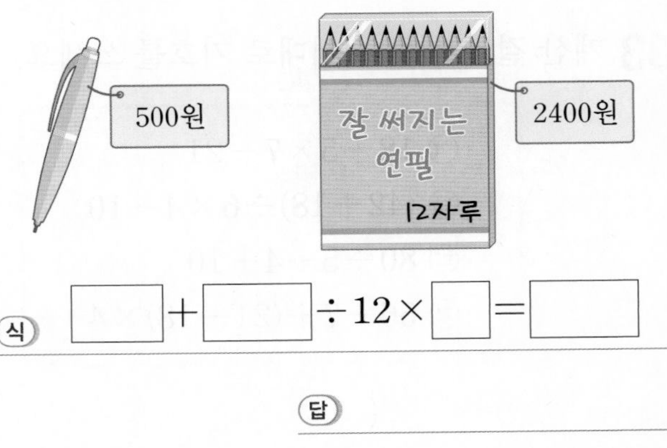

식 $\square+\square\div12\times\square=\square$

답

STEP 2 유형 확인 강화

실력 다지기

계산 결과 비교하기

유형 **01** 빈 곳에 계산 결과가 작은 순서대로 번호를 써넣으세요.

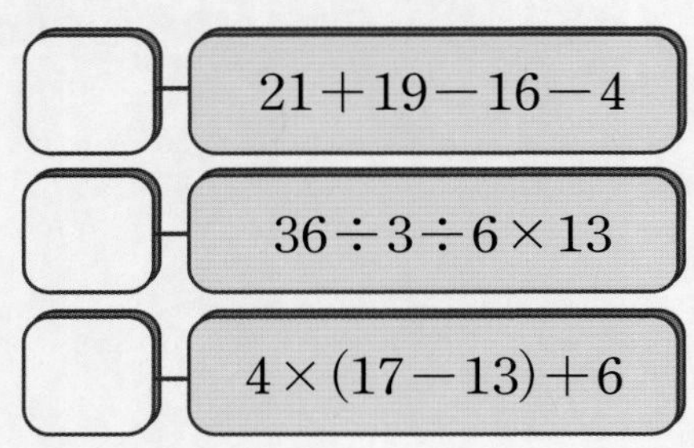

확인 **02** 계산 결과가 가장 큰 식을 말한 사람은 누구인가요?

지우: $48\div6+10-1$
서준: $14+5\times8\div(13-3)$
민영: $5+(17-3)\div7\times2$

(　　　　　　　　　　)

강화 **03** 계산 결과가 큰 순서대로 기호를 쓰세요.

㉠ $18+5\times7-21$
㉡ $(42+18)\div6\times4-10$
㉢ $80\div5-4+10$
㉣ $56\div7+(21-18)\times4$

(　　　　　　　　　　)

두 식을 하나의 식으로 나타내기

04 두 식을 하나로 나타내세요.

$43-27=16,\quad 16+13=29$

➜ $\square-\square+13=29$

05 보기 와 같이 두 식을 하나로 나타내세요.

보기
$7\times4=28,\ 40-28+17=29$
➜ $40-7\times4+17=29$

$18\div3=6,\ 23+8-6=25$

➜ ______________________

06 두 식을 (　)를 사용하여 하나로 나타내세요.

• $36\div6-4=2$
• $14\div2\times8-17=39$

➜ ______________________

틀린 부분 찾아 옳게 계산하기

07 계산이 잘못된 곳을 찾아 ○로 표시하고 옳게 고쳐 계산하세요.

$$6+(26-2)\div6-2=6+24\div6-2$$
$$=30\div6-2$$
$$=5-2=3$$

↓

$6+(26-2)\div6-2$

서술형

08 계산에서 잘못된 곳을 찾아 그 이유를 쓰세요.

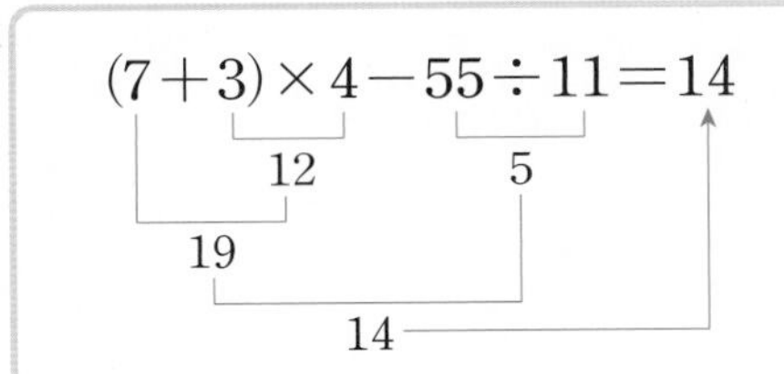

이유

09 ㉠과 ㉡ 중 계산이 옳은 것을 찾아 기호를 쓰세요.

㉠ $25-(8+12)\div4\times2=15$

㉡ $9+(20+8)\div4-3\times4=19$

(　　　　　　)

문장제에서 하나의 식으로 나타내기

10 한 사람이 한 시간에 종이학을 9개씩 만들 수 있다고 합니다. 7명이 종이학 189개를 만들려면 몇 시간이 걸리는지 하나의 식으로 나타내고, 답을 구하세요.

식

답

1 단원

11 은정이네 반 학생 29명은 12명씩 2모둠을 만들어 소프트볼을 하고, 나머지는 다른 반 학생 6명과 함께 응원을 했습니다. 응원한 학생은 모두 몇 명인지 하나의 식으로 나타내고, 답을 구하세요.

식

답

12 교과역량 대화를 보고 승주는 연아보다 윗몸일으키기를 몇 번 더 많이 했는지 하나의 식으로 나타내고, 답을 구하세요.

나는 10일 동안 매일 윗몸일으키기를 25번씩 했어.

난 10일 동안 3일은 쉬고 나머지 날은 매일 윗몸일으키기를 30번씩 했어.

승주　　연아

식

답

( )가 없는 식의 활용

유형 **13** 길이가 84 cm인 종이를 3등분한 것 중의 한 도막과 길이가 95 cm인 종이를 5등분한 것 중의 한 도막을 7 cm가 겹치게 한 줄로 이어 붙였습니다. 이어 붙인 종이의 전체 길이는 몇 cm인가요?

( )

확인 **14** 교과역량 지구에서 잰 무게는 달에서 잰 무게의 약 6배입니다. 세 사람이 모두 달에서 몸무게를 잰다면 선생님의 몸무게는 수지와 선미의 몸무게의 합보다 약 몇 kg 더 무거운지 구하세요.

사람 \ 몸무게	지구에서 잰 몸무게(kg)
선생님	84
수지	37
선미	35

( )

강화 **15** 교과역량 생활에서 온도를 나타내는 단위에는 섭씨(℃)와 화씨(°F)가 있습니다. 화씨온도에서 32를 뺀 수에 10을 곱하고 18로 나누면 섭씨온도가 됩니다. 화씨온도로 68도인 현재 기온을 섭씨로 나타내면 몇 ℃인가요?

( )

□ 안에 알맞은 수 구하기

16 □ 안에 알맞은 수를 구하세요.

$15+6\times\square-7=26$

( )

17 □ 안에 알맞은 수를 써넣으세요.

$14\times(\square+2)-11=87$

18 서술형 ■에 알맞은 수를 구하려고 합니다. 풀이 과정을 쓰고, 답을 구하세요.

$12+(58-■)\div7-8=11$

풀이

답

( )가 있는 식의 활용

19 떡볶이 3인분을 만들기 위해 10000원으로 필요한 재료를 사고 남은 돈은 얼마인가요?

교과역량

( )

20 똑같은 음료수 4병이 들어 있는 상자의 무게를 재어 보니 920 g이었습니다. 여기에 똑같은 음료수 2병을 더 넣어 무게를 재어 보니 1280 g이었습니다. 상자만의 무게는 몇 g인가요?

( )

서술형

21 학교 나눔 장터에서 500원짜리 볼펜 3자루와 책 2권을 샀습니다. 5000원을 내고 거스름돈으로 700원을 받았다면 책 한 권의 값은 얼마인지 하나의 식으로 나타내어 답을 구하려고 합니다. 풀이 과정을 쓰고, 답을 구하세요. (단, 책의 가격은 모두 같습니다.)

풀이

답

식이 성립하도록 계산식 완성하기

22 다음 식이 성립하도록 ( )로 묶으세요.

$3 \times 14 - 6 \div 4 = 6$

23 다음 식이 성립하도록 연산 기호 중에서 알맞은 것을 골라 ○ 안에 한 번씩 써넣으세요.

$+,\quad -,\quad \times,\quad \div$

$4 ○ 3 - 6 ○ 8 ○ 2 = 10$

24 수 카드를 한 번씩만 사용하여 다음과 같은 식을 만들려고 합니다. 계산 결과가 다른 식을 2개 만들고, 계산한 값을 각각 구하세요.

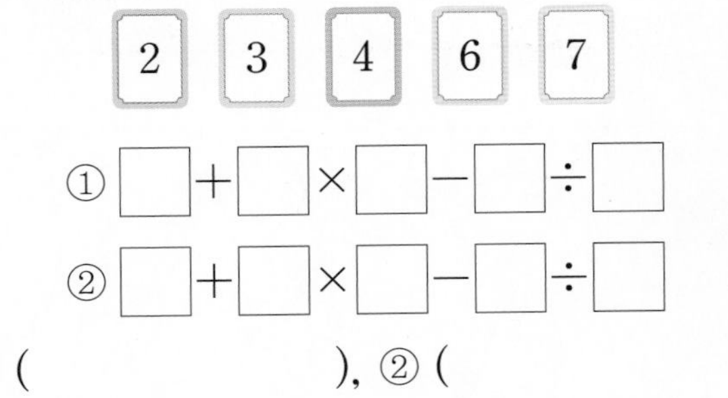

① ( ), ② ( )

STEP 2 실력 다지기

약점 체크 **식에 알맞은 문제 만들기**

유형 **25** 어느 문구점에서 파는 미술 용품의 가격입니다. 주어진 식에 알맞은 문제를 만들고 답을 구하세요.

도전 수학

스케치북 1권 4000원	색도화지 6장 3000원	색연필 10자루 8000원

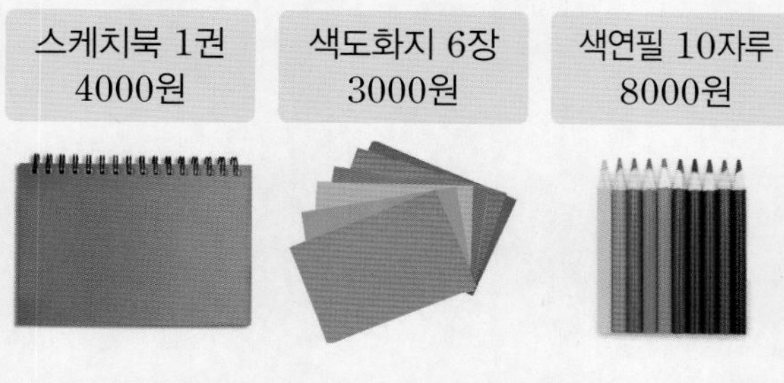

$4000-(3000\div6\times2+8000\div10)$

문제

( )

해결 주어진 식에 있는 수와 값이 같은 미술 용품을 찾아 문제를 만듭니다.

확인 **26** 다음 단어를 사용하여 식 $6\times3\div2-5+4$에 알맞은 문제를 만들고 답을 구하세요.

젤리, 형, 동생

문제

( )

약점 체크 **약속한 기호대로 계산하기**

27 ㉠★㉡을 다음과 같이 약속할 때, 6★2의 값을 구하세요.

㉠★㉡=(㉠+㉡)÷㉡

( )

해결 ★ 앞의 수와 뒤의 수를 구분하여 약속한 연산에 넣고 혼합 계산식의 계산 순서에 따라 계산합니다.

서술형

28 다음과 같이 약속할 때, 4◈(7◈6)은 얼마인지 풀이 과정을 쓰고, 답을 구하세요.

㉮◈㉯=㉯+㉯×㉮−㉮

풀이

답

약점 체크 **계산 결과를 가장 크게(작게) 만들기**

29 수 카드 [2], [3], [5]를 □ 안에 한 번씩 써넣어 식을 만들려고 합니다. 계산 결과가 가장 클 때와 가장 작을 때의 값을 각각 구하세요.

$$90 \div (\square \times \square) - \square$$

가장 클 때 (　　　　　　)

가장 작을 때 (　　　　　　)

해결 • 계산 결과가 가장 클 때: 나누는 수를 가장 작게 만듭니다.
• 계산 결과가 가장 작을 때: 나누는 수를 가장 크게 만듭니다.

30 수 카드 [4], [8], [12]를 한 번씩 사용하여 다음과 같은 식을 만들려고 합니다. 계산 결과가 가장 큰 자연수가 되도록 □ 안에 알맞은 수를 써넣고, 식을 계산하세요.

$$\square \div \square \times \square$$

(　　　　　　)

약점 체크 **크기 비교에서 □ 안에 들어갈 수 있는 수 구하기**

31 1에서 9까지의 자연수 중에서 □ 안에 들어갈 수 있는 수를 모두 구하세요.

$$72 \div (2+4) - 2 > 49 \div 7 + \square$$

(　　　　　　)

해결 계산할 수 있는 부분을 먼저 계산하여 식을 간단하게 만듭니다.

1 단원

서술형

32 □ 안에 들어갈 수 있는 가장 큰 자연수는 얼마인지 풀이 과정을 쓰고, 답을 구하세요.

$$\square < (42+18) \div 6 \times 4 - 10$$

풀이

답

STEP 3 연습 단계 실전

서술형 해결하기

연습

01 **청하의 나이는 12살이고, 오빠는 청하보다 5살이 많습니다. 어머니의 나이는 오빠 나이의 3배보다 4살이 적습니다. 어머니의 나이는 몇 살인지 풀이 과정을 쓰고, 답을 구하세요.**

서술형 포인트 청하의 나이를 기준으로 오빠의 나이를 구하는 식을 세운 후, 어머니의 나이를 구합니다.

풀이를 완성하세요.

❶ 오빠는 청하보다 5살이 많으므로 오빠의 나이는 □+5=□(살)입니다.

❷ 어머니의 나이는 오빠 나이의 3배보다 4살이 적으므로 하나의 식으로 나타내면

(어머니의 나이)= 입니다.

따라서 어머니의 나이는 □살입니다.

답

단계

02 재우네 가족은 아버지, 어머니, 형 그리고 9살인 재우로 네 식구입니다. **아버지의 나이는 몇 살**인지 풀이 과정을 쓰고, 답을 구하세요.

- 형은 재우보다 5살이 많습니다.
- 아버지는 어머니보다 3살이 적습니다.
- 어머니는 재우 형의 나이의 3배보다 2살이 많습니다.

❶ 형의 나이 구하기

풀이

❷ 어머니의 나이 구하기

풀이

❸ 아버지의 나이 구하기

풀이

답

실전

03 대화를 보고 **승환이와 아버지의 나이를 더하면 몇 살**인지 풀이 과정을 쓰고, 답을 구하세요.

풀이

답

연습, 실전 문제는 매칭북 05쪽에서 한 번 더!

정답 04쪽

연습

04 **어떤 수와 3의 곱에 8을 더한 후 2로 나누고 4를 뺐더니 9가 되었습니다. 어떤 수는 얼마인지 풀이 과정을 쓰고, 답을 구하세요.**

서술형 포인트 어떤 수를 □라 하고 식을 세운 후, 계산 순서를 거꾸로 생각하여 답을 구합니다.

풀이를 완성하세요.

❶ 어떤 수를 □라 하고 식을 세우면

입니다.

❷ 어떤 수를 구하면

입니다.

따라서 어떤 수는 □입니다.

답

단계

05 어떤 수에서 2를 빼고 8을 곱한 후 4를 더해야 하는데 잘못하여 어떤 수와 2의 곱에서 8을 뺀 후 4로 나누고 4를 더했더니 7이 되었습니다. **바르게 계산한 값은 얼마**인지 풀이 과정을 쓰고, 답을 구하세요.

❶ 어떤 수 구하기

풀이

❷ 바르게 계산한 값 구하기

풀이

답

실전

06 어떤 수에서 8을 빼고 16을 곱한 후 8로 나누어야 하는데 잘못하여 어떤 수에서 13을 빼고 8을 곱한 후 16으로 나누었더니 6이 되었습니다. **바르게 계산한 값은 얼마**인지 풀이 과정을 쓰고, 답을 구하세요.

풀이

답

단원 마무리

01 □ 안에 알맞은 수를 써넣으세요.

$22+(15-13)=\square+\square$
$=\square$

02 계산 순서에 맞게 기호를 쓰세요.

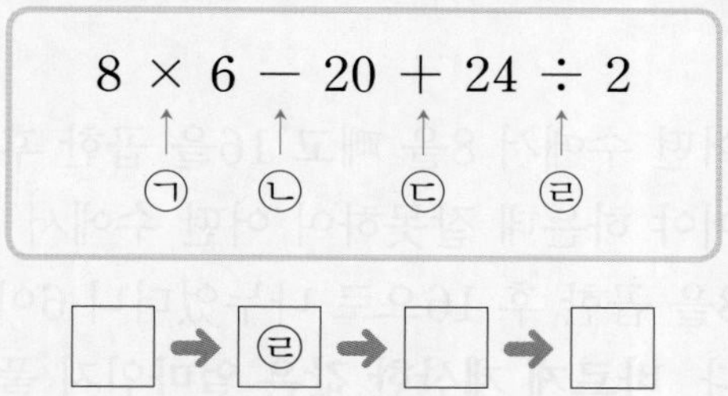

□ ➜ ㉣ ➜ □ ➜ □

03 계산 결과를 비교하여 ○ 안에 >, =, <를 알맞게 써넣으세요.

$50-(6+15)\div3$ ○ $50-6+15\div3$

04 계산하세요.

$9\times(2+6)-108\div18$

05 왼쪽 식의 계산 결과를 오른쪽에서 찾아 선으로 이으세요.

(1) $(13+8)\times3-135\div5$ •　　　• ㉠ 31

(2) $32-5\times8\div4+9$ •　　　• ㉡ 33

• ㉢ 36

06 두 식을 ( )를 사용하여 하나로 나타내세요.

- $17-48\div12=13$
- $22+13\times5=87$

➜ ______________________

07 식당에 있는 음식의 가격을 나타낸 것입니다. 우진이는 불고기 버거와 감자튀김을 먹었고, 성우는 치즈 버거를 먹었습니다. 우진이는 성우보다 얼마를 더 많이 내야 하는지 구하세요.

메뉴	가격(원)
불고기 버거	3500
치즈 버거	4000
치킨 버거	2000
감자튀김	1500

(　　　　　　　　)

08 ( )가 없어도 계산 결과가 같은 것을 모두 고르세요. (   )

① $35-(15+18)$, $35-15+18$
② $27+(19-13)$, $27+19-13$
③ $16-(11-4)$, $16-11-4$
④ $8\times6\div(3\times4)$, $8\times6\div3\times4$
⑤ $18+(5\times7)-21$, $18+5\times7-21$

09 계산 결과가 큰 순서대로 기호를 쓰세요.

㉠ $4\times6-(15+7)$
㉡ $8\times(3+20\div4)-49$
㉢ $45\div(9-4)+12$

(   )

10 운동장에 학생들이 7명씩 8줄로 서 있습니다. 4명이 한 모둠이 되어 줄넘기를 할 때 모두 몇 모둠을 만들 수 있는지 하나의 식으로 나타내고, 답을 구하세요.

식

답

11 열량은 몸속에서 발생하는 에너지의 양입니다. 표를 보고 지수가 오늘 먹은 간식의 열량은 몇 kcal인지 구하세요.
• 열량의 단위로 킬로칼로리라고 읽습니다.

오늘 먹은 간식
우유 1개, 토마토 300 g, 핫도그 2개

간식	열량 (kcal)
우유(1개)	120
토마토(100 g)	14
핫도그(4개)	800

(   )

12 두 식의 계산 결과의 합과 차를 각각 구하세요.

$60\div(15-5)\times2$ $3+(28\div7-3)\times6$

합 (   ), 차 (   )

13 ㉠●㉡을 다음과 같이 약속할 때, 16●8의 값을 구하세요.

㉠●㉡=㉠÷(㉠−㉡)+㉡

(   )

14 □ 안에 알맞은 수를 써넣으세요.

$58-\square\times9+21=61$

단원 마무리

서술형 문제

15 다음 식이 성립하도록 ( )로 묶으세요.

$$17 - 8 \times 22 - 7 \div 12 = 7$$

16 민준이는 문구점에서 한 권에 750원 하는 공책 3권과 12자루에 4800원 하는 연필 6자루를 사고 10000원을 냈습니다. 민준이가 받아야 하는 거스름돈은 얼마인지 하나의 식으로 나타내고, 답을 구하세요.

식

답

17 어떤 수와 7의 차에 8을 곱한 다음 6으로 나눈 후 15를 더해야 하는데 잘못하여 어떤 수와 7의 합에 6을 곱한 다음 8로 나눈 후 15를 뺐더니 9가 되었습니다. 바르게 계산한 값을 구하세요.

( )

18 계산에서 잘못된 곳을 찾아 그 이유를 쓰고, 바르게 계산하세요.

$$(20-6)\times 2+3=20-12+3$$
$$=8+3=11$$

이유

답

19 줄넘기를 서우는 일주일 동안 매일 20번씩 했고, 근수는 일주일 중 하루만 쉬고 나머지 날은 매일 15번씩 했습니다. 서우와 근수는 줄넘기를 모두 몇 번 했는지 하나의 식으로 나타내어 답을 구하려고 합니다. 풀이 과정을 쓰고, 답을 구하세요.

풀이

답

20 □ 안에 들어갈 수 있는 가장 큰 자연수는 얼마인지 풀이 과정을 쓰고, 답을 구하세요.

$$42\div 7\times 4-8>\square$$

풀이

답

쉬어가기

중국 친구

'니하오' 내 이름은 랑랑이야.
세계에서 인구가 가장 많은 나라인 중국에서 살아.
"니하오"는 일상생활에서 쓰는 인사말로 우리말로 "안녕하세요."라는 뜻이야.

중국에 대해서 더 소개할게.
지구상에서 가장 큰 인공 구조물이면서 중국에서 가장 유명한 만리장성(萬里長城)은 진시황이 적의 침입에 대비해 쌓았는데 그 길이가 무려 2700 km로 유네스코의 세계 문화유산으로 지정되어 있어.

중국 건축

만리장성

중국의 '판다'

'판다'는 중국을 상징하는 동물이에요.
판다의 별명은 '궈바오'로 '나라의 보물'이라는 뜻이래요.
그만큼 중국인들의 많은 사랑과 보호를 받고 있대요.

2 약수와 배수

학습 계획표

공부할 날짜를 적고 〈**진도북**〉과 〈**매칭북**〉의 쪽수를 찾아 공부하세요.

학습 내용	계획 및 확인					
	진도북			매칭북		
STEP 1 개념 완성하기	028~031쪽 →	월	일	06쪽 →	월	일
STEP 2 실력 다지기	032~035쪽 →	월	일	07~08쪽 →	월	일
STEP 1 개념 완성하기	036~039쪽 →	월	일	09쪽 →	월	일
STEP 2 실력 다지기	040~045쪽 →	월	일	10~12쪽 →	월	일
STEP 3 서술형 해결하기	046~049쪽 →	월	일	13~14쪽 →	월	일
단원 마무리	050~052쪽 →	월	일	50~52쪽 →	월	일

- 이번 단원에서 꼭 공부해야 할 **〈대표 유형〉**입니다.
- 학습한 후에 이해가 부족한 유형은 ▢ 안에 ○표 한 후 반복하여 학습하세요.

- ▢ 약수 구하기
- ▢ 약수의 합 구하기
- ▢ 배수 구하기
- ▢ 주어진 범위 내에서 배수 구하기
- ▢ 약수와 배수의 관계를 이용하여 알맞은 수 구하기
- ▢ ◆의 배수인지 알아보기
- ▢ 약점 체크 조건을 만족하는 수 구하기
- ▢ 약점 체크 □의 배수는 모두 ▲의 배수인 경우 구하기
- ▢ 공약수, 최대공약수 구하기
- ▢ 공약수와 최대공약수의 관계
- ▢ 공배수, 최소공배수 구하기
- ▢ 공배수와 최소공배수의 관계
- ▢ 최대공약수의 활용
- ▢ 최소공배수의 활용
- ▢ 십간십이지 활용 문제
- ▢ 조건에 알맞은 수 구하기
- ▢ 약점 체크 둘레를 따라 같은 간격으로 표시하기
- ▢ 약점 체크 공약수를 이용하여 어떤 수 구하기
- ▢ 약점 체크 공배수를 이용하여 어떤 수 구하기
- ▢ 약점 체크 최대공약수와 최소공배수의 관계

STEP 1

개념 완성하기

1 약수와 배수

(1) **약수**: 어떤 수를 나누어떨어지게 하는 수

예제 나눗셈식을 이용하여 8의 약수 구하기

8÷1=8　　　8÷5=1 … 3

8÷2=4　　　8÷6=1 … 2

8÷3=2 … 2　　8÷7=1 … 1

8÷4=2　　　8÷8=1

8을 1, 2, 4, 8로 나누면 나누어떨어집니다.

➡ 8의 약수: 1, 2, 4, 8

참고 모든 수는 1과 자신의 수로 나누어떨어집니다.
1은 모든 수의 약수입니다.
■의 약수 중 가장 작은 수: 1
■의 약수 중 가장 큰 수: ■

(2) **배수**: 어떤 수를 1배, 2배, 3배……한 수

예제 곱셈식을 이용하여 3의 배수 구하기

3을 1배 한 수 3 ➡ 3×1=3

3을 2배 한 수 6 ➡ 3×2=6

3을 3배 한 수 9 ➡ 3×3=9

3을 4배 한 수 12 ➡ 3×4=12

⋮　　　⋮

3을 1배, 2배, 3배, 4배……한 수: 3의 배수

➡ 3의 배수: 3, 6, 9, 12……

참고 ■의 배수 중 가장 작은 수: ■
■의 배수 중 ★번째 수: ■×★
■의 배수는 셀 수 없이 많습니다.
■의 배수 중에서 가장 큰 수는 알 수 없습니다.

중요 ◆의 배수인지 알기(배수 판정법)

- 2의 배수: 일의 자리 숫자가 0이거나 짝수
- 3의 배수: 각 자리 숫자의 합이 3의 배수
- 4의 배수: 끝의 두 자리 수가 00이거나 4의 배수
- 5의 배수: 일의 자리 숫자가 0이거나 5
- 6의 배수: 2의 배수이면서 3의 배수
- 8의 배수: 끝의 세 자리 수가 000이거나 8의 배수
- 9의 배수: 각 자리 숫자의 합이 9의 배수

개념 확인

1 □ 안에 알맞은 수를 써넣고 12의 약수를 모두 구하세요.

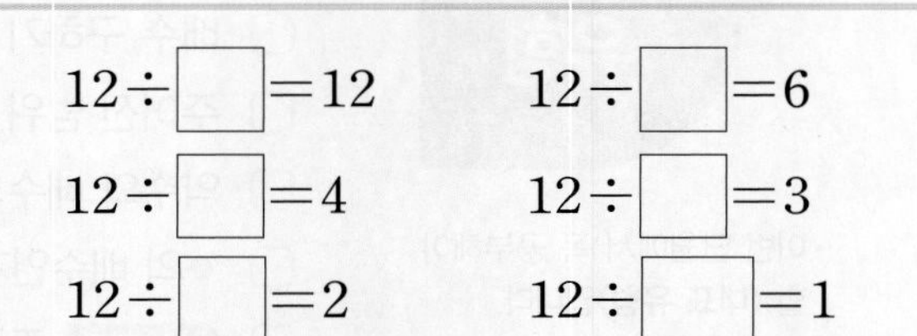

12÷□=12　　12÷□=6

12÷□=4　　12÷□=3

12÷□=2　　12÷□=1

12의 약수 (　　　　　　　　)

2 약수를 모두 구하세요.

(1) 18의 약수

(　　　　　　　　)

(2) 40의 약수

(　　　　　　　　)

3 6의 배수를 수직선에 나타내고 □ 안에 알맞은 수를 써넣으세요.

0　5　10　15　20　25

6의 배수 ➡ 6, □, □, □……

기본 유형

4 배수를 가장 작은 수부터 5개 쓰세요.

(1) 7의 배수

(　　　　　　　　　　)

(2) 13의 배수

(　　　　　　　　　　)

5 왼쪽 수가 오른쪽 수의 약수인 것에 ○표, 아닌 것에 ×표 하세요.

1	11

(　　　)

8	14

(　　　)

4	21

(　　　)

9	72

(　　　)

6 수 배열표를 보고 12의 배수에는 ○표, 15의 배수에는 △표 하세요.

11	12	13	14	15	16	17	18	19	20
21	22	23	24	25	26	27	28	29	30
31	32	33	34	35	36	37	38	39	40
41	42	43	44	45	46	47	48	49	50

7 어떤 수의 배수를 가장 작은 수부터 차례로 쓴 것입니다. 어떤 수의 배수인가요?

(1) 10, 20, 30, 40, 50……

(　　　　　)

(2) 9, 18, 27, 36, 45……

(　　　　　)

8 8의 배수를 모두 찾아 쓰세요.

20	24	28	32	36
42	48	50	54	56

(　　　　　　　　　　)

9 42의 약수 중에서 가장 작은 수와 가장 큰 수를 각각 구하세요.

가장 작은 수 (　　　　　)

가장 큰 수 (　　　　　)

STEP 1

개념 완성하기

2 곱을 이용하여 약수와 배수의 관계 알아보기

(1) 두 수의 곱으로 나타내어 약수와 배수의 관계 알아보기

예제 10을 두 수의 곱으로 나타내어 약수와 배수의 관계 알아보기

$10=1\times10$　　$10=2\times5$

• 10의 약수는 1, 2, 5, 10입니다.
• 10은 1, 2, 5, 10의 배수입니다.

➡ $10=2\times5$에서 10은 2와 5의 배수입니다. / 2와 5는 10의 약수입니다.

참고 약수와 배수의 관계
어떤 수를 두 수의 곱으로 나타냈을 때, 두 수는 어떤 수의 약수가 되고, 어떤 수는 두 수의 배수가 됩니다.

(2) 여러 수의 곱으로 나타내어 약수와 배수의 관계 알아보기

예제 28을 여러 수의 곱으로 나타내어 약수와 배수의 관계 알아보기

$28=1\times28$　　$28=2\times14$
$28=4\times7$　　$28=2\times2\times7$

• 1은 28의 약수, 28은 1의 배수
• 2는 28의 약수, 28은 2의 배수
• 4는 28의 약수, 28은 4의 배수
• 7은 28의 약수, 28은 7의 배수
• 14는 28의 약수, 28은 14의 배수
• 28은 28의 약수, 28은 28의 배수

➡ 1, 2, 4, 7, 14, 28은 28의 약수이고
28은 1, 2, 4, 7, 14, 28의 배수입니다.

참고 두 수가 약수와 배수의 관계인지 알기
(4, 28)에서 $28\div4=7$과 같이 큰 수를 작은 수로 나누었을 때 나누어떨어지면 두 수는 약수와 배수의 관계입니다.

개념 확인

1 $3\times9=27$을 보고 □ 안에 '약수'와 '배수'를 알맞게 써넣으세요.

(1) 3과 9는 27의 □입니다.

(2) 27은 3과 9의 □입니다.

2 30을 두 수의 곱으로 나타내고 □ 안에 알맞은 수를 써넣으세요.

$30=1\times$□　　$30=2\times$□
$30=3\times$□　　$30=5\times$□

(1) 1, 2, □, □, □, □, □, □
은 30의 약수입니다.

(2) 30은 1, 2, □, □, □, □, □,
□의 배수입니다.

3 16을 여러 수의 곱으로 나타내고 물음에 답하세요.

$16=1\times16$　　$16=2\times$□
$16=4\times$□　　$16=2\times$□$\times2\times2$

(1) 16의 약수를 모두 쓰세요.
(　　　　　　　　　　　　)

(2) 16은 어떤 수의 배수인지 모두 쓰세요.
(　　　　　　　　　　　　)

기본 유형 문제는 매칭북 06쪽에서 한 번 더!

정답 06쪽

기본 유형

4 두 수가 약수와 배수의 관계인 것에 ○표, 아닌 것에 ×표 하세요.

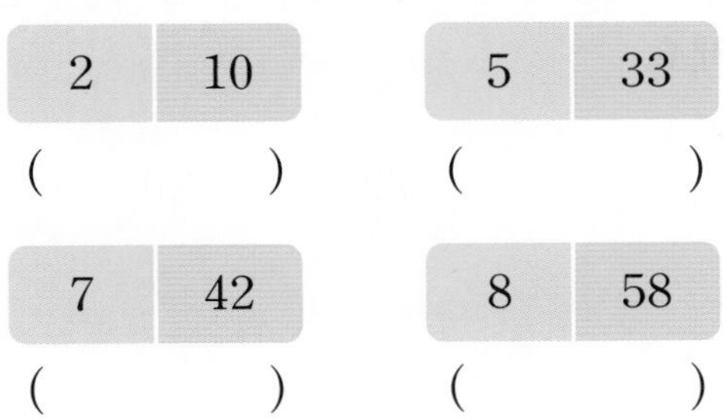

( )
( )
( )
( )

5 두 수가 약수와 배수의 관계인 것을 모두 찾아 기호를 쓰세요.

㉠ (3, 7) ㉡ (25, 5)
㉢ (14, 42) ㉣ (18, 56)

( )

6 두 수가 약수와 배수의 관계인 것을 모두 찾아 선으로 이으세요.

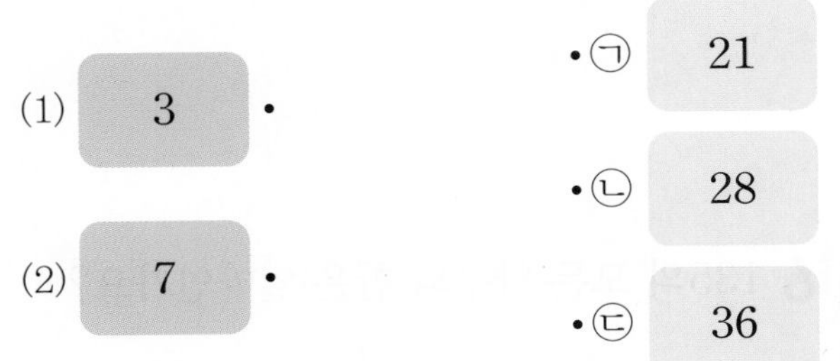

7 왼쪽 수 36과 약수와 배수의 관계인 수를 모두 찾아 쓰세요.

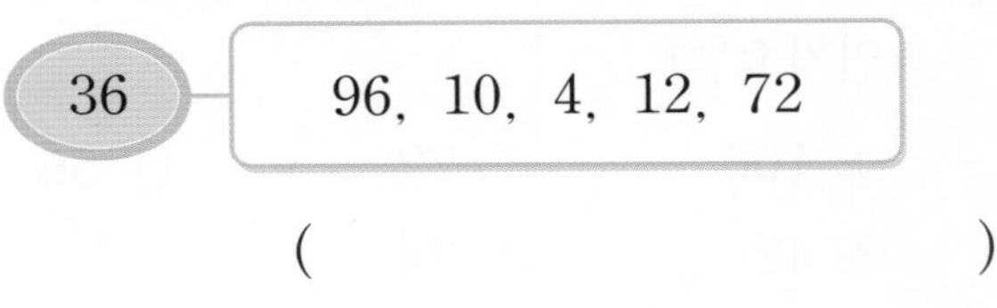

( )

2 단원

8 두 수가 약수와 배수의 관계가 되도록 빈 곳에 알맞은 수를 써넣으세요. (단, 1과 자신의 수는 제외합니다.)

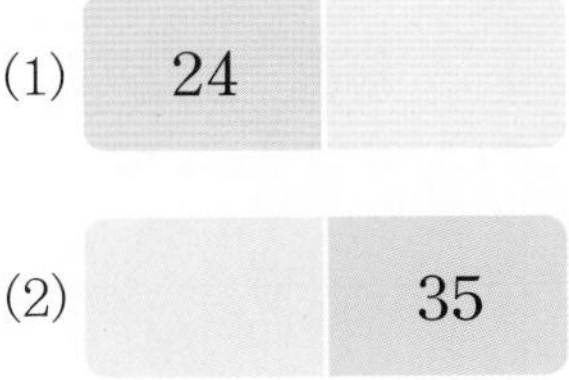

9 다음 설명 중 옳은 것은 어느 것인가요?

( )

$14=2\times7$

① 2는 7의 약수입니다.
② 7은 14의 배수입니다.
③ 7은 2의 약수입니다.
④ 14는 2와 7의 배수입니다.
⑤ 2는 7과 14의 약수입니다.

실력 다지기

약수 구하기

유형 **01** 다음 중 약수의 수가 가장 많은 수는 어느 것인가요? (   )

① 100　② 72　③ 56
④ 42　⑤ 24

확인 **02** 8은 376의 약수인지 아닌지 알아보고, 그 이유를 쓰세요. 서술형

답

이유

강화 **03** 빵 32개를 학생들에게 남김없이 똑같이 나누어 주려고 합니다. 한 명이 모두 갖는 경우는 생각하지 않을 때 빵을 나누어 줄 수 있는 방법은 모두 몇 가지인가요?

(   )

약수의 합 구하기

04 두 수 중에서 모든 약수의 합이 더 큰 수를 쓰세요.

22　20

(   )

05 다음에서 약수의 수가 가장 적은 수를 찾아 그 수의 모든 약수의 합을 구하세요.

10　25　27

(   )

06 135의 모든 약수의 합은 얼마인가요?

(   )

배수 구하기

07 16의 배수가 아닌 수를 말한 사람을 쓰세요.

( )

08 어떤 수의 배수를 가장 작은 수부터 차례로 쓴 것입니다. 15번째에 올 수를 구하세요.

7, 14, 21, 28……

( )

09 정류소에서 박물관으로 가는 버스가 오전 9시부터 8분 간격으로 출발합니다. 오전 11시까지 버스는 몇 번 출발하나요?

교과역량

( )

주어진 범위 내에서 배수 구하기

10 43보다 작은 수 중에서 6의 배수는 모두 몇 개인가요?

( )

11 다음 두 가지 조건을 만족하는 수를 모두 구하세요.

- 9의 배수입니다.
- 35보다 크고 70보다 작은 수입니다.

( )

12 14의 배수 중에서 가장 작은 세 자리 수는 얼마인지 풀이 과정을 쓰고, 답을 구하세요. 서술형

풀이

답

2 단원

약수와 배수의 관계를 이용하여 알맞은 수 구하기

유형 **13** 두 수가 약수와 배수의 관계가 되도록 만들려고 합니다. □ 안에 들어갈 수 있는 수를 모두 고르세요. ( )

54, □

① 5 ② 18 ③ 36
④ 72 ⑤ 162

확인 **14** 오른쪽 수는 왼쪽 수의 배수입니다. □ 안에 들어갈 수 있는 수를 모두 구하세요.

□, 66

( )

강화 **15** 서술형 두 수 (16, ★)은 약수와 배수의 관계입니다. ★에 알맞은 수가 아닌 것을 찾아 기호를 쓰려고 합니다. 풀이 과정을 쓰고, 답을 구하세요.

㉠ 2 ㉡ 6 ㉢ 8 ㉣ 32 ㉤ 80

풀이

답

◆의 배수인지 알아보기

16 다음 수와 관계있는 것을 모두 찾아 기호를 쓰세요.

8475

㉠ 3의 배수 ㉡ 4의 배수
㉢ 5의 배수 ㉣ 9의 배수

( )

17 다음 네 자리 수는 9의 배수입니다. □ 안에 알맞은 수를 구하세요.

30□2

( )

18 수 카드를 한 번씩만 사용하여 세 자리 수를 만들려고 합니다. 만들 수 있는 수 중에서 가장 큰 5의 배수를 구하세요.

1 5 7

( )

약점 체크 조건을 만족하는 수 구하기

19 소미와 세운이가 카드의 수를 맞히는 놀이를 하고 있습니다. 대화를 읽고 소미가 설명하는 수를 구하세요.
교과 역량

> 소미: 내 카드의 수를 맞혀 봐.
> 이 수는 10보다 크고 26보다 작아.
> 세운: 또 다른 설명은 없어?
> 소미: 5의 배수이고 60의 약수야.
> 세운: 아직 잘 모르겠어.
> 소미: 이 수는 짝수야.

( )

해결 조건에 해당하는 수를 구한 후 공통으로 만족하는 수를 찾습니다.

20 다음 조건을 모두 만족하는 수를 구하세요.

> • 40의 약수입니다.
> • 20의 약수가 아닙니다.
> • 한 자리 수입니다.

( )

약점 체크 □의 배수는 모두 ▲의 배수인 경우 구하기

21 연주와 성훈이 중 옳게 말한 사람을 쓰세요.

( )

해결 15는 5를 3배 한 수임을 생각하며 15의 배수와 5의 배수를 비교합니다.

서술형

22 1부터 9까지의 수 중에서 □ 안에 들어갈 수 있는 수를 모두 구하려고 합니다. 풀이 과정을 쓰고, 답을 구하세요.

> 16의 배수는 모두 □의 배수입니다.

풀이

답

STEP 1

개념 완성하기

3 공약수와 최대공약수

- 공약수: 공통된 약수
- 최대공약수: 공약수 중에서 가장 큰 수

예제 1 12와 20의 공약수와 최대공약수 구하기

12의 약수: 1, 2, 3, 4, 6, 12
20의 약수: 1, 2, 4, 5, 10, 20

➜ 공약수: 1, 2, 4 최대공약수: 4
└ 12의 약수도 되고 20의 약수도 됩니다.

예제 2 공약수와 최대공약수의 관계 알아보기

12와 20의 공약수: 1, 2, 4
12와 20의 최대공약수: 4
최대공약수 4의 약수: 1, 2, 4

➜ 최대공약수의 약수가 공약수입니다.

중요 공약수와 최대공약수의 관계
(두 수의 공약수)=(두 수의 최대공약수의 약수)
두 수의 최대공약수를 알면 두 수의 공약수를 구할 수 있습니다.

4 최대공약수 구하는 방법

예제 42와 70의 최대공약수 구하기

방법 1 ① 두 수를 여러 수의 곱으로 나타냅니다.
② (두 수의 최대공약수)=(공통으로 들어 있는 곱셈식)

$42=7\times2\times3$ $70=7\times2\times5$
$\quad\|\qquad\qquad\|$
$\quad14\qquad\quad14$

42와 70의 최대공약수

방법 2 ① 1 이외의 공약수로 두 수를 나누고 각각의 몫을 밑에 씁니다.
② 1 이외의 공약수가 없을 때까지 나눗셈을 계속합니다.
③ (두 수의 최대공약수)=(나눈 공약수들의 곱)

42와 70의 공약수 → 2) 42 70
21과 35의 공약수 → 7) 21 35 → 42와 70을 각각 2로 나눈 몫
3 5

➜ 42와 70의 최대공약수: $2\times7=14$

개념 확인

1 16과 40의 공약수와 최대공약수를 구하세요.

16의 약수: 1, 2, 4, 8, 16
40의 약수: 1, 2, 4, 5, 8, 10, 20, 40

공약수 (　　　　　　)
최대공약수 (　　　　　　)

[2~4] 18과 30의 최대공약수를 구하려고 합니다. 물음에 답하세요.

2 18과 30의 약수를 모두 쓰세요.

18의 약수	
30의 약수	

3 2의 표에서 18과 30의 공약수를 모두 찾아 쓰세요.

(　　　　　　)

4 18과 30의 최대공약수를 구하세요.

(　　　　　　)

정답 08쪽

기본 유형

5 □ 안에 알맞은 수를 써넣고, 42와 36의 최대공약수를 구하세요.

$42=\square\times7$

$36=6\times\square$

(　　　　　　)

6 32와 44의 공약수를 이용하여 32와 44의 최대공약수를 구하세요.

2) 32 44

(　　　　　　)

7 두 수의 최대공약수를 구하세요.

(1) (45, 75) ➔ (　　　　　　)

(2) (24, 60) ➔ (　　　　　　)

8 어떤 두 수의 최대공약수가 9일 때 두 수의 공약수를 모두 구하세요.

(　　　　　　)

9 27과 54의 공약수가 <u>아닌</u> 것은 어느 것인가요? (　　)

① 1　② 3　③ 9

④ 18　⑤ 27

10 36과 48의 최대공약수를 두 가지 방법으로 구하세요.

방법 1 곱셈식을 이용하여 구하기

방법 2 공약수를 이용하여 구하기

2 단원

STEP 1

개념 완성하기

5 공배수와 최소공배수

• 공배수: 공통된 배수

• 최소공배수: 공배수 중에서 가장 작은 수

예제 1 8과 12의 공배수와 최소공배수 구하기

8의 배수: 8, 16, 24, 32, 40, 48……
12의 배수: 12, 24, 36, 48, 60……

➡ 공배수: 24, 48……   최소공배수: 24

└ 8의 배수도 되고 12의 배수도 됩니다.

예제 2 공배수와 최소공배수의 관계 알아보기

8과 12의 공배수: 24, 48……
8과 12의 최소공배수: 24
최소공배수 24의 배수: 24, 48……

➡ 최소공배수의 배수가 공배수입니다.

중요 공배수와 최소공배수의 관계

(두 수의 공배수)=(두 수의 최소공배수의 배수)

두 수의 최소공배수를 알면 두 수의 공배수를 구할 수 있습니다.

6 최소공배수 구하는 방법

예제 12와 30의 최소공배수 구하기

방법 1 ① 두 수를 여러 수의 곱으로 나타냅니다.

② (두 수의 최소공배수)

=(공통으로 들어 있는 곱셈식)×(남은 수들의 곱)

$12=2\times2\times3$ $30=2\times3\times5$

➡ 12와 30의 최소공배수: $2\times2\times3\times5=60$

방법 2 ① 1 이외의 공약수로 두 수를 나누고 각각의 몫을 밑에 씁니다.

② 1 이외의 공약수가 없을 때까지 나눗셈을 계속합니다.

③ (두 수의 최소공배수)

=(나눈 공약수들의 곱)×(밑에 남은 몫의 곱)

$$\begin{array}{r|rr} 2 & 12 & 30 \\ \hline 3 & 6 & 15 \\ \hline & 2 & 5 \end{array}$$

➡ 12와 30의 최소공배수: $2\times3\times2\times5=60$

개념 확인

1 2와 3의 공배수와 최소공배수를 구하세요.
(단, 공배수는 가장 작은 수부터 차례로 3개만 쓰세요.)

2의 배수: 2, 4, 6, 8, 10, 12……
3의 배수: 3, 6, 9, 12, 15, 18……

공배수 (   )

최소공배수 (   )

[2~4] 4와 6의 최소공배수를 구하려고 합니다. 물음에 답하세요.

2 4와 6의 배수를 가장 작은 수부터 차례로 6개만 쓰세요.

4의 배수	
6의 배수	

3 2의 표에서 4와 6의 공배수를 모두 찾아 쓰세요.

(   )

4 4와 6의 최소공배수를 구하세요.

(   )

정답 08쪽

기본 유형

5 12와 28을 여러 수의 곱으로 나타내고 두 수의 최소공배수를 구하세요.

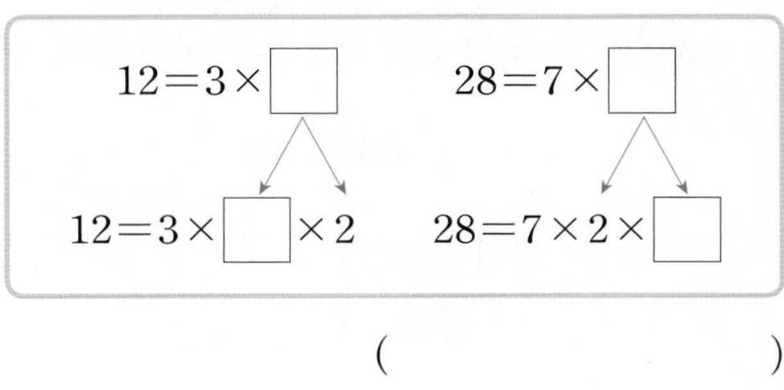

( )

6 18과 24의 공약수를 이용하여 18과 24의 최소공배수를 구하세요.

2) 18 24

( )

7 두 수의 최소공배수를 구하세요.

(1) (16, 20) ➔ ( )

(2) (36, 63) ➔ ( )

8 어떤 두 수의 최소공배수가 8일 때 두 수의 공배수를 가장 작은 수부터 3개만 쓰세요.

( )

9 6의 배수도 되고 27의 배수도 되는 수 중에서 가장 작은 수를 구하세요.

( )

10 14와 21의 최소공배수를 두 가지 방법으로 구하세요.

방법 1 곱셈식을 이용하여 구하기

방법 2 공약수를 이용하여 구하기

STEP 2 유형 확인 강화

실력 다지기

공약수, 최대공약수 구하기

유형 **01** 어떤 두 수의 공약수를 모두 쓴 것입니다. 두 수의 최대공약수는 얼마인가요?

1, 4, 20, 5, 2, 10

( )

확인 **02** 대화를 읽고 잘못 말한 사람을 찾아 이름을 쓰고, 그 이유를 설명하세요. 서술형

민지: 30과 42의 공약수 중에서 가장 작은 공약수는 2야.
정원: 30과 42의 공약수는 두 수를 모두 나누어떨어지게 할 수 있어.
우리: 30과 42의 공약수 중에서 가장 큰 수는 6이야.

답

이유

강화 **03** 두 수의 최대공약수가 가장 큰 것의 기호를 쓰세요.

㉠ (15, 45) ㉡ (36, 20) ㉢ (54, 72)

( )

공약수와 최대공약수의 관계

04 두 수의 최대공약수를 구하고, 최대공약수를 이용하여 두 수의 공약수를 모두 구하세요.

48 60

최대공약수 ( )
공약수 ( )

05 어떤 두 수가 있습니다. 이 두 수의 최대공약수가 18일 때 두 수의 모든 공약수의 합을 구하세요.

( )

06 66과 어떤 수의 최대공약수는 22입니다. 66과 어떤 수의 공약수는 모두 몇 개인가요?

( )

정답 09쪽

공배수, 최소공배수 구하기

07 20부터 50까지의 수 중에서 4의 배수이면서 6의 배수인 수를 모두 쓰세요.

(　　　　　　　　)

08 성연이가 설명하는 수를 구하세요.

8과 12의 공배수야. 그리고 40보다 크고 70보다 작아.

공배수는 많은데 그중에서 어떤 수일까?

(　　　　　　　　)

09 정우와 슬이가 다음과 같이 규칙에 따라 각각 바둑돌을 40개씩 놓을 때, 같은 자리에 흰 바둑돌을 놓는 경우는 모두 몇 번인가요?

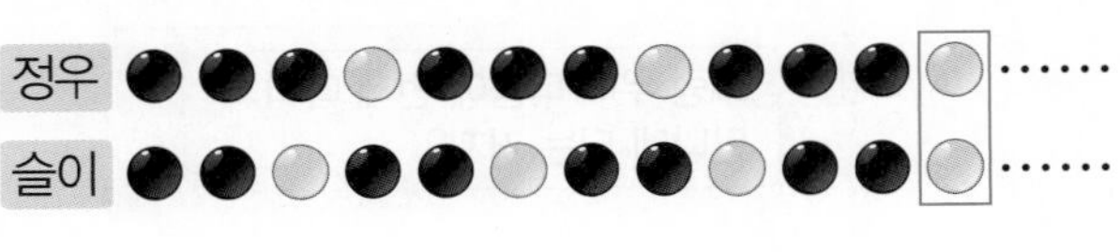

(　　　　　　　　)

공배수와 최소공배수의 관계

10 어떤 두 수의 최소공배수가 16일 때 두 수의 공배수 중 두 자리 수는 모두 몇 개인가요?

(　　　　　　　　)

11 두 수 가와 나를 여러 수의 곱으로 나타낸 것입니다. 두 수 가와 나의 공배수를 가장 작은 수부터 4개만 쓰세요.

가$=2\times3\times7$
나$=2\times5\times7$

(　　　　　　　　)

서술형

12 두 수의 공배수 중에서 100보다 작은 수는 모두 몇 개인지 풀이 과정을 쓰고, 답을 구하세요.

(14, 28)

풀이

답

2 단원

STEP 2 실력 다지기

최대공약수의 활용

유형 **13** 사탕 30개와 과자 45개를 최대한 많은 친구들에게 남김없이 똑같이 나누어 주려고 합니다. 최대 몇 명의 친구들에게 나누어 줄 수 있나요?

( )

확인 **14** 연필 78자루와 형광펜 84자루를 최대한 많은 상자에 남김없이 똑같이 나누어 담으려고 합니다. 한 상자에 연필과 형광펜을 각각 몇 자루씩 담아야 하나요?

연필 ( )

형광펜 ( )

서술형

강화 **15** 가로가 112 cm이고 세로가 126 cm인 직사각형 모양의 현관 바닥을 정사각형 모양의 타일로 덮으려고 합니다. 최대한 큰 타일을 사용하여 현관 바닥을 겹치지 않게 빈틈없이 덮으려면 타일은 모두 몇 장 필요한지 풀이 과정을 쓰고, 답을 구하세요.

풀이

답

최소공배수의 활용

16 규리는 1부터 50까지의 수를 차례로 말하면서 다음과 같은 놀이를 하였습니다. 처음으로 손뼉을 치면서 동시에 제자리 뛰기를 하게 하는 수를 구하세요.

규칙
- 15의 배수에서는 말하는 대신 손뼉을 칩니다.
- 9의 배수에서는 말하는 대신 제자리 뛰기를 합니다.

( )

17 지수와 현수는 원 모양의 놀이터 둘레를 일정한 빠르기로 걷고 있습니다. 지수는 6분마다, 현수는 8분마다 놀이터를 한 바퀴 돕니다. 두 사람이 출발점에서 같은 방향으로 동시에 출발할 때, 출발 후 50분 동안 출발점에서 몇 번 다시 만나나요?

( )

18 교과역량 대화를 읽고 7월 1일 이후 처음으로 도서관에서 만나는 날은 몇 월 며칠인지 구하세요.

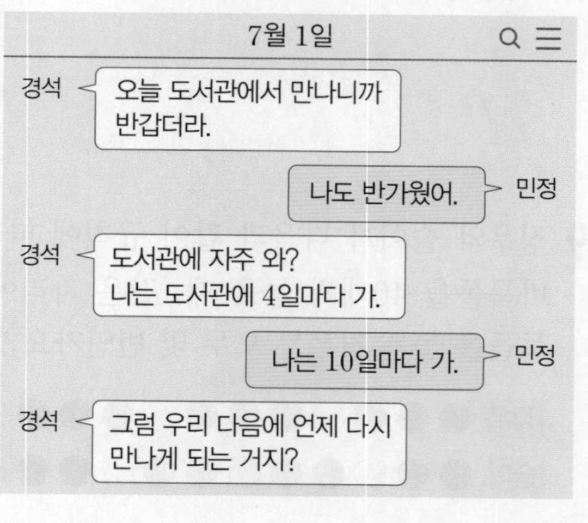

( )

십간십이지 활용 문제

19 교과역량 2019년은 대한민국 임시정부 수립 100주년이 되는 해로 '기해년'입니다. 2031년이 되는 해의 이름과 그해에 태어나는 사람의 띠를 차례로 구하세요.

우리 조상들은 연도를 나타낼 때, 10일을 뜻하는 십간과 12종류의 동물을 뜻하는 십이지를 사용했습니다. 십간은 10년마다, 십이지는 12년마다 반복되는데 십간과 십이지를 순서대로 하나씩 짝을 지어 갑자년, 을축년, 병인년……으로 해마다 이름을 붙이고, 그해에 태어난 사람의 띠를 정해 왔습니다.

십간(十干)	갑(甲)	을(乙)	병(丙)	정(丁)	무(戊)	기(己)	경(庚)	신(辛)	임(壬)	계(癸)

십이지(十二支)	자(子)	축(丑)	인(寅)	묘(卯)	진(辰)	사(巳)	오(午)	미(未)	신(申)	유(酉)	술(戌)	해(亥)
	쥐	소	호랑이	토끼	용	뱀	말	양	원숭이	닭	개	돼지

( ), ( )

20 서술형 올해 12살인 미소는 이모와 띠가 서로 같습니다. 띠는 모두 12가지가 있고, 12년마다 같은 띠가 되풀이됩니다. 이모의 나이는 33살인 삼촌보다 많고, 42살인 어머니보다 적다면 이모의 나이는 몇 살인지 풀이 과정을 쓰고, 답을 구하세요.

풀이

답

조건에 알맞은 수 구하기

21 수정이가 설명하는 수를 구하세요.

( )

22 다음 조건을 모두 만족하는 수는 몇 개인가요?

- 12의 배수입니다.
- 30의 배수입니다.
- 100보다 크고 200보다 작습니다.

( )

23 두 수의 공배수가 150보다 작으면서 150에 가장 가까운 것을 찾아 기호를 쓰세요.

㉠ (4, 14) ㉡ (12, 16) ㉢ (15, 20)

( )

STEP 2 실력 다지기

약점 체크 **둘레를 따라 같은 간격으로 표시하기**

유형 **24** 도전 수학 다음과 같은 직사각형 모양의 목장이 있습니다. 이 목장의 가장자리를 따라 일정한 간격으로 나무를 심으려고 합니다. 네 모퉁이에는 반드시 나무를 심고, 나무는 가장 적게 심으려고 합니다. 필요한 나무는 몇 그루인지 구하세요. (단, 나무의 두께는 생각하지 않습니다.)

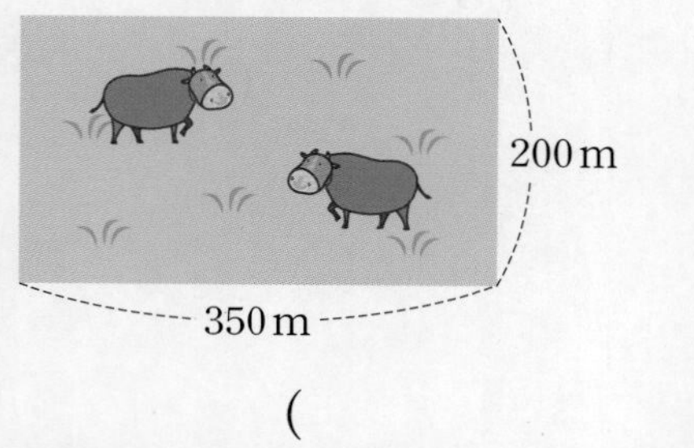

( )

해결 일정한 간격으로 나무를 가장 적게 심으려면 최대공약수, 최소공배수 중에서 어떤 방법을 이용해야 하는지 먼저 찾습니다.

확인 **25** 둘레가 800 m인 원 모양의 호수 둘레에 같은 곳에서 시작하여 25 m 간격으로 쓰레기통을 놓고, 16 m 간격으로 가로등을 세우려고 합니다. 쓰레기통을 놓을 곳과 가로등을 세울 곳이 겹치면 가로등만 세우려고 합니다. 쓰레기통과 가로등은 각각 몇 개씩 필요하나요? (단, 쓰레기통과 가로등의 두께는 생각하지 않습니다.)

쓰레기통 ( )

가로등 ( )

약점 체크 **공약수를 이용하여 어떤 수 구하기**

26 81과 117을 각각 어떤 수로 나누었더니 모두 나누어떨어졌습니다. 어떤 수가 될 수 있는 수 중에서 1보다 큰 수를 모두 구하세요.

( )

해결 주어진 문제를 식으로 나타내어 봅니다.

81÷(어떤 수)=● ┐ 어떤 수는 81과 117을 모두
117÷(어떤 수)=▲ ┘ 나누어떨어지게 하는 수

서술형

27 17과 29를 어떤 수로 나누었더니 나머지가 각각 1이었습니다. 어떤 수가 될 수 있는 수는 모두 몇 개인지 풀이 과정을 쓰고, 답을 구하세요.

풀이

답

정답 09쪽

약점 체크 **공배수를 이용하여 어떤 수 구하기**

28 8로 나누어도 나누어떨어지고, 10으로 나누어도 나누어떨어지는 수 중에서 가장 작은 수를 구하세요.

( )

해결 주어진 문제를 식으로 나타내어 봅니다.
(어떤 수)÷8=■ ┐어떤 수는 8과 10으로
(어떤 수)÷10=★ ┘나누어떨어지는 수

서술형

29 12로 나누어도 9로 나누어도 나머지가 모두 2인 어떤 수가 있습니다. 어떤 수가 될 수 있는 수 중에서 가장 작은 수는 얼마인지 풀이 과정을 쓰고, 답을 구하세요.

풀이

답

약점 체크 **최대공약수와 최소공배수의 관계**

30 12와 어떤 수의 최대공약수와 최소공배수를 구한 것입니다. 어떤 수는 얼마인가요?

최대공약수	최소공배수
4	60

( )

해결 두 수를 여러 수의 곱으로 나타낼 때 두 수를 최대공약수와 다른 수의 곱으로 나타낼 수 있습니다. (단, ●, ♥는 공약수가 1뿐인 수입니다.)
■=●×▲, ★=▲×♥일 때 ┌ 최대공약수: ▲
└ 최소공배수: ▲×●×♥

31 ■와 24의 최대공약수는 6이고, 최소공배수는 72입니다. ■는 얼마인지 구하세요.

( )

2 단원

STEP 3 연습 단계 실전

서술형 해결하기

연습

01 **두 수 (45, ▼)는 약수와 배수의 관계입니다. ▼의 모든 약수의 합이 24일 때 ▼는 얼마인지 풀이 과정을 쓰고, 답을 구하세요.**

서술형 포인트 두 수가 약수와 배수의 관계가 되려면 어떤 조건을 만족해야 하는지 생각합니다.

풀이를 완성하세요.

❶ ▼의 모든 약수의 합이 24이고 45와 ▼는 약수와 배수의 관계이므로 ▼는 45의 ☐입니다.

45의 ☐: ☐, ☐, ☐, ☐, ☐, ☐

❷ 45의 약수 중에서 모든 약수의 합이 24인 수를 찾아보면

(☐의 약수의 합)= 입니다.

따라서 45의 ☐ 중에서 모든 약수의 합이 24인 수는 ☐이므로 ▼는 ☐입니다.

답

단계

02 7의 배수인 어떤 수가 있습니다. 이 수의 약수를 모두 더했더니 56이었습니다. **어떤 수는 얼마인지 풀이 과정을 쓰고, 답을 구하세요.**

❶ 7의 배수 구하기

풀이

❷ 7의 배수 중 모든 약수의 합이 56인 수 구하기

풀이

답

실전

03 8과 약수와 배수의 관계인 어떤 수가 있습니다. 이 수의 모든 약수의 합은 60입니다. **어떤 수는 얼마인지 풀이 과정을 쓰고, 답을 구하세요.**

풀이

답

연습, 실전 문제는 매칭북 13쪽에서 한 번 더!

정답 11쪽

연습

04 버스 터미널에서 부산행 버스는 10분마다, 여수행 버스는 15분마다 각각 출발합니다. 오전 6시에 두 버스가 동시에 출발했다면 다음에 처음으로 동시에 출발하는 시각은 오전 몇 시 몇 분인지 풀이 과정을 쓰고, 답을 구하세요.

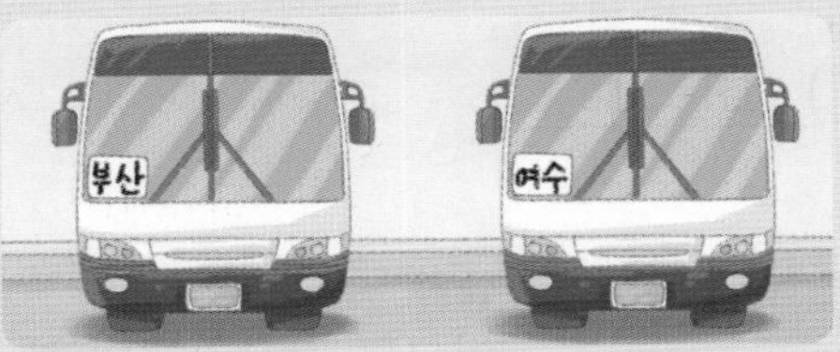

서술형 포인트 두 버스가 몇 분마다 동시에 출발하는지 구하려면 최대공약수, 최소공배수 중에서 어떤 방법을 이용해야 하는지 먼저 생각합니다.

풀이를 완성하세요.

❶ 두 버스가 10분, 15분마다 각각 출발하므로 동시에 출발하는 시각을 구하려면 10과 15의 [   ]를 구합니다.

) 10　15

❷ 두 버스는 [ ]분마다 동시에 출발하므로 다음에 처음으로 동시에 출발하는 시각은 오전 [ ]시 [ ]분입니다.

답

2 단원

단계

05 수미네 동네 마을버스 출발 시간표입니다. A 버스와 B 버스는 일정한 간격으로 출발하고 오전 5시 30분에 동시에 출발했습니다. **다음에 처음으로 동시에 출발하는 시각**은 오전 몇 시 몇 분인지 풀이 과정을 쓰고, 답을 구하세요.

출발 시각

출발 순서	1	2	3	……
A 버스	오전 5:30	오전 5:46	오전 6:02	……
B 버스	오전 5:30	오전 5:42	오전 5:54	……

❶ 두 버스가 몇 분마다 동시에 출발하는지 구하기

풀이

❷ 다음에 처음으로 동시에 출발하는 시각 구하기

풀이

답

실전

06 고속버스 터미널에 있는 버스 출발 시간표입니다. 가 버스와 나 버스는 일정한 간격으로 출발하고 오전 7시 20분에 동시에 출발했습니다. **세 번째로 동시에 출발하는 시각**은 오전 몇 시 몇 분인지 풀이 과정을 쓰고, 답을 구하세요.

출발 시각

출발 순서	가 버스	나 버스
1	오전 7:20	오전 7:20
2	오전 7:28	오전 7:32
3	오전 7:36	오전 7:44
⋮	⋮	⋮

풀이

답

STEP 3 서술형 해결하기

연습

07 그림과 같은 직사각형 모양의 색종이를 남는 부분 없이 크기가 같은 정사각형 모양으로 자르려고 합니다. 가장 큰 정사각형 모양으로 자르려면 정사각형의 한 변의 길이를 몇 cm로 해야 하는지 풀이 과정을 쓰고, 답을 구하세요.

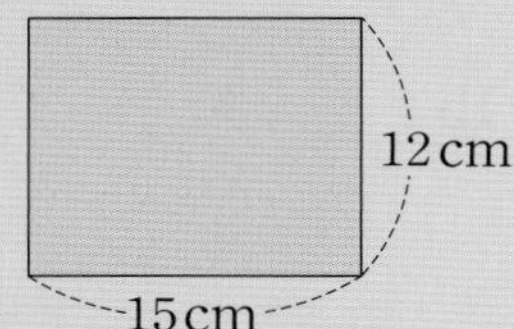

서술형 포인트 직사각형을 남는 부분 없이 잘라 가장 큰 정사각형을 만들 때 최대공약수, 최소공배수 중에서 어떤 방법을 이용해야 하는지 먼저 생각합니다.

풀이를 완성하세요.

❶ 남는 부분 없이 크기가 같은 가장 큰 정사각형을 만들어야 하므로 직사각형의 가로와 세로의 ☐를 구합니다.

) 15 12

❷ ☐가 ☐이므로 정사각형의 한 변의 길이를 ☐ cm로 해야 합니다.

답

단계

08 가로가 60 cm, 세로가 45 cm인 직사각형 모양의 종이를 남는 부분 없이 잘라 크기가 같은 정사각형 모양을 여러 장 만들려고 합니다. 만들 수 있는 **가장 큰 정사각형은 모두 몇 장**인지 풀이 과정을 쓰고, 답을 구하세요.

❶ 정사각형의 한 변의 길이 구하기

풀이

❷ 정사각형의 수 구하기

풀이

답

실전

09 그림과 같이 가로가 20 cm, 세로가 12 cm인 직사각형 모양의 카드를 겹치지 않게 늘어놓아 될 수 있는 대로 작은 정사각형을 만들려고 합니다. **카드는 모두 몇 장 필요**한지 풀이 과정을 쓰고, 답을 구하세요.

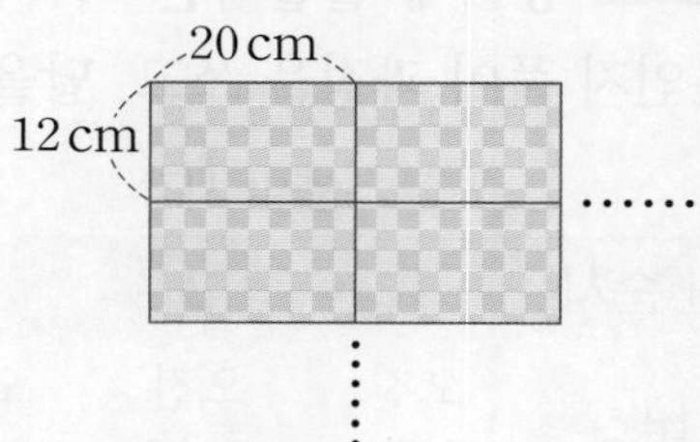

풀이

답

정답 11쪽

연습

10 **어떤 수로 42를 나누면 나머지가 6이고, 59를 나누면 나머지가 5입니다. 어떤 수가 될 수 있는 수 중에서 가장 작은 수는 얼마인지 풀이 과정을 쓰고, 답을 구하세요.**

서술형 포인트 공약수, 공배수 중에서 어떤 방법을 이용해야 하는지 먼저 찾습니다.

풀이를 완성하세요.

❶ 어떤 수는 42−☐=☐과 59−☐=☐의 ☐입니다.

이 두 수의 최대공약수는 ☐이므로 두 수의 공약수는 　　　　　　입니다.

❷ 어떤 수는 나머지보다 커야 하므로 어떤 수가 될 수 있는 수 ☐, ☐ 중에서 ☐입니다.

답

단계

11 다음 **조건을 모두 만족하는 수는 몇 개**인지 풀이 과정을 쓰고, 답을 구하세요.

- 어떤 수로 84를 나누면 나머지가 4입니다.
- 어떤 수로 93을 나누면 나머지가 3입니다.

❶ 80과 90의 공약수 구하기

풀이

❷ 조건을 모두 만족하는 수는 몇 개인지 구하기

풀이

답

실전

12 다음 조건을 모두 만족하는 어떤 수를 구하려고 합니다. **어떤 수가 될 수 있는 수는 모두 몇 개**인지 풀이 과정을 쓰고, 답을 구하세요.

77÷(어떤 수)=♥…5
88÷(어떤 수)=●…4

풀이

답

2 단원

단원 마무리

01 약수를 모두 구하세요.

21의 약수

(   )

02 수 배열표에서 8의 배수를 모두 찾아 ○표 하세요.

31	32	33	34	35	36	37	38	39	40
41	42	43	44	45	46	47	48	49	50
51	52	53	54	55	56	57	58	59	60
61	62	63	64	65	66	67	68	69	70

03 다음을 보고 18과 30의 공약수를 모두 구하세요.

18의 약수: 1, 2, 3, 6, 9, 18
30의 약수: 1, 2, 3, 5, 6, 10, 15, 30

(   )

04 두 수가 약수와 배수의 관계인 것은 어느 것인가요? (   )

① (4, 14)　② (6, 8)
③ (9, 12)　④ (10, 20)
⑤ (11, 23)

05 32와 28의 공약수를 이용하여 32와 28의 최소공배수를 구하세요.

) 32 28

(   )

06 다음 설명 중 잘못된 것을 모두 고르세요. (   )

① 1은 모든 수의 배수입니다.
② 배수에는 자신의 수도 포함됩니다.
③ 어떤 수의 약수는 무수히 많습니다.
④ 어떤 수의 배수는 무수히 많습니다.
⑤ 어떤 수의 약수는 1과 자신의 수를 포함합니다.

07 두 수의 최대공약수와 최소공배수를 각각 구하세요.

(16, 24)

최대공약수 (   )
최소공배수 (   )

08 5는 35의 약수이고, 35는 5의 배수입니다. 이 관계를 나타내는 곱셈식을 쓰세요.

식

09 24와 36을 어떤 수로 나누면 두 수 모두 나누어떨어집니다. 어떤 수가 될 수 있는 수 중에서 가장 큰 수를 구하세요.

( )

10 8과 15의 공배수 중에서 450에 가장 가까운 수를 구하세요.

( )

11 두 수의 최소공배수가 작은 것부터 차례로 기호를 쓰세요.

㉠ (3, 5)	㉡ (18, 24)
㉢ (15, 25)	㉣ (20, 30)

( )

12 자두 36개와 복숭아 27개를 최대한 많은 접시에 남김없이 똑같이 나누어 담으려고 합니다. 한 접시에 자두와 복숭아를 각각 몇 개씩 담아야 하나요?

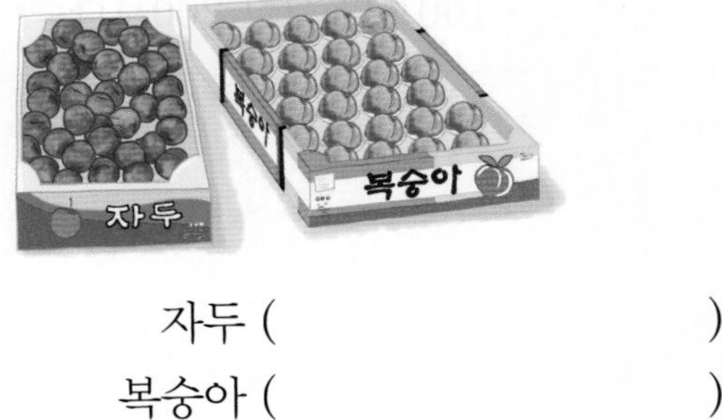

자두 ( )
복숭아 ( )

13 두 수 ㉠과 ㉡의 최대공약수가 33일 때 최소공배수를 구하세요.

㉠$=3\times4\times11$
㉡$=3\times5\times\square$

( )

14 기계 ㉮와 ㉯가 있습니다. 기계 ㉮는 10일마다, 기계 ㉯는 18일마다 정기 점검을 합니다. 오늘 두 기계를 동시에 점검했다면 다음에 처음으로 두 기계를 동시에 점검하는 날은 며칠 후인가요?

( )

단원 마무리

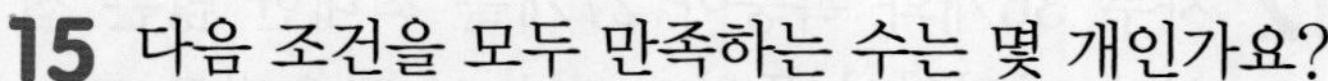

15 다음 조건을 모두 만족하는 수는 몇 개인가요?

- 9의 배수입니다.
- 12의 배수입니다.
- 100보다 크고 200보다 작습니다.

( )

16 가로가 40 cm, 세로가 52 cm인 직사각형 모양의 종이를 남는 부분 없이 크기가 같은 정사각형 모양으로 자르려고 합니다. 가장 큰 정사각형 모양으로 자르려면 정사각형의 한 변의 길이를 몇 cm로 해야 하나요?

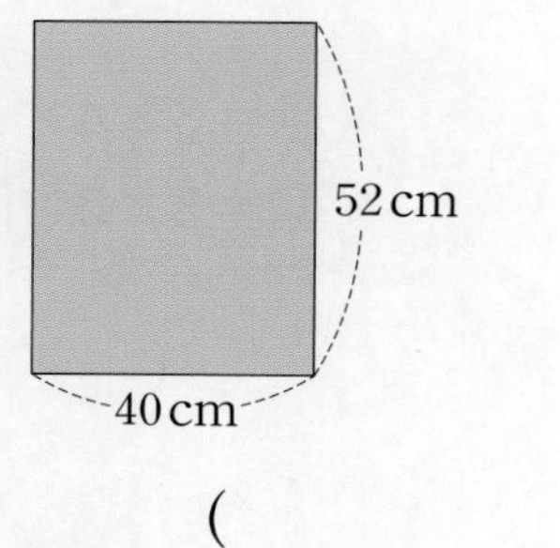

( )

17 어떤 수로 25를 나누면 나머지가 1이고, 35를 나누면 나머지가 3입니다. 어떤 수가 될 수 있는 수 중에서 가장 작은 수를 구하세요.

( )

서술형 문제

18 9의 배수는 모두 3의 배수입니다. 그 이유를 쓰세요.

이유

19 대화를 읽고 잘못 말한 사람을 찾아 이름을 쓰고, 그 이유를 설명하세요.

지우: 64와 72의 최대공약수는 최소공배수보다 커.
안나: 64와 72의 공약수는 64와 72의 최대공약수의 약수와 같아.
소정: 64와 72의 공배수는 64와 72의 최소공배수의 배수와 같아.

답

이유

20 종호는 4일마다, 서연이는 6일마다 수영장에 갑니다. 4월 2일에 두 사람이 수영장에서 만났다면 4월 한 달 동안 두 사람은 수영장에서 몇 번 만나는지 풀이 과정을 쓰고, 답을 구하세요.

풀이

답

'앙샹떼' 내 이름은 엠마야.
나는 빛의 도시이며 관광 도시인
프랑스 파리에 살고 있어.
"앙샹떼"는 프랑스어로 "만나서 반갑다."는 뜻이야.

유럽 문화와 예술의 중심지인 프랑스의 수도 파리는 낭만이 가득한 로맨틱한 도시야. 에펠탑 아래에서 행복한 시간을 보내거나 세계 3대 박물관 중 하나인 루브르 박물관을 관람하고 파리지앵처럼 걸으며 자유로운 여행을 할 수 있어.

마카롱

'마카롱'은 프랑스의 대표적인 쿠키예요.
전 세계적으로 마카롱에 대한 선호도가 높아지면서 한국, 일본, 중국 등 아시아 국가에서도 흔하게 찾아볼 수 있어요.

3 규칙과 대응

학습 계획표

공부할 날짜를 적고 〈**진도북**〉과 〈**매칭북**〉의 쪽수를 찾아 공부하세요.

학습 내용	계획 및 확인					
	진도북			매칭북		
STEP 1 개념 완성하기	056~059쪽 ➜	월	일	15쪽 ➜	월	일
STEP 2 실력 다지기	060~063쪽 ➜	월	일	16~17쪽 ➜	월	일
STEP 3 서술형 해결하기	064~065쪽 ➜	월	일	18쪽 ➜	월	일
단원 마무리	066~068쪽 ➜	월	일	53~55쪽 ➜	월	일

대표 유형

- 이번 단원에서 꼭 공부해야 할 **〈대표 유형〉**입니다.
- 학습한 후에 이해가 부족한 유형은 ☐ 안에 ○표 한 후 반복하여 학습하세요.

☐ 모양 조각의 수 사이의 대응 관계 나타내기
☐ 두 양 사이의 대응 관계 나타내기
☐ 표를 보고 대응 관계를 식으로 나타내기
☐ 대응 관계를 찾아 식으로 나타내기
☐ 대응 관계를 보고 옳은지 틀린지 구분하기
☐ 두 양 사이의 대응 관계 활용
☐ 약점 체크 규칙적인 배열에서 ☐째의 수 구하기
☐ 약점 체크 그림에서 대응 관계를 찾아 값 구하기

STEP 1

개념 완성하기

1 두 양 사이의 관계

예제 1 컵의 수와 숟가락의 수 사이의 관계 알기

→ ?

① 컵의 수와 숟가락의 수 변화

컵의 수가 1개씩 늘어날 때, 숟가락의 수는 2개씩 늘어납니다.

② 컵의 수와 숟가락의 수 사이의 관계를 말로 나타내기

예 • 컵의 수는 숟가락의 수의 반과 같습니다.

• 숟가락의 수는 컵의 수의 2배입니다.

예제 2 흰 돌의 수와 검은 돌의 수 사이의 관계 알기

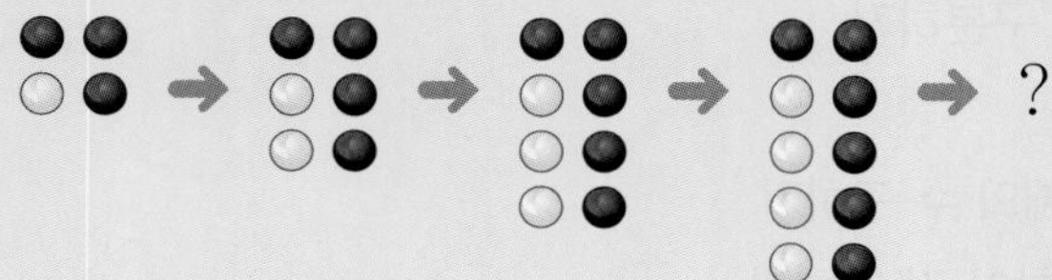

① 돌의 수 변화

• 처음에 만든 모양에서 아래로 흰 돌과 검은 돌이 1개씩 늘어납니다.

• 흰 돌의 수는 1, 2, 3……으로 1씩 늘어납니다.

• 검은 돌의 수는 3, 4, 5……로 1씩 늘어납니다.

② 돌의 수 변화를 표로 나타내기

윗줄에 있는 검은 돌 2개는 변하지 않고, 그 아래에 있는 흰 돌과 검은 돌의 수가 1개씩 늘어납니다.

흰 돌의 수(개)	1	2	3	4	……
검은 돌의 수(개)	3 (2+1)	4 (2+2)	5 (2+3)	6 (2+4)	……

+2

변하지 않는 부분 / 변하는 부분

③ 흰 돌의 수와 검은 돌의 수 사이의 관계를 말로 나타내기

예 • 검은 돌의 수는 흰 돌의 수보다 2개 많습니다.

• 흰 돌의 수는 검은 돌의 수보다 2개 적습니다.

개념 확인

[1~2] 도형의 배열을 보고 물음에 답하세요.

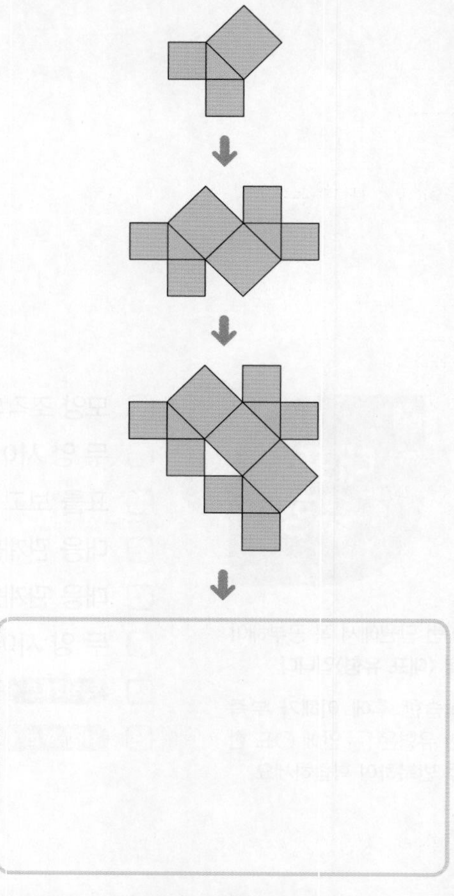

1 다음에 이어질 모양을 그리세요.

2 삼각형의 수와 사각형의 수 사이의 관계를 생각하며 □ 안에 알맞은 수를 써넣으세요.

(1) 삼각형이 10개일 때 필요한 사각형의 수는 □개입니다.

(2) 삼각형이 30개일 때 필요한 사각형의 수는 □개입니다.

(3) 삼각형의 수를 □배 하면 사각형의 수와 같습니다.

정답 13쪽

기본 유형

[3~5] 삼각판과 사각판으로 규칙적인 배열을 만들고 있습니다. 물음에 답하세요.

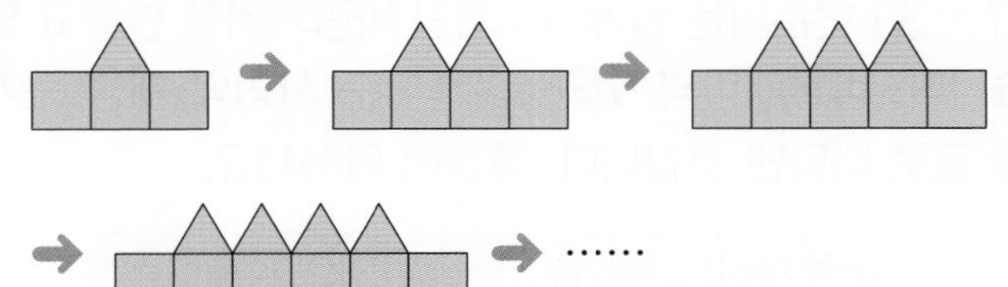

3 모양에서 변하는 부분과 변하지 않는 부분을 생각하며 삼각판의 수와 사각판의 수가 어떻게 변하는지 표를 완성하세요.

삼각판의 수(개)	1	2	3	4	……
사각판의 수(개)	3				……

4 삼각판이 25개일 때 사각판은 몇 개일까요?

( )

5 삼각판의 수와 사각판의 수 사이의 대응 관계를 나타낸 것입니다. □ 안에 알맞은 수를 써넣으세요.

삼각판의 수에 □를 더하면 사각판의 수와 같습니다.

[6~7] 수영을 한 시간과 소모된 열량 사이의 대응 관계를 알아보려고 합니다. 수영을 1분 하면 7 kcal의 열량이 소모된다고 할 때, 물음에 답하세요.

6 수영을 한 시간(분)과 소모된 열량(kcal) 사이의 대응 관계를 나타낸 표를 완성하세요.

시간(분)	1	2	6	10	……
열량(kcal)	7				……

7 □ 안에 알맞은 수를 써넣어 수영을 한 시간(분)과 소모된 열량(kcal) 사이의 대응 관계를 나타내세요.

(1) 수영을 한 시간(분)에 □을 곱하면 소모된 열량(kcal)과 같습니다.

(2) 소모된 열량(kcal)을 □로 나누면 수영을 한 시간(분)과 같습니다.

8 사각형의 수와 변의 수 사이의 대응 관계를 쓰세요.

사각형의 수(개)	1	2	3	4	5
변의 수(개)	4	8	12	16	20

□는 □의 □배입니다.

STEP 1

개념 완성하기

2 대응 관계를 식으로 나타내기

두 양 사이의 대응 관계를 식으로 간단하게 나타낼 때는 각 양을 ○, △, □, ☆ 등과 같은 기호로 표현할 수 있습니다.

예제 세발자전거의 수와 바퀴의 수 사이의 대응 관계를 식으로 나타내기

세발자전거의 수(대)	1	2	3	4
바퀴의 수(개)	3	6	9	12

(÷3, ×3)

① 대응 관계를 식으로 나타내기
- (세발자전거의 수)×3=(바퀴의 수)
- (바퀴의 수)÷3=(세발자전거의 수)

② 세발자전거의 수를 □, 바퀴의 수를 △라고 할 때 두 양 사이의 대응 관계를 식으로 나타내기
➜ □×3=△ 또는 △÷3=□

참고 ☆과 ◇ 사이의 대응 관계를 식으로 나타내기 (단, ☆>◇)

합이 일정한 경우	차가 일정한 경우
☆+◇=㉠ ➜ ㉠−☆=◇, ㉠−◇=☆	☆−◇=㉠ ➜ ☆−㉠=◇, ㉠+◇=☆
곱이 일정한 경우	**몫이 일정한 경우**
☆×◇=㉠ ➜ ㉠÷☆=◇, ㉠÷◇=☆	☆÷◇=㉠ ➜ ☆÷㉠=◇, ㉠×◇=☆

3 생활 속에서 대응 관계를 찾아 식으로 나타내기

예제 정혁이는 12살이고 형은 14살일 때, 정혁이와 형의 나이 사이의 대응 관계를 식으로 나타내기

① 대응 관계를 식으로 나타내기
형은 정혁이보다 14−12=2(살) 많습니다.
➜ (정혁이의 나이)+2=(형의 나이)

② 형의 나이를 □, 정혁이의 나이를 △라고 할 때 두 양 사이의 대응 관계를 식으로 나타내기
➜ △+2=□ 또는 □−2=△

개념 확인

[1~3] 현준이는 날개가 6개인 바람개비를 만들고 있습니다. 바람개비의 수와 날개의 수 사이의 대응 관계를 표로 나타낸 것입니다. 물음에 답하세요.

바람개비의 수(개)	날개의 수(개)
1	6
2	
5	
	240
70	
⋮	⋮

1 위의 바람개비의 수와 날개의 수 사이의 대응 관계를 나타낸 표를 완성하세요.

2 바람개비의 수와 날개의 수 사이의 대응 관계를 나타내려고 합니다. □ 안에 알맞은 수나 말을 써넣으세요.

(1) (□의 수)×□=(□의 수)

(2) (□의 수)÷□=(□의 수)

3 바람개비의 수를 ○, 날개의 수를 ◇라고 할 때 두 양 사이의 대응 관계를 식으로 나타내세요.

식 ____

[4~6] 주변에서 볼 수 있는 대응 관계를 나타낸 것입니다. 대응 관계를 찾아 식으로 나타내세요.

4

의자의 수를 ○, 팔걸이의 수를 ♡라고 하면 대응 관계는 [　　　　] 입니다.

5

우유 1갑에 들어 있는 탄수화물의 양 9 g

우유의 수를 □(갑), 탄수화물의 양을 △(g)이라고 하면 대응 관계는 [　　　　] 입니다.

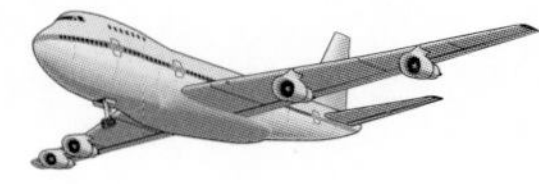

1시간에 850 km를 이동하는 비행기

비행기의 이동 거리를 ◎(km), 걸린 시간을 ◇(시간)이라고 하면 대응 관계는

[　　　　] 입니다.

기본 유형

7 관계있는 것끼리 선으로 이으세요.

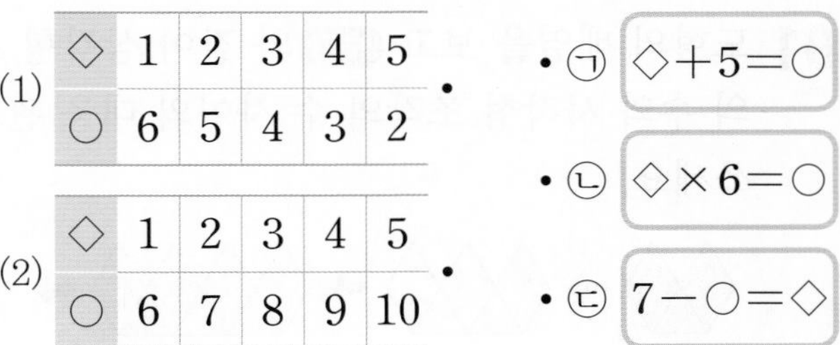

(1)

◇	1	2	3	4	5
○	6	5	4	3	2

(2)

◇	1	2	3	4	5
○	6	7	8	9	10

• ㉠ ◇+5=○

• ㉡ ◇×6=○

• ㉢ 7−○=◇

8 정연이와 단비가 연산 카드와 수 카드로 대응 관계를 만들어 알아맞히기를 하고 있습니다. 정연이가 말한 수와 단비가 답한 수를 보고 대응 관계를 찾아 식으로 나타내세요.

정연이가 말한 수	6	4	13	……
단비가 답한 수	12	8	26	……

[　　　　] 를 △, 단비가 답한 수를 ○라고 하면 대응 관계는 [　　　　] 입니다.

9 칫솔이 한 묶음에 8개씩 들어 있습니다. 칫솔 묶음의 수를 △, 칫솔의 수를 ⊙라고 할 때 두 양 사이의 대응 관계를 식으로 나타내세요.

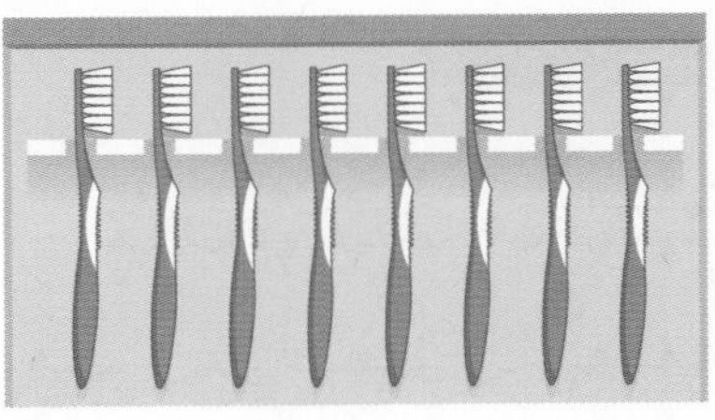

식

STEP 2 유형 확인 강화

실력 다지기

모양 조각의 수 사이의 대응 관계 나타내기

유형 **01** 도형의 배열을 보고 보기 와 같이 삼각형 조각의 수와 사각형 조각의 수 사이의 대응 관계를 쓰세요.

보기
삼각형 조각의 수는 사각형 조각의 수보다 1개 적습니다.

(　　　　　　　　　　　　　　　　　　　　)

확인 **02** 사각형 조각으로 규칙적인 배열을 만들고 있습니다. 배열에서 수 카드가 배열 순서를 나타낼 때 배열 순서와 사각형 조각의 수 사이의 대응 관계를 쓰세요.

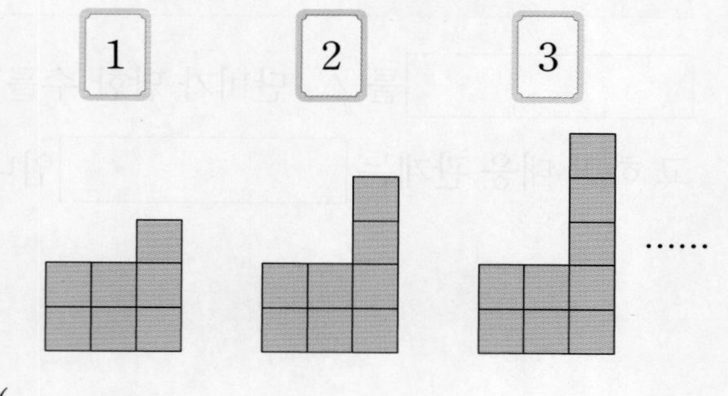

(　　　　　　　　　　　　　　　　　　　　)

강화 **03** 규칙적인 배열을 보고 별 조각의 수와 사각형 조각의 수 사이의 대응 관계를 쓰세요.

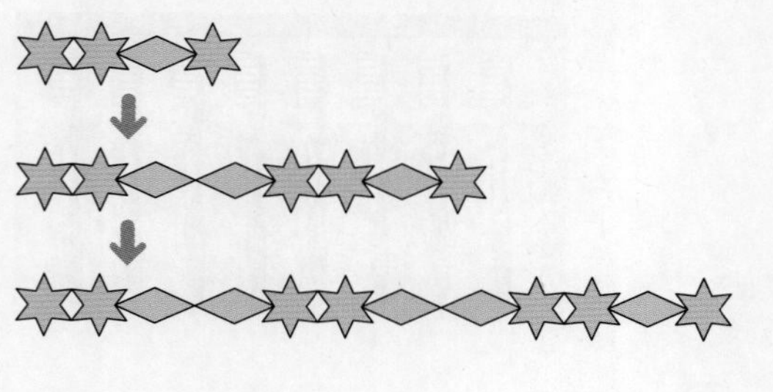

(　　　　　　　　　　　　　　　　　　　　)

두 양 사이의 대응 관계 나타내기

04 길이가 50 cm인 리본을 잘라서 사용한 길이와 남은 길이를 나타낸 것입니다. 표를 완성하고, 사용한 길이와 남은 길이 사이의 대응 관계를 쓰세요.

사용한 길이 (cm)	1	2	3	4	5
남은 길이 (cm)					

(　　　　　　　　　　　　　　　　　　　　)

05 어느 빵집에 한 개에 1000원인 빵이 있습니다. 이 빵의 팔린 개수와 판매 금액 사이의 대응 관계를 쓰세요.

(　　　　　　　　　　　　　　　　　　　　)

서술형

06 오각형의 수와 변의 수 사이의 대응 관계를 2가지로 쓰세요.

①

②

정답 13쪽

표를 보고 대응 관계를 식으로 나타내기

07 표를 보고 ○와 □ 사이의 대응 관계를 식으로 옳게 나타낸 것을 모두 찾아 기호를 쓰세요.

○	1	2	3	4	5
□	8	16	24	32	40

㉠ □×8=○　　㉡ ○×8=□
㉢ □÷8=○　　㉣ ○÷8=□

(　　　　　　　　)

08 표를 완성하고, □와 ☆ 사이의 대응 관계를 식으로 나타내세요.

□	1	2	3		5
☆	7	6		4	3

식

09 대응 관계를 나타낸 식을 보고 표를 완성하고, 식에 알맞은 상황을 한 가지 쓰세요.

☆−6=△

△	9	10	11	12	13
☆	15	16			

(　　　　　　　　)

대응 관계를 찾아 식으로 나타내기

10 걷기 대회에서 사용할 이름표 한 개를 만드는 데 색종이 2장이 필요합니다. 사용한 색종이의 수를 □, 이름표의 수를 △라고 할 때 두 양 사이의 대응 관계를 식으로 나타내세요.

식

11 수도꼭지에서 1분에 12 L의 물이 나옵니다. 물이 나온 시간을 ▽(분), 나온 물의 양을 ○(L)라고 할 때 두 양 사이의 대응 관계를 식으로 나타내세요.

식

서술형

12 민지는 매일 책을 아침에 10분, 저녁에 20분씩 읽습니다. 민지가 책을 읽은 날수를 ○(일), 책을 읽은 전체 시간을 ☆(분)이라고 할 때 두 양 사이의 대응 관계를 식으로 나타내려고 합니다. 풀이 과정을 쓰고, 식으로 나타내세요.

풀이

식

3 단원

STEP 2 실력 다지기

대응 관계를 보고 옳은지 틀린지 구분하기

유형 **13** 한 모둠에 5명씩 앉아 있습니다. 모둠의 수를 ○, 학생 수를 △라고 할 때 지성이와 정연이 중 두 양 사이의 대응 관계에 대해 옳게 이야기한 사람의 이름을 쓰세요.

모둠의 수와 학생 수 사이의 대응 관계는 ○×5=△로 나타낼 수도 있고, △÷5=○로 나타낼 수도 있어.

모둠의 수와 학생 수 사이의 관계는 매번 달라.

( )

확인 **14** 한 사람에게 고무공을 3개씩 나누어 주고 있습니다. 사람 수와 고무공의 수 사이의 관계를 잘못 이야기한 사람을 찾아 이름을 쓰세요.

성우: 사람 수를 □, 고무공의 수를 △라고 할 때 두 양 사이의 관계는 △÷3=□야.
재환: 대응 관계를 알면 사람 수가 많을 때도 고무공의 수를 쉽게 알 수 있어.
미나: 사람 수와 고무공의 수 사이의 관계는 항상 일정해.
민현: 대응 관계를 나타낸 식 △×3=□에서 △는 고무공의 수, □는 사람 수를 나타내.

( )

두 양 사이의 대응 관계 활용

15 ◇와 ○ 사이의 대응 관계를 나타낸 표입니다. ○가 20일 때 ◇의 값을 구하세요.

◇	1	2	3	4	5
○	14	15	16	17	18

( )

16 □와 ☆ 사이의 대응 관계를 나타낸 표입니다. 표를 완성하고, □가 48일 때 ☆의 값을 구하세요.

□	6	12	18	24	30
☆	1	2	3		

( )

서술형

17 △와 ○ 사이의 대응 관계를 나타낸 표입니다. ㉠은 얼마인지 풀이 과정을 쓰고, 답을 구하세요.

△	1	2	3	……	8
○	12	24	36	……	㉠

풀이

답

정답 13쪽

약점 체크 규칙적인 배열에서 □째의 수 구하기

18 도전 수학 수 카드는 배열 순서를 나타냅니다. 배열 순서와 사각형 조각의 수 사이의 대응 관계를 찾아 50째에 필요한 사각형 조각의 수를 구하세요.

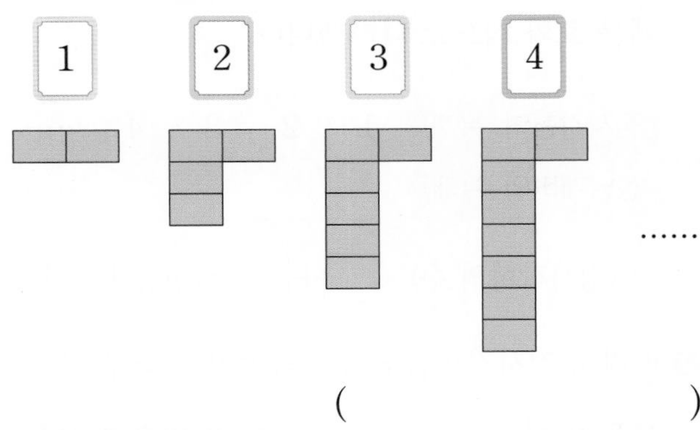

( )

해결 배열 순서와 사각형 조각의 수 사이의 대응 관계를 표로 나타낸 후 식으로 나타냅니다.

19 배열 순서에 따른 노란색 사각형의 수와 연두색 사각형의 수 사이의 대응 관계를 찾아 45째에 필요한 연두색 사각형 조각의 수를 구하세요.

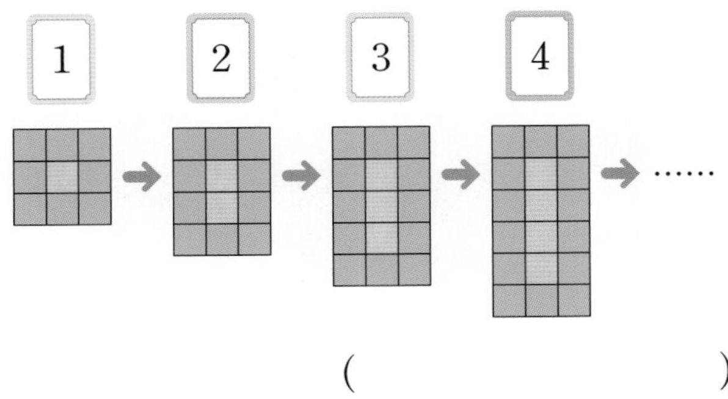

( )

약점 체크 그림에서 대응 관계를 찾아 값 구하기

20 수수깡을 사용하여 다음과 같은 규칙으로 탑을 쌓고 있습니다. 7층으로 쌓는 데 필요한 수수깡은 몇 개인지 구하세요.

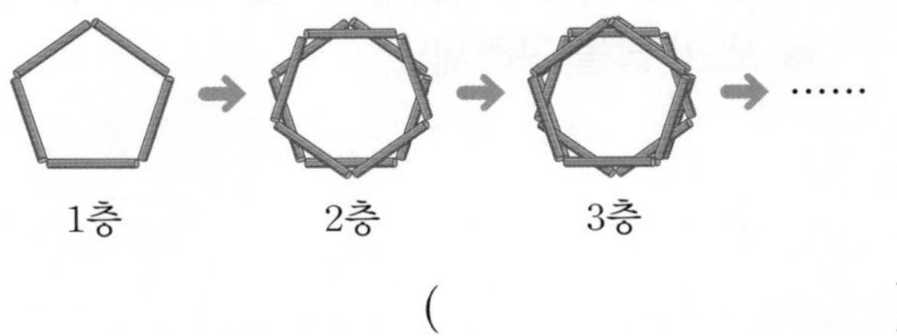

( )

해결 탑의 층수가 높아짐에 따라 수수깡의 수가 어떻게 변하는지 찾아 탑의 층수와 수수깡의 수 사이의 대응 관계를 식으로 나타냅니다.

서술형

21 다음과 같은 규칙으로 구슬을 놓고 있습니다. 8째에 놓는 구슬은 몇 개인지 풀이 과정을 쓰고, 답을 구하세요.

……

첫째 둘째 셋째

풀이

답

STEP 3 연습 단계 실전

서술형 해결하기

연습

01 성냥개비를 사용하여 다음과 같은 규칙으로 정사각형을 만들고 있습니다. 정사각형을 8개 만드는 데 필요한 성냥개비는 모두 몇 개인지 풀이 과정을 쓰고, 답을 구하세요.

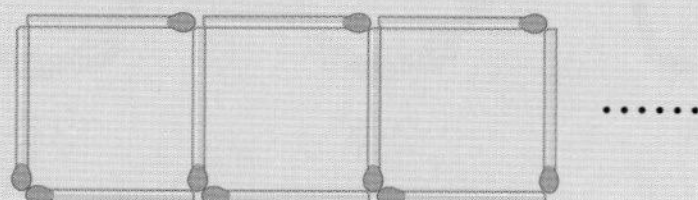

서술형 포인트 정사각형의 수와 성냥개비의 수 사이의 대응 관계를 표나 식으로 나타내어서 알아봅니다.

풀이를 완성하세요.

❶ 정사각형의 수와 성냥개비의 수 사이의 대응 관계를 표와 식으로 나타냅니다.

정사각형의 수(개)	1	2	3	4	……
성냥개비의 수(개)					……

➜ (정사각형의 수)×□+□=(성냥개비의 수)

❷ 따라서 정사각형을 8개 만들려면 성냥개비는 모두 8×□+□=□(개)가 필요합니다.

답

단계

02 성냥개비를 사용하여 다음과 같은 규칙으로 정삼각형을 만들고 있습니다. **성냥개비 31개로 만들 수 있는 정삼각형은 몇 개**인지 풀이 과정을 쓰고, 답을 구하세요.

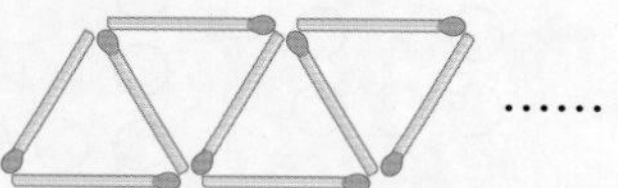

❶ 정삼각형의 수와 성냥개비의 수 사이의 대응 관계를 표와 식으로 나타내기

풀이

❷ 성냥개비 31개로 만들 수 있는 정삼각형의 수 구하기

풀이

답

실전

03 성냥개비를 사용하여 다음과 같은 규칙으로 정오각형을 만들고 있습니다. **성냥개비 33개로 만들 수 있는 정오각형은 몇 개**인지 풀이 과정을 쓰고, 답을 구하세요.

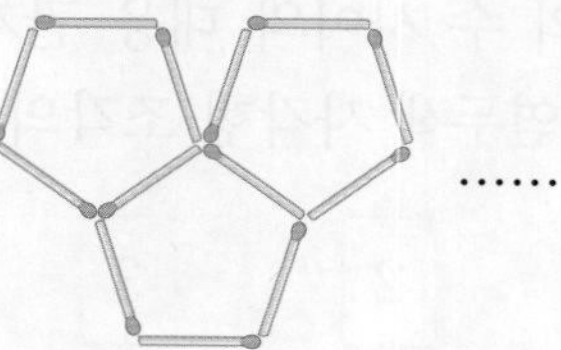

풀이

답

정답 15쪽

연습

04 **□, △, ○ 사이의 대응 관계를 나타낸 표입니다. ㉠+㉡은 얼마인지 풀이 과정을 쓰고, 답을 구하세요.**

□	1	2	3	4	5
△	10	20	㉠	40	50
○	3	4	5	㉡	7

서술형 포인트 값이 모두 주어진 □를 기준으로 □와 △, □와 ○ 사이의 대응 관계를 찾아 ㉠과 ㉡을 구합니다.

풀이를 완성하세요.

❶ □와 △ 사이의 대응 관계를 식으로 나타내면

□×[ ]=△이므로 □=3일 때

3×[ ]=[ ]에서 ㉠=[ ]입니다.

❷ □와 ○ 사이의 대응 관계를 식으로 나타내면

□+[ ]=○이므로 □=4일 때

4+[ ]=[ ]에서 ㉡=[ ]입니다.

❸ 따라서 ㉠+㉡=[ ]+[ ]=[ ]입니다.

답

단계

05 ♡, ☆, ◇ 사이의 대응 관계를 나타낸 표입니다. **㉡−㉠은 얼마**인지 풀이 과정을 쓰고, 답을 구하세요.

♡	1	2	3	4	5
☆	㉠	6	7	8	9
◇	15	30	45	60	㉡

❶ ㉠에 알맞은 수 구하기

풀이

❷ ㉡에 알맞은 수 구하기

풀이

❸ ㉡−㉠의 값 구하기

풀이

답

실전

06 △, ○, ♡ 사이의 대응 관계를 나타낸 표입니다. **㉠+㉡−㉢은 얼마**인지 풀이 과정을 쓰고, 답을 구하세요.

△	1	2	3	4	㉢
○	8	㉠	24	32	40
♡	29	28	27	㉡	25

풀이

답

3 단원

단원 마무리

[01~02] 그림과 같이 색 테이프를 자르고 있습니다. 물음에 답하세요.

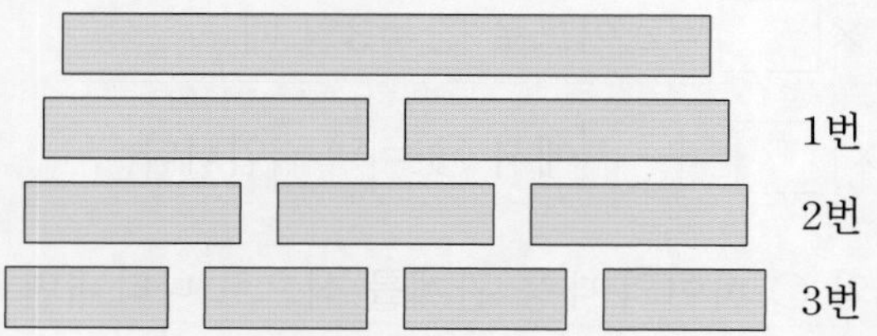

01 색 테이프를 자른 횟수와 색 테이프 도막의 수 사이의 대응 관계를 나타낸 표를 완성하세요.

색 테이프를 자른 횟수(번)	1	2	3	4
색 테이프 도막의 수(개)	2			

02 색 테이프를 자른 횟수와 색 테이프 도막의 수 사이의 대응 관계를 나타낸 것입니다. □ 안에 알맞은 수를 써넣으세요.

> 색 테이프 도막의 수는 색 테이프를 자른 횟수보다 □ 큽니다.

03 칠각형의 수와 변의 수 사이의 대응 관계를 나타낸 표를 완성하고, 두 양 사이의 대응 관계를 쓰세요.

칠각형의 수(개)	1	2	3	4
변의 수(개)	7			

□는 □의 □배입니다.

[04~05] 진우와 정우가 저금을 하려고 합니다. 진우는 가지고 있던 2500원을 먼저 저금하였고, 두 사람은 다음 달부터 한 달에 2000원씩 저금을 하기로 했습니다. 물음에 답하세요.

04 진우가 모은 돈과 정우가 모은 돈 사이의 대응 관계를 나타낸 표를 완성하세요.

	진우가 모은 돈(원)	정우가 모은 돈(원)
저금 시작	2500	0
한 달 후	4500	2000
2달 후		
3달 후		
⋮	⋮	⋮

05 알맞은 카드를 골라 표를 통해 알 수 있는 두 양 사이의 대응 관계를 식으로 나타내세요.

> 정우가 모은 돈   진우가 모은 돈
> $+$ $-$ $\times$ $\div$ $=$
> 1000   2000   2500

□ □ □ □ □

06 표를 보고 ☆과 ♡ 사이의 대응 관계를 2가지 식으로 나타내세요.

☆	1	2	3	4	5
♡	4	8	12	16	20

식 ,

07 □와 ○ 사이의 대응 관계를 식으로 옳게 나타낸 것은 어느 것인가요? (　　　　)

□	2	3	4	5	6
○	6	9	12	15	18

① □+4=○　　② □×3=○

③ □÷3=○　　④ □−3=○

⑤ □−4=○

08 표를 보고 ☆과 ◇ 사이의 대응 관계를 옳게 말한 사람을 찾아 이름을 쓰세요.

☆	1	2	3	4	5
◇	14	13	12	11	10

- 현수: ◇는 ☆보다 13이 커.
- 미연: ◇에서 ☆을 뺀 수는 13이야.
- 정진: 15에서 ☆을 뺀 수가 ◇야.

(　　　　　　　　)

[09~10] 미나의 나이와 연도 사이의 대응 관계를 알아보려고 합니다. 물음에 답하세요.

09 미나의 나이와 연도 사이의 대응 관계를 나타낸 표를 완성하세요.

미나의 나이(살)		13			
연도(년)	2019	2020	2023	2028	2035

10 미나의 나이와 연도 사이의 대응 관계를 식으로 나타내세요.

식

11 구슬을 꿰어 팔찌를 만들고 있습니다. 팔찌 한 개를 만드는 데 구슬 21개가 필요합니다. 팔찌의 수를 □, 구슬의 수를 ○라고 할 때 두 양 사이의 대응 관계를 식으로 나타내세요.

식

[12~13] 어떤 자동차가 휘발유 1 L로 12 km를 간다고 합니다. 물음에 답하세요.

12 휘발유의 양을 □(L), 자동차가 갈 수 있는 거리를 △(km)라고 할 때 □와 △ 사이의 대응 관계를 식으로 나타내세요.

식

13 이 자동차가 휘발유 16 L로 갈 수 있는 거리는 몇 km일까요?

(　　　　　　　　)

14 ◇와 ♡ 사이의 대응 관계를 나타낸 표입니다. 표를 완성하고, ◇가 23일 때 ♡의 값을 구하세요.

◇	12	13	14	15	16
♡	1	2	3		

(　　　　　　　　)

3 단원

단원 마무리

15 만화 영화를 상영하는 시간과 필요한 그림의 수 사이의 대응 관계를 나타낸 표입니다. 만화 영화를 12초 동안 상영하려면 그림이 몇 장 필요할까요?

시간(초)	1	2	3	4
그림의 수(장)	15	30		

( )

16 4명씩 앉을 수 있는 식탁을 그림과 같이 이어 붙이려고 합니다. 52명이 앉으려면 식탁을 몇 개 이어 붙여야 할까요?

( )

17 배열 순서와 사각형의 수 사이의 대응 관계를 찾아 9째에 필요한 초록색 사각형의 수를 구하세요.

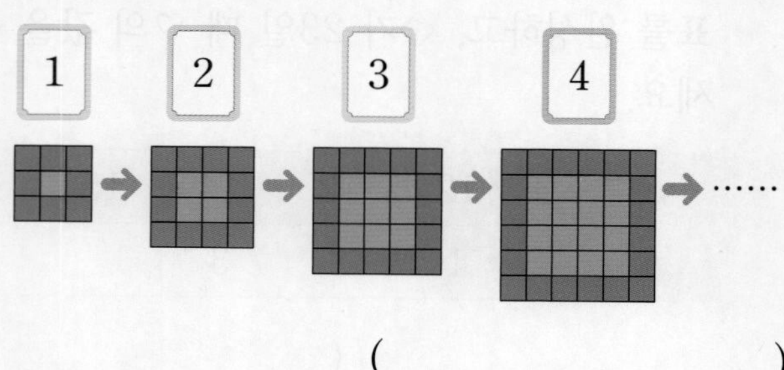

( )

서술형 문제

18 □와 △ 사이의 대응 관계를 나타낸 표입니다. ㉠에 알맞은 수는 얼마인지 풀이 과정을 쓰고, 답을 구하세요.

□	33	44	55	66	121
△	3	4	5	6	㉠

풀이

답

19 대응 관계를 나타낸 식을 보고, 식에 알맞은 상황을 만드세요.

○＝♡×2

상황

20 ◇와 ▽ 사이의 대응 관계를 나타낸 표입니다. ◇가 144일 때 ▽는 얼마인지 풀이 과정을 쓰고, 답을 구하세요.

◇	16	32		64	80
▽	1	2	3		5

풀이

답

쉬어가기

이스라엘 친구

샬롬
(shalom)

샬롬. 내 이름은 네타냐후야.
나는 유대인의 나라인 이스라엘에 살아.
"샬롬"은 평화라는 뜻인데 "안녕하세요."와 같은 뜻이야.
이스라엘에 대해 소개할게.
이스라엘의 수도는 예루살렘으로 유대교, 그리스도교,
이슬람교가 탄생한 도시야. 서양 역사에서 매우 중요하고 신성한 곳이지.
베들레헴은 예수 그리스도의 탄생지로 이스라엘이 점령하다가 지금은 팔레스타인에
반환했어.

예루살렘

베들레헴

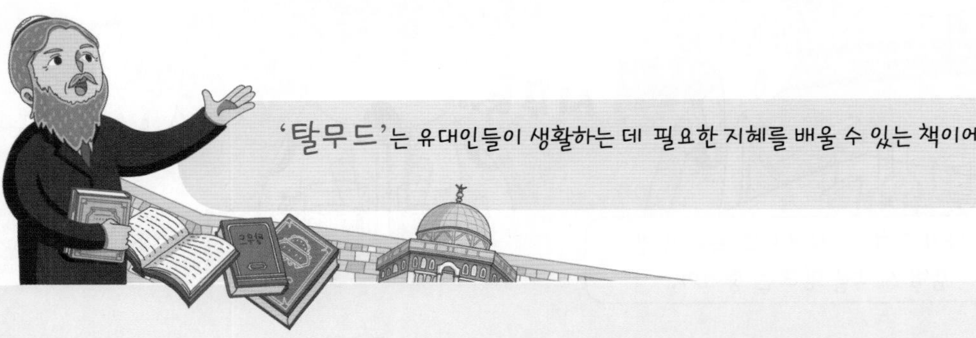

'탈무드'는 유대인들이 생활하는 데 필요한 지혜를 배울 수 있는 책이에요.

4 약분과 통분

학습 계획표

공부할 날짜를 적고 〈**진도북**〉과 〈**매칭북**〉의 쪽수를 찾아 공부하세요.

학습 내용	계획 및 확인					
	진도북			매칭북		
STEP 1 **개념 완성하기**	072~075쪽 ➜	월	일	19쪽 ➜	월	일
STEP 2 **실력 다지기**	076~079쪽 ➜	월	일	20~21쪽 ➜	월	일
STEP 1 **개념 완성하기**	080~083쪽 ➜	월	일	22쪽 ➜	월	일
STEP 2 **실력 다지기**	084~089쪽 ➜	월	일	23~25쪽 ➜	월	일
STEP 3 **서술형 해결하기**	090~093쪽 ➜	월	일	26~27쪽 ➜	월	일
단원 마무리	094~096쪽 ➜	월	일	56~58쪽 ➜	월	일

대표 유형

- 이번 단원에서 꼭 공부해야 할 **〈대표 유형〉**입니다.
- 학습한 후에 이해가 부족한 유형은 □ 안에 ○표 한 후 반복하여 학습하세요.

- □ 크기가 같은 분수 찾기
- □ 크기가 같은 분수 만들기
- □ 약분하기
- □ 기약분수로 나타내기
- □ 크기가 같은 분수로 나타냈을 때 분모와 분자 알아보기
- □ 분모가 ■인 기약분수 구하기
- □ 약점 체크 조건에 알맞은 분수 구하기
- □ 약점 체크 약분하기 전의 분수 구하기
- □ 통분하기
- □ 공통분모가 될 수 있는 수 구하기
- □ 두 분수의 크기 비교
- □ 세 분수의 크기 비교
- □ 분수와 소수의 크기 비교
- □ 통분하기 전의 기약분수 구하기
- □ 분자가 같은 분수의 크기 비교
- □ 크기 비교의 활용
- □ 약점 체크 $\frac{1}{2}$을 이용한 크기 비교
- □ 약점 체크 □ 안에 들어갈 수 있는 수 구하기 ①
- □ 약점 체크 분모가 주어진 분수 구하기
- □ 약점 체크 □ 안에 들어갈 수 있는 수 구하기 ②

STEP 1 개념 완성하기

1 크기가 같은 분수 (1)

예제 1 분수만큼 색칠하여 분수의 크기 비교하기

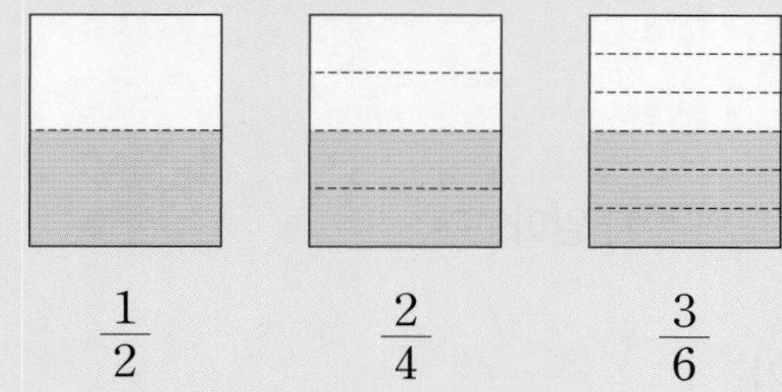

$\frac{1}{2}$ $\frac{2}{4}$ $\frac{3}{6}$

➡ 색칠한 양이 같으므로 $\frac{1}{2}$, $\frac{2}{4}$, $\frac{3}{6}$은 크기가 같은 분수입니다.

예제 2 분수만큼 수직선에 나타내어 분수의 크기 비교하기

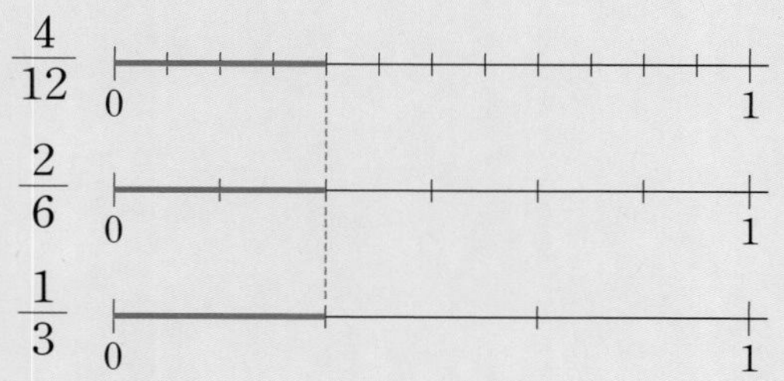

➡ 수직선에 나타낸 부분이 같으므로 $\frac{4}{12}$, $\frac{2}{6}$, $\frac{1}{3}$은 크기가 같은 분수입니다.

2 크기가 같은 분수 (2)

- 분모와 분자에 각각 0이 아닌 같은 수를 곱하면 크기가 같은 분수가 됩니다.
- 분모와 분자를 각각 0이 아닌 같은 수로 나누면 크기가 같은 분수가 됩니다.

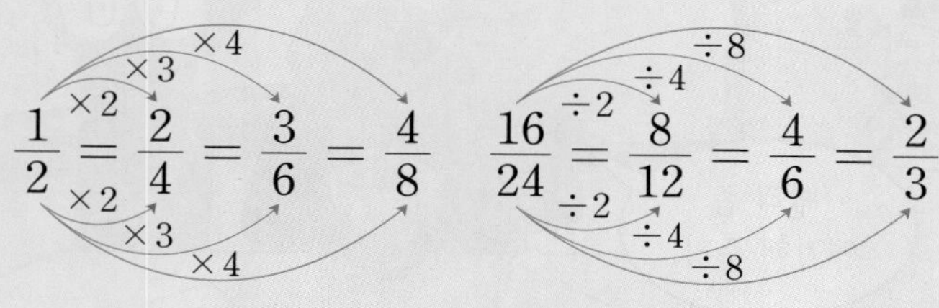

$\frac{1}{2}=\frac{2}{4}=\frac{3}{6}=\frac{4}{8}$ $\frac{16}{24}=\frac{8}{12}=\frac{4}{6}=\frac{2}{3}$

개념 확인

1 분수만큼 색칠하고 크기가 같은 분수를 쓰세요.

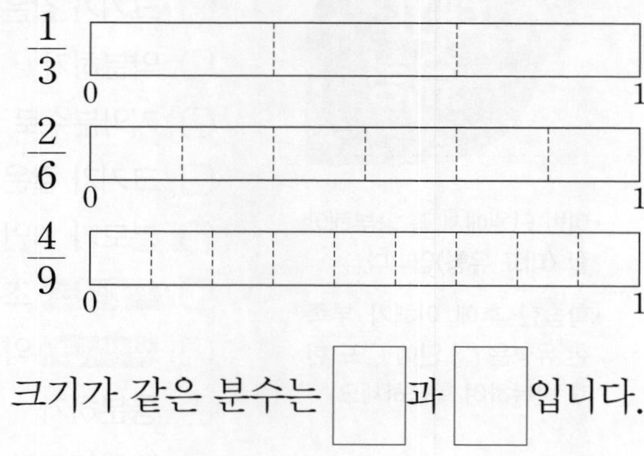

크기가 같은 분수는 □과 □입니다.

2 분수만큼 수직선에 나타내고 크기가 같은 분수를 쓰세요.

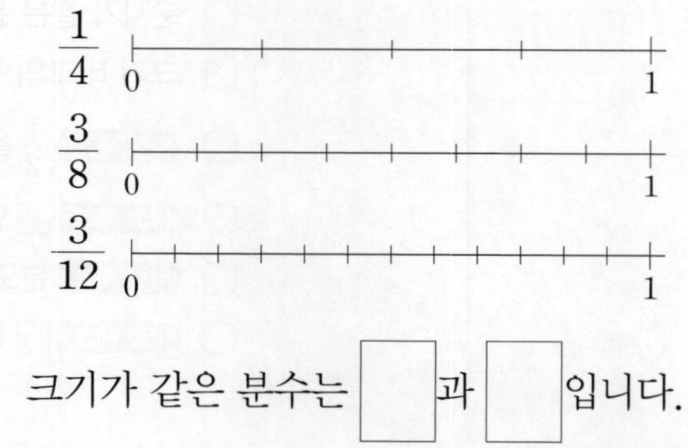

크기가 같은 분수는 □과 □입니다.

3 모양과 크기가 같은 통에 음료가 담겨 있습니다. 그림을 보고 같은 양이 담긴 음료를 찾아 쓰세요.

(　　　　), (　　　　)

기본 유형

[4~5] 크기가 같은 분수가 되도록 □ 안에 알맞은 수를 써넣으세요.

4

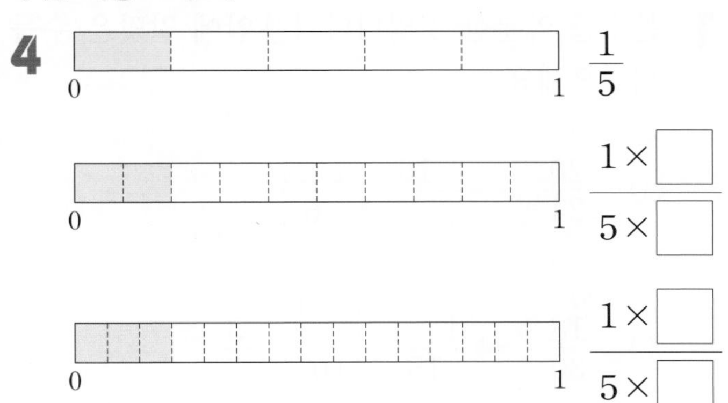

$\frac{1}{5}$

$\frac{1\times\square}{5\times\square}$

$\frac{1\times\square}{5\times\square}$

5

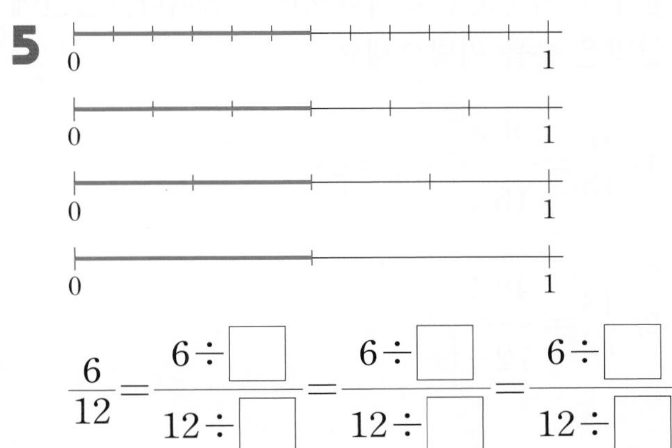

$\frac{6}{12}=\frac{6\div\square}{12\div\square}=\frac{6\div\square}{12\div\square}=\frac{6\div\square}{12\div\square}$

6 □ 안에 알맞은 수를 써넣어 크기가 같은 분수를 만드세요.

(1) $\frac{2}{9}=\frac{\square}{18}=\frac{6}{\square}=\frac{8}{\square}$

(2) $\frac{15}{30}=\frac{5}{\square}=\frac{3}{\square}=\frac{\square}{2}$

7 왼쪽 수와 크기가 같은 분수를 모두 찾아 ○표 하세요.

(1) $\frac{1}{6}$ ➜ $\frac{3}{12}$ $\frac{3}{18}$ $\frac{4}{18}$ $\frac{4}{24}$

(2) $\frac{3}{7}$ ➜ $\frac{3}{14}$ $\frac{6}{14}$ $\frac{9}{21}$ $\frac{9}{28}$

8 $\frac{16}{32}$과 크기가 같은 분수를 모두 찾아 쓰세요.

$\frac{4}{8}$ $\frac{3}{4}$ $\frac{8}{16}$ $\frac{6}{10}$

( )

9 분모와 분자에 0이 아닌 같은 수를 곱하여 $\frac{2}{5}$와 크기가 같은 분수를 만들려고 합니다. 분모가 가장 작은 것부터 3개만 쓰세요. (단, $\frac{2}{5}$는 제외합니다.)

( )

4 단원

STEP 1

개념 완성하기

3 분수를 간단히 나타내기

(1) 약분한다: 분모와 분자를 공약수로 나누어 간단한 분수로 만드는 것

$$\frac{\overset{2}{\cancel{4}}}{\underset{6}{\cancel{12}}}=\frac{2}{6} \qquad \frac{\overset{1}{\cancel{4}}}{\underset{3}{\cancel{12}}}=\frac{1}{3}$$

예제 $\frac{18}{24}$을 약분하기

18과 24의 공약수 중 1을 제외한 2, 3, 6으로 나누기

$\frac{18}{24}=\frac{18\div2}{24\div2}=\frac{9}{12}$ $\quad$ $\frac{18}{24}=\frac{18\div3}{24\div3}=\frac{6}{8}$

$\frac{18}{24}=\frac{18\div6}{24\div6}=\frac{3}{4}$

참고 1로 어떤 수를 나누면 항상 어떤 수 자신이 되므로 약분을 할 때에는 1을 제외한 나머지 공약수로 분모와 분자를 나눕니다.

(2) 기약분수: 분모와 분자의 공약수가 1뿐인 분수

$$\frac{\overset{3}{\cancel{6}}}{\underset{9}{\cancel{18}}}=\frac{\overset{1}{\cancel{3}}}{\underset{3}{\cancel{9}}}=\frac{1}{3}$$

예제 $\frac{12}{18}$를 기약분수로 나타내기

방법 1 분수를 약분하여 나타낸 분수들 중에서 가장 간단한 분수로 나타내기 (분모와 분자를 나눌 수 있는 공약수가 1 외에는 더 이상 없는 분수입니다.)

$\frac{12}{18}=\frac{12\div2}{18\div2}=\frac{6}{9}$ $\quad$ $\frac{12}{18}=\frac{12\div3}{18\div3}=\frac{4}{6}$

$\frac{12}{18}=\frac{12\div6}{18\div6}=\frac{2}{3}$ ← 기약분수

방법 2 분모와 분자를 최대공약수로 나누기

$\frac{12}{18}=\frac{12\div6}{18\div6}=\frac{2}{3}$ (6: 12와 18의 최대공약수)

참고 분수를 공약수로 나누어 기약분수로 나타낼 때에는 분모와 분자를 더 이상 나눌 수 없을 때까지 나눕니다.

$\frac{12}{18}=\frac{12\div2}{18\div2}=\frac{6}{9}$ ➔ $\frac{6}{9}=\frac{6\div3}{9\div3}=\frac{2}{3}$ ← 2와 3의 공약수가 1뿐입니다.

개념 확인

1 분수를 약분한 것입니다. □ 안에 알맞은 수를 써넣으세요.

(1) $\frac{20}{24}$ ➔ $\frac{10}{\square}$, $\frac{\square}{6}$

(2) $\frac{18}{30}$ ➔ $\frac{\square}{15}$, $\frac{\square}{10}$, $\frac{3}{\square}$

2 분수를 기약분수로 나타내려고 합니다. □ 안에 알맞은 수를 써넣으세요.

(1) $\frac{9}{15}=\frac{9\div\square}{15\div\square}=\frac{\square}{\square}$

(2) $\frac{48}{72}=\frac{48\div\square}{72\div\square}=\frac{\square}{\square}$

3 $\frac{12}{16}$를 약분하려고 합니다. 1을 제외하고 분모와 분자를 나눌 수 있는 수를 모두 쓰세요.

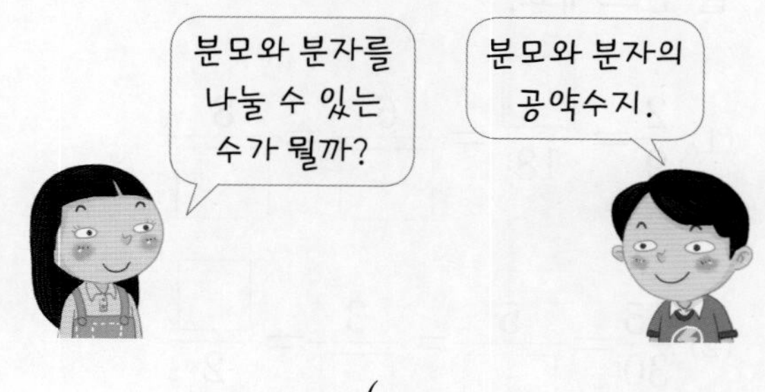

(　　　　　　　　　　)

기본 유형

4 $\frac{24}{60}$를 약분할 수 <u>없는</u> 수는 어느 것인가요?

( )

① 2 ② 3 ③ 6
④ 12 ⑤ 15

5 약분한 분수를 모두 쓰세요.

(1) $\frac{24}{30}$ ➔ (, ,)

(2) $\frac{32}{56}$ ➔ (, ,)

6 기약분수로 나타내세요.

(1) $\frac{56}{72}$ ➔ ( )

(2) $\frac{75}{90}$ ➔ ( )

7 왼쪽 분수를 약분한 분수를 오른쪽에서 찾아 선으로 이으세요.

(1) $\frac{10}{25}$ • • ㉠ $\frac{7}{9}$

(2) $\frac{49}{63}$ • • ㉡ $\frac{2}{5}$

(3) $\frac{24}{40}$ • • ㉢ $\frac{6}{10}$

8 기약분수를 모두 찾아 기호를 쓰세요.

㉠ $\frac{11}{12}$ ㉡ $\frac{7}{14}$ ㉢ $\frac{8}{10}$ ㉣ $\frac{3}{14}$

( )

9 $\frac{21}{35}$을 어떤 수로 약분하였더니 $\frac{3}{5}$이 되었습니다. 분모와 분자를 어떤 수로 약분한 것인가요?

$$\frac{21 \div \square}{35 \div \square} = \frac{3}{5}$$

( )

4 단원

STEP 2 유형 확인 강화

실력 다지기

크기 같은 분수 찾기

유형 **01** 세 분수는 크기가 같은 분수입니다. □ 안에 알맞은 분수를 쓰고 분수만큼 색칠하세요.

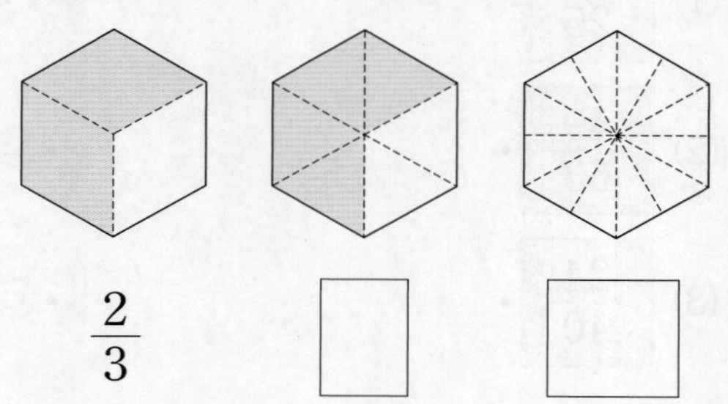

$\frac{2}{3}$ □ □

확인 **02** 사다리를 타고 내려가 도착한 곳이 크기가 같은 분수이면 ○표, 크기가 같은 분수가 아니면 ×표 하세요.

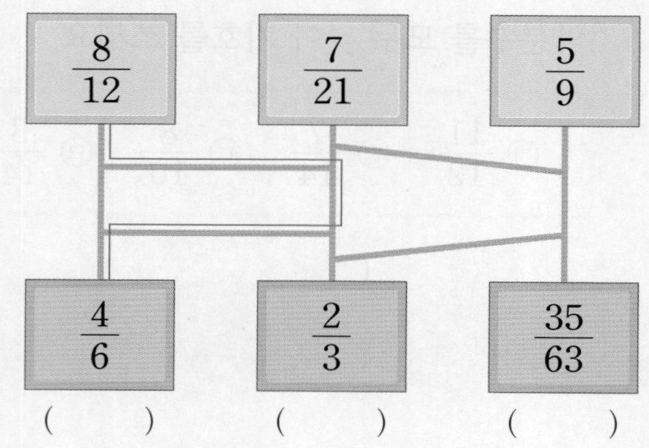

( ) ( ) ( )

강화 **03** 크기가 같은 분수끼리 짝 지어진 것을 찾아 기호를 쓰세요.

㉠ $\left(\frac{1}{2}, \frac{3}{5}\right)$ ㉡ $\left(\frac{2}{3}, \frac{8}{9}\right)$

㉢ $\left(\frac{10}{15}, \frac{5}{7}\right)$ ㉣ $\left(\frac{5}{6}, \frac{15}{18}\right)$

( )

크기가 같은 분수 만들기

04 분모가 36인 분수 중에서 $\frac{7}{12}$과 크기가 같은 분수를 구하세요.

( )

05 수 카드를 사용하여 $\frac{3}{8}$과 크기가 같은 분수를 만드세요.

$\frac{3}{8} = \frac{□}{□}$

12 18 24 32 56

( )

서술형

06 대화를 읽고 크기가 같은 분수를 같은 방법으로 구한 두 사람을 쓰고, 어떤 방법으로 구했는지 설명하세요.

승호: $\frac{3}{9}$과 크기가 같은 분수에는 $\frac{1}{3}$이 있어.

유진: $\frac{2}{5}$와 크기가 같은 분수에는 $\frac{8}{20}$이 있어.

수빈: $\frac{6}{16}$과 크기가 같은 분수에는 $\frac{3}{8}$이 있어.

답

방법

약분하기

07 $\frac{54}{81}$를 약분한 분수가 아닌 것을 모두 찾아 쓰세요.

$\frac{9}{63}$ $\frac{27}{45}$ $\frac{18}{27}$ $\frac{6}{9}$ $\frac{2}{3}$

( )

08 다음은 $\frac{24}{32}$를 약분한 것입니다. ◆에 알맞은 수를 구하세요.

$\frac{24}{32}=\frac{6}{◆}$

( )

09 분모가 60인 분수 중에서 약분하면 $\frac{5}{6}$가 되는 분수를 구하세요.

( )

기약분수로 나타내기

10 기약분수로 옳게 나타낸 것은 어느 것인가요? ( )

① $\frac{25}{40} \rightarrow \frac{3}{5}$　② $\frac{64}{72} \rightarrow \frac{8}{9}$

③ $\frac{12}{15} \rightarrow \frac{3}{5}$　④ $\frac{24}{48} \rightarrow \frac{3}{8}$

⑤ $\frac{27}{54} \rightarrow \frac{3}{6}$

서술형

11 $\frac{28}{70}$에 대해 옳게 말한 사람을 찾고, 그 이유를 쓰세요.

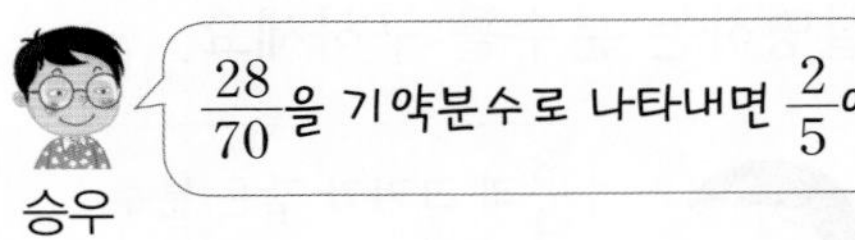

승우: $\frac{28}{70}$을 기약분수로 나타내면 $\frac{2}{5}$야.

소영: $\frac{28}{70}$을 약분한 분수 중 두 번째로 큰 것은 $\frac{4}{10}$야.

현철: $\frac{28}{70}$을 약분하여 만들 수 있는 분수는 모두 4개야.

답

이유

12 $\frac{52}{78}$를 기약분수로 나타냈을 때 분모와 분자의 합을 구하세요.

( )

4 단원

크기가 같은 분수로 나타냈을 때 분모와 분자 알아보기

유형 **13** $\frac{24}{80}$와 크기가 같은 분수 중에서 분자가 6인 분수의 분모를 구하세요.

( )

확인 **14** 지하가 설명하는 분수를 구하세요.

( )

강화 **15** $\frac{3}{8}$과 크기가 같은 분수 중에서 분모가 40보다 크고 80보다 작은 분수는 모두 몇 개인가요?

( )

분모가 ■인 기약분수 구하기

16 진분수 $\frac{\square}{6}$가 기약분수일 때 □ 안에 들어갈 수 있는 수를 모두 쓰세요.

( )

17 다음 조건을 만족하는 기약분수는 모두 몇 개인가요?

- $\frac{13}{20}$보다 작습니다.
- 분모가 20입니다.

( )

서술형

18 분모가 8인 진분수 중에서 기약분수는 모두 몇 개인지 풀이 과정을 쓰고, 답을 구하세요.

풀이

답

약점 체크 **조건에 알맞은 분수 구하기**

19 약분하여 $\frac{3}{7}$이 되는 분수 중에서 분자가 100에 가장 가까운 분수를 구하세요.

(　　　　　　　　)

해결 먼저 분모와 분자에 각각 같은 수를 곱해 약분하기 전의 분수를 구합니다. 이때 분자가 100보다 작은 경우와 100보다 큰 경우를 모두 생각하여 분자가 100에 가장 가까운 경우를 찾습니다.

서술형

20 기약분수로 나타냈을 때 $\frac{4}{15}$가 되는 분수 중에서 분모가 가장 큰 두 자리 수인 분수는 얼마인지 풀이 과정을 쓰고, 답을 구하세요.

풀이

답

약점 체크 **약분하기 전의 분수 구하기**

21 분모가 43인 분수의 분모에 2를 더한 후 기약분수로 나타냈더니 $\frac{1}{3}$이 되었습니다. 처음 분수를 구하세요.

(　　　　　　　　)

해결 거꾸로 생각하여 약분하기 전의 분수를 먼저 구합니다.

22 다음을 읽고 어떤 분수를 구하세요.

어떤 분수의 분자에서 3을 뺀 후 4로 약분하였더니 $\frac{5}{7}$가 되었습니다.

(　　　　　　　　)

4 단원

STEP 1

개념 완성하기

4 분모가 같은 분수로 나타내기

- 통분한다: 분수의 분모를 같게 하는 것
- 공통분모: 통분한 분모

예제 1 크기가 같은 분수로 나타내어 $\frac{2}{3}$와 $\frac{1}{4}$을 통분하기

$\frac{2}{3}=\frac{4}{6}=\frac{6}{9}=\frac{8}{12}=\frac{10}{15}=\frac{12}{18}=\frac{14}{21}=\frac{16}{24}=\cdots\cdots$

$\frac{1}{4}=\frac{2}{8}=\frac{3}{12}=\frac{4}{16}=\frac{5}{20}=\frac{6}{24}=\frac{7}{28}=\cdots\cdots$

$\left(\frac{2}{3}, \frac{1}{4}\right) \rightarrow \left(\frac{8}{12}, \frac{3}{12}\right), \left(\frac{16}{24}, \frac{6}{24}\right)\cdots\cdots$

↳ 분모가 같은 분수끼리 짝 짓기

공통분모: 12, 24……

참고 크기가 같은 분수를 만들 때에는 분모와 분자에 각각 0이 아닌 같은 수를 곱하거나 나눕니다.

예제 2 그림을 이용하여 $\frac{2}{3}$와 $\frac{1}{4}$을 통분하기

$\frac{2}{3}$ [0 ─ 1] $\frac{8}{12}$

$\frac{1}{4}$ [0 ─ 1] $\frac{3}{12}$

$\left(\frac{2}{3}, \frac{1}{4}\right) \rightarrow \left(\frac{2\times4}{3\times4}, \frac{1\times3}{4\times3}\right) \rightarrow \left(\frac{8}{12}, \frac{3}{12}\right)$

예제 3 $\frac{4}{5}$와 $\frac{7}{15}$을 통분하기

방법 1 두 분모의 곱을 공통분모로 하여 통분하기

$\left(\frac{4}{5}, \frac{7}{15}\right) \rightarrow \left(\frac{4\times15}{5\times15}, \frac{7\times5}{15\times5}\right) \rightarrow \left(\frac{60}{75}, \frac{35}{75}\right)$

방법 2 두 분모의 최소공배수를 공통분모로 하여 통분하기

$\left(\frac{4}{5}, \frac{7}{15}\right) \rightarrow \left(\frac{4\times3}{5\times3}, \frac{7}{15}\right) \rightarrow \left(\frac{12}{15}, \frac{7}{15}\right)$

참고 분모의 곱이 작을 때는 분모의 곱으로 통분하는 것이 간단하고, 분모의 곱이 클 때는 분모의 최소공배수로 통분하는 것이 편리합니다.

개념 확인

1 □ 안에 알맞은 수를 써넣으세요.

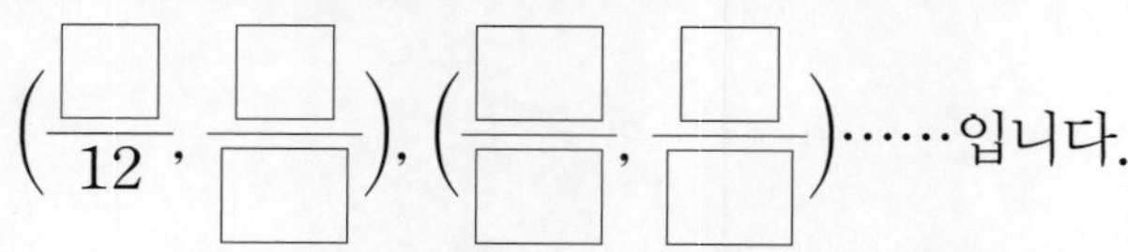

$\frac{3}{4}=\frac{6}{8}=\frac{9}{12}=\frac{12}{16}=\frac{15}{20}=\frac{18}{24}=\frac{21}{28}=\cdots\cdots$

$\frac{1}{6}=\frac{2}{12}=\frac{3}{18}=\frac{4}{24}=\frac{5}{30}=\frac{6}{36}=\frac{7}{42}=\cdots\cdots$

두 분수를 분모가 같은 분수끼리 짝 지으면

$\left(\frac{\square}{12}, \frac{\square}{\square}\right), \left(\frac{\square}{\square}, \frac{\square}{\square}\right)\cdots\cdots$입니다.

이때 공통분모는 12, □……입니다.

2 두 분모의 곱을 공통분모로 하여 통분하세요.

(1) $\left(\frac{2}{5}, \frac{3}{14}\right) \rightarrow ($, $)$

(2) $\left(\frac{3}{8}, \frac{4}{5}\right) \rightarrow ($, $)$

3 두 분모의 최소공배수를 공통분모로 하여 통분하세요.

(1) $\left(\frac{5}{6}, \frac{7}{9}\right) \rightarrow ($, $)$

(2) $\left(\frac{5}{8}, \frac{3}{10}\right) \rightarrow ($, $)$

기본 유형

4 $\frac{1}{6}$과 $\frac{3}{8}$을 통분하려고 합니다. 공통분모가 될 수 있는 수를 모두 고르세요. (　　　　)

① 18　② 24　③ 32
④ 48　⑤ 64

5 두 분수를 주어진 수를 공통분모로 하여 통분하세요.

(1) $\left(\frac{4}{15}, \frac{7}{12}\right) \rightarrow \left(\frac{\square}{120}, \frac{\square}{120}\right)$

(2) $\left(\frac{11}{24}, \frac{17}{36}\right) \rightarrow \left(\frac{\square}{216}, \frac{\square}{216}\right)$

6 $2\frac{3}{10}$과 $4\frac{5}{12}$를 통분할 때 공통분모가 될 수 있는 수를 가장 작은 수부터 차례로 3개만 쓰세요.

(　　　　　　　　)

7 두 분수를 서로 다른 2개의 공통분모로 통분하세요.

$\left(1\frac{11}{18}, 2\frac{8}{15}\right)$

(　　　　,　　　　)

(　　　　,　　　　)

8 $\frac{3}{4}$과 $\frac{5}{14}$를 통분한 것을 찾아 기호를 쓰세요.

㉠ $\left(\frac{6}{24}, \frac{3}{14}\right)$　㉡ $\left(\frac{21}{28}, \frac{10}{28}\right)$
㉢ $\left(\frac{32}{56}, \frac{20}{56}\right)$　㉣ $\left(\frac{63}{84}, \frac{45}{84}\right)$

(　　　　　　　　)

9 우유 $\frac{7}{8}$ L와 주스 $\frac{5}{6}$ L가 있습니다. 우유와 주스의 양을 분모의 최소공배수를 공통분모로 하여 통분하세요.

$\left(\frac{7}{8}, \frac{5}{6}\right) \rightarrow$ (　　　,　　　)

4
단원

STEP 1 개념 완성하기

5 분수의 크기 비교

예제 1 $\frac{2}{3}$와 $\frac{3}{4}$의 크기 비교하기 → 분모가 다른 두 분수는 통분하여 분자의 크기를 비교합니다.

$\left(\frac{2}{3}, \frac{3}{4}\right) \xrightarrow{\text{통분}} \left(\frac{8}{12} \lt \frac{9}{12}\right) \rightarrow \frac{2}{3} \lt \frac{3}{4}$

예제 2 $\frac{2}{3}$, $\frac{2}{5}$, $\frac{4}{9}$의 크기 비교하기

두 분수끼리 통분하여 차례로 크기를 비교합니다.

$\left(\frac{2}{3}, \frac{2}{5}\right) \rightarrow \left(\frac{10}{15} \gt \frac{6}{15}\right) \rightarrow \frac{2}{3} \gt \frac{2}{5}$

$\left(\frac{2}{5}, \frac{4}{9}\right) \rightarrow \left(\frac{18}{45} \lt \frac{20}{45}\right) \rightarrow \frac{2}{5} \lt \frac{4}{9}$

$\left(\frac{2}{3}, \frac{4}{9}\right) \rightarrow \left(\frac{6}{9} \gt \frac{4}{9}\right) \rightarrow \frac{2}{3} \gt \frac{4}{9}$

$\rightarrow \frac{2}{5} \lt \frac{4}{9} \lt \frac{2}{3}$

6 분수와 소수의 크기 비교

예제 1 $\frac{12}{30}$와 $\frac{6}{20}$의 크기 비교하기

방법 1 두 분수를 약분하여 크기 비교하기

$\left(\frac{12}{30}, \frac{6}{20}\right) \rightarrow \left(\frac{4}{10} \gt \frac{3}{10}\right) \rightarrow \frac{12}{30} \gt \frac{6}{20}$

방법 2 두 분수를 소수로 나타내어 크기 비교하기

$\left(\frac{12}{30}, \frac{6}{20}\right) \rightarrow \left(\frac{4}{10}, \frac{3}{10}\right) \rightarrow 0.4 \gt 0.3$

$\rightarrow \frac{12}{30} \gt \frac{6}{20}$

예제 2 $\frac{3}{5}$과 0.8의 크기 비교하기

방법 1 분수를 소수로 나타내어 크기 비교하기

$\frac{3}{5} = \frac{6}{10} = 0.6 \rightarrow 0.6 \lt 0.8 \rightarrow \frac{3}{5} \lt 0.8$

방법 2 소수를 분수로 나타내어 크기 비교하기

$\frac{3}{5} = \frac{6}{10} \lt 0.8 = \frac{8}{10} \rightarrow \frac{3}{5} \lt 0.8$

참고 소수를 분수로 나타내어 크기를 비교할 때에는 분모가 10, 100, 1000인 분수로 나타내어 비교하면 쉽습니다.

개념 확인

1 두 분수를 통분하여 □ 안에 알맞은 수를 써넣고, ○ 안에 >, =, <를 알맞게 써넣으세요.

(1) $\left(\frac{3}{5}, \frac{5}{7}\right) \rightarrow \left(\frac{\square}{35}, \frac{\square}{35}\right) \rightarrow \frac{3}{5} \bigcirc \frac{5}{7}$

(2) $\left(\frac{5}{12}, \frac{3}{8}\right) \rightarrow \left(\frac{\square}{24}, \frac{\square}{24}\right) \rightarrow \frac{5}{12} \bigcirc \frac{3}{8}$

2 세 분수 $\frac{2}{5}$, $\frac{3}{10}$, $\frac{8}{25}$의 크기를 비교하여 큰 수부터 차례로 쓰세요.

$\left(\frac{2}{5}, \frac{3}{10}\right) \rightarrow \left(\frac{\square}{10}, \frac{\square}{10}\right) \rightarrow \frac{2}{5} \bigcirc \frac{3}{10}$

$\left(\frac{3}{10}, \frac{8}{25}\right) \rightarrow \left(\frac{15}{50}, \frac{\square}{\square}\right) \rightarrow \frac{3}{10} \bigcirc \frac{8}{25}$

$\left(\frac{2}{5}, \frac{8}{25}\right) \rightarrow \left(\frac{\square}{\square}, \frac{8}{25}\right) \rightarrow \frac{2}{5} \bigcirc \frac{8}{25}$

(   )

3 분수를 분모가 10인 분수로 고치고, 소수로 나타내세요.

$\frac{4}{5} = \frac{4 \times \square}{5 \times \square} = \frac{\square}{10} = \square$

4 소수를 분모가 10 또는 100인 분수로 고치고, 기약분수로 나타내세요.

(1) $0.6=\frac{\square}{10}=\square$

(2) $2.75=\square\frac{\square}{100}=\square$

5 두 분수의 크기를 비교하여 ○ 안에 >, =, < 를 알맞게 써넣으세요.

(1) $\frac{4}{9}$ ○ $\frac{5}{12}$ (2) $2\frac{5}{6}$ ○ $2\frac{7}{8}$

6 $\frac{16}{20}$과 $\frac{27}{30}$의 크기를 분수와 소수로 비교하려고 합니다. 물음에 답하세요.

(1) 두 분수를 약분하여 크기를 비교하세요.

$\left(\frac{16}{20}, \frac{27}{30}\right) \rightarrow \frac{\square}{10}$ ○ $\frac{\square}{10}$

$\frac{16}{20}$ ○ $\frac{27}{30}$

(2) 두 분수를 소수로 고쳐서 크기를 비교하세요.

$\left(\frac{16}{20}, \frac{27}{30}\right) \rightarrow \square$ ○ $\square$

$\frac{16}{20}$ ○ $\frac{27}{30}$

기본 유형

7 $\frac{3}{5}$, $\frac{5}{8}$, $\frac{7}{12}$의 크기를 비교하려고 합니다. 물음에 답하세요.

(1) 두 분수씩 크기를 비교하여 ○ 안에 >, =, <를 알맞게 써넣으세요.

$\frac{3}{5}$ ○ $\frac{5}{8}$ $\frac{5}{8}$ ○ $\frac{7}{12}$ $\frac{3}{5}$ ○ $\frac{7}{12}$

(2) 세 분수의 크기를 비교하여 빈 곳에 알맞게 써넣으세요.

8 두 수의 크기를 비교하여 ○ 안에 >, =, < 를 알맞게 써넣으세요.

(1) $\frac{1}{5}$ ○ 0.5 (2) 0.87 ○ $\frac{81}{100}$

(3) $\frac{3}{4}$ ○ 0.42 (4) 0.65 ○ $\frac{17}{20}$

9 주호는 줄넘기를 어제는 $\frac{2}{3}$시간, 오늘은 $\frac{5}{6}$시간 동안 했습니다. 어제와 오늘 중 줄넘기를 더 오래 한 날은 언제인가요?

( )

4 단원

STEP 2 유형 확인 강화

실력 다지기

통분하기

유형 **01** 두 분수를 분모의 최소공배수를 공통분모로 하여 통분하려고 합니다. 공통분모가 같은 것끼리 선으로 이으세요.

(1) $\left(\frac{1}{3}, \frac{5}{8}\right)$ • • ㉠ $\left(\frac{7}{20}, \frac{5}{12}\right)$

(2) $\left(\frac{4}{15}, \frac{7}{12}\right)$ • • ㉡ $\left(\frac{13}{18}, \frac{2}{3}\right)$

(3) $\left(\frac{5}{6}, \frac{4}{9}\right)$ • • ㉢ $\left(\frac{3}{4}, \frac{7}{24}\right)$

확인 **02** 두 분수를 가장 작은 공통분모로 각각 통분할 때 공통분모가 가장 큰 것의 기호를 쓰세요.

㉠ $\left(\frac{3}{20}, \frac{4}{5}\right)$ ㉡ $\left(\frac{9}{10}, \frac{3}{8}\right)$

㉢ $\left(\frac{11}{12}, \frac{5}{6}\right)$ ㉣ $\left(\frac{1}{4}, \frac{2}{3}\right)$

( )

강화 **03** 두 분수를 통분하여 나타낸 것입니다. 잘못 통분한 것을 찾아 기호를 쓰세요.

㉠ $\left(\frac{3}{4}, \frac{7}{10}\right) \rightarrow \left(\frac{15}{20}, \frac{14}{20}\right)$

㉡ $\left(\frac{1}{6}, \frac{5}{24}\right) \rightarrow \left(\frac{4}{24}, \frac{5}{24}\right)$

㉢ $\left(\frac{7}{8}, \frac{1}{12}\right) \rightarrow \left(\frac{21}{24}, \frac{3}{24}\right)$

( )

공통분모가 될 수 있는 수 구하기

04 두 분수를 통분하려고 합니다. 공통분모가 될 수 있는 수 중에서 200보다 작은 수를 모두 쓰세요.

$\left(\frac{3}{16}, \frac{7}{20}\right)$

( )

05 $\frac{5}{12}$와 $\frac{13}{15}$을 통분하려고 합니다. 50보다 크고 250보다 작은 수 중에서 공통분모가 될 수 있는 수를 모두 쓰세요.

( )

06 서술형 $2\frac{3}{14}$과 $1\frac{8}{21}$을 가장 작은 수를 공통분모로 하여 통분하려고 합니다. 공통분모를 얼마로 해야 하는지 풀이 과정을 쓰고, 통분하세요.

풀이

답

정답 19쪽

두 분수의 크기 비교

07 두 분수의 크기를 비교하여 더 큰 분수를 위의 ☐ 안에 써넣으세요.

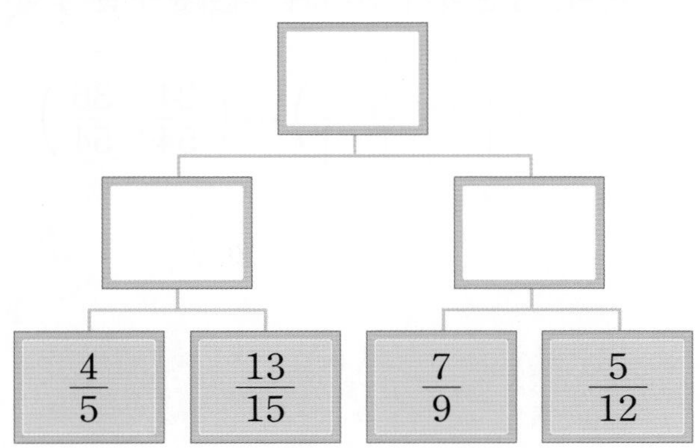

08 두 분수의 크기를 잘못 비교한 사람을 쓰세요.

(　　　　　　　　)

서술형

09 파란색 끈의 길이는 $\frac{17}{20}$ m이고, 빨간색 끈의 길이는 $\frac{5}{6}$ m입니다. 어느 색 끈이 더 긴지 풀이 과정을 쓰고, 답을 구하세요.

풀이

답

세 분수의 크기 비교

10 분수의 크기를 비교하여 가장 큰 수에 ○표, 가장 작은 수에 △표 하세요.

$\frac{5}{8}$　　$\frac{4}{5}$　　$\frac{7}{12}$

11 세 분수의 크기를 비교하여 큰 분수부터 차례로 쓰세요.

$2\frac{1}{4}$　　$2\frac{7}{8}$　　$2\frac{4}{5}$

(　　　　　　　　)

12 학교에서 현이네 집, 지윤이네 집, 예린이네 집까지의 거리를 나타낸 것입니다. 학교에서 가장 먼 곳은 누구네 집인가요?

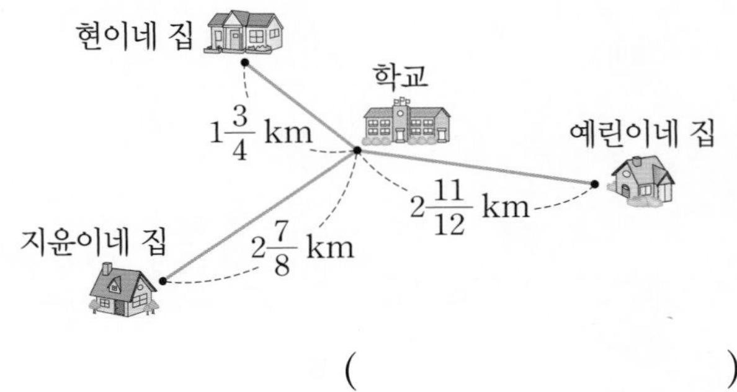

(　　　　　　　　)

4 단원

분수와 소수의 크기 비교

유형 **13** 분수와 소수의 크기를 옳게 비교한 것을 찾아 기호를 쓰세요.

㉠ $\frac{17}{25}>0.7$　　㉡ $0.6>\frac{13}{20}$

㉢ $1\frac{13}{100}<1.12$　　㉣ $2.42>2\frac{19}{50}$

(　　　　　　)

확인 **14** 분수와 소수의 크기를 비교하여 큰 수부터 차례로 쓰세요.

1.2　　$1\frac{3}{5}$　　0.4　　$\frac{1}{2}$

(　　　　　　)

강화 **15** 서술형 교과역량 연주네 집에서는 쌀에 잡곡을 섞어서 밥을 짓습니다. 콩은 $1\frac{27}{50}$ kg, 현미는 1.8 kg을 사용했다면 콩과 현미 중 어느 것을 더 많이 사용했는지 풀이 과정을 쓰고, 답을 구하세요.

풀이

답

통분하기 전의 기약분수 구하기

16 어떤 기약분수를 통분하였더니 다음과 같았습니다. 통분하기 전의 두 기약분수를 구하세요.

$\left(\frac{\square}{\square}, \frac{\square}{\square}\right) \rightarrow \left(\frac{24}{54}, \frac{36}{54}\right)$

17 어떤 두 기약분수를 통분하였더니 $\left(\frac{15}{\square}, \frac{24}{36}\right)$가 되었습니다. 통분하기 전의 두 기약분수를 각각 구하세요.

(　　　　　　)

18 오른쪽의 두 분수는 왼쪽의 기약분수를 통분하여 나타낸 것입니다. □ 안에 알맞은 수를 써넣으세요.

$\left(\frac{\square}{\square}, \frac{\square}{\square}\right) \rightarrow \left(\frac{35}{\square}, \frac{12}{45}\right)$

정답 19쪽

분자가 같은 분수의 크기 비교

19 두 분수의 분자를 같게 하여 분수의 크기를 비교하세요.

> 분자가 같은 분수는 분모가 작을수록 더 큽니다.

$\frac{3}{45}$ ◯ $\frac{6}{52}$

20 서술형

간장이 $2\frac{7}{12}$ L, 식초가 $2\frac{14}{22}$ L 있습니다. 간장과 식초 중 어느 것이 더 적은지 분자를 같게 하여 비교하려고 합니다. 풀이 과정을 쓰고, 답을 구하세요.

풀이

답

21 분자가 같은 분수의 크기 비교 방법을 이용하여 큰 수부터 차례로 쓰세요.

$\frac{1}{3}$ $\frac{2}{5}$ $\frac{4}{7}$

( )

크기 비교의 활용

22 무게가 무거운 동물부터 차례로 쓰세요.

강아지	토끼	고양이
$4\frac{21}{25}$ kg	$3\frac{1}{5}$ kg	4.61 kg

( )

23 수 카드가 4장 있습니다. 이 중에서 2장을 뽑아 진분수를 만들려고 합니다. 만들 수 있는 진분수 중 가장 큰 수를 소수로 나타내세요.

2 3 4 5

( )

24 소율이가 학교에서 집으로 가는 데 집으로 바로 가는 길과 우체국을 거쳐 가는 길 중 어느 길로 가는 것이 더 가까운지 구하세요.

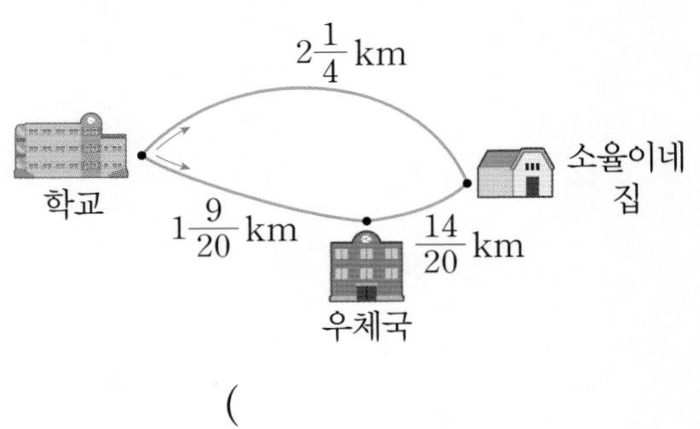

( )

약점 체크 $\frac{1}{2}$을 이용한 크기 비교

유형 **25** $\frac{1}{2}$보다 큰 분수를 찾아 기호를 쓰세요.

㉠ $\frac{6}{13}$ ㉡ $\frac{3}{7}$ ㉢ $\frac{5}{11}$ ㉣ $\frac{8}{15}$

( )

해결 $\frac{1}{2}$과 크기 비교

(분자)×2<(분모) ➜ $\frac{1}{2}$보다 작은 분수

(분자)×2=(분모) ➜ $\frac{1}{2}$과 크기가 같은 분수

(분자)×2>(분모) ➜ $\frac{1}{2}$보다 큰 분수

확인 **26** 다음 중 조건을 모두 만족하는 분수를 찾아 쓰세요.

도전 수학

$\frac{3}{5}$ $\frac{2}{7}$ $\frac{7}{8}$ $\frac{17}{36}$ $\frac{9}{25}$

조건

① $\frac{1}{2}$보다 작습니다.

② $\frac{4}{9}$보다 큽니다.

( )

약점 체크 □ 안에 들어갈 수 있는 수 구하기 ①

27 □ 안에 들어갈 수 있는 자연수를 모두 구하세요.

$\frac{\square}{4}<\frac{2}{3}$

( )

해결 분모와 분자에 각각 0이 아닌 같은 수를 곱하여 통분한 후 분자를 비교합니다.

서술형

28 □ 안에 들어갈 수 있는 자연수를 모두 구하려고 합니다. 풀이 과정을 쓰고, 답을 구하세요.

$\frac{1}{4}<\frac{\square}{8}<\frac{17}{24}$

풀이

답

확인 문제는 매칭북 25쪽에서 한 번 더!

정답 19쪽

약점 체크 분모가 주어진 분수 구하기

29 지수가 제니에게 수학 퀴즈를 냈습니다. 지수가 설명한 분수를 모두 기약분수로 나타내세요.

> 지수: $\frac{1}{3}$보다 크고 $\frac{4}{5}$보다 작아. 그리고 기약분수로 나타내면 분모가 5인 분수야.
> 제니: 먼저 두 분수를 통분하면…….

(　　　　　　　　)

해결 두 분수를 통분한 후 기약분수로 나타냈을 때 분모가 5인 분수를 찾습니다.

30 서술형 승우는 $\frac{5}{8}$보다 크고 $\frac{5}{6}$보다 작은 분수 중에서 분모가 24인 기약분수를 모두 구하려고 합니다. 풀이 과정을 쓰고, 답을 구하세요.

풀이

답

약점 체크 □ 안에 들어갈 수 있는 수 구하기 ②

31 □ 안에 들어갈 수 있는 소수 한 자리 수를 모두 구하세요.

$$3\frac{11}{20} < \square < 3\frac{7}{8}$$

(　　　　　　　　)

해결 □ 안에 들어갈 수 있는 소수를 구해야 하므로 분수를 소수로 고쳐서 크기를 비교합니다. 분모가 8인 분수는 분모가 1000인 분수로 나타낼 수 있습니다.

32 □ 안에 들어갈 수 있는 자연수는 모두 몇 개인가요?

$$0.25 < \frac{\square}{8} < 0.625$$

(　　　　　　　　)

4 단원

STEP 3 연습 단계 실전

서술형 해결하기

연습

01 수 카드를 사용하여 $\frac{7}{12}$과 크기가 같은 분수를 만들려고 합니다. 수 카드 중 ㉠과 ㉡에 들어갈 수는 얼마인지 풀이 과정을 쓰고, 답을 구하세요.

$$\frac{7}{12}=\frac{㉠}{㉡}$$

10	21	24	28	35	36

서술형 포인트 **크기가 같은 분수 만드는 방법**
- 분수의 분모와 분자에 각각 0이 아닌 같은 수를 곱합니다.
- 분수의 분모와 분자를 각각 0이 아닌 같은 수로 나눕니다.

풀이를 완성하세요.

❶ $\frac{7}{12}$이 기약분수이므로 크기가 같은 분수를 만들려면 분수의 분모와 분자에 각각 ___ 합니다.

❷ $\frac{7}{12}$과 크기가 같은 분수를 분모가 작은 수부터 차례로 쓰면 ☐, ☐, ☐……입니다.

따라서 수 카드 중에서 ㉠에 들어갈 수는 ☐, ㉡에 들어갈 수는 ☐입니다.

답 ㉠: , ㉡:

단계

02 ㉠과 ㉡에 알맞은 수를 구하려고 합니다. 풀이 과정을 쓰고, 답을 구하세요.

$$\frac{㉠}{8}=\frac{15}{24}=\frac{75}{㉡}$$

❶ ㉠에 알맞은 수 구하기

풀이

❷ ㉡에 알맞은 수 구하기

풀이

답 ㉠: , ㉡:

실전

03 ㉠과 ㉡에 알맞은 수를 구하려고 합니다. 풀이 과정을 쓰고, 답을 구하세요.

$$\frac{2}{㉠}=\frac{12}{18}=\frac{㉡}{144}$$

풀이

답 ㉠: , ㉡:

연습

04 $\frac{10}{28}$의 분모와 분자에 각각 같은 수를 더하여 $\frac{2}{5}$와 크기가 같은 분수를 만들려고 합니다. 분모와 분자에 각각 얼마를 더해야 하는지 풀이 과정을 쓰고, 답을 구하세요.

서술형 포인트 먼저 $\frac{2}{5}$와 크기가 같은 분수를 구한 다음 $\frac{10}{28}$과 비교합니다.

풀이를 완성하세요.

❶ $\frac{2}{5}$와 크기가 같은 분수를 분모가 작은 수부터 차례로 쓰면 □, □, □, □, □, □……입니다.

❷ 이 중 분모와 분자에서 각각 같은 수를 빼어 $\frac{10}{28}$이 되는 수는 □입니다.

따라서 $\frac{10}{28}$의 분모와 분자에 각각 □를 더해야 합니다.

답

단계

05 $\frac{25}{45}$의 분모에서 36을 빼도 분수의 크기가 변하지 않게 하려면 **분자에서는 얼마를 빼야** 하는지 풀이 과정을 쓰고, 답을 구하세요.

❶ $\frac{25}{45}$와 크기가 같은 분수 중에서 분모가 $(45-36)$인 분수를 만들 때 분모를 나누어야 하는 수 구하기

풀이

❷ 분자에서 빼야 하는 수 구하기

풀이

답

실전

06 $\frac{7}{8}$의 분모에 16을 더해도 분수의 크기가 변하지 않게 하려면 **분자에는 얼마를 더해야** 하는지 풀이 과정을 쓰고, 답을 구하세요.

풀이

답

4 단원

STEP 3 서술형 해결하기

연습

07 분자가 분모보다 1 작은 분수인 $\frac{5}{6}$, $\frac{6}{7}$, $\frac{7}{8}$의 크기를 비교하려고 합니다. 분수만큼 색칠한 후 분자가 분모보다 1 작은 분수의 크기 비교 방법을 이용하여 큰 수부터 차례로 쓰세요.

서술형 포인트 분수만큼 색칠하면 색칠하지 않은 부분은 $\frac{1}{(분모)}$입니다.

풀이를 완성하세요.

❶

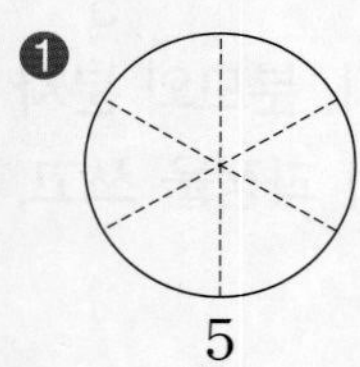

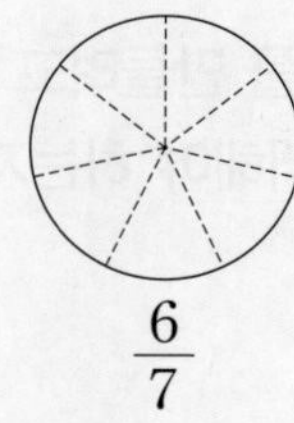

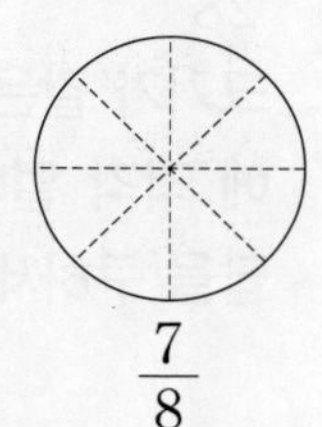

$\frac{5}{6}$ $\frac{6}{7}$ $\frac{7}{8}$

❷ 분자가 분모보다 1 작은 분수는 분모가 ☐ 더 큽니다.

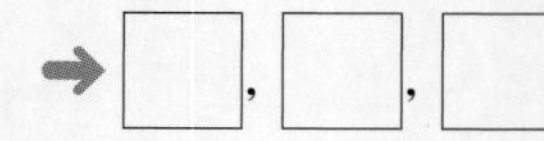

단계

08 $\frac{1}{2}$을 이용한 크기 비교 방법으로 큰 수부터 차례로 쓰려고 합니다. 풀이 과정을 쓰고, 답을 구하세요.

$\frac{20}{48}$ $\frac{12}{30}$ $\frac{12}{24}$ $\frac{10}{14}$

❶ $\frac{1}{2}$과 크기 비교하기

풀이

❷ 큰 수부터 차례로 쓰기

풀이

답

실전

09 분자가 같은 분수의 크기를 비교하는 방법으로 가장 큰 수를 구하려고 합니다. 풀이 과정을 쓰고, 답을 구하세요.

$\frac{3}{8}$ $\frac{3}{4}$ $\frac{7}{12}$ $\frac{7}{16}$

풀이

답

정답 21쪽

연습

10 수 카드 3장을 한 번씩 모두 사용하여 소수 두 자리 수를 만들려고 합니다. 만들 수 있는 가장 작은 소수를 기약분수로 나타내면 얼마인지 풀이 과정을 쓰고, 답을 구하세요.

1 6 4

서술형 포인트 가장 작은 소수 두 자리 수를 만들어야 하므로 높은 자리부터 작은 수를 차례로 놓습니다.

풀이를 완성하세요.

❶ 수의 크기를 비교하면 □<□<□이므로

만들 수 있는 가장 작은 소수 두 자리 수는

□.□□입니다.

❷ 따라서 소수를 기약분수로 나타내면

입니다.

답

단계

11 수 카드가 4장 있습니다. 이 중에서 3장을 뽑아 한 번씩 사용하여 대분수를 만들려고 합니다. 만들 수 있는 **가장 큰 대분수를 소수로** 나타내면 얼마인지 풀이 과정을 쓰고, 답을 구하세요.

1 8 5 3

❶ 만들 수 있는 가장 큰 대분수 구하기

풀이

❷ 대분수를 소수로 나타내기

풀이

답

실전

12 주머니에 구슬이 4개 들어 있습니다. 이 중에서 3개를 뽑아 한 번씩 사용하여 대분수를 만들려고 합니다. 만들 수 있는 **가장 작은 대분수를 소수로** 나타내면 얼마인지 풀이 과정을 쓰고, 답을 구하세요.

풀이

답

4 단원

단원 마무리

01 □ 안에 알맞은 수를 써넣어 크기가 같은 분수를 만드세요.

$$\frac{27}{45}=\frac{\square}{15}=\frac{3}{\square}$$

02 $\frac{32}{48}$를 약분하려고 합니다. 분모와 분자를 나눌 수 있는 수를 모두 찾아 ○표 하세요.

2 3 4 6 8 12 16

03 $\frac{5}{6}$와 $\frac{4}{9}$를 통분하려고 합니다. 공통분모가 될 수 있는 수를 모두 고르세요. (　　　)

① 18　② 24　③ 30
④ 36　⑤ 52

04 두 수의 크기를 비교하여 ○ 안에 >, =, <를 알맞게 써넣으세요.

$$0.72 \bigcirc \frac{19}{25}$$

05 기약분수를 찾아 기호를 쓰세요.

㉠ $\frac{21}{35}$　㉡ $\frac{36}{81}$　㉢ $\frac{56}{64}$　㉣ $\frac{7}{18}$

(　　　)

06 왼쪽 분수를 통분한 것을 오른쪽에서 찾아 선으로 이으세요.

(1) $\left(\frac{2}{3}, \frac{7}{9}\right)$ •　　• ㉠ $\left(\frac{6}{9}, \frac{7}{9}\right)$

(2) $\left(\frac{5}{8}, \frac{9}{14}\right)$ •　　• ㉡ $\left(\frac{7}{14}, \frac{2}{14}\right)$

(3) $\left(\frac{1}{2}, \frac{1}{7}\right)$ •　　• ㉢ $\left(\frac{35}{56}, \frac{36}{56}\right)$

07 두 분수의 크기를 비교하여 더 큰 분수를 위의 □ 안에 써넣으세요.

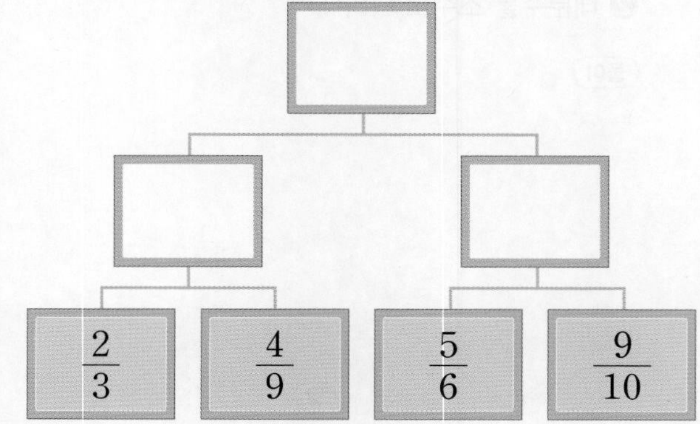

08 분모가 56인 분수 중에서 약분하면 $\frac{6}{7}$이 되는 분수를 구하세요.

( )

09 $\frac{2}{15}$와 $\frac{7}{18}$을 통분하려고 합니다. 50보다 크고 300보다 작은 수 중에서 공통분모가 될 수 있는 수를 모두 쓰세요.

( )

10 어떤 두 기약분수를 통분했더니 다음과 같았습니다. 통분하기 전의 두 기약분수를 구하세요.

$$\left(\frac{\square}{\square}, \frac{\square}{\square}\right) \rightarrow \left(\frac{9}{42}, \frac{22}{42}\right)$$

11 $\frac{5}{9}$와 크기가 같은 분수 중에서 분모와 분자의 합이 70인 분수를 구하세요.

( )

12 세 수의 크기를 비교하여 작은 수부터 차례로 쓰세요.

$\frac{5}{9}$ 0.6 $\frac{4}{15}$

( )

13 학교에서 출발하여 자전거 가게에 가려고 합니다. 공원을 지나서 가는 길과 자전거 가게로 바로 가는 길 중 어느 길이 더 가까운가요?

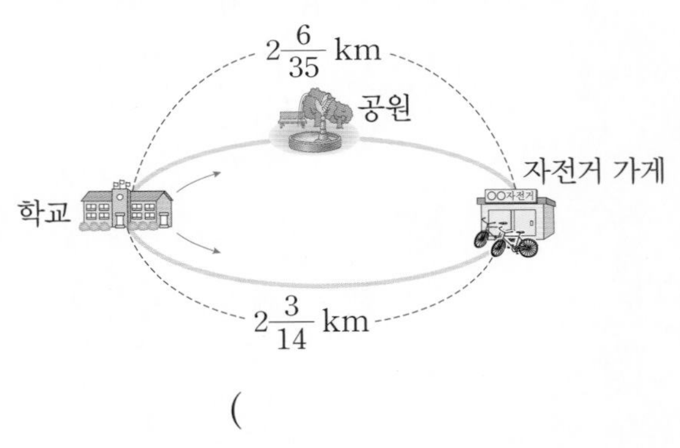

( )

14 $\frac{19}{36}$보다 크고 $\frac{11}{18}$보다 작은 분수 중에서 분모가 72인 분수는 모두 몇 개인가요?

( )

4 단원

단원 마무리

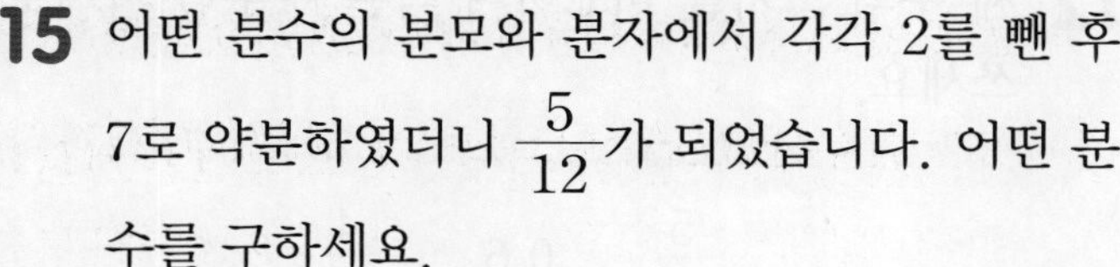

15 어떤 분수의 분모와 분자에서 각각 2를 뺀 후 7로 약분하였더니 $\frac{5}{12}$가 되었습니다. 어떤 분수를 구하세요.

( )

16 □ 안에 들어갈 수 있는 자연수는 모두 몇 개인가요?

$\frac{5}{6} > \frac{\square}{9}$

( )

17 다음 분수의 크기를 비교하여 큰 수부터 차례로 쓰세요.

$\frac{32}{56}$　$\frac{19}{38}$　$\frac{10}{24}$　$\frac{8}{18}$

( )

서술형 문제

18 다음에서 잘못 말한 사람을 찾고, 그 이유를 쓰세요.

유민: 분모의 크기가 같을 때는 분자의 크기가 클수록 더 큰 분수야.
민규: 세 분수의 크기 비교는 두 분수씩 차례로 통분하여 크기를 비교하면 돼.
슬아: 분모가 다른 분수는 분모와 분자를 어떤 수든지 같은 수로 나누어서 통분하면 크기를 비교할 수 있어.

답

이유

19 분모가 9인 진분수 중에서 기약분수는 모두 몇 개인지 풀이 과정을 쓰고, 답을 구하세요.

풀이

답

20 $\frac{5}{8}$보다 큰 분수 중에서 분모가 10인 가장 작은 분수를 구하려고 합니다. 풀이 과정을 쓰고, 답을 구하세요.

풀이

답

쉬어가기

태국 친구

사왓-디

'사왓-디' 내 이름은 푸밍이야.
"사왓-디"는 태국어로 "안녕"이라는 뜻이야.
신비를 간직한 자유의 나라, 태국을 소개할게.
태국의 수도인 방콕에는 '왓 프라깨오', '왓 포', '왓 아룬'
이라는 세 개의 사원이 있어. '왓 프라깨오'는 무척 화려한 사원인데
왕과 그의 가족이 머물렀던 왕궁이고, '왓 포'는 타이 전통 마사지가 시작된 사원이며
'왓 아룬'은 태국의 동전에도 등장하는 유명한 중앙 불탑이 있는 곳이야.

왓 프라깨오

왓 포

왓 아룬

태국의 '툭툭'

태국에는 독특한 교통수단이 많은데 그중에 가장 유명한 것은 '툭툭'이에요. 시동을 걸면 툭툭 소리가 난다고 해서 붙여진 이름이에요.

4 단원

5 분수의 덧셈과 뺄셈

학습 계획표

공부할 날짜를 적고 〈**진도북**〉과 〈**매칭북**〉의 쪽수를 찾아 공부하세요.

학습 내용	계획 및 확인					
	진도북			매칭북		
STEP 1 **개념 완성하기**	100~103쪽 ➔	월	일	28쪽 ➔	월	일
STEP 2 **실력 다지기**	104~107쪽 ➔	월	일	29~30쪽 ➔	월	일
STEP 1 **개념 완성하기**	108~111쪽 ➔	월	일	31쪽 ➔	월	일
STEP 2 **실력 다지기**	112~117쪽 ➔	월	일	32~34쪽 ➔	월	일
STEP 3 **서술형 해결하기**	118~121쪽 ➔	월	일	35~36쪽 ➔	월	일
단원 마무리	122~124쪽 ➔	월	일	59~61쪽 ➔	월	일

대표 유형

• 이번 단원에서 꼭 공부해야 할 〈**대표 유형**〉입니다.

• 학습한 후에 이해가 부족한 유형은 □ 안에 ○표 한 후 반복하여 학습하세요.

- □ 분수의 합
- □ 분수의 덧셈 계산 방법
- □ 분수의 덧셈에서 크기 비교하기
- □ 분수의 덧셈 활용
- □ 모르는 수 구하기
- □ 세 분수의 덧셈
- □ 약점 체크 분수를 만들어 합 구하기
- □ 약점 체크 단위분수의 합으로 나타내기
- □ 분수의 차
- □ 분수의 뺄셈 계산 방법
- □ 분수의 뺄셈에서 크기 비교하기
- □ 분수의 뺄셈 활용
- □ 빈 곳에 알맞은 수 구하기
- □ 세 분수의 덧셈과 뺄셈
- □ 분수의 합과 차를 이용한 활용
- □ 분수 막대를 사용하여 합과 차 구하기
- □ 약점 체크 분수를 만들어 차 구하기
- □ 약점 체크 이어 붙인 테이프의 길이 구하기
- □ 약점 체크 □ 안에 들어갈 수 있는 수 구하기
- □ 약점 체크 시간을 분수로 나타내어 구하기

STEP 1

개념 완성하기

1 분수의 덧셈 (1) — 받아올림이 없는 진분수의 덧셈

예제 $\frac{3}{4}+\frac{1}{6}$ 계산하기

방법 1 분모의 곱을 공통분모로 하여 통분한 후 계산하기

$$\frac{3}{4}+\frac{1}{6}=\frac{3\times6}{4\times6}+\frac{1\times4}{6\times4}=\frac{18}{24}+\frac{4}{24}=\frac{22}{24}=\frac{11}{12}$$

통분 약분

방법 2 분모의 최소공배수를 공통분모로 하여 통분한 후 계산하기

$$\frac{3}{4}+\frac{1}{6}=\frac{3\times3}{4\times3}+\frac{1\times2}{6\times2}=\frac{9}{12}+\frac{2}{12}=\frac{11}{12}$$

2 분수의 덧셈 (2) — 받아올림이 있는 진분수의 덧셈

[분모가 다른 진분수의 덧셈 방법]

① 두 분수를 통분합니다.
② 통분한 분모는 그대로 두고 분자끼리 더합니다.
③ 결과가 가분수이면 대분수로 고치고 약분하여 기약분수로 나타냅니다.

예제 $\frac{2}{3}+\frac{7}{9}$ 계산하기

방법 1 분모의 곱을 공통분모로 하여 통분한 후 계산하기

$$\frac{2}{3}+\frac{7}{9}=\frac{2\times9}{3\times9}+\frac{7\times3}{9\times3}=\frac{18}{27}+\frac{21}{27}$$

통분

$$=\frac{39}{27}=1\frac{12}{27}=1\frac{4}{9}$$

가분수 ➜ 대분수

방법 2 분모의 최소공배수를 공통분모로 하여 통분한 후 계산하기

$$\frac{2}{3}+\frac{7}{9}=\frac{2\times3}{3\times3}+\frac{7}{9}=\frac{6}{9}+\frac{7}{9}=\frac{13}{9}=1\frac{4}{9}$$

참고 방법 1 과 방법 2 의 비교

방법 1 은 분모끼리 곱하면 되므로 공통분모를 구하기 쉽습니다.
방법 2 는 분모의 최소공배수를 공통분모로 하여 통분하므로 분자끼리의 덧셈이 쉽고, 계산한 결과를 약분할 필요가 없거나 간단합니다.

개념 확인

1 그림을 보고 □ 안에 알맞은 수를 써넣으세요.

$$\frac{1}{2}=\frac{\square}{6} \qquad \frac{2}{3}=\frac{\square}{6}$$

$$\frac{1}{2}+\frac{2}{3}=\frac{\square}{6}+\frac{\square}{6}=\frac{\square}{6}=\square$$

2 □ 안에 알맞은 수를 써넣으세요.

$$\frac{5}{6}+\frac{3}{8}=\frac{5\times\square}{6\times4}+\frac{3\times\square}{8\times3}$$

$$=\frac{\square}{24}+\frac{\square}{24}=\frac{\square}{24}=\square$$

3 보기 와 같이 계산하세요.

보기

$$\frac{2}{9}+\frac{5}{12}=\frac{2\times12}{9\times12}+\frac{5\times9}{12\times9}=\frac{24}{108}+\frac{45}{108}$$

$$=\frac{69}{108}=\frac{23}{36}$$

$$\frac{1}{8}+\frac{7}{10}$$

정답 24쪽

4 계산하세요.

(1) $\frac{3}{7}+\frac{1}{4}$

(2) $\frac{1}{9}+\frac{5}{6}$

(3) $\frac{11}{12}+\frac{4}{9}$

5 빈 곳에 알맞은 수를 써넣으세요.

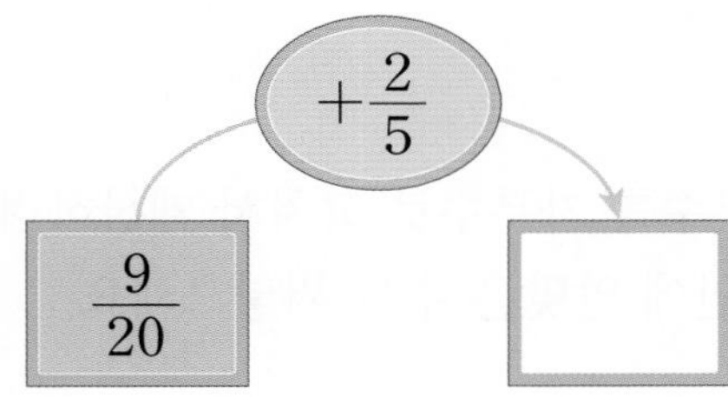

6 계산 결과를 찾아 선으로 이으세요.

(1) $\frac{8}{9}+\frac{2}{3}$ •

(2) $\frac{7}{15}+\frac{7}{10}$ •

• ㉠ $1\frac{5}{9}$

• ㉡ $1\frac{1}{6}$

• ㉢ $1\frac{3}{10}$

기본 유형

[7~8] $\frac{9}{10}+\frac{3}{4}$을 주어진 방법으로 계산하세요.

7 분모의 곱을 공통분모로 하여 통분한 후 계산하세요.

$\frac{9}{10}+\frac{3}{4}$

8 분모의 최소공배수를 공통분모로 하여 통분한 후 계산하세요.

$\frac{9}{10}+\frac{3}{4}$

9 선물을 포장하는 데 빨간색 테이프 $\frac{5}{6}$ m와 노란색 테이프 $\frac{4}{5}$ m를 사용했습니다. 사용한 빨간색 테이프와 노란색 테이프는 모두 몇 m인가요?

$\frac{5}{6}+\square=\square$(m)

5 단원

개념 완성하기

3 분수의 덧셈 (3) — 대분수의 덧셈

[분모가 다른 대분수의 덧셈 방법]

① 자연수는 자연수끼리, 분수는 분수끼리 계산하거나 대분수를 가분수로 고쳐서 계산합니다.

② 분수끼리 계산할 때는 두 분수를 통분하여 통분한 분모는 그대로 두고 분자끼리 더합니다.

③ 결과가 가분수이면 대분수로 고치고 약분하여 기약분수로 나타냅니다.

(1) 받아올림이 없는 대분수의 덧셈

예제 $1\frac{1}{2}+1\frac{1}{3}$ 계산하기

방법 1 자연수는 자연수끼리, 분수는 분수끼리 계산하기 — 분수 부분의 계산이 간편합니다.

$$1\frac{1}{2}+1\frac{1}{3}=1\frac{3}{6}+1\frac{2}{6}=(1+1)+\left(\frac{3}{6}+\frac{2}{6}\right)$$

$$=2+\frac{5}{6}=2\frac{5}{6}$$

방법 2 대분수를 가분수로 고쳐서 계산하기 — 자연수 부분과 분수 부분을 분리하여 계산하지 않아도 됩니다.

$$1\frac{1}{2}+1\frac{1}{3}=\frac{3}{2}+\frac{4}{3}=\frac{9}{6}+\frac{8}{6}=\frac{17}{6}=2\frac{5}{6}$$

대분수 ➡ 가분수 / 가분수 ➡ 대분수

(2) 받아올림이 있는 대분수의 덧셈

예제 $2\frac{4}{5}+1\frac{1}{4}$ 계산하기

방법 1 자연수는 자연수끼리, 분수는 분수끼리 계산하기

$$2\frac{4}{5}+1\frac{1}{4}=2\frac{16}{20}+1\frac{5}{20}=(2+1)+\left(\frac{16}{20}+\frac{5}{20}\right)$$

$$=3+\frac{21}{20}=3+1\frac{1}{20}=4\frac{1}{20}$$

방법 2 대분수를 가분수로 고쳐서 계산하기

$$2\frac{4}{5}+1\frac{1}{4}=\frac{14}{5}+\frac{5}{4}=\frac{56}{20}+\frac{25}{20}=\frac{81}{20}=4\frac{1}{20}$$

대분수 ➡ 가분수 / 가분수 ➡ 대분수

개념 확인

1 그림을 보고 □ 안에 알맞은 수를 써넣으세요.

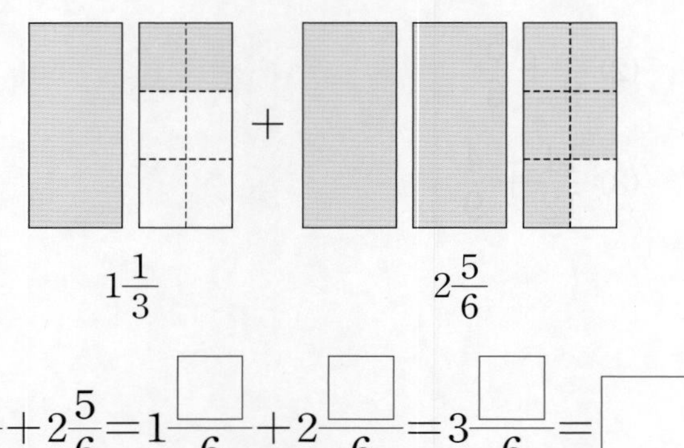

$1\frac{1}{3}$ $2\frac{5}{6}$

$$1\frac{1}{3}+2\frac{5}{6}=1\frac{\square}{6}+2\frac{\square}{6}=3\frac{\square}{6}=\square$$

2 대분수를 가분수로 고쳐서 계산하려고 합니다. □ 안에 알맞은 수를 써넣으세요.

$$1\frac{4}{5}+1\frac{2}{3}=\frac{\square}{5}+\frac{\square}{3}=\frac{\square}{15}+\frac{\square}{15}$$

$$=\frac{\square}{15}=\square$$

3 계산하세요.

(1) $2\frac{2}{7}+1\frac{5}{8}$

(2) $2\frac{7}{20}+3\frac{8}{15}$

(3) $4\frac{1}{6}+2\frac{4}{9}$

정답 24쪽

기본 유형

4 빈 곳에 알맞은 수를 써넣으세요.

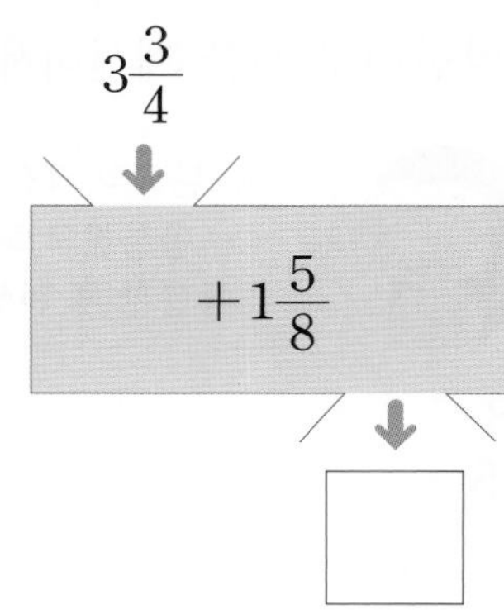

[5~6] $1\frac{8}{9}+2\frac{2}{3}$를 주어진 방법으로 계산하세요.

5 자연수는 자연수끼리, 분수는 분수끼리 계산하세요.

$1\frac{8}{9}+2\frac{2}{3}$

6 대분수를 가분수로 고쳐서 계산하세요.

$1\frac{8}{9}+2\frac{2}{3}$

7 크기를 비교하여 ○ 안에 >, =, <를 알맞게 써넣으세요.

$7\frac{4}{7}+\frac{3}{5}$ ○ $8\frac{24}{35}$

8 □ 안에 알맞은 수를 써넣으세요.

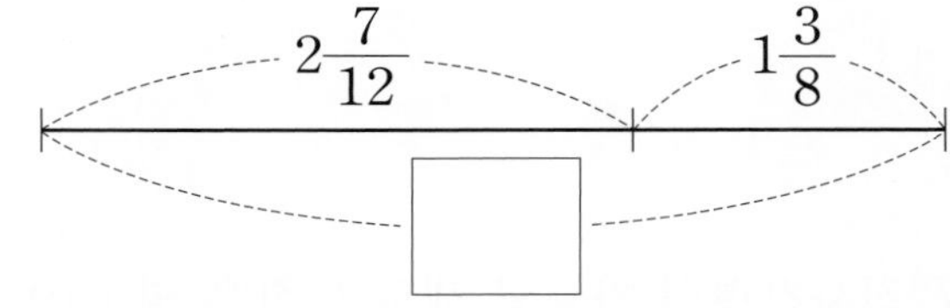

9 민수는 자전거를 어제는 $1\frac{4}{15}$시간 동안 탔고, 오늘은 $1\frac{3}{10}$시간 동안 탔습니다. 민수가 어제와 오늘 자전거를 탄 시간은 모두 몇 시간인가요?

$1\frac{4}{15}+$ □ $=$ □ (시간)

STEP 2 유형 확인 강화

실력 다지기

분수의 합

유형 **01** 빈 곳에 알맞은 수를 써넣으세요.

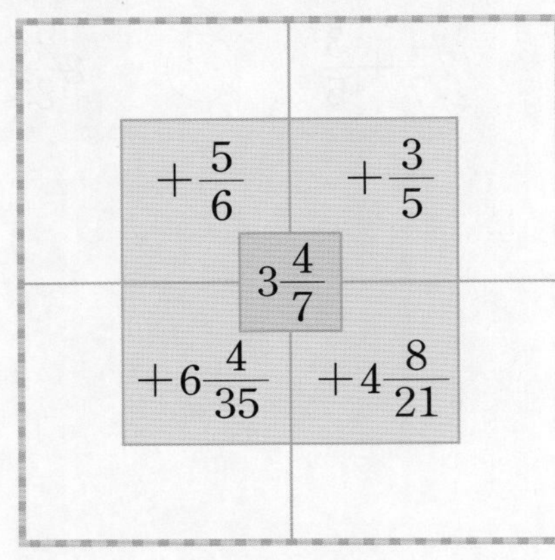

확인 **02** 직사각형의 가로와 세로의 합은 몇 m인가요?

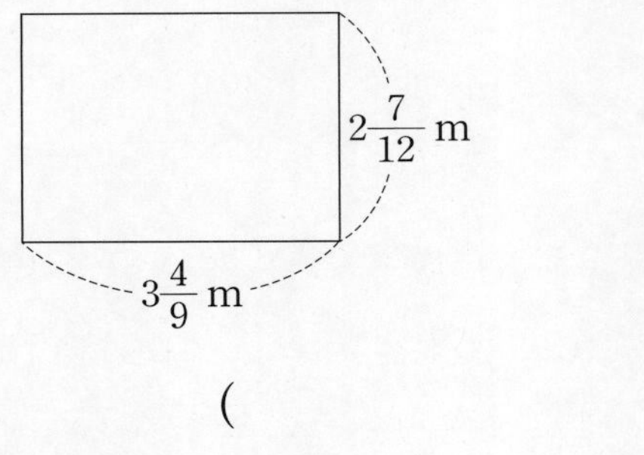

( )

강화 **03** 가장 큰 분수와 가장 작은 분수를 찾아 두 수의 합을 구하세요.

$1\frac{3}{8}$ $2\frac{3}{4}$ $1\frac{5}{12}$

( )

분수의 덧셈 계산 방법

04 유나가 말한대로 식을 계산하세요.

$\frac{7}{10}+\frac{8}{15}$

서술형

05 준서는 다음과 같이 잘못 계산했습니다. 계산이 처음으로 잘못된 곳을 찾아 이유를 쓰고, 옳게 고쳐 계산하세요.

$$\frac{1}{12}+\frac{3}{4}=\frac{1}{12}+\frac{3\times1}{4\times3}=\frac{1}{12}+\frac{3}{12}$$
$$=\frac{4}{12}=\frac{1}{3}$$

이유

$\frac{1}{12}+\frac{3}{4}$

06 $4\frac{3}{4}+2\frac{1}{5}$을 두 가지 방법으로 계산하세요.

방법 1

방법 2

분수의 덧셈에서 크기 비교하기

07 계산 결과를 비교하여 ○ 안에 >, =, <를 알맞게 써넣으세요.

$\frac{11}{6}+\frac{5}{9}$ 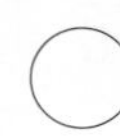 $\frac{8}{5}+\frac{5}{3}$

08 계산 결과가 가장 작은 식을 말한 사람은 누구인가요?

$3\frac{2}{5}+1\frac{3}{4}$
희웅

$2\frac{1}{3}+2\frac{1}{4}$
정민

$1\frac{7}{8}+3\frac{5}{12}$
성훈

( )

09 계산 결과가 큰 것부터 차례로 기호를 쓰세요.

㉠ $2\frac{2}{3}+2\frac{1}{4}$	㉡ $1\frac{3}{4}+3\frac{5}{6}$
㉢ $1\frac{1}{2}+4\frac{2}{3}$	㉣ $1\frac{3}{5}+2\frac{1}{7}$

( )

분수의 덧셈 활용

10 교과역량 지수는 다음과 같이 레몬 음료를 만들었습니다. 지수가 만든 레몬 음료는 몇 L인가요?

레몬 음료 만드는 방법

① 컵에 레몬 청 $\frac{2}{9}$ L를 넣습니다.

② 레몬 청에 물 $\frac{3}{7}$ L를 넣습니다.

③ 레몬 청과 물이 잘 섞이도록 젓습니다.

( )

11 수지의 몸무게는 $32\frac{3}{10}$ kg이고, 혜리는 수지보다 $2\frac{2}{15}$ kg 더 무겁습니다. 혜리의 몸무게는 몇 kg인가요?

( )

서술형

12 교과역량 서우네 집에서 공연장을 가려면 지하철역을 지나야 합니다. 서우네 집에서 지하철역까지 $\frac{3}{8}$ km이고, 지하철역에서 공연장까지 $\frac{5}{9}$ km입니다. 서우네 집에서 공연장까지의 거리가 1 km보다 가까우면 걸어가고, 1 km가 넘으면 버스를 타고 가려고 합니다. 서우네 집에서 공연장까지 어느 방법으로 가면 좋을지 풀이 과정을 쓰고, 답을 구하세요.

풀이

답

5 단원

실력 다지기

모르는 수 구하기

유형 **13** ▲에 알맞은 분수를 구하세요.

$$▲-\frac{11}{15}=\frac{4}{9}$$

(　　　　　　　　)

확인 **14** ㉠에 알맞은 수를 구하세요.

$$\frac{2}{3}+\frac{㉠}{4}=1\frac{5}{12}$$

(　　　　　　　　)

강화 **15** 서술형 어떤 수에서 $7\frac{7}{12}$을 뺐더니 $1\frac{5}{8}$가 되었습니다. 어떤 수는 얼마인지 풀이 과정을 쓰고, 답을 구하세요.

풀이

답

세 분수의 덧셈

16 빈 곳에 알맞은 수를 써넣으세요.

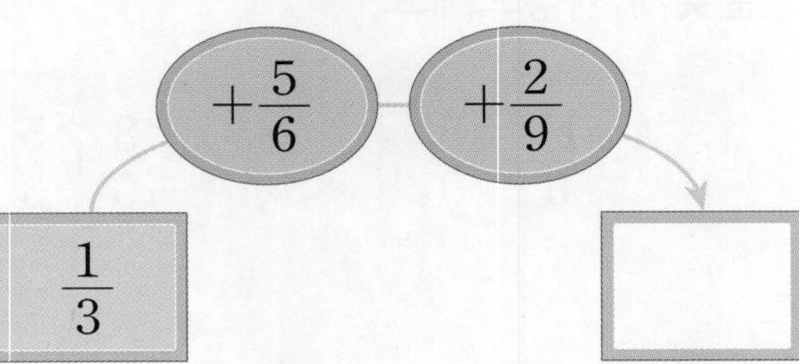

$\frac{1}{3}$ → $+\frac{5}{6}$ → $+\frac{2}{9}$ → □

17 계산 결과가 더 큰 것의 기호를 쓰세요.

㉠ $\frac{1}{6}+\frac{1}{4}+\frac{5}{12}$

㉡ $\frac{2}{15}+\frac{1}{5}+\frac{7}{30}$

(　　　　　　　　)

18 길이가 다음과 같은 색 테이프 3장을 겹치는 부분 없이 한 줄로 이어 붙였습니다. 이어 붙인 색 테이프의 전체 길이는 몇 m인가요?

$\frac{1}{4}$ m

$\frac{7}{10}$ m

$1\frac{3}{20}$ m

(　　　　　　　　)

정답 25쪽

약점 체크 분수를 만들어 합 구하기

19 주머니에서 구슬을 3개 꺼냈습니다. 꺼낸 구슬에 쓰여 있는 수를 한 번씩만 사용하여 대분수를 만들려고 합니다. 만들 수 있는 가장 큰 대분수와 가장 작은 대분수의 합을 구하세요.

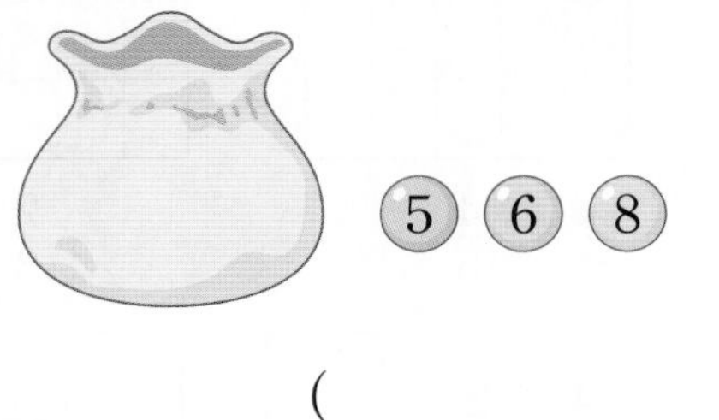

(　　　　　　　　)

해결 가장 큰 대분수: 가장 큰 수를 자연수 부분에 놓습니다.
가장 작은 대분수: 가장 작은 수를 자연수 부분에 놓습니다.

서술형

20 신이와 유미는 각자 가지고 있는 수 카드를 한 번씩만 사용하여 가장 작은 대분수를 만들려고 합니다. 신이가 만들 수 있는 가장 작은 대분수와 유미가 만들 수 있는 가장 작은 대분수의 합은 얼마인지 풀이 과정을 쓰고, 답을 구하세요.

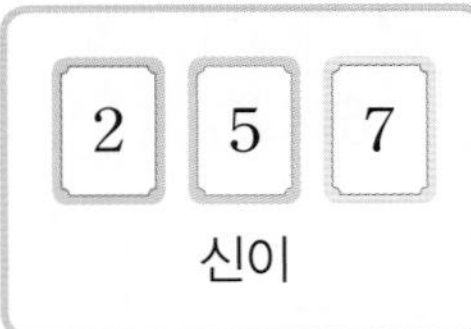

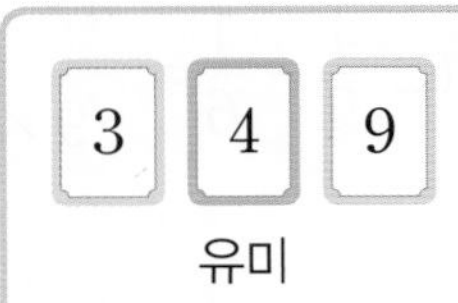

풀이

답

약점 체크 단위분수의 합으로 나타내기

21 $\frac{3}{4}$을 분모가 서로 다른 두 단위분수의 합으로 나타내려고 합니다. □ 안에 알맞은 수를 써넣으세요.

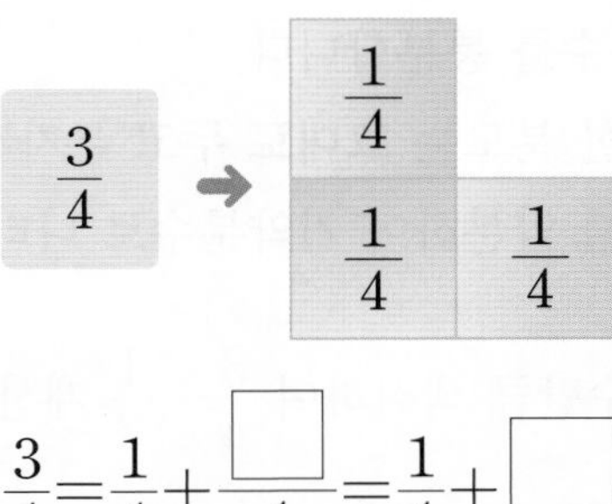

$$\frac{3}{4}=\frac{1}{4}+\frac{\square}{4}=\frac{1}{4}+\square$$

해결 분모의 약수를 이용하여 분수를 서로 다른 단위분수의 합으로 나타냅니다.

22 다음 식을 만족하는 두 자연수 가와 나를 각각 구하세요. (단, 가<나입니다.)

$$\frac{11}{56}=\frac{1}{가}+\frac{1}{나}$$

가 (　　　　　　　　)

나 (　　　　　　　　)

5 단원

개념 완성하기

4 분수의 뺄셈 (1)

[분모가 다른 진분수의 뺄셈 방법]

① 두 분수를 통분합니다.

② 통분한 분모는 그대로 두고 분자끼리 뺍니다.

③ 결과를 약분하여 기약분수로 나타냅니다.

예제 1 분수만큼 색칠하여 $\frac{3}{4}-\frac{1}{2}$ 계산하기

$\frac{3}{4}$

$\frac{1}{2}=\frac{2}{4}$

$\frac{3}{4}-\frac{1}{2}=\frac{3}{4}-\frac{2}{4}=\frac{1}{4}$

예제 2 $\frac{3}{4}-\frac{1}{2}$ 계산하기 → 진분수의 뺄셈

방법 1 분모의 곱을 공통분모로 하여 통분한 후 계산하기

$$\frac{3}{4}-\frac{1}{2}=\frac{3\times2}{4\times2}-\frac{1\times4}{2\times4}=\frac{6}{8}-\frac{4}{8}=\frac{2}{8}=\frac{1}{4}$$

통분 약분

방법 2 분모의 최소공배수를 공통분모로 하여 통분한 후 계산하기

$$\frac{3}{4}-\frac{1}{2}=\frac{3}{4}-\frac{1\times2}{2\times2}=\frac{3}{4}-\frac{2}{4}=\frac{1}{4}$$

예제 3 $\frac{11}{6}-\frac{5}{4}$ 계산하기 → 가분수의 뺄셈

방법 1 분모의 곱을 공통분모로 하여 통분한 후 계산하기

$$\frac{11}{6}-\frac{5}{4}=\frac{11\times4}{6\times4}-\frac{5\times6}{4\times6}=\frac{44}{24}-\frac{30}{24}=\frac{14}{24}=\frac{7}{12}$$

약분

방법 2 분모의 최소공배수를 공통분모로 하여 통분한 후 계산하기

$$\frac{11}{6}-\frac{5}{4}=\frac{11\times2}{6\times2}-\frac{5\times3}{4\times3}=\frac{22}{12}-\frac{15}{12}=\frac{7}{12}$$

개념 확인

1 그림을 보고 □ 안에 알맞은 수를 써넣으세요.

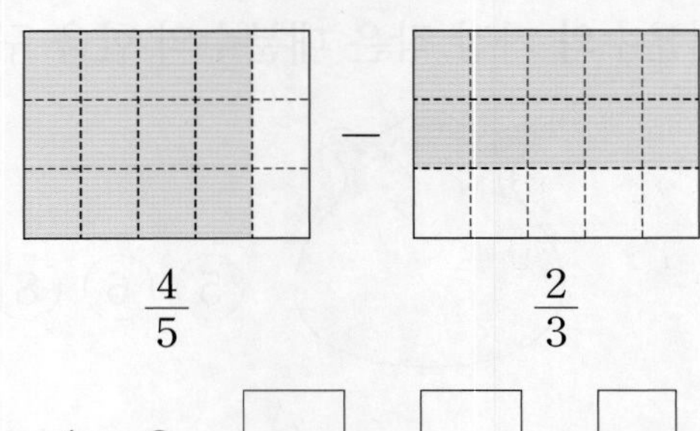

$\frac{4}{5}$ − $\frac{2}{3}$

$$\frac{4}{5}-\frac{2}{3}=\frac{\square}{15}-\frac{\square}{15}=\frac{\square}{15}$$

2 □ 안에 알맞은 수를 써넣으세요.

(1) $\frac{4}{9}-\frac{1}{6}=\frac{4\times\square}{9\times6}-\frac{1\times\square}{6\times9}$

$=\frac{\square}{54}-\frac{\square}{54}=\frac{\square}{54}=\square$

(2) $\frac{4}{9}-\frac{1}{6}=\frac{4\times\square}{9\times2}-\frac{1\times\square}{6\times3}$

$=\frac{\square}{18}-\frac{\square}{18}=\square$

3 보기 와 같이 계산하세요.

보기

$$\frac{7}{8}-\frac{1}{6}=\frac{42}{48}-\frac{8}{48}=\frac{34}{48}=\frac{17}{24}$$

$\frac{3}{4}-\frac{3}{10}$

4 계산하세요.

(1) $\frac{5}{7}-\frac{1}{3}$

(2) $\frac{4}{5}-\frac{8}{15}$

(3) $\frac{24}{13}-\frac{40}{39}$

5 빈 곳에 알맞은 수를 써넣으세요.

(−) →

$\frac{7}{9}$	$\frac{2}{5}$	
$\frac{15}{8}$	$\frac{1}{6}$	

6 계산 결과를 찾아 선으로 이으세요.

(1) $\frac{13}{24}-\frac{5}{36}$ •

(2) $\frac{3}{4}-\frac{9}{14}$ •

• ㉠ $\frac{3}{56}$

• ㉡ $\frac{29}{72}$

• ㉢ $\frac{3}{28}$

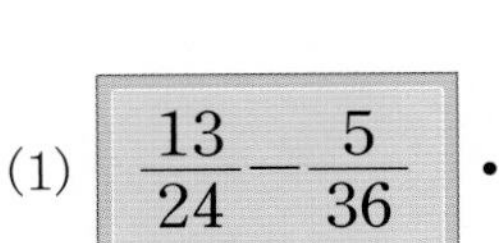

기본 유형

[7~8] $\frac{11}{12}-\frac{5}{8}$를 주어진 방법으로 계산하세요.

7 분모의 곱을 공통분모로 하여 통분한 후 계산하세요.

$\frac{11}{12}-\frac{5}{8}$

8 분모의 최소공배수를 공통분모로 하여 통분한 후 계산하세요.

$\frac{11}{12}-\frac{5}{8}$

9 두 종이테이프의 길이의 차는 몇 m인가요?

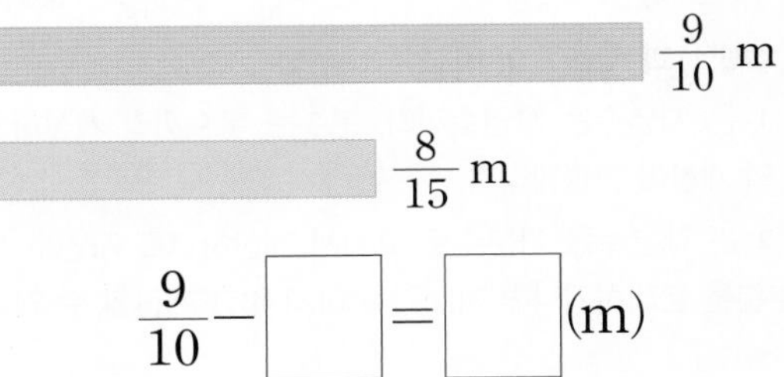

$\frac{9}{10}-\square=\square$(m)

개념 완성하기

5 분수의 뺄셈 (2) — 받아내림이 없는 대분수의 뺄셈

예제 $2\frac{3}{4}-1\frac{1}{8}$ 계산하기

방법 1 자연수는 자연수끼리, 분수는 분수끼리 계산하기

$$2\frac{3}{4}-1\frac{1}{8}=2\frac{6}{8}-1\frac{1}{8}=(2-1)+\left(\frac{6}{8}-\frac{1}{8}\right)=1\frac{5}{8}$$

방법 2 대분수를 가분수로 고쳐서 계산하기

$$2\frac{3}{4}-1\frac{1}{8}=\frac{11}{4}-\frac{9}{8}=\frac{22}{8}-\frac{9}{8}=\frac{13}{8}=1\frac{5}{8}$$

대분수 ➜ 가분수 　　가분수 ➜ 대분수

6 분수의 뺄셈 (3) — 받아내림이 있는 대분수의 뺄셈

[받아내림이 있는 대분수의 뺄셈 방법]

- 자연수는 자연수끼리, 분수는 분수끼리 계산합니다. 단, 분수끼리 뺄 수 없을 때에는 자연수 부분에서 1을 받아내림하여 계산합니다.
- 대분수를 가분수로 고쳐서 계산합니다.

예제 $3\frac{2}{5}-1\frac{1}{2}$ 계산하기

방법 1 자연수는 자연수끼리, 분수는 분수끼리 계산할 때 분수끼리 뺄 수 없으면 자연수 부분에서 1을 받아내림하여 가분수로 바꾼 후 계산하기

1을 받아내림

$$3\frac{2}{5}-1\frac{1}{2}=3\frac{4}{10}-1\frac{5}{10}=2\frac{14}{10}-1\frac{5}{10}$$

$$=(2-1)+\left(\frac{14}{10}-\frac{5}{10}\right)=1+\frac{9}{10}=1\frac{9}{10}$$

방법 2 대분수를 가분수로 고쳐서 계산하기

$$3\frac{2}{5}-1\frac{1}{2}=\frac{17}{5}-\frac{3}{2}=\frac{34}{10}-\frac{15}{10}=\frac{19}{10}=1\frac{9}{10}$$

대분수 ➜ 가분수 　　가분수 ➜ 대분수

참고 방법 1 과 방법 2 의 비교

방법 1 은 자연수는 자연수끼리, 분수는 분수끼리 계산하므로 분수 부분의 계산이 간편합니다.

방법 2 는 대분수를 가분수로 고쳐서 계산하므로 자연수 부분과 분수 부분을 분리하거나 받아내림을 하지 않고 계산할 수 있습니다.

개념 확인

1 그림에 $2\frac{1}{4}$만큼 색칠하고 $1\frac{7}{8}$만큼 ×로 지워서 $2\frac{1}{4}-1\frac{7}{8}$을 계산하세요.

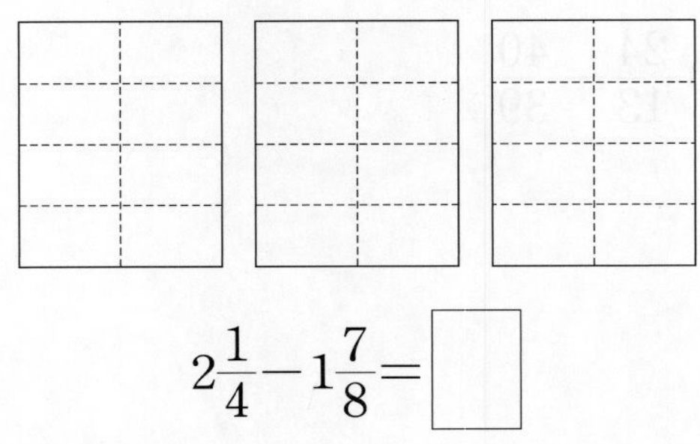

$2\frac{1}{4}-1\frac{7}{8}=$ □

2 대분수를 가분수로 고쳐서 계산하려고 합니다. □ 안에 알맞은 수를 써넣으세요.

$$3\frac{1}{3}-1\frac{3}{4}=\frac{\square}{3}-\frac{\square}{4}=\frac{\square}{12}-\frac{\square}{12}$$

$$=\frac{\square}{12}=\square$$

3 계산하세요.

(1) $2\frac{5}{7}-\frac{5}{14}$

(2) $2\frac{2}{3}-1\frac{4}{9}$

(3) $4\frac{3}{10}-2\frac{7}{12}$

4 빈 곳에 알맞은 수를 써넣으세요.

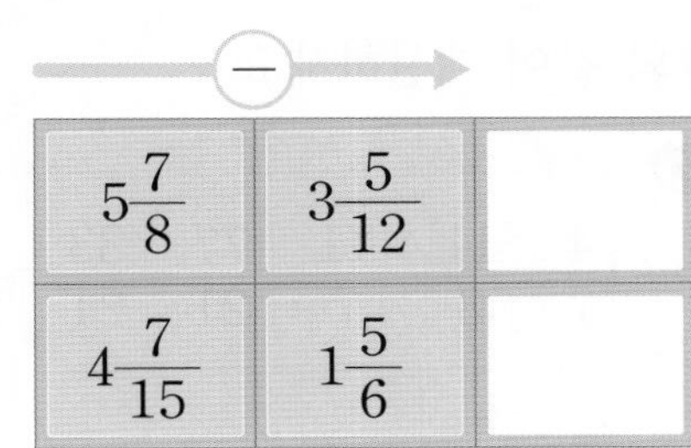

$5\frac{7}{8}$	$3\frac{5}{12}$	
$4\frac{7}{15}$	$1\frac{5}{6}$	

[5~6] $4\frac{1}{4}-2\frac{9}{10}$ **를 주어진 방법으로 계산하세요.**

5 자연수는 자연수끼리, 분수는 분수끼리 계산하세요.

$4\frac{1}{4}-2\frac{9}{10}$

6 대분수를 가분수로 고쳐서 계산하세요.

$4\frac{1}{4}-2\frac{9}{10}$

기본 유형

7 □ 안에 알맞은 수를 써넣으세요.

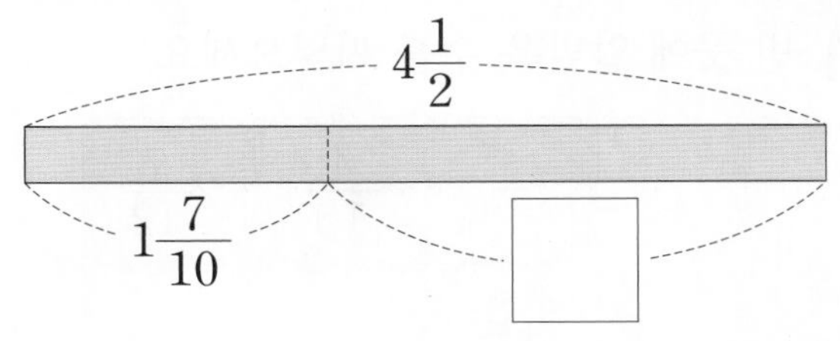

8 크기를 비교하여 ○ 안에 >, =, <를 알맞게 써넣으세요.

$4\frac{1}{9}-1\frac{5}{12}$ ○ $3\frac{3}{10}$

9 설현이와 민아가 계산한 것을 보고 옳게 계산한 사람의 이름을 쓰세요.

$7\frac{3}{8}-5\frac{1}{10}=1\frac{11}{40}$	$9\frac{1}{4}-6\frac{5}{6}=2\frac{5}{12}$
설현	민아

( )

5 단원

STEP 2 유형 확인 강화

실력 다지기

분수의 차

유형 **01** 빈 곳에 알맞은 수를 써넣으세요.

$-$	$\frac{4}{15}$	$2\frac{7}{12}$
$3\frac{8}{9}$		

확인 **02** 다음이 나타내는 수를 구하세요.

$5\frac{11}{20}$보다 $2\frac{3}{5}$ 작은 수

(　　　　　　　　)

강화 **03** 3장의 분수 카드 중 2장을 골라 차가 가장 크게 되도록 □ 안에 한 번씩 써넣고, 계산한 값을 구하세요.

$2\frac{5}{6}$　　$4\frac{5}{8}$　　$3\frac{7}{12}$

□ $-$ □

(　　　　　　　　)

분수의 뺄셈 계산 방법

04 보기 와 같이 계산하세요.

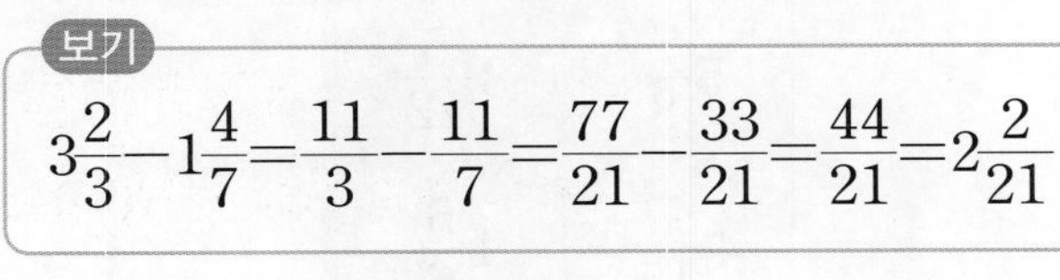

보기

$$3\frac{2}{3}-1\frac{4}{7}=\frac{11}{3}-\frac{11}{7}=\frac{77}{21}-\frac{33}{21}=\frac{44}{21}=2\frac{2}{21}$$

$2\frac{3}{8}-1\frac{5}{6}$

서술형

05 다음은 잘못 계산한 것입니다. 계산이 처음으로 잘못된 곳을 찾아 이유를 쓰고, 옳게 고쳐 계산하세요.

$$\frac{7}{9}-\frac{1}{3}=\frac{7}{9}-\frac{1}{9}=\frac{6}{9}=\frac{2}{3}$$

이유

$\frac{7}{9}-\frac{1}{3}$

06 $4\frac{4}{5}-3\frac{3}{4}$을 두 가지 방법으로 계산하세요.

방법 1

방법 2

정답 27쪽

분수의 뺄셈에서 크기 비교하기

07 계산 결과를 비교하여 ○ 안에 >, =, <를 알맞게 써넣으세요.

$\frac{14}{15}-\frac{7}{12}$ 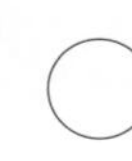 $\frac{9}{20}-\frac{1}{4}$

08 계산 결과가 작은 것부터 차례로 ○ 안에 번호를 써넣으세요.

$3\frac{1}{8}-1\frac{1}{2}$	$3\frac{4}{5}-1\frac{7}{10}$	$5\frac{1}{2}-2\frac{3}{4}$
○	○	○

09 나타내는 분수가 더 작은 것의 기호를 쓰세요.

㉠ $5\frac{7}{15}$보다 $2\frac{8}{9}$ 작은 수

㉡ $4\frac{1}{3}$보다 $1\frac{4}{5}$ 작은 수

(　　　　　　　　)

분수의 뺄셈 활용

10 같은 양의 물이 담긴 두 비커에 설탕의 양을 다르게 하여 설탕물을 만들었습니다. 설탕을 ㉮ 비커에는 $\frac{11}{16}$컵 넣었고, ㉯ 비커에는 ㉮ 비커에 넣은 설탕보다 $\frac{13}{24}$컵 적게 넣었습니다. ㉯ 비커에 넣은 설탕의 양은 몇 컵인가요?

(　　　　　　　　)

11 은진이의 일기를 읽고 은진이가 오늘 몇 km를 걸었는지 구하세요.
교과역량

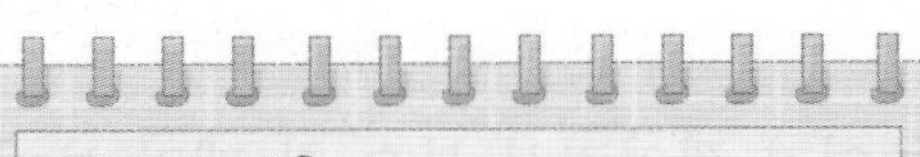

6월 12일 맑음
아빠와 함께 걷기 운동을 시작했다.
어제는 $3\frac{7}{15}$ km를 걸었고, 오늘은 어제보다 $1\frac{1}{5}$ km 적게 걸었다.

(　　　　　　　　)

서술형

12 실과 시간에 모형을 꾸미고 있습니다. 색종이를 성우는 $3\frac{7}{16}$장 사용했고, 찬희는 $1\frac{1}{4}$장 사용했습니다. 누가 색종이를 몇 장 더 많이 사용했는지 풀이 과정을 쓰고, 답을 구하세요.

풀이

답 　　　　,

5 단원

실력 다지기

빈 곳에 알맞은 수 구하기

유형 **13** ■에 알맞은 분수를 구하세요.

$$■+1\frac{5}{12}=3\frac{5}{6}$$

(　　　　　　　　)

확인 **14** 종이가 찢어져서 분수 한 개가 보이지 않습니다. 찢어진 부분에 알맞은 분수를 구하세요.

$$\square+\frac{3}{8}=\frac{11}{12}-\frac{1}{4}$$

(　　　　　　　　)

강화 **15** ㉠에 알맞은 수를 구하세요.

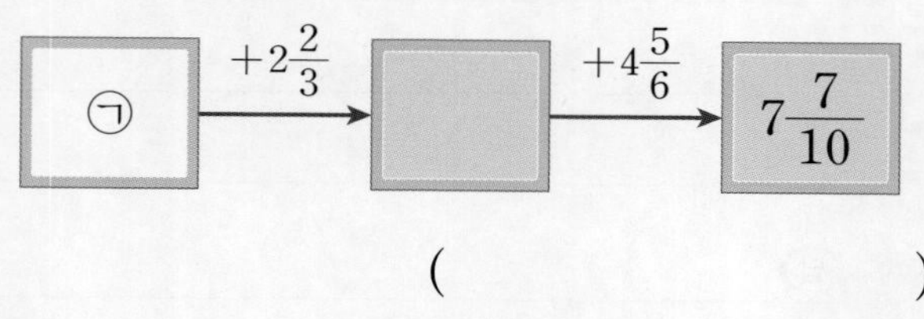

(　　　　　　　　)

세 분수의 덧셈과 뺄셈

16 빈 곳에 알맞은 수를 써넣으세요.

$\frac{13}{15}$ → $-\frac{1}{5}$ → $-\frac{7}{30}$ → □

서술형

17 계산 결과가 더 큰 것의 기호를 쓰려고 합니다. 풀이 과정을 쓰고, 답을 구하세요.

㉠ $\frac{13}{10}+\frac{4}{5}-\frac{1}{2}$　　㉡ $\frac{5}{8}+\frac{3}{4}-\frac{1}{6}$

풀이

답

18 우유 2 L 중에서 $\frac{5}{6}$ L는 팥빙수를 만드는 데 사용하고, $\frac{8}{15}$ L는 마셨습니다. 남아 있는 우유는 몇 L인가요?

(　　　　　　　　)

분수의 합과 차를 이용한 활용

19 도전수학 시후는 빨간색 물감 $2\frac{1}{4}$ L와 파란색 물감 $\frac{4}{5}$ L를 섞어서 보라색 물감을 만들고, 흰색 물감 $1\frac{3}{5}$ L와 파란색 물감 $1\frac{1}{4}$ L를 섞어서 하늘색 물감을 만들었습니다. 시후가 만든 보라색 물감과 하늘색 물감 중 어느 것이 몇 L 더 많은지 차례로 구하세요.

(　　　　　　　), (　　　　　　　)

20 서술형 지수네 집에서 공원까지 가는데 우체국과 서점 중에서 어느 곳을 거쳐 가는 길이 몇 km 더 가까운지 구하려고 합니다. 풀이 과정을 쓰고, 답을 구하세요.

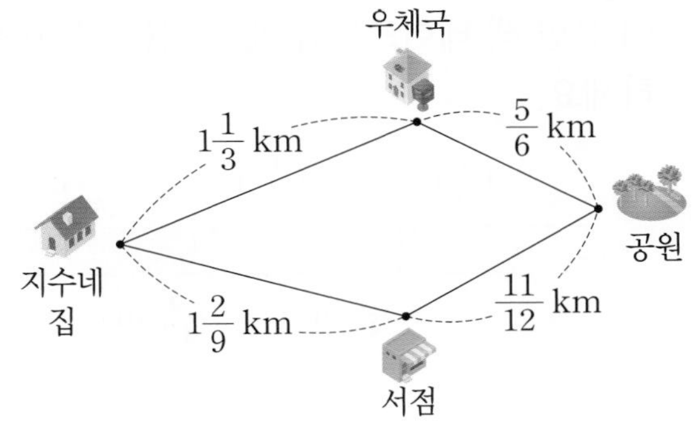

풀이

답 　　　　　　,

분수 막대를 사용하여 합과 차 구하기

[21~22] 분수 막대를 사용하여 분수의 계산을 하려고 합니다. 물음에 답하세요.

21 $1\frac{1}{4}+2\frac{5}{6}$를 계산하려고 합니다. □ 안에 알맞은 수를 써넣으세요.

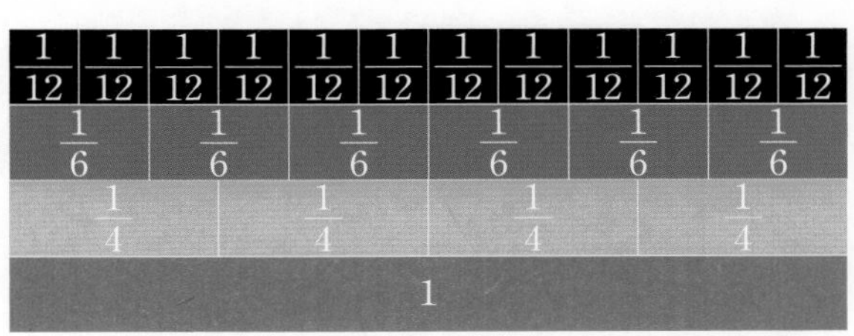

$\frac{1}{4}$과 $\frac{5}{6}$를 합하면 $\frac{1}{12}$ 막대 □개가 되므로 $1\frac{1}{4}+2\frac{5}{6}$에서 자연수 부분끼리 계산한 1 막대 □개와 합하면 □입니다.

22 $1\frac{2}{5}-\frac{1}{2}$을 계산하려고 합니다. □ 안에 알맞은 수를 써넣으세요.

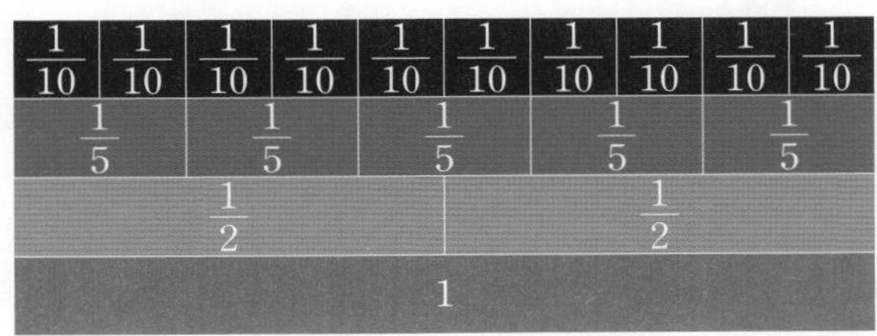

$\frac{2}{5}$에서 $\frac{1}{2}$을 뺄 수 없으므로 $1\frac{2}{5}$를 $\frac{1}{10}$ 막대 □개로 바꿉니다. $\frac{1}{2}$은 $\frac{1}{10}$ 막대 □개와 같으므로 $1\frac{2}{5}$와 $\frac{1}{2}$의 차는 □입니다.

5 단원

STEP 2 실력 다지기

약점 체크 **분수를 만들어 차 구하기**

유형 **23** 수가 적힌 공을 4개 뽑았습니다. 이 중에서 3개를 골라 한 번씩만 사용하여 대분수를 만들려고 합니다. 만들 수 있는 가장 큰 대분수와 가장 작은 대분수의 차를 구하세요.

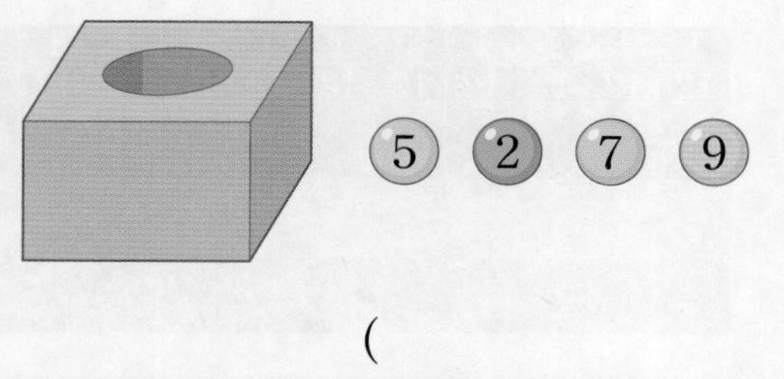

( )

해결 가장 큰 대분수: 가장 큰 수를 자연수 부분에 놓습니다.
가장 작은 대분수: 가장 작은 수를 자연수 부분에 놓습니다.

서술형

확인 **24** 4장의 수 카드 중에서 3장을 골라 한 번씩만 사용하여 대분수를 만들려고 합니다. 만든 두 대분수의 차가 가장 클 때의 값은 얼마인지 풀이 과정을 쓰고, 답을 구하세요.

1 3 8 5

풀이

답

약점 체크 **이어 붙인 테이프의 길이 구하기**

25 길이가 $3\frac{5}{12}$ m와 $1\frac{3}{4}$ m인 종이를 $\frac{7}{24}$ m가 겹치게 이어 붙였습니다. 이어 붙인 종이의 전체 길이는 몇 m인지 구하세요.

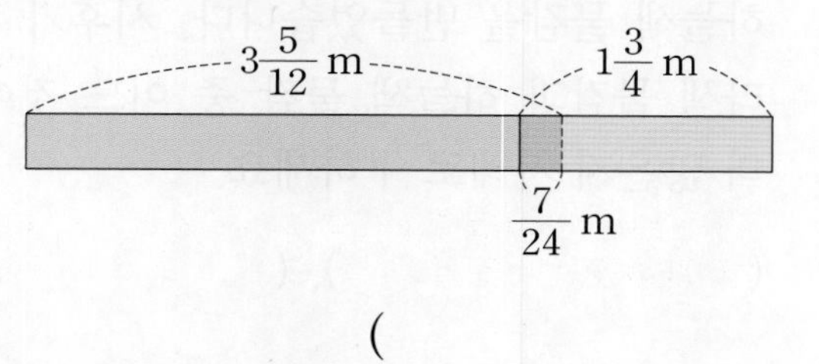

( )

해결 이어 붙인 종이의 전체 길이는 종이 길이의 합에서 겹친 부분의 길이를 빼서 구합니다.

26 길이가 $1\frac{4}{9}$ m인 색 테이프 3장을 그림과 같이 $\frac{5}{12}$ m가 겹치게 한 줄로 이어 붙였습니다. 이어 붙인 색 테이프의 전체 길이는 몇 m인지 구하세요.

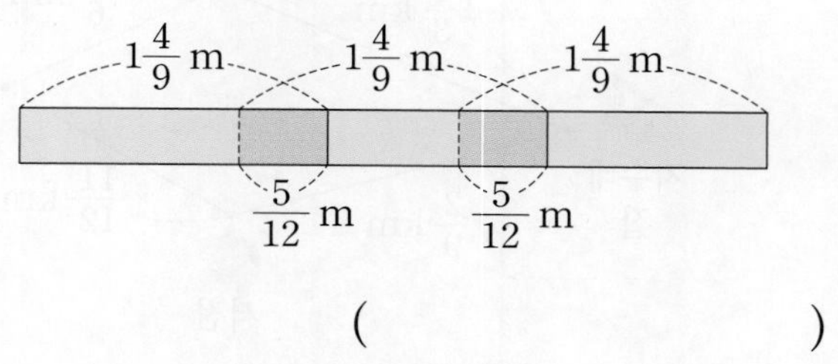

( )

정답 28쪽

약점 체크 □ 안에 들어갈 수 있는 수 구하기

27 □ 안에 들어갈 수 있는 가장 작은 자연수를 구하세요.

$$5\frac{5}{12}-2\frac{7}{8}<2\frac{\square}{24}$$

(　　　　　　　　)

해결 분수의 뺄셈을 계산한 후 분수의 크기를 비교하여 □ 안에 들어갈 수 있는 수를 알아봅니다.

서술형

28 □ 안에 들어갈 수 있는 자연수를 모두 구하려고 합니다. 풀이 과정을 쓰고, 답을 구하세요.

$$6\frac{1}{9}-2\frac{7}{12}<\square<7\frac{9}{20}-1\frac{2}{15}$$

풀이

답

약점 체크 시간을 분수로 나타내어 구하기

29 은혁이는 $1\frac{2}{5}$시간 동안 독서를 하고, $1\frac{1}{3}$시간 동안 숙제를 했습니다. 은혁이가 독서와 숙제를 한 시간은 모두 몇 시간 몇 분인가요?

(　　　　　　　　)

해결 1시간은 60분이므로 1분$=\frac{1}{60}$시간입니다. $\frac{▲}{■}$시간을 분모가 60인 분수로 나타내면 몇 분인지 쉽게 구할 수 있습니다.

여물: 말과 소를 먹이기 위해 말려서 썬 짚이나 마른 풀

30 윤영이는 오전 9시부터 목장 체험을 시작하여 $1\frac{3}{4}$시간 동안 치즈를 만들고, $\frac{2}{5}$시간 동안 소에게 *여물을 주고, 30분 동안 피자를 만들고 체험을 마쳤습니다. 윤영이가 체험을 마친 시각은 오전 몇 시 몇 분인가요? (단, 쉬는 시간은 생각하지 않습니다.)

(　　　　　　　　)

5 단원

STEP 3 연습 단계 실전

서술형 해결하기

연습

01 ■에 알맞은 수는 얼마인지 풀이 과정을 쓰고, 답을 구하세요.

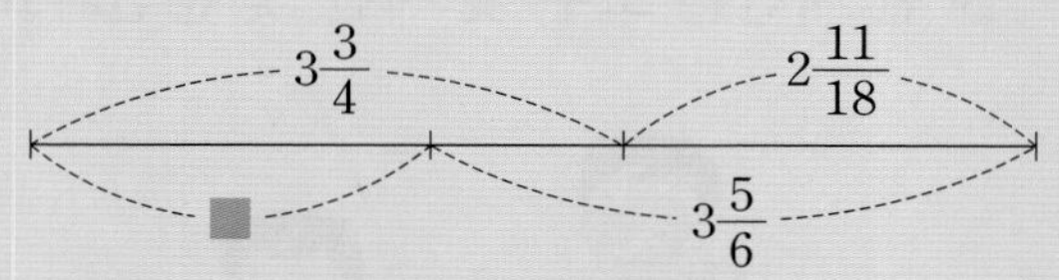

서술형 포인트 수가 모두 주어진 쪽을 계산하여 전체의 값을 구한 후 모르는 수를 구합니다.

풀이를 완성하세요.

❶ 전체의 값을 구하면

$3\frac{3}{4}+2\frac{11}{18}=$ 입니다.

❷ ■$+3\frac{5}{6}=$ ☐ 이므로

■$=$ 입니다.

따라서 ■에 알맞은 수는 ☐ 입니다.

답

단계

02 호수와 가게 사이의 거리는 몇 km인지 풀이 과정을 쓰고, 답을 구하세요.

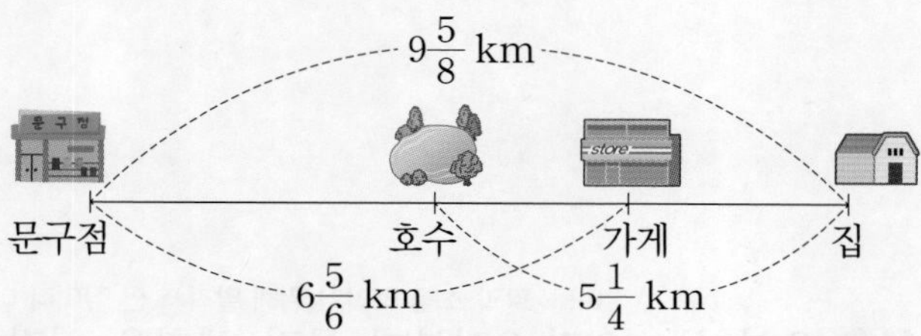

❶ (문구점~가게)+(호수~집) 구하기

풀이

❷ 호수~가게 사이의 거리 구하기

풀이

답

실전

03 병원에서 학교까지의 거리는 몇 km인지 풀이 과정을 쓰고, 답을 구하세요.

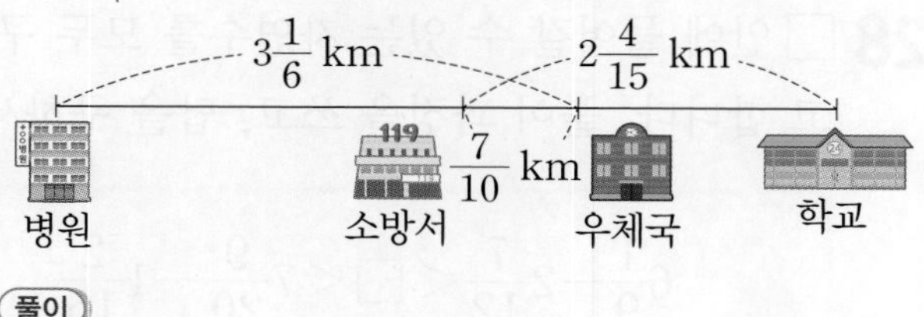

풀이

답

연습

04 어떤 수에 $1\frac{5}{8}$를 더했더니 $2\frac{5}{6}$가 되었습니다. 어떤 수는 얼마인지 풀이 과정을 쓰고, 답을 구하세요.

서술형 포인트 어떤 수를 □라 하고 식을 세운 후 덧셈과 뺄셈의 관계를 이용하여 어떤 수를 구합니다.

풀이를 완성하세요.

❶ 어떤 수를 ■라 하면

■+□$=2\frac{5}{6}$입니다.

❷ 덧셈과 뺄셈의 관계를 이용하여 ■를 구하면

■=　　　　　　　　　　입니다.

따라서 어떤 수는 □입니다.

답

단계

05 어떤 수에 $1\frac{4}{15}$를 더해야 할 것을 잘못하여 뺐더니 $2\frac{7}{20}$이 되었습니다. **바르게 계산하면 얼마**인지 풀이 과정을 쓰고, 답을 구하세요.

❶ 어떤 수 구하기

풀이

❷ 바르게 계산한 값 구하기

풀이

답

실전

06 어떤 수에서 $1\frac{3}{5}$을 빼야 할 것을 잘못하여 더했더니 $3\frac{11}{15}$이 되었습니다. **바르게 계산하면 얼마**인지 풀이 과정을 쓰고, 답을 구하세요.

풀이

답

5 단원

STEP 3

서술형 해결하기

연습

07 ㉡에 알맞은 기약분수를 구하려고 합니다. 풀이 과정을 쓰고, 답을 구하세요.

• $1\frac{7}{12}+㉠=4\frac{13}{15}$ • $㉠-1\frac{5}{6}=㉡$

서술형 포인트 덧셈과 뺄셈의 관계를 이용하여 먼저 ㉠을 구한 후 ㉡을 구합니다.

풀이를 완성하세요.

❶ $1\frac{7}{12}+㉠=4\frac{13}{15}$에서

㉠= 입니다.

❷ $㉠-1\frac{5}{6}=㉡$에서 ㉠=☐을 넣어 ㉡을 구합니다.

㉡=

이므로 ㉡=☐입니다.

답

단계

08 ♥에 알맞은 **기약분수**를 구하려고 합니다. 풀이 과정을 쓰고, 답을 구하세요.

• $▼+7\frac{3}{8}=9\frac{2}{9}$

• $2\frac{3}{4}-▼=♣$

• ♣+♥=▼

❶ ▼의 값 구하기

풀이

❷ ♣의 값 구하기

풀이

❸ ♥의 값 구하기

풀이

답

실전

09 ◆에 알맞은 **기약분수**를 구하려고 합니다. 풀이 과정을 쓰고, 답을 구하세요.

• $3\frac{4}{9}-1\frac{5}{12}=■$

• $■+\frac{1}{6}=●$

• ■+●=◆

풀이

답

연습

10 물이 가득 들어 있는 수조의 무게가 $3\frac{5}{18}$ kg입니다. 물의 절반을 따라 내고 수조의 무게를 재었더니 $1\frac{11}{12}$ kg이었습니다. 빈 수조의 무게는 몇 kg인지 풀이 과정을 쓰고, 답을 구하세요.

서술형 포인트 먼저 물의 절반의 무게를 구한 후, 빈 수조의 무게를 구합니다.

풀이를 완성하세요.

❶ (물의 절반의 무게)

= (kg)

❷ (빈 수조의 무게)

= (kg)

따라서 빈 수조의 무게는 ☐ kg입니다.

답

단계

11 수박 6통이 들어 있는 상자의 무게가 $45\frac{1}{4}$ kg입니다. 수박 3통의 무게가 $22\frac{1}{4}$ kg이라면 **상자만의 무게**는 몇 kg인지 풀이 과정을 쓰고, 답을 구하세요. (단, 수박의 무게는 모두 같습니다.)

❶ 수박 6통의 무게 구하기

풀이

❷ 상자만의 무게 구하기

풀이

답

실전

12 무 6개의 무게를 재었더니 $4\frac{2}{5}$ kg이었습니다. 무 18개가 들어 있는 바구니의 무게가 14 kg이라면 **바구니만의 무게**는 몇 kg인지 풀이 과정을 쓰고, 답을 구하세요. (단, 무의 무게는 모두 같습니다.)

풀이

답

5 단원

단원 마무리

01 그림을 보고 □ 안에 알맞은 수를 써넣으세요.

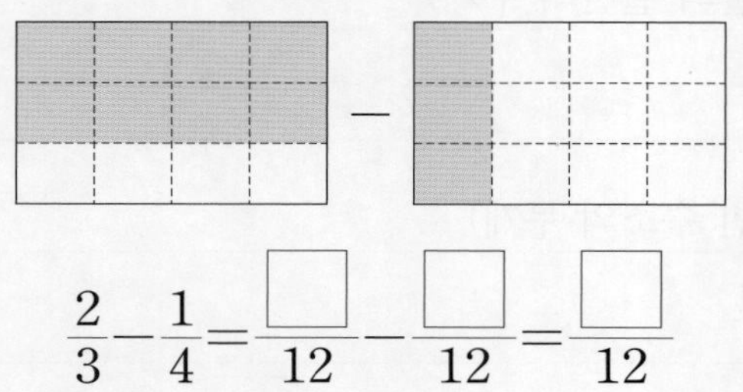

$\frac{2}{3}-\frac{1}{4}=\frac{\square}{12}-\frac{\square}{12}=\frac{\square}{12}$

02 □ 안에 알맞은 수를 써넣으세요.

$2\frac{7}{9}+1\frac{2}{3}=2\frac{\square}{9}+1\frac{\square}{9}$

$=(2+1)+\left(\frac{\square}{9}+\frac{\square}{9}\right)$

$=3\frac{\square}{9}=\square$

03 계산하세요.

$4\frac{5}{12}-2\frac{7}{8}$

04 크기를 비교하여 ○ 안에 >, =, <를 알맞게 써넣으세요.

$6\frac{8}{15}-2\frac{2}{5}$ ○ $4\frac{7}{15}$

05 빈 곳에 알맞은 수를 써넣으세요.

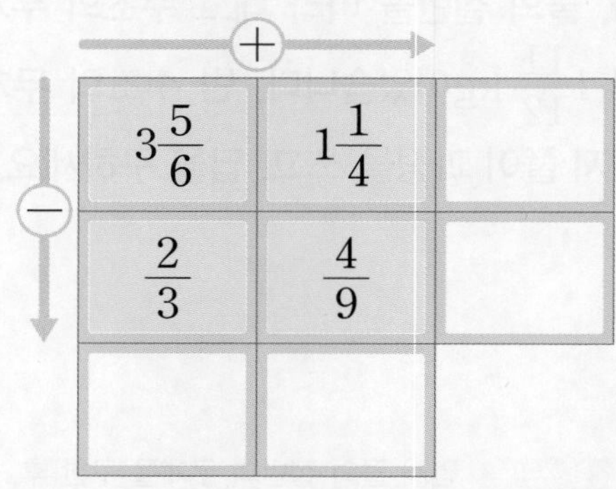

$3\frac{5}{6}$	$1\frac{1}{4}$	
$\frac{2}{3}$	$\frac{4}{9}$	

06 계산 결과가 1보다 큰 것을 찾아 ○표 하세요.

$\frac{1}{2}+\frac{3}{7}$	$\frac{3}{4}+\frac{2}{9}$	$\frac{2}{3}+\frac{3}{8}$
(　　)	(　　)	(　　)

07 $3\frac{1}{8}-1\frac{3}{4}$을 두 가지 방법으로 계산하세요.

방법 1 자연수는 자연수끼리, 분수는 분수끼리 계산하기

$3\frac{1}{8}-1\frac{3}{4}$

방법 2 대분수를 가분수로 고쳐서 계산하기

$3\frac{1}{8}-1\frac{3}{4}$

08 계산 결과를 비교하여 ○ 안에 >, =, <를 알맞게 써넣으세요.

$\frac{7}{8}+\frac{1}{2}-\frac{3}{4}$ 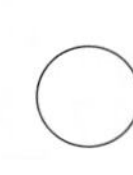 $1\frac{1}{6}-\frac{1}{4}-\frac{2}{3}$

09 빈 곳에 알맞은 수를 써넣으세요.

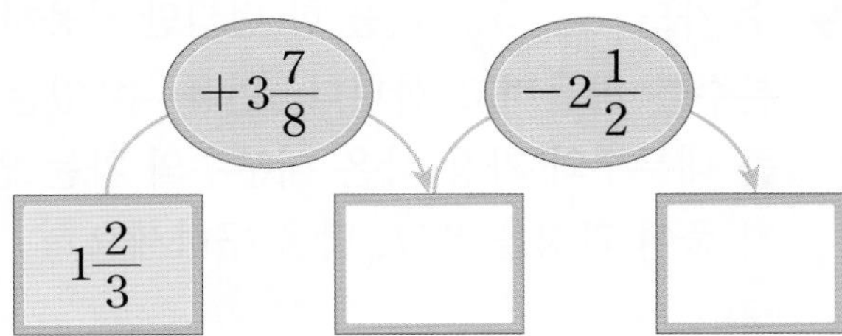

10 물통에 물이 $1\frac{7}{10}$ L 들어 있습니다. 이 물통에 물 $2\frac{4}{15}$ L를 더 부었습니다. 물통에 들어 있는 물은 모두 몇 L인가요?

( )

11 가장 큰 분수와 가장 작은 분수의 합을 구하세요.

$3\frac{9}{14}$ $3\frac{6}{7}$ $2\frac{13}{21}$

( )

12 계산 결과가 큰 것부터 차례로 기호를 쓰세요.

㉠ $2\frac{2}{3}+2\frac{7}{9}$ ㉡ $2\frac{3}{8}+2\frac{1}{4}$

㉢ $5\frac{5}{7}-2\frac{1}{3}$ ㉣ $8\frac{3}{10}-3\frac{4}{5}$

( )

13 학교에서 영주네 집까지는 $5\frac{7}{8}$ km이고, 민재네 집까지는 $5\frac{5}{6}$ km입니다. 학교에서 누구네 집이 몇 km 더 먼지 차례로 구하세요.

( ), ( )

14 □ 안에 알맞은 수를 구하세요.

$\square+\frac{11}{12}=1\frac{13}{36}$

( )

5 단원

15 □ 안에 들어갈 수 있는 가장 큰 자연수를 구하세요.

$$1\frac{2}{5}+2\frac{3}{10}>3\frac{\square}{10}$$

(　　　　　　　　)

16 길이가 $\frac{7}{8}$ m인 종이테이프 2장을 그림과 같이 $\frac{1}{3}$ m가 겹치게 한 줄로 이어 붙였습니다. 이어 붙인 종이테이프의 전체 길이는 몇 m인가요?

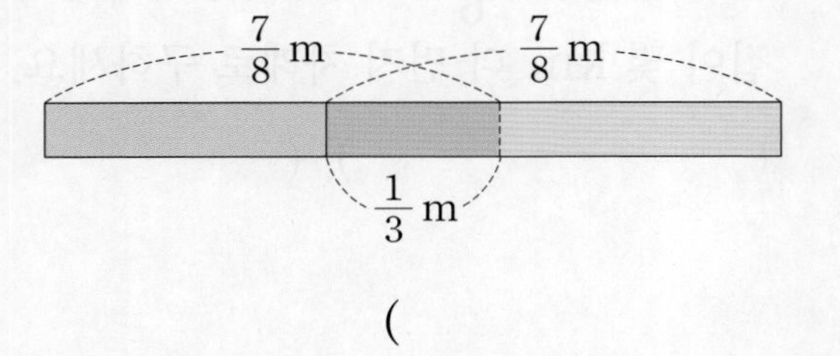

(　　　　　　　　)

17 어떤 수에서 $2\frac{5}{9}$를 빼야 할 것을 잘못하여 더했더니 $5\frac{1}{6}$이 되었습니다. 바르게 계산하면 얼마인지 구하세요.

(　　　　　　　　)

서술형 문제

18 $4\frac{1}{4}-2\frac{5}{12}$를 계산한 것입니다. 어떤 방법으로 계산했는지 설명하세요.

$$4\frac{1}{4}-2\frac{5}{12}=\frac{17}{4}-\frac{29}{12}=\frac{51}{12}-\frac{29}{12}=\frac{22}{12}$$
$$=1\frac{10}{12}=1\frac{5}{6}$$

방법

19 수 카드 3, 5, 7을 한 번씩만 사용하여 대분수를 만들려고 합니다. 만들 수 있는 가장 큰 대분수와 가장 작은 대분수의 차는 얼마인지 풀이 과정을 쓰고, 답을 구하세요.

풀이

답

20 벽에 페인트를 칠하는 데 아버지는 보라색 페인트 $2\frac{2}{3}$ L와 흰색 페인트 $\frac{1}{7}$ L를 사용했고, 삼촌은 노란색 페인트 $1\frac{5}{7}$ L와 파란색 페인트 $1\frac{1}{3}$ L를 사용했습니다. 누가 페인트를 몇 L 더 많이 사용했는지 풀이 과정을 쓰고, 답을 구하세요.

풀이

답 ,

쉬어가기

헤이
(Hej)

헤이. 내 이름은 엠마야.
세계에서 행복지수가 가장 높은 나라인 덴마크에서 살아.
"헤이"는 일상생활에서 쓰는 인사말로
"안녕하세요."와 같은 뜻이야.
덴마크에 대해 소개할게.
덴마크의 수도는 코펜하겐이고 덴마크에는 세계적으로 유명한 니하운 운하가 있어.
니하운 운하는 덴마크 어로 '새로운 항구'라는 뜻이야.
이곳에 동화작가 안데르센이 살았다고 해서 안데르센 거리라고 불리기도 해.
또 헬싱괴르에는 세익스피어 소설 햄릿의 무대가 되는 크론보르 성이 있어.

니하운 운하

크론보르 성

◀ 안데르센이 쓴 대표적인 동화 인어공주의 동상

6 다각형의 둘레와 넓이

학습 계획표

공부할 날짜를 적고 **〈진도북〉**과 **〈매칭북〉**의 쪽수를 찾아 공부하세요.

학습 내용	계획 및 확인					
	진도북			매칭북		
STEP 1 개념 완성하기	128~133쪽 →	월	일	37쪽 →	월	일
STEP 2 실력 다지기	134~139쪽 →	월	일	38~40쪽 →	월	일
STEP 1 개념 완성하기	140~143쪽 →	월	일	41쪽 →	월	일
STEP 2 실력 다지기	144~149쪽 →	월	일	42~44쪽 →	월	일
STEP 3 서술형 해결하기	150~153쪽 →	월	일	45~46쪽 →	월	일
단원 마무리	154~156쪽 →	월	일	62~64쪽 →	월	일

※ **특강**을 활용하여 이번에 배운 내용의 흐름을 정리합니다.

대표 유형

- 이번 단원에서 꼭 공부해야 할 **〈대표 유형〉**입니다.
- 학습한 후에 이해가 부족한 유형은 ▢ 안에 ○표 한 후 반복하여 학습하세요.

- ▢ 도형의 둘레 구하기
- ▢ 둘레를 알 때 한 변의 길이 구하기
- ▢ $1\ cm^2$를 이용하여 넓이 구하기
- ▢ 길이가 주어진 직사각형의 넓이 구하기
- ▢ 넓이의 단위 m^2, km^2
- ▢ 알맞은 넓이의 단위로 나타내기
- ▢ 직사각형의 둘레 활용
- ▢ 직각으로 이루어진 도형의 둘레 구하기
- ▢ 둘레를 알 때 넓이 구하기
- ▢ 둘레와 넓이를 이용하여 변의 길이 구하기
- ▢ 약점 체크 직사각형을 이용하여 도형의 넓이 구하기
- ▢ 약점 체크 직사각형의 넓이를 이용하여 둘레 구하기
- ▢ 사각형의 구성 요소 알기
- ▢ 도형의 넓이 구하기
- ▢ 여러 가지 방법으로 넓이 구하기
- ▢ 넓이가 같은 도형 찾기(그리기)
- ▢ 넓이 비교하기
- ▢ 생활 속 도형의 넓이 구하기
- ▢ 넓이가 주어진 도형에서 변의 길이 구하기
- ▢ 두 도형의 넓이가 같을 때 변의 길이 구하기
- ▢ 약점 체크 넓이의 합으로 다각형의 넓이 구하기
- ▢ 약점 체크 넓이의 차로 다각형의 넓이 구하기
- ▢ 약점 체크 넓이를 이용하여 도형의 둘레 구하기
- ▢ 약점 체크 한 도형에서 넓이를 이용하여 길이 구하기

STEP 1

개념 완성하기

1 정다각형의 둘레

(정다각형의 둘레)=(한 변의 길이)×(변의 수)

예제 한 변의 길이가 2 cm인 정오각형의 둘레 구하기

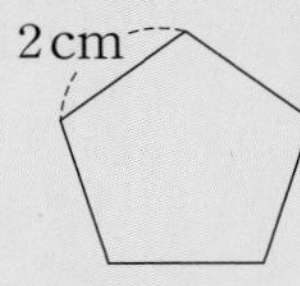

(정오각형의 둘레)
$=2\times5=10$(cm)
└ 정다각형은 모든 변의 길이가 같으므로 한 변의 길이에 변의 수를 곱합니다.

2 사각형의 둘레

(1) **직사각형의 둘레 구하기**

(직사각형의 둘레)=(가로+세로)×2

예제 가로가 9 cm, 세로가 5 cm인 직사각형의 둘레 구하기

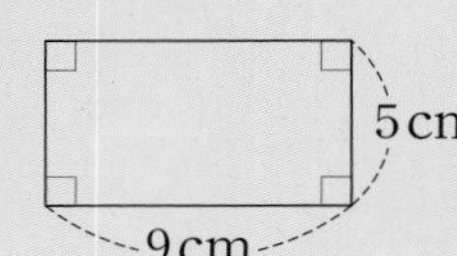

(직사각형의 둘레)
$=(9+5)\times2=28$(cm)

(2) **평행사변형의 둘레 구하기**

(평행사변형의 둘레)
=(한 변의 길이+다른 한 변의 길이)×2

예제 변의 길이가 6 cm, 4 cm인 평행사변형의 둘레 구하기

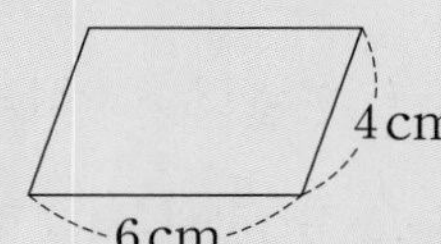

(평행사변형의 둘레)
$=(6+4)\times2=20$(cm)

(3) **마름모의 둘레 구하기**

(마름모의 둘레)=(한 변의 길이)×4

예제 한 변의 길이가 3 cm인 마름모의 둘레 구하기

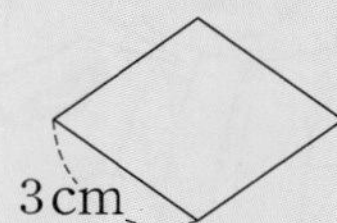

(마름모의 둘레)
$=3\times4=12$(cm)

개념 확인

[1~2] 지나와 동우가 정육각형의 둘레를 구하고 있습니다. 물음에 답하세요.

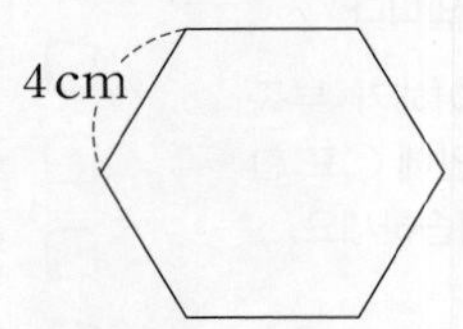

1 지나는 변의 길이를 모두 더하는 방법으로 정육각형의 둘레를 구하려고 합니다. □ 안에 알맞은 수를 써넣으세요.

(정육각형의 둘레)
=4+4+□+□+□+□
=□(cm)

2 동우는 한 변의 길이에 변의 수를 곱하는 방법으로 정육각형의 둘레를 구하려고 합니다. □ 안에 알맞은 수를 써넣으세요.

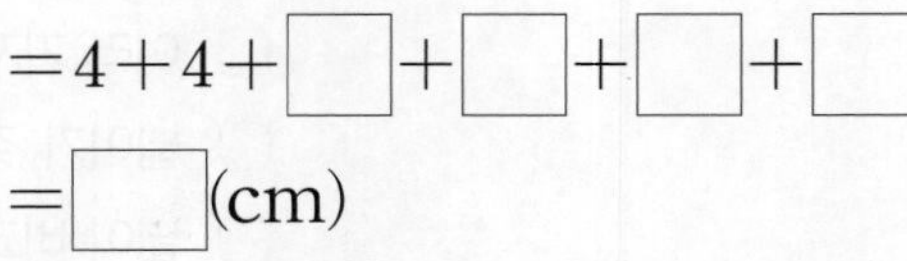

(정육각형의 둘레)=□×□=□(cm)

3 두 가지 방법으로 직사각형의 둘레를 구하려고 합니다. □ 안에 알맞은 수를 써넣으세요.

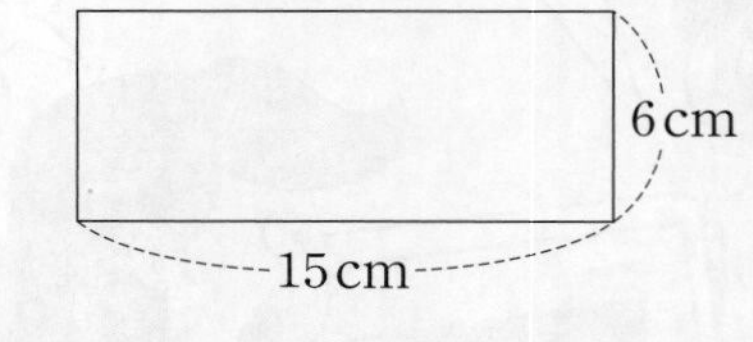

15+□+15+□=42(cm)
(15+□)×2=□(cm)

정답 33쪽

기본 유형

4 정다각형의 둘레를 구하세요.

(1)

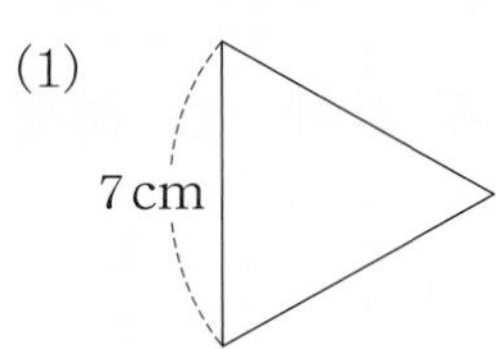

( )

(2)

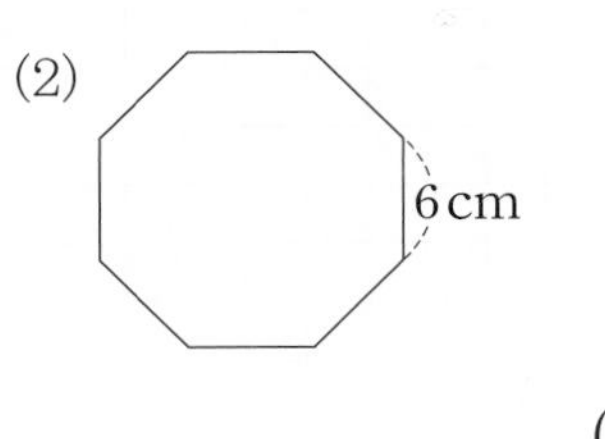

( )

5 직사각형의 둘레는 몇 cm인가요?

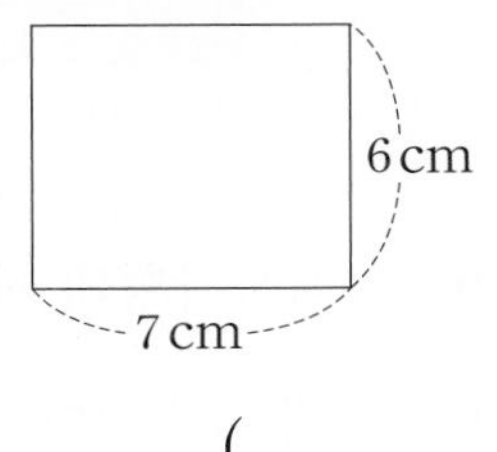

( )

6 평행사변형과 마름모의 둘레를 구하세요.

(1)

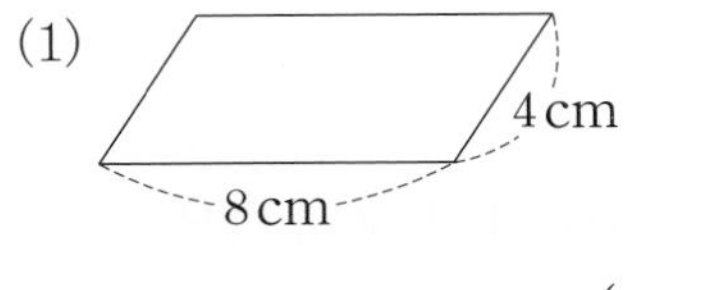

( )

(2)

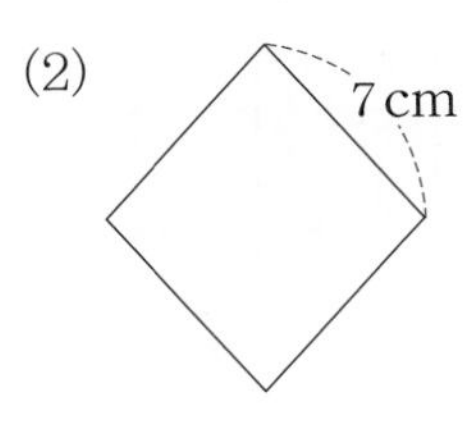

( )

7 다음 명함은 직사각형 모양입니다. 명함의 둘레는 몇 cm인지 자로 재어 구하세요.

( )

8 두 정다각형의 둘레가 각각 36 cm일 때 □ 안에 알맞은 수를 써넣으세요.

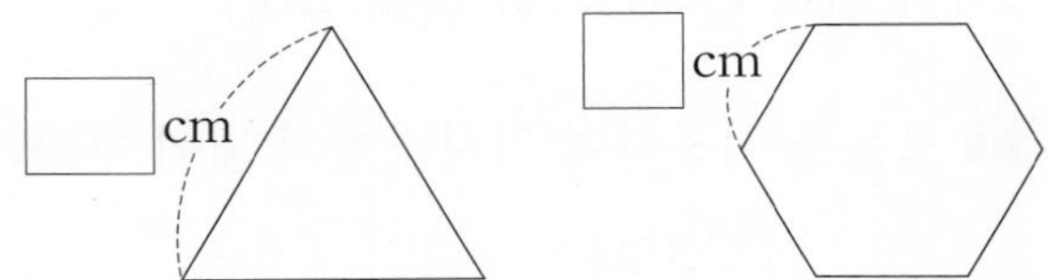

9 다음 도형은 직사각형입니다. 둘레가 40 cm일 때 가로는 몇 cm인가요?

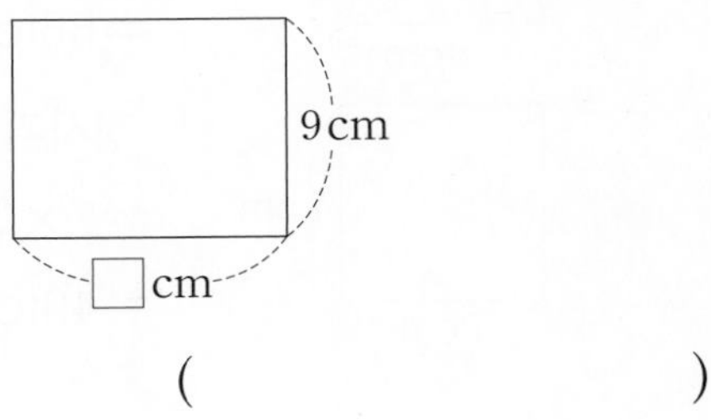

( )

STEP 1

개념 완성하기

3 1 cm^2 알기

1 cm^2: 한 변의 길이가 1 cm인 정사각형의 넓이

1cm, 1cm, 1cm^2

쓰기: 1 cm^2

읽기: 1 제곱센티미터

예제 도형의 넓이를 cm^2로 구하기 — 넓이의 단위인 1 cm^2가 몇 개인지 세어 넓이를 구합니다.

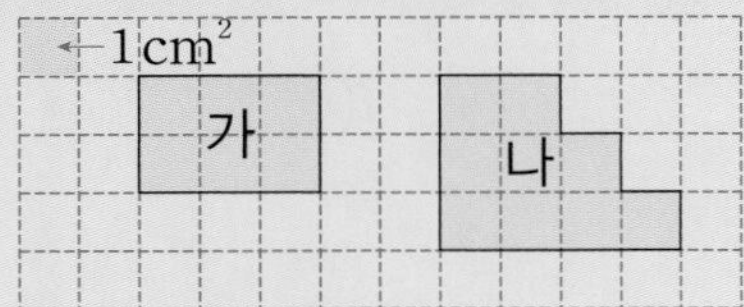

모눈 한 칸의 넓이: 1cm^2

도형 가의 넓이: 6 cm^2 (모눈 6칸) 도형 나의 넓이: 9 cm^2 (모눈 9칸)

4 직사각형의 넓이

- (직사각형의 넓이)=(가로)×(세로)
- (정사각형의 넓이)
  =(한 변의 길이)×(한 변의 길이)

예제 1 모눈을 이용하여 직사각형의 넓이 구하기

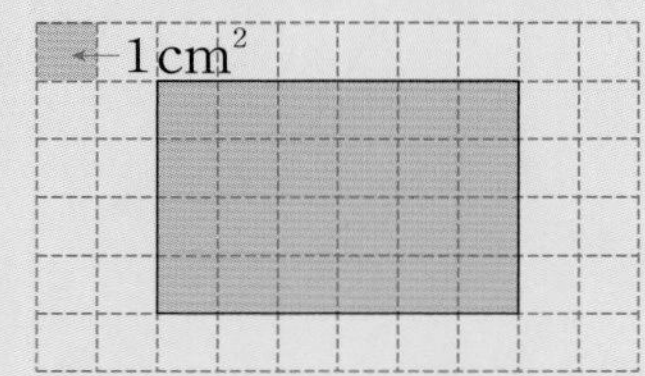

1cm^2가 직사각형의 가로에 6개, 세로에 4개

➡ (직사각형의 넓이)=6×4=24(cm^2)

예제 2 직사각형의 넓이 구하기

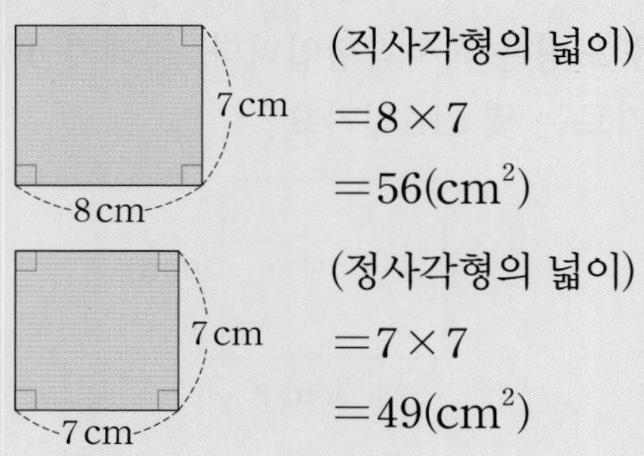

(직사각형의 넓이)
=8×7
=56(cm^2)

(정사각형의 넓이)
=7×7
=49(cm^2)

개념 확인

1 넓이가 8 cm^2인 것을 모두 찾아 ○표 하세요.

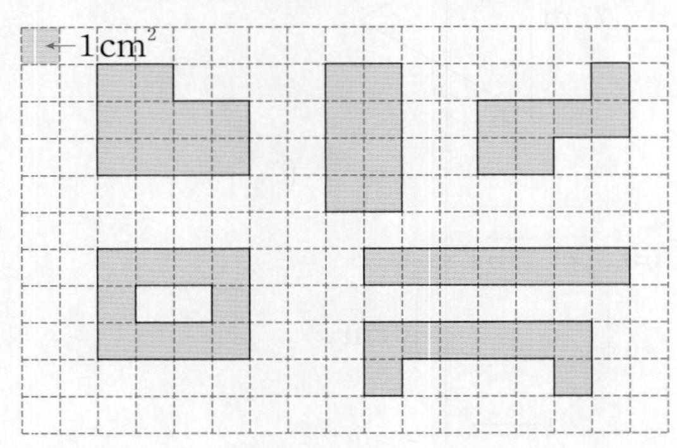

2 그림을 보고 □ 안에 알맞은 수를 써넣으세요.

1cm^2

1cm^2가 직사각형의 가로에 □개,
세로에 □개 있습니다.

(직사각형의 넓이)=□×□
=□(cm^2)

3 도형의 넓이는 몇 cm^2인지 구하세요.

1cm^2 가 나

가 (   )

나 (   )

정답 33쪽

기본 유형

[4~5] 직사각형을 보고 물음에 답하세요.

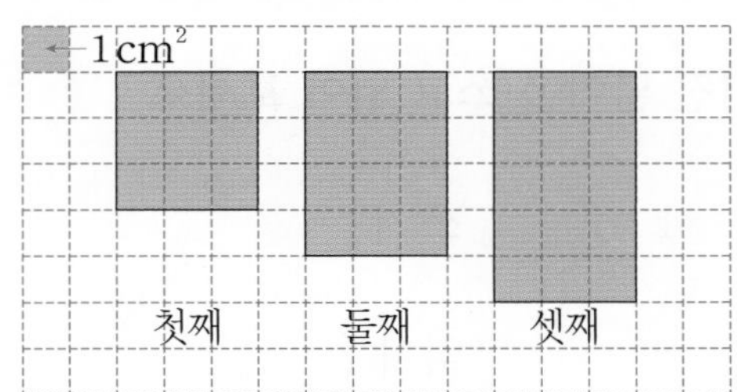

4 직사각형의 넓이가 얼마인지 표를 완성하세요.

직사각형	가로(cm)	세로(cm)	넓이(cm^2)
첫째	3	3	
둘째	3	4	
셋째	3	5	

5 위와 같은 규칙에 따라 직사각형을 계속 그렸을 때 내용이 옳으면 ○표, 틀리면 ×표 하세요.

(1) 세로가 1 cm 커지면 넓이도 1 cm^2만큼 커집니다.

( )

(2) 넷째 직사각형의 넓이는 18 cm^2입니다.

( )

6 직사각형의 넓이는 몇 cm^2인가요?

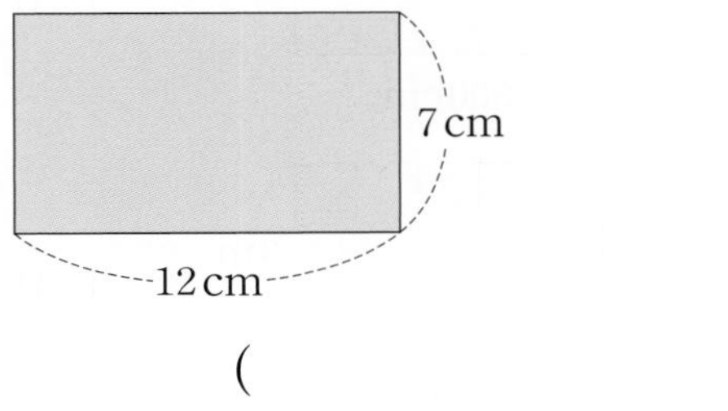

( )

7 정사각형의 넓이는 몇 cm^2인가요?

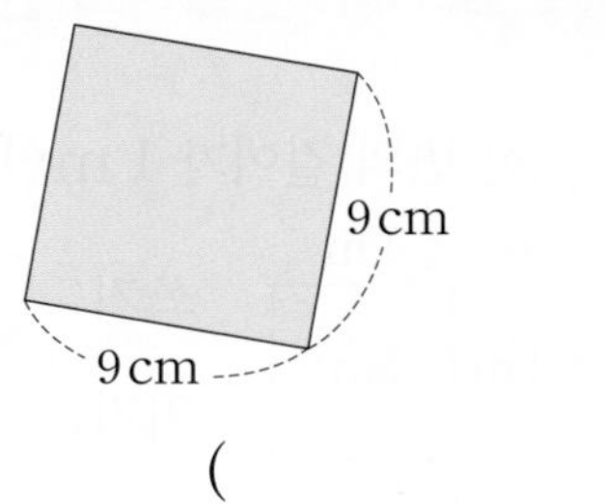

( )

8 가로가 25 cm이고 세로가 20 cm인 직사각형 모양의 나무 판이 있습니다. 이 나무 판의 넓이는 몇 cm^2인가요?

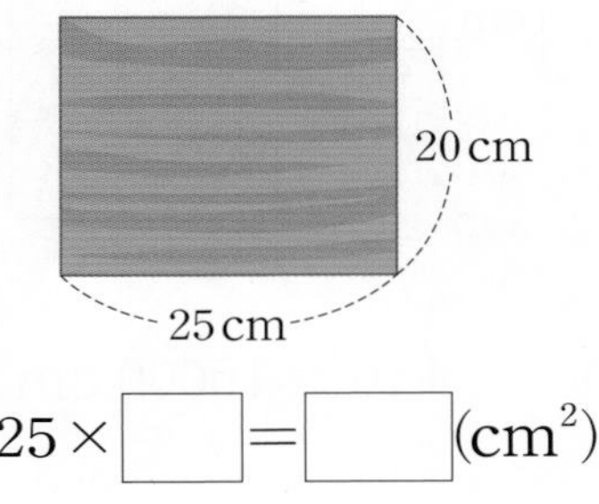

25 × ☐ = ☐ (cm^2)

9 가와 나 중 넓이가 더 넓은 직사각형을 구하려고 합니다. 물음에 답하세요.

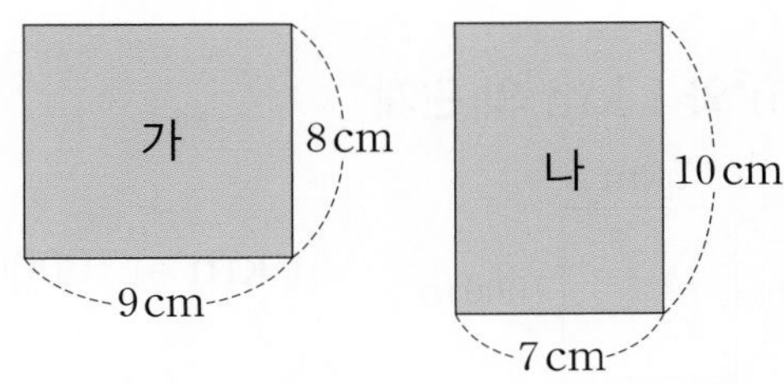

(1) 직사각형 가와 나의 넓이를 각각 구하세요.

가: ☐ cm^2, 나: ☐ cm^2

(2) 넓이가 더 넓은 직사각형의 기호를 쓰세요.

( )

6 단원

STEP 1 개념 완성하기

5 1 cm²보다 더 큰 넓이의 단위

(1) $1\ m^2$: 한 변의 길이가 1 m인 정사각형의 넓이

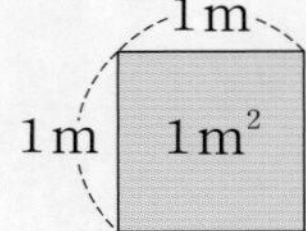

쓰기: $1\ m^2$

읽기: 1 제곱미터

예제 정사각형의 넓이를 m²로 구하기

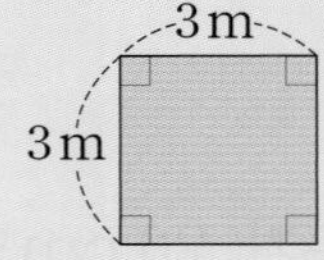

(정사각형의 넓이)
$=3\times3=9(m^2)$

(2) 1 cm²와 1 m²의 관계

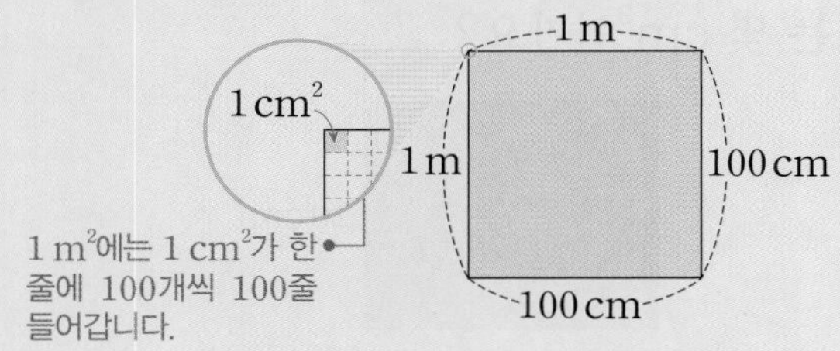

$1\ m^2=10000\ cm^2$

(3) $1\ km^2$: 한 변의 길이가 1 km인 정사각형의 넓이

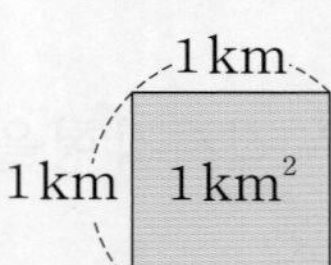

쓰기: $1\ km^2$

읽기: 1 제곱킬로미터

(4) 1 m²와 1 km²의 관계

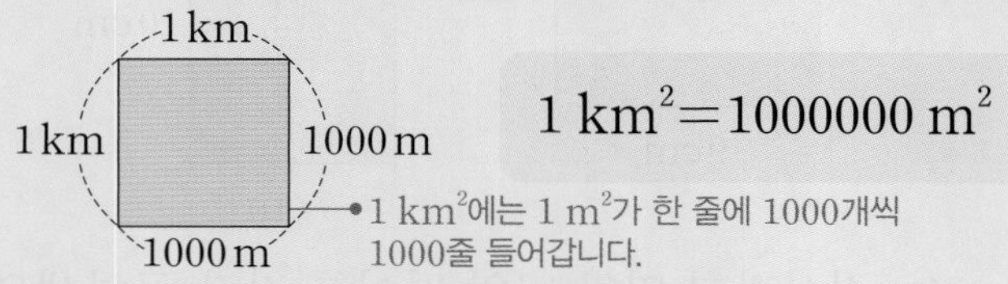

$1\ km^2=1000000\ m^2$

예제 직사각형의 넓이를 km²로 구하기

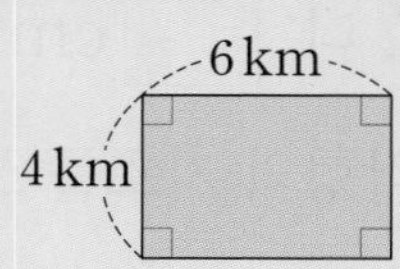

(직사각형의 넓이)
$=6\times4=24(km^2)$

개념 확인

1 주어진 넓이를 쓰고 읽어 보세요.

(1) $1\ m^2$ 쓰기

읽기 (　　　　　　　　)

(2) $4\ km^2$ 쓰기

읽기 (　　　　　　　　)

2 □ 안에 알맞은 수를 써넣으세요.

(1) $10000\ cm^2=$ □ m^2

(2) $6\ m^2=$ □ cm^2

(3) $1000000\ m^2=$ □ km^2

(4) $9\ km^2=$ □ m^2

3 1 m²가 몇 번 들어가는지 □ 안에 알맞은 수를 써넣으세요.

(1)

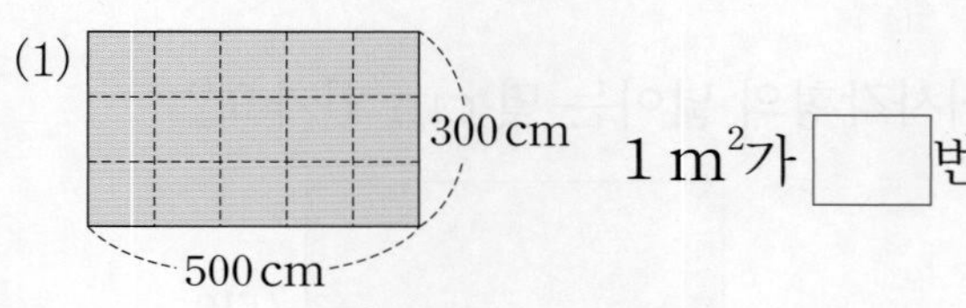

1 m²가 □번

(2)

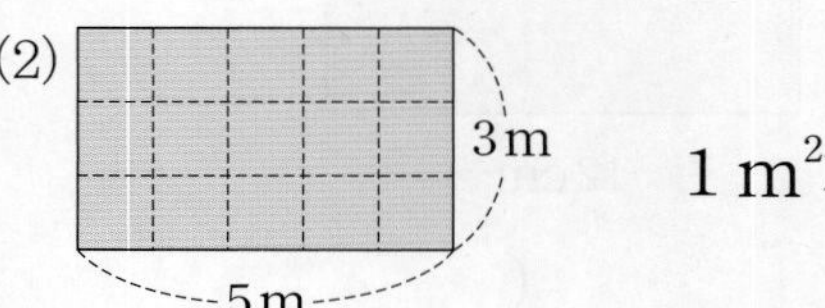

1 m²가 □번

기본 유형

4 1 km^2가 몇 번 들어가는지 □ 안에 알맞은 수를 써넣으세요.

(1) 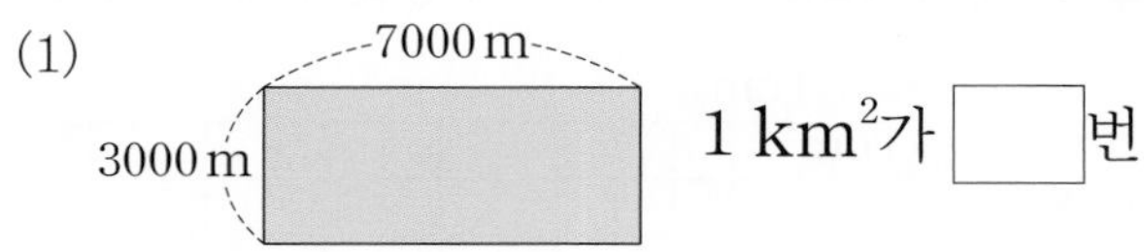

1 km^2가 □번

(2) 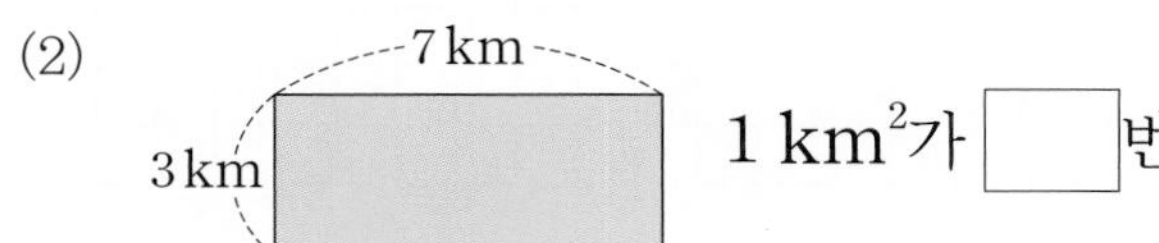

1 km^2가 □번

5 □ 안에 알맞은 수나 넓이의 단위를 써넣으세요.

(1) 40000 cm^2=4 □

(2) 708 km^2=708000000 □

(3) □ m^2=60 km^2

6 다음 넓이를 재어 나타낼 때 알맞은 단위에 ○표 하세요.

(1) 운동장의 넓이 (m^2, cm^2)

(2) 공책의 넓이 (cm^2, m^2)

(3) 울릉도의 넓이 (m^2, km^2)

7 ○ 안에 >, =, <를 알맞게 써넣으세요.

(1) 500000 m^2 ○ 50 km^2

(2) 8 m^2 ○ 9000 cm^2

8 직사각형의 넓이는 몇 m^2인가요?

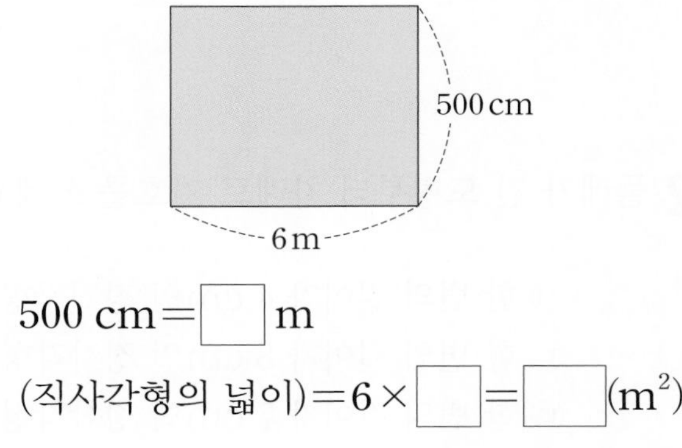

500 cm=□ m

(직사각형의 넓이)=6×□=□(m^2)

9 가로가 9000 m이고, 세로가 6 km인 직사각형 모양의 땅의 넓이는 몇 km^2인가요?

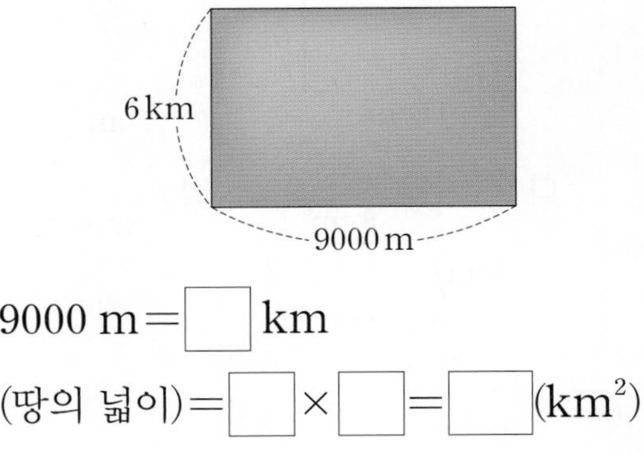

9000 m=□ km

(땅의 넓이)=□×□=□(km^2)

6 단원

STEP 2 유형 확인 강화

실력 다지기

도형의 둘레 구하기

유형 **01** 직사각형의 둘레는 몇 cm인지 두 가지 방법으로 구하세요.

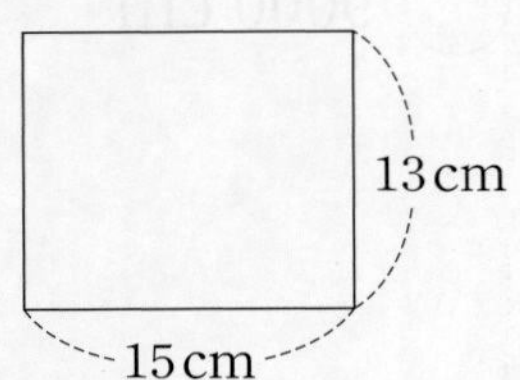

①

②

답

확인 **02** 둘레가 긴 도형부터 차례로 기호를 쓰세요.

㉠ 한 변의 길이가 4 cm인 정칠각형
㉡ 한 변의 길이가 8 cm인 정사각형
㉢ 한 변의 길이가 7 cm인 정삼각형

( )

강화 **03** 둘레가 가장 긴 사각형을 찾아 기호를 쓰고, 그 둘레를 구하세요.

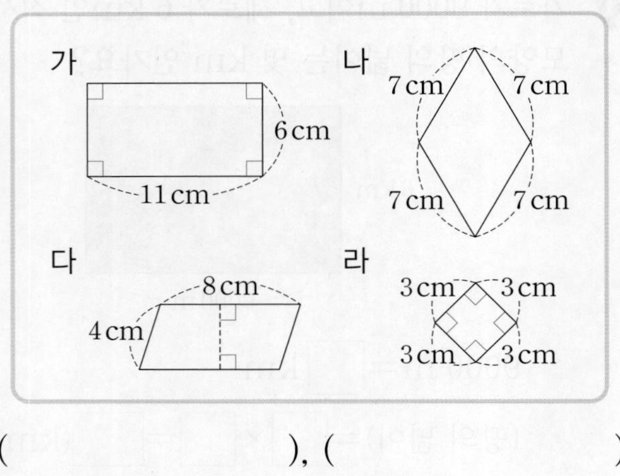

( ), ( )

둘레를 알 때 한 변의 길이 구하기

04 둘레가 12 cm인 정사각형을 1개 그리세요.

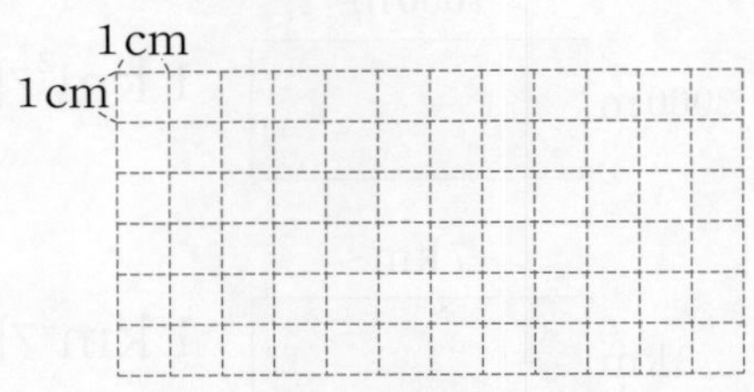

05 다음 주어진 선분을 한 변으로 하는 둘레가 각각 14 cm인 직사각형 2개를 그리세요.

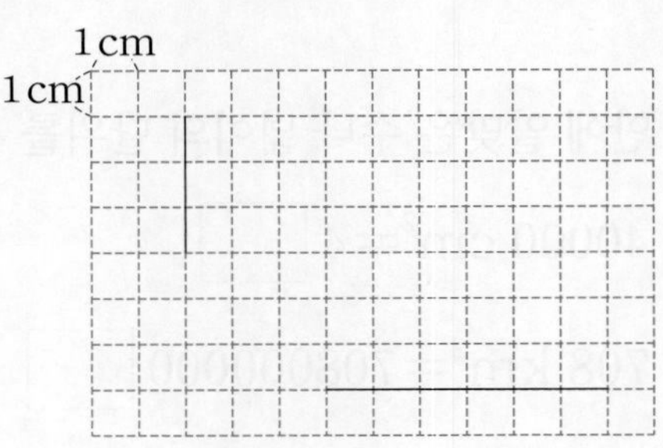

서술형

06 평행사변형과 마름모의 둘레가 같습니다. 마름모의 한 변의 길이는 몇 cm인지 풀이 과정을 쓰고, 답을 구하세요.

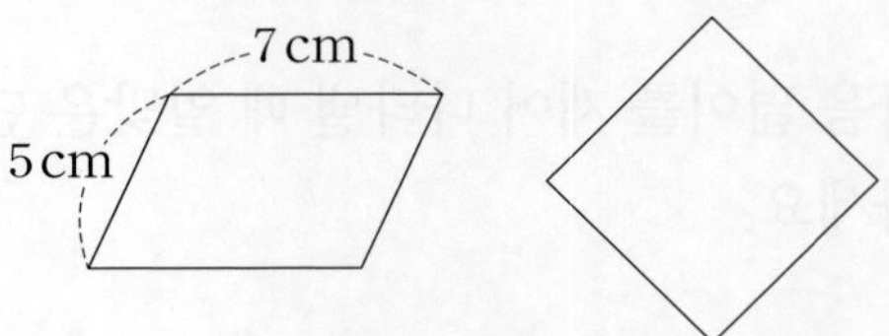

풀이

답

$1\ cm^2$를 이용하여 넓이 구하기

07 넓이가 넓은 도형부터 차례로 기호를 쓰세요.

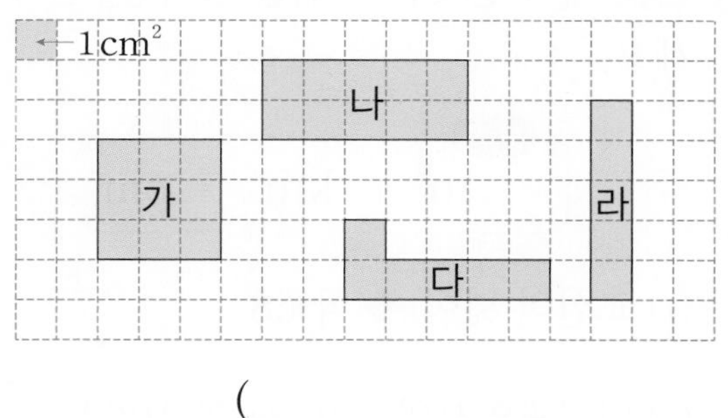

(　　　　　　　)

[08~09] 조각 맞추기 놀이를 하고 있습니다. 물음에 답하세요. (단, 흰 부분은 빈 공간입니다.)

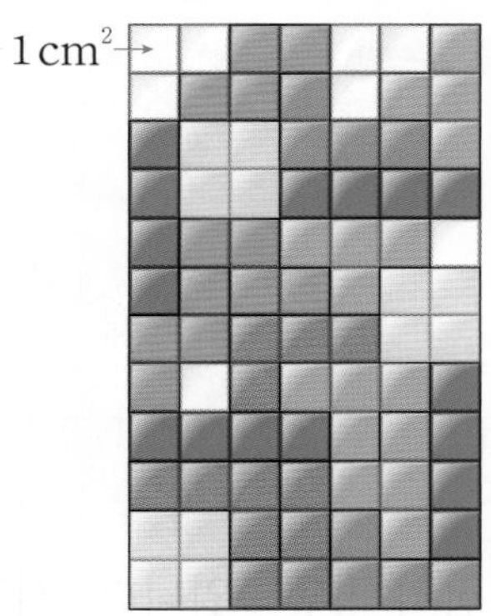

08 교과역량 ⊞로 채워진 부분의 넓이를 구하세요.

(　　　　　　　)

09 교과역량 모양 조각으로 채워진 부분의 넓이는 몇 cm^2인가요?

(　　　　　　　)

길이가 주어진 직사각형의 넓이 구하기

10 현정이가 새로 산 공책은 가로가 18 cm, 세로가 22 cm인 직사각형 모양입니다. 이 공책의 넓이는 몇 cm^2인가요?

(　　　　　　　)

서술형

11 진영이가 직사각형의 넓이를 구하고 있습니다. 진영이의 풀이에서 잘못된 곳을 찾아 바르게 고치고, 답을 구하세요.

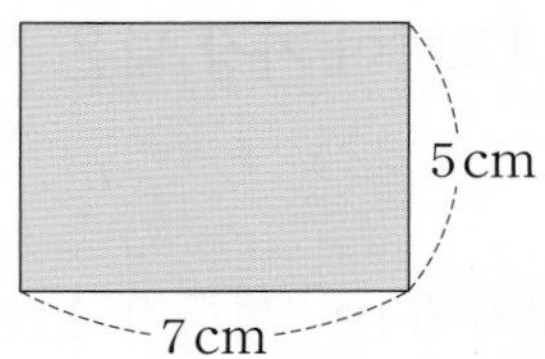

직사각형의 넓이는 (가로+세로)×2로 계산해. 그러니까 (7+5)×2로 구하면 돼.

바르게 고치기

답

12 가로가 15 cm, 세로가 12 cm인 직사각형 모양의 빨간 색종이와 한 변의 길이가 13 cm인 정사각형 모양의 노란 색종이가 있습니다. 어느 색종이의 넓이가 더 넓은가요?

(　　　　　　　)

6 단원

넓이의 단위 m^2, km^2

유형 **13** 직사각형의 넓이를 주어진 단위로 구하세요.

(1)

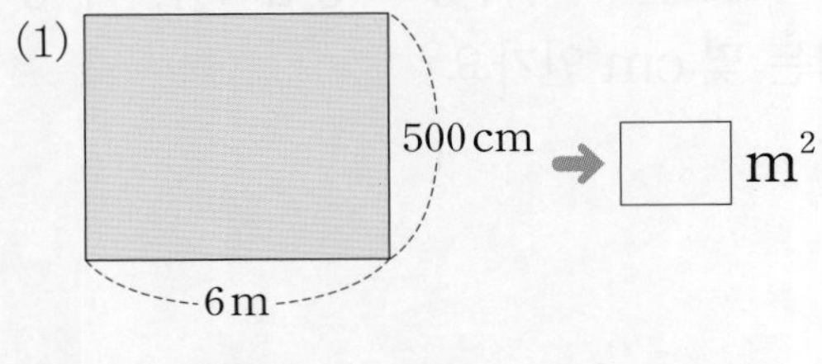

(2)

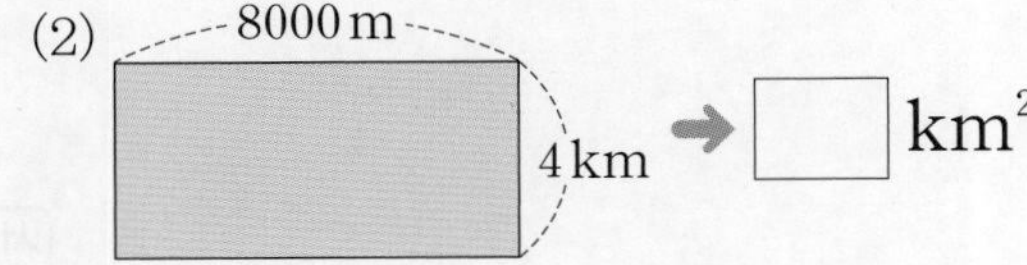

확인 **14** 넓이를 비교하여 가장 넓은 직사각형의 기호를 쓰세요.

㉠ 가로가 6 m, 세로가 4 m인 직사각형
㉡ 한 변의 길이가 500 cm인 정사각형
㉢ 가로가 7 m, 세로가 가로보다 3 m 짧은 직사각형

( )

강화 **15** 미술관의 한쪽 벽에 가로가 25 cm이고, 세로가 40 cm인 직사각형 모양의 타일을 그림과 같이 20개씩 10줄 붙였습니다. 타일을 붙인 벽의 넓이는 몇 m^2인가요?

교과역량

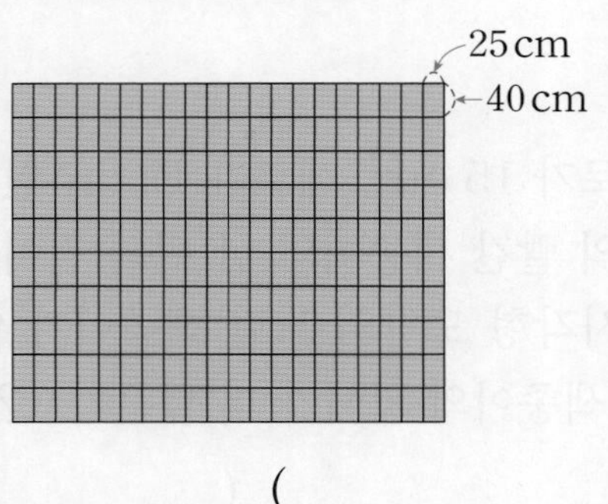

( )

알맞은 넓이의 단위로 나타내기

16 보기 에서 알맞은 단위를 골라 □ 안에 써넣으세요.

보기
m^2 km^2 cm^2

(1) 교실의 넓이 ➜ 약 68 □

(2) 인천광역시의 넓이 ➜ 약 1063 □

(3) 색종이의 넓이 ➜ 약 225 □

서술형

17 정후가 말한 내용에서 잘못된 부분을 찾아 이유를 쓰고, 옳게 고치세요.

이유

옳게 고치기

18 서진이네 집의 평면도입니다. 서진이 방의 넓이는 몇 m^2인가요?

교과역량

(단위: mm)

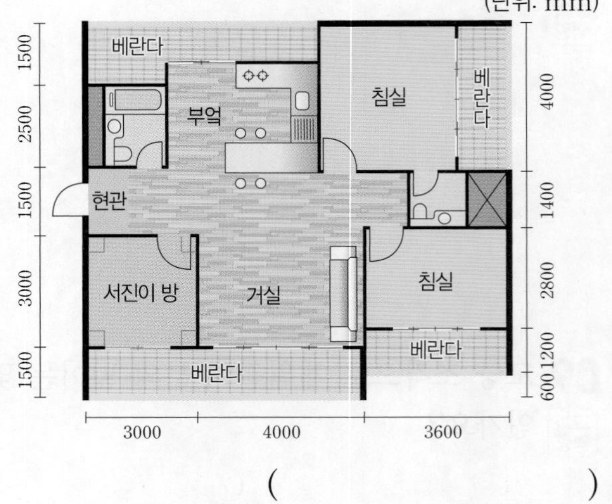

( )

정답 34쪽

직사각형의 둘레 활용

19 정사각형과 직사각형의 둘레가 같습니다. 직사각형의 세로가 가로의 4배일 때 직사각형의 세로를 구하세요.

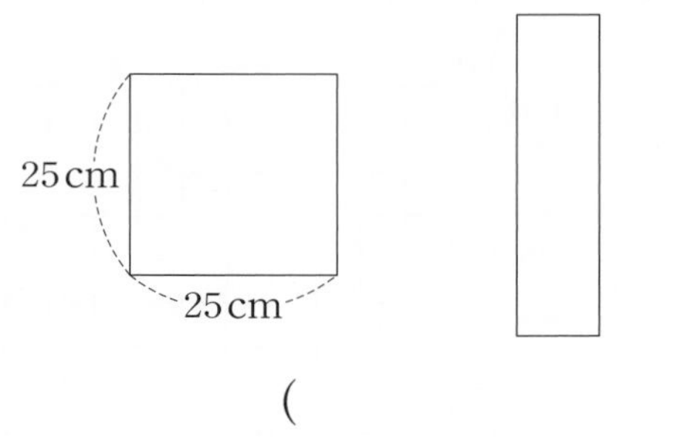

(　　　　　　　　　)

20 둘레가 12 cm인 정사각형 9개를 겹치지 않게 이어 붙여서 만든 도형입니다. 도형의 둘레를 구하세요.

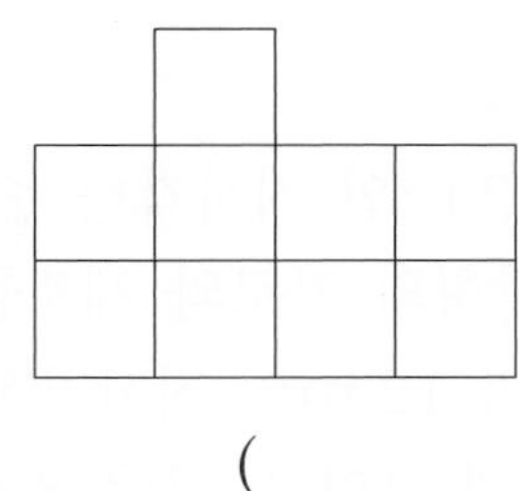

(　　　　　　　　　)

서술형

21 크기가 같은 정사각형 5개를 겹치지 않게 이어 붙여 만든 직사각형입니다. 이 직사각형의 둘레가 84 cm일 때 정사각형의 한 변의 길이는 몇 cm인지 풀이 과정을 쓰고, 답을 구하세요.

풀이

답

직각으로 이루어진 도형의 둘레 구하기

22 직사각형의 둘레 구하는 방법을 이용하여 도형의 둘레는 몇 cm인지 구하세요.

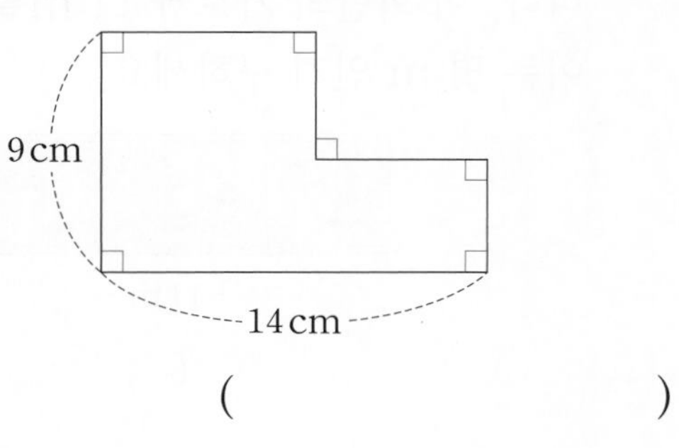

(　　　　　　　　　)

23 도형의 둘레는 몇 m인가요?

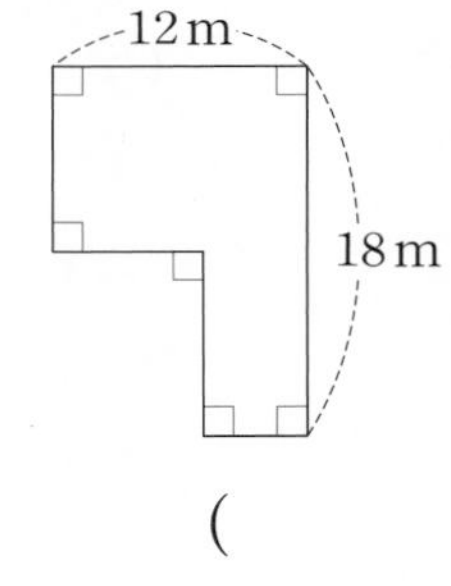

(　　　　　　　　　)

24 도형의 둘레를 구하세요.

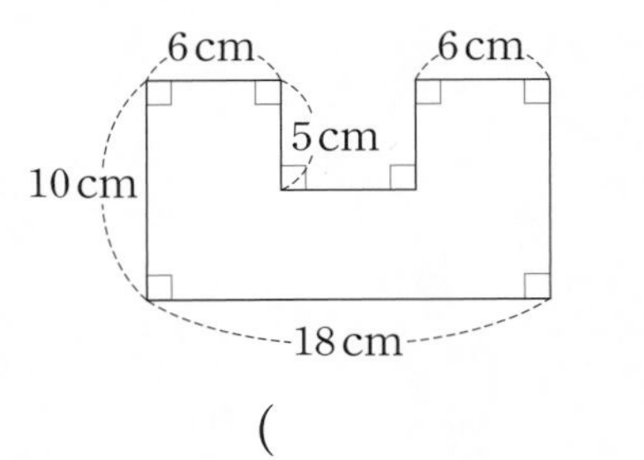

(　　　　　　　　　)

6 단원

STEP 2 실력 다지기

둘레를 알 때 넓이 구하기

유형 **25** 둘레가 28 m인 직사각형 모양의 화단이 있습니다. 이 화단의 가로가 11 m일 때 화단의 넓이는 몇 m^2인지 구하세요.

11 m

(　　　　　　　　　)

확인 **26** 둘레가 60 cm인 정사각형의 넓이는 몇 cm^2인가요?

(　　　　　　　　　)

서술형

강화 **27** 가로가 세로보다 4 cm 더 긴 직사각형이 있습니다. 이 직사각형의 둘레가 48 cm일 때 넓이는 몇 cm^2인지 풀이 과정을 쓰고, 답을 구하세요.

풀이

답

둘레와 넓이를 이용하여 변의 길이 구하기

28 둘레가 22 m이고 넓이가 18 m^2인 직사각형이 있습니다. 이 직사각형의 세로가 가로보다 더 길 때 직사각형을 그리세요.

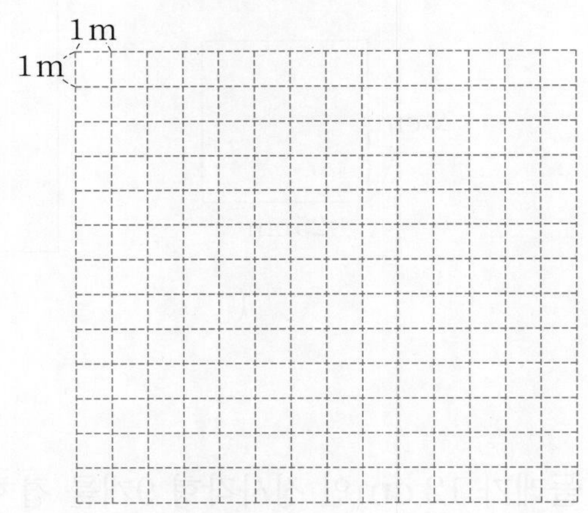

29 둘레가 12 m인 직사각형 중 넓이가 가장 넓은 직사각형의 가로와 세로를 구하려고 합니다. 둘레가 12 m인 직사각형을 서로 다른 모양으로 3개 그리고, 표를 완성하여 답을 구하세요.

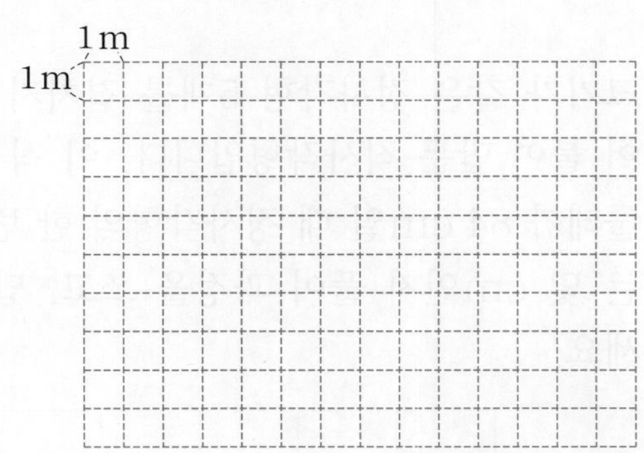

가로(m)				
세로(m)				
넓이(m^2)				

가로 (　　　　　　　　　)

세로 (　　　　　　　　　)

정답 34쪽

약점 체크 **직사각형을 이용하여 도형의 넓이 구하기**

30 도형의 넓이는 몇 cm^2인가요?

도전 수학

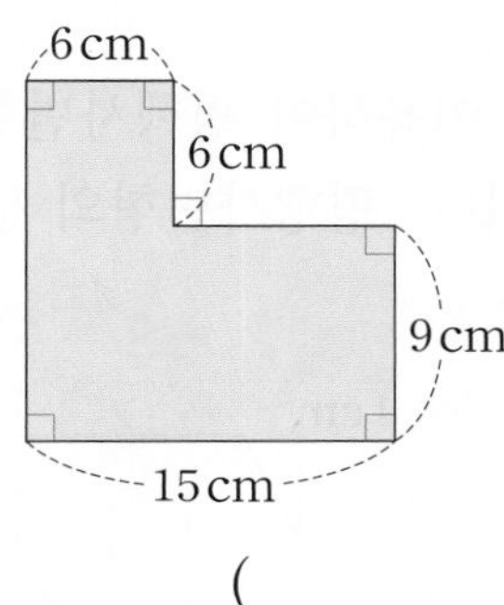

( )

해결 넓이를 구할 수 있는 도형 여러 개로 나누어 도형의 넓이를 구합니다.

서술형

31 색칠한 부분의 넓이는 몇 cm^2인지 풀이 과정을 쓰고, 답을 구하세요.

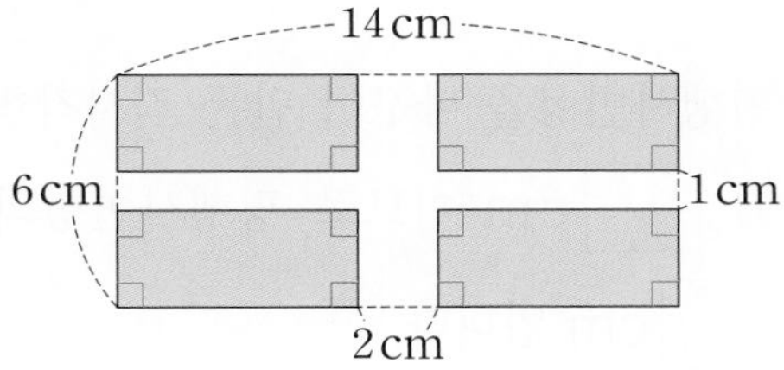

풀이

답

약점 체크 **직사각형의 넓이를 이용하여 둘레 구하기**

32 정사각형 8개를 겹치지 않게 이어 붙여서 큰 정사각형을 만든 것입니다. 노란색 정사각형 1개의 넓이가 16 cm^2일 때 이어 붙여 만든 큰 정사각형의 둘레를 구하세요. (단, 색깔이 같은 정사각형의 넓이는 같습니다.)

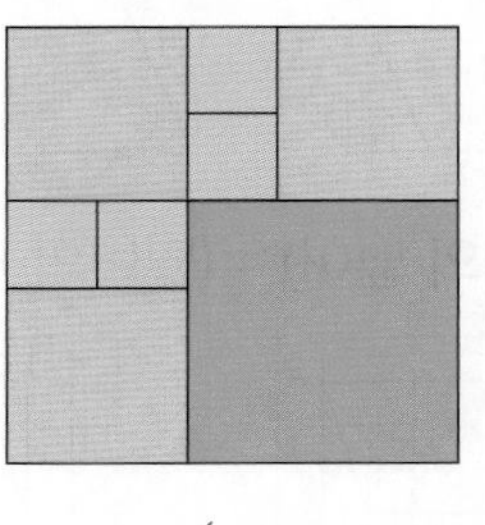

( )

해결 노란색 정사각형의 한 변의 길이를 구한 다음, 하늘색 정사각형의 한 변의 길이, 주황색 정사각형의 한 변의 길이를 차례로 구합니다.

33 다음 도형은 정사각형 ㄱㄴㄷㅅ과 직사각형 ㅂㄷㄹㅁ을 겹치지 않게 이어 붙여서 만든 도형입니다. 이 도형의 넓이가 270 cm^2이고, 직사각형 ㅂㄷㄹㅁ의 넓이가 189 cm^2일 때 도형의 둘레를 구하세요.

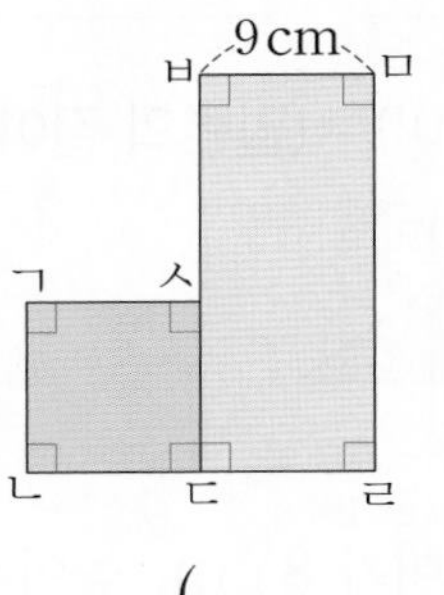

( )

6 단원

개념 완성하기

6 평행사변형의 넓이

- 밑변: 평행한 두 변
- 높이: 두 밑변 사이의 거리

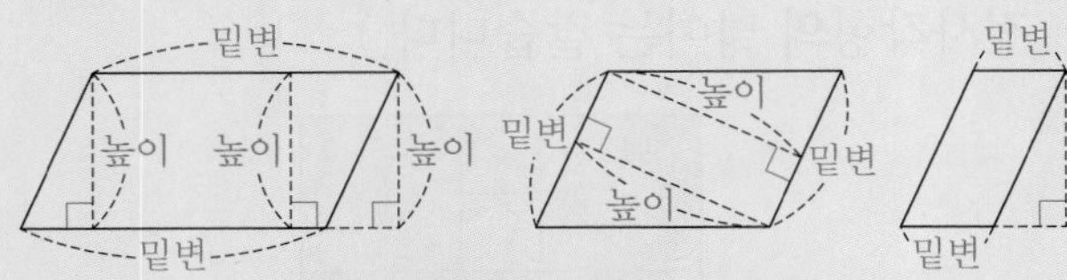

- (평행사변형의 넓이)=(밑변의 길이)×(높이)

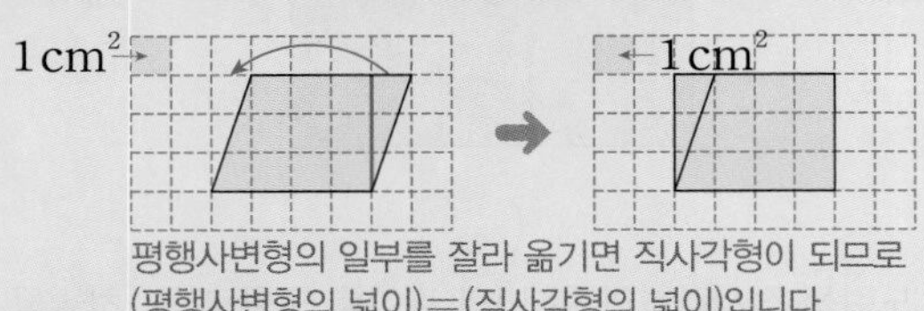

평행사변형의 일부를 잘라 옮기면 직사각형이 되므로
(평행사변형의 넓이)=(직사각형의 넓이)입니다.

예제 밑변의 길이가 9 cm, 높이가 4 cm인 평행사변형의 넓이 구하기

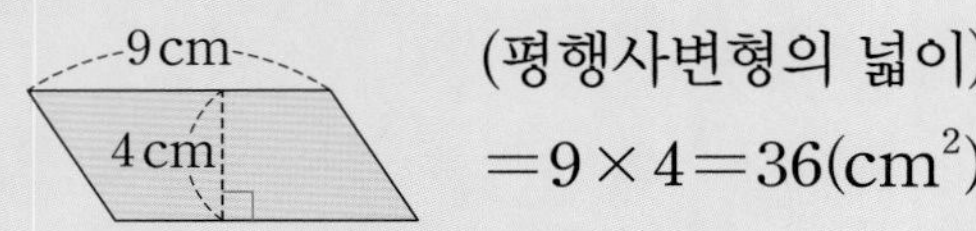

(평행사변형의 넓이)
$=9\times4=36(\text{cm}^2)$

7 삼각형의 넓이

- 밑변: 삼각형에서 어느 한 변
- 높이: 밑변과 마주 보는 꼭짓점에서 밑변에 수직으로 그은 선분의 길이

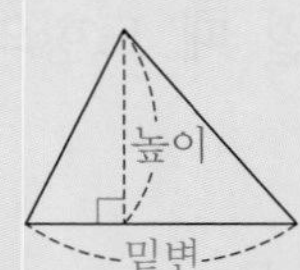

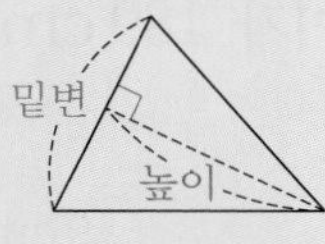

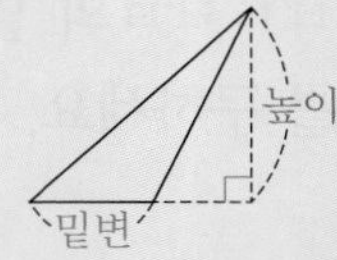

- (삼각형의 넓이)=(밑변의 길이)×(높이)÷2

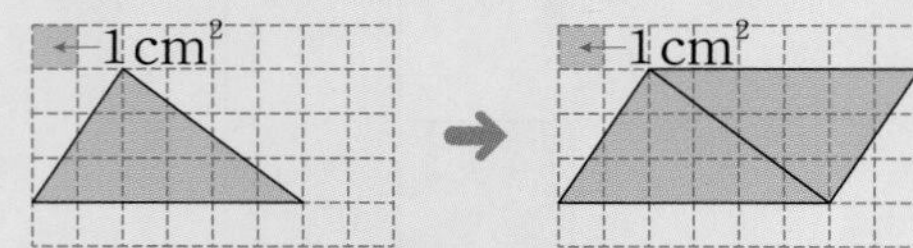

삼각형 2개를 붙이면 평행사변형이 됩니다.
평행사변형의 넓이는 삼각형의 넓이의 2배입니다.

예제 밑변의 길이가 8 cm, 높이가 6 cm인 삼각형의 넓이 구하기

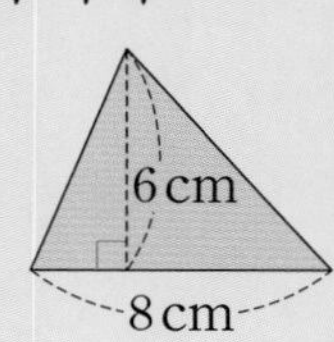

(삼각형의 넓이)
$=8\times6\div2=24(\text{cm}^2)$

개념 확인

1 1 cm^2를 이용하여 평행사변형의 넓이를 구하려고 합니다. 평행사변형의 넓이는 몇 cm^2인가요?

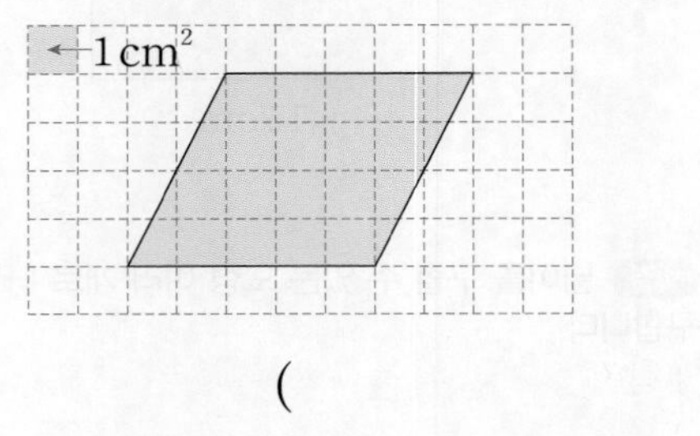

(　　　　　　　)

2 평행사변형을 직사각형으로 바꾸어 넓이를 구하려고 합니다. □ 안에 알맞은 수를 써넣으세요.

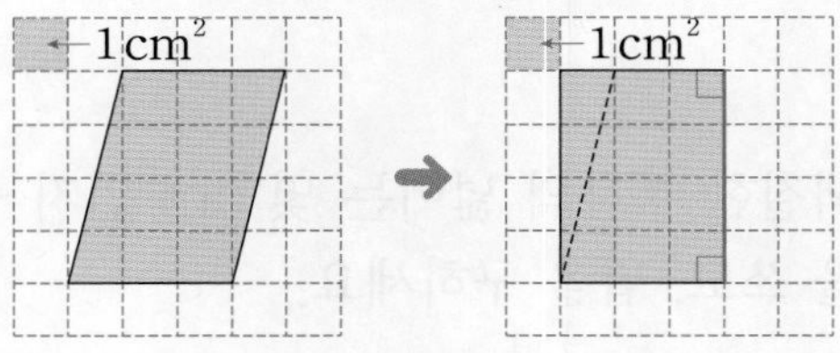

평행사변형을 바꾸어 만든 직사각형의 넓이가 □ cm^2이므로 평행사변형의 넓이는 □ cm^2입니다.

3 삼각형 2개를 이용하여 삼각형의 넓이를 구하려고 합니다. □ 안에 알맞은 수를 써넣으세요.

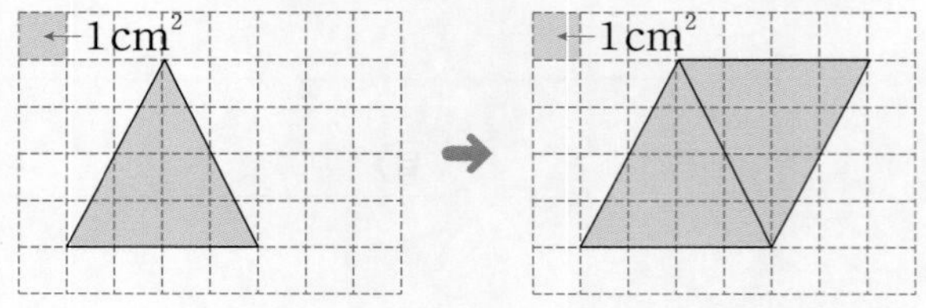

삼각형 2개를 붙여 만든 평행사변형의 넓이가 □ cm^2이므로 삼각형의 넓이는 □ cm^2입니다.

기본 유형

4 평행사변형의 넓이를 구하세요.

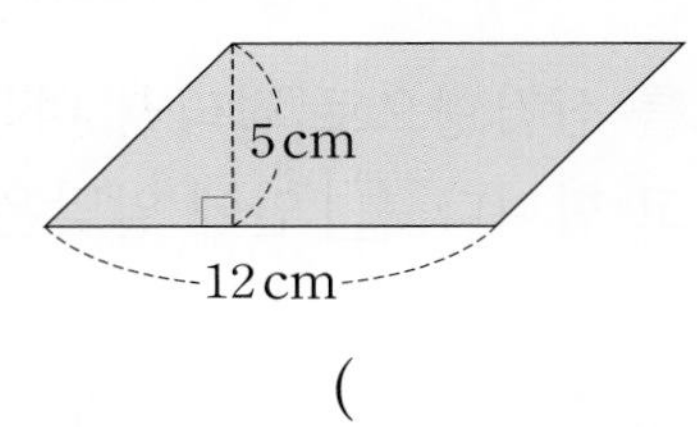

( )

5 삼각형의 넓이를 구하세요.

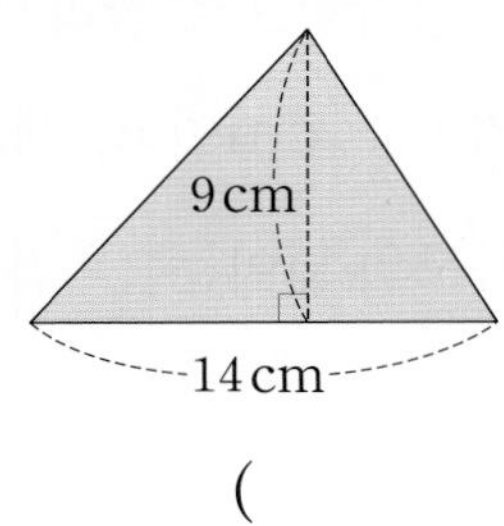

( )

6 각각의 삼각형의 넓이가 얼마인지 표를 완성하고, □ 안에 알맞은 말을 써넣으세요.

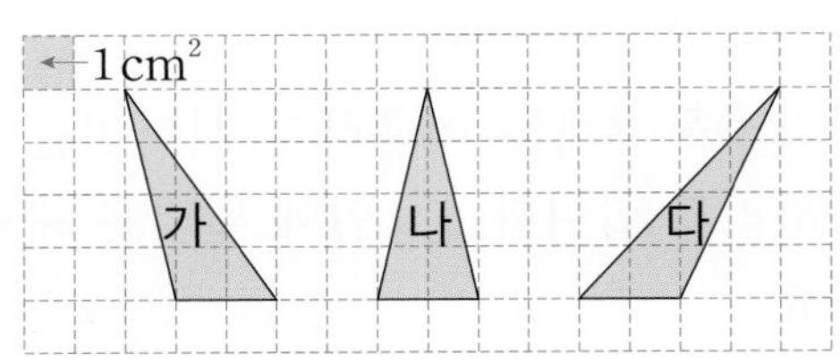

삼각형	가	나	다
밑변(cm)			
높이(cm)			
넓이(cm^2)			

삼각형 가, 나, 다의 밑변의 길이와 □가 모두 같으므로 □가 모두 같습니다.

7 넓이가 다른 평행사변형을 찾아 기호를 쓰세요.

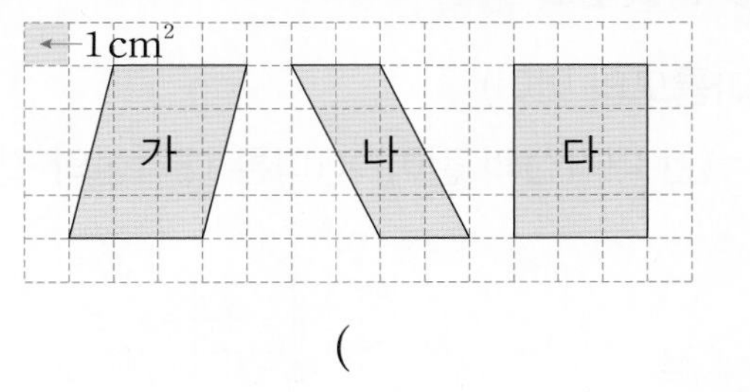

( )

8 삼각형의 넓이는 몇 m^2인가요?

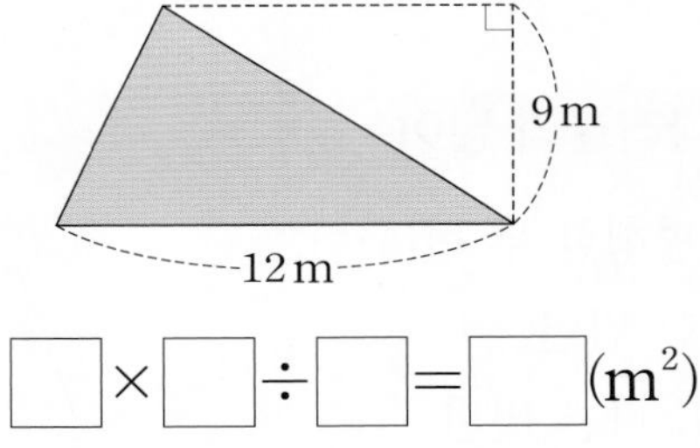

□ × □ ÷ □ = □ (m^2)

9 미술 시간에 교실 게시판을 꾸미는 데 밑변의 길이가 15 cm, 높이가 18 cm인 평행사변형 모양 조각이 필요합니다. 평행사변형 모양 조각의 넓이는 몇 cm^2인가요?

(모양 조각의 넓이) = 15 × □

= □ (cm^2)

6 단원

개념 완성하기

8 마름모의 넓이

• (마름모의 넓이)
=(한 대각선의 길이)×(다른 대각선의 길이)÷2

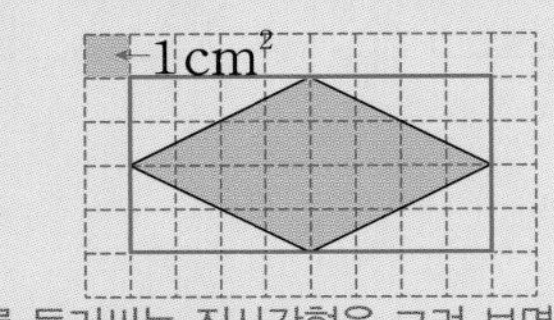

마름모를 둘러싸는 직사각형을 그려 보면 직사각형의 넓이는 마름모의 넓이의 2배가 됩니다.

예제 한 대각선의 길이가 6 cm, 다른 대각선의 길이가 4 cm인 마름모의 넓이 구하기

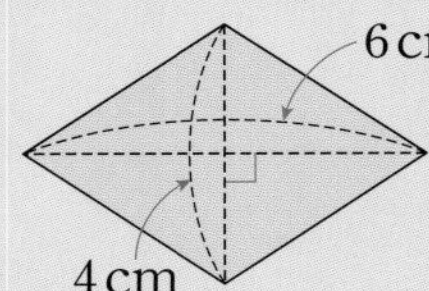

(마름모의 넓이)
$=6\times4\div2$
$=12(\text{cm}^2)$

9 사다리꼴의 넓이

• 밑변: 평행한 두 변
• 윗변: 한 밑변
• 아랫변: 다른 밑변
• 높이: 두 밑변 사이의 거리

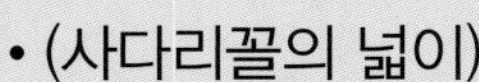

윗변
높이
아랫변

• (사다리꼴의 넓이)
=(윗변의 길이+아랫변의 길이)×(높이)÷2

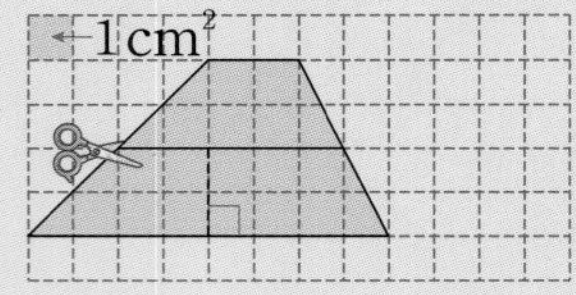

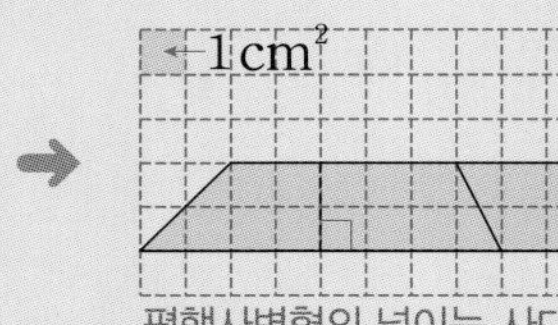

평행사변형의 넓이는 사다리꼴의 넓이와 같습니다.

예제 윗변의 길이가 6 m, 아랫변의 길이가 8 m, 높이가 7 m인 사다리꼴의 넓이 구하기

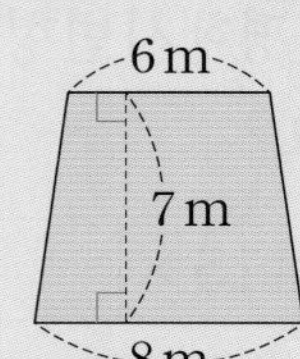

(사다리꼴의 넓이)
$=(6+8)\times7\div2$
$=49(\text{m}^2)$

개념 확인

1 마름모를 삼각형으로 잘라서 마름모의 넓이를 구하려고 합니다. □ 안에 알맞은 수를 써넣으세요.

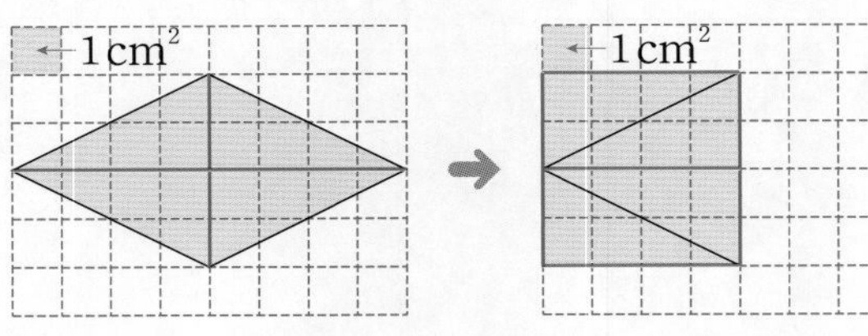

마름모를 삼각형으로 잘라서 만든 직사각형의 가로가 □ cm이고, 세로가 □ cm이므로 마름모의 넓이는 □ cm²입니다.

2 사다리꼴 2개를 이용하여 사다리꼴의 넓이를 구하려고 합니다. □ 안에 알맞은 수를 써넣으세요.

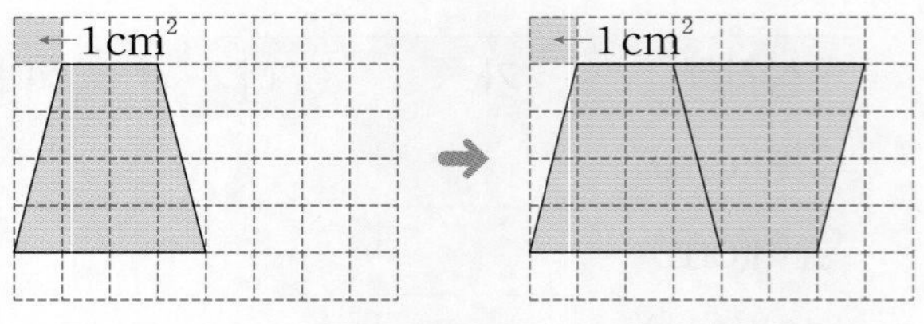

사다리꼴 2개를 붙여서 만든 평행사변형의 넓이가 □ cm²이므로 사다리꼴의 넓이는 □ cm²입니다.

정답 37쪽

3 마름모의 넓이를 구하세요.

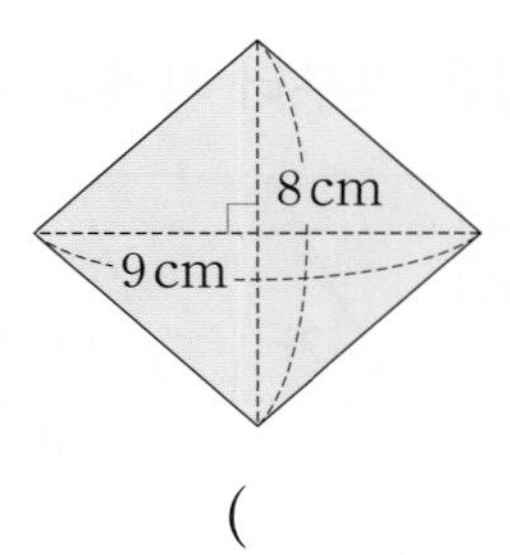

(　　　　　　　　　　)

4 사다리꼴의 넓이를 구하세요.

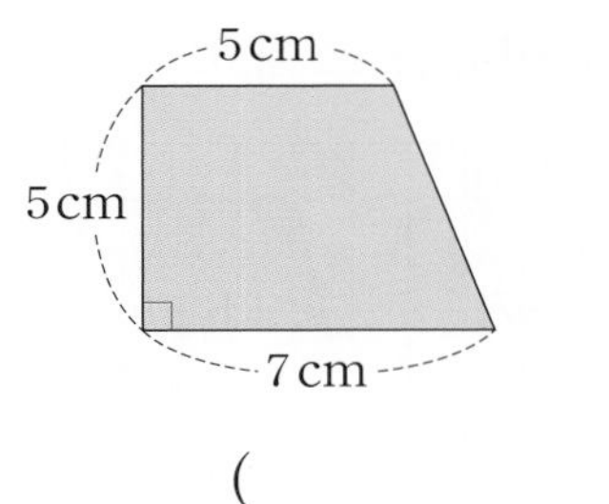

(　　　　　　　　　　)

5 각각의 사다리꼴의 넓이가 얼마인지 표를 완성하고, 알맞은 말에 ○표 하세요.

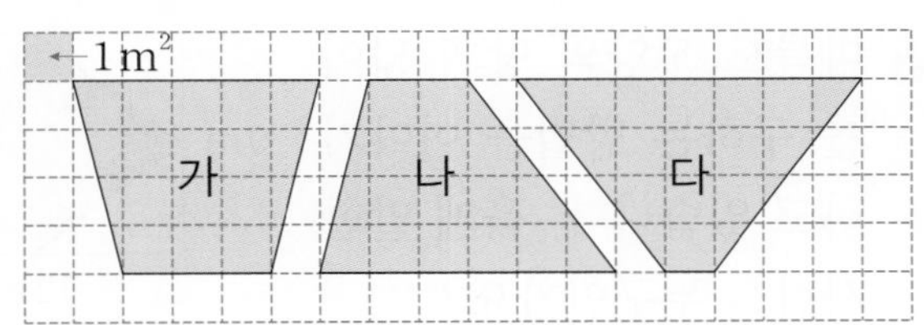

사다리꼴	가	나	다
(윗변+아랫변)(m)	8		
높이(m)		4	
넓이(m^2)			

사다리꼴 가, 나, 다와 같이 윗변의 길이와 아랫변의 길이의 (합 , 곱)이 같고 높이가 같을 때 사다리꼴의 넓이는 모두 (같습니다 , 다릅니다).

기본 유형

6 직사각형 안에 마름모를 그린 것입니다. 마름모의 넓이는 몇 cm^2인가요?

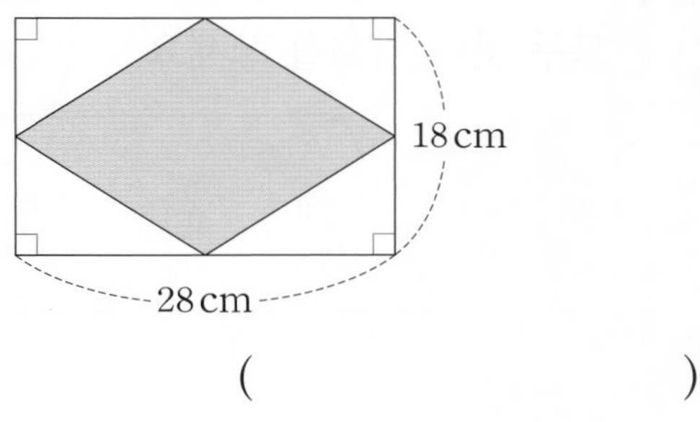

(　　　　　　　　　　)

7 사다리꼴의 윗변의 길이, 아랫변의 길이, 높이를 자로 재어 사다리꼴의 넓이를 구하세요.

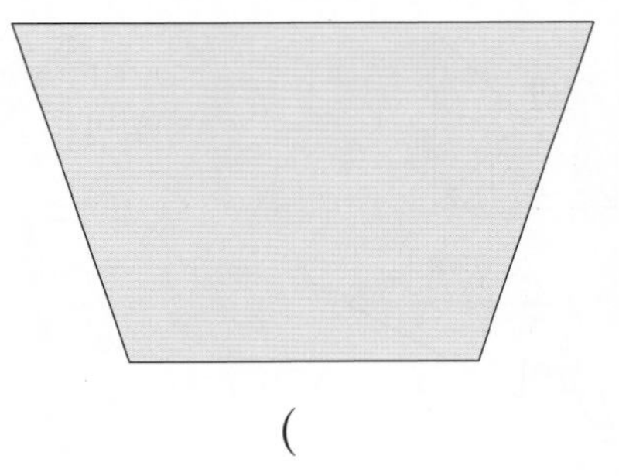

(　　　　　　　　　　)

8 한 대각선의 길이가 14 m이고, 다른 대각선의 길이가 10 m인 마름모 모양의 땅이 있습니다. 이 땅의 넓이는 몇 m^2인가요?

$14 \times \square \div \square = \square (m^2)$

6 단원

STEP 2 유형 확인 강화

실력 다지기

사각형의 구성 요소 알기

유형 **01** 다음 평행사변형에서 높이가 될 수 있는 것을 모두 찾아 기호를 쓰세요.

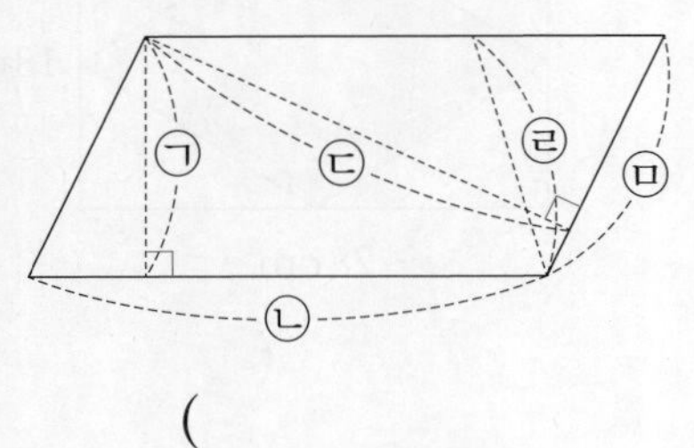

( )

확인 **02** 삼각형에서 밑변과 높이를 옳게 나타낸 것을 모두 고르세요. ( )

①
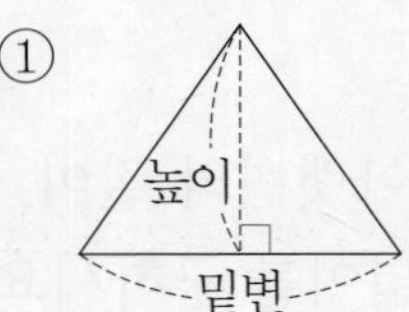

②
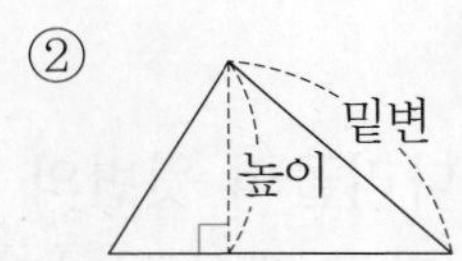

③
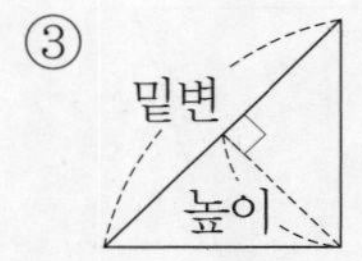

④
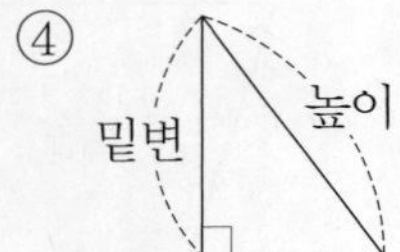

⑤
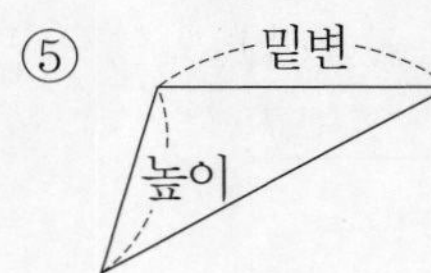

강화 **03** 다음 사다리꼴의 윗변의 길이가 6 m일 때 아랫변의 길이와 높이를 각각 구하세요.

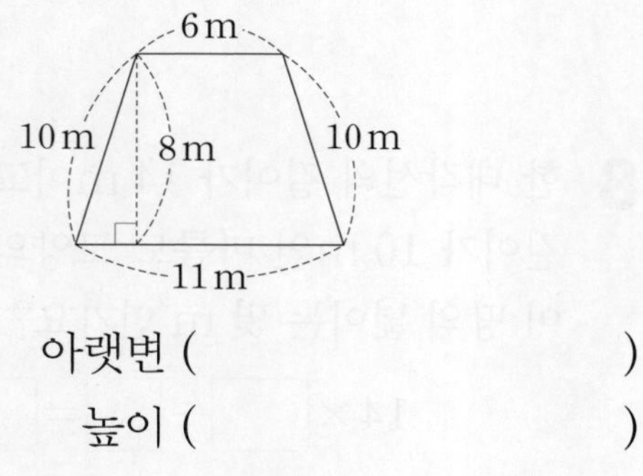

아랫변 ( )

높이 ( )

도형의 넓이 구하기

04 넓이가 넓은 것부터 차례로 기호를 쓰세요.

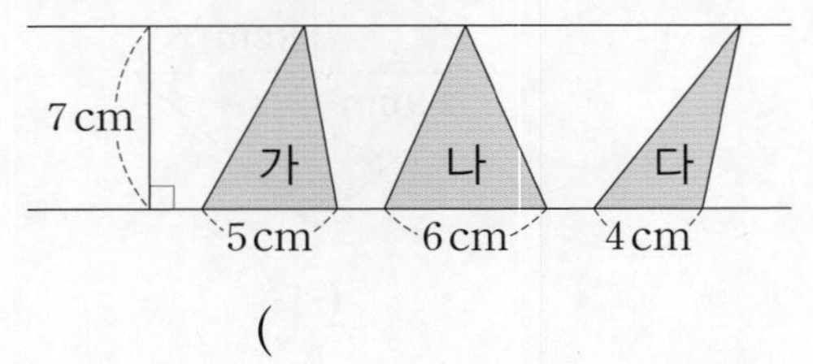

( )

서술형

05 평행사변형 가, 나, 다의 넓이는 모두 같습니다. 그 이유를 쓰세요.

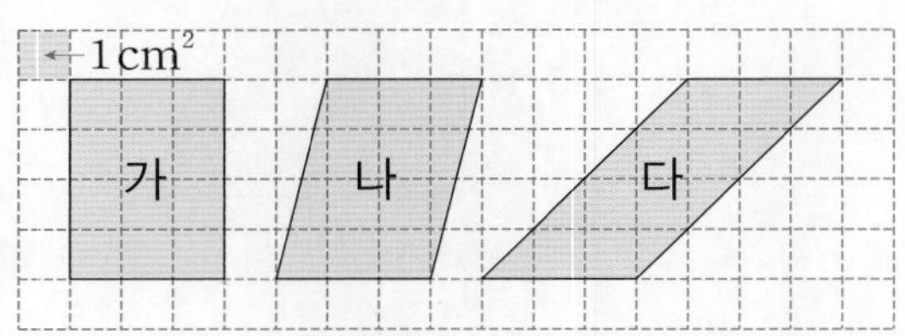

이유

06 마름모 모양의 땅의 넓이를 구하는 방법을 이야기하고 있습니다. 옳게 말한 사람은 누구인가요?

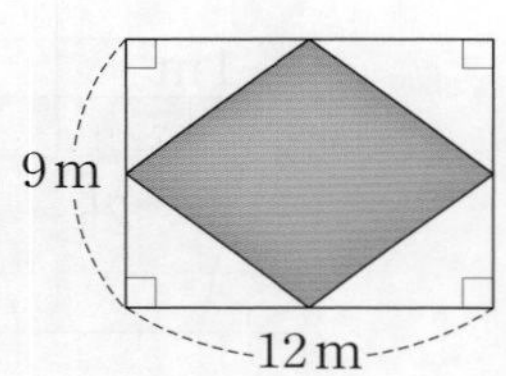

민규: 가로가 12 m, 세로가 9 m니까 넓이는 12 × 9로 구하면 돼.

시후: 직사각형의 넓이는 마름모의 넓이의 2배니까 직사각형의 넓이를 구한 후 2로 나누면 돼.

미르: 마름모의 대각선의 길이를 모르니까 넓이를 구할 수 없어.

( )

여러 가지 방법으로 넓이 구하기

07 □ 안에 알맞은 수를 써넣고, 삼각형의 넓이를 구하세요.

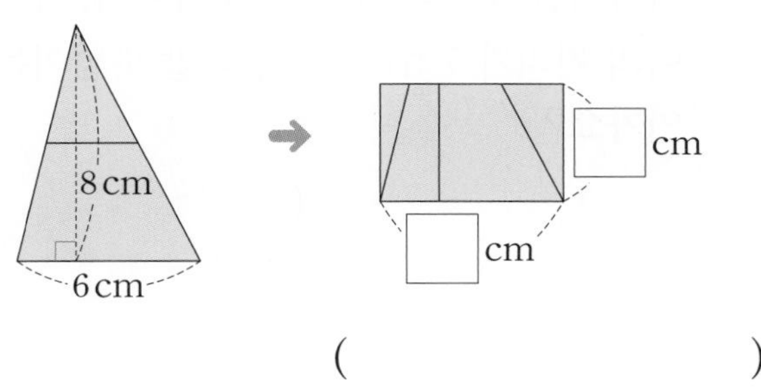

( )

08 그림과 같이 마름모를 다른 도형으로 만들어 넓이를 구하려고 합니다. 서로 다른 모양으로 2개 만들고, 마름모의 넓이를 구하세요.

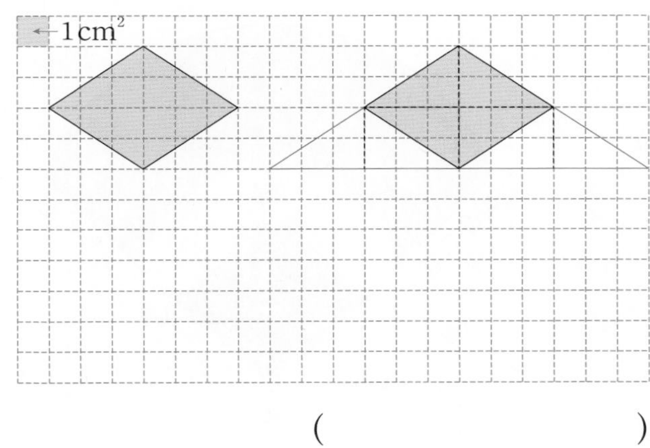

( )

서술형

09 사다리꼴의 넓이를 2가지 방법으로 구하세요.

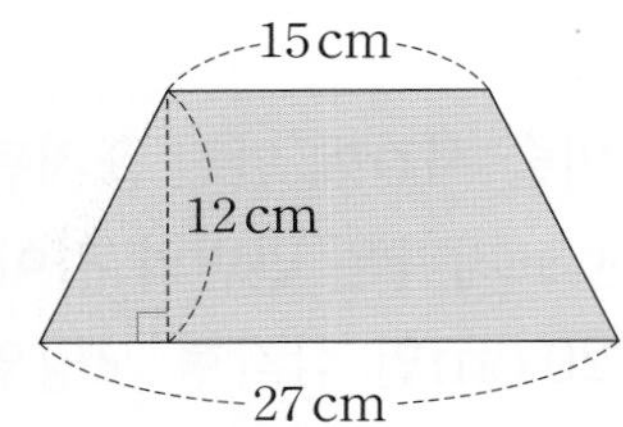

①

②

답

넓이가 같은 도형 찾기(그리기)

10 넓이가 같은 도형끼리 묶어 기호를 쓰세요.

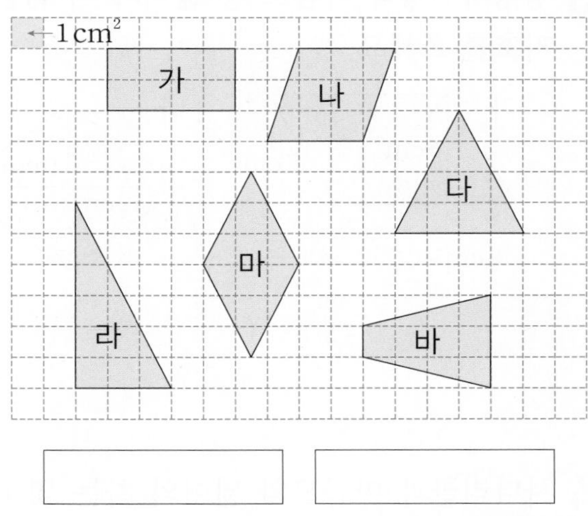

11 주어진 마름모와 넓이가 같고 모양이 다른 마름모를 1개 그리세요.

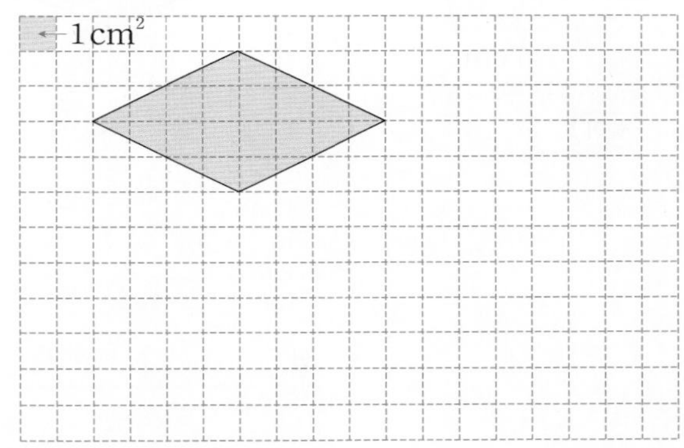

12 넓이가 8 cm²인 삼각형을 서로 다른 모양으로 3개 그리세요.

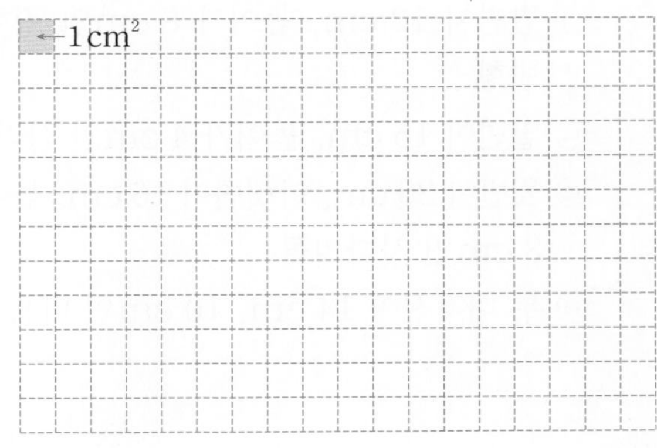

6 단원

넓이 비교하기

유형 **13** 평행사변형과 마름모 중 넓이가 더 넓은 것의 기호를 쓰세요.

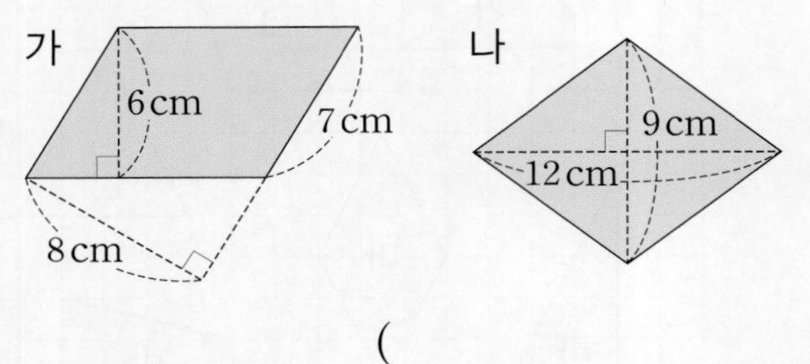

( )

서술형

확인 **14** 사다리꼴과 마름모의 넓이의 차는 몇 cm^2인지 풀이 과정을 쓰고, 답을 구하세요.

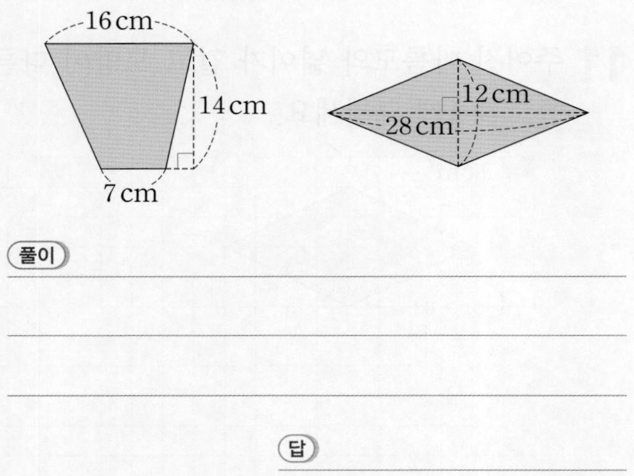

풀이

답

강화 **15** 도형의 넓이를 비교하여 넓은 것부터 차례로 기호를 쓰세요.

㉠ 밑변이 12 cm, 높이가 8 cm인 평행사변형
㉡ 밑변이 15 cm, 높이가 4 cm인 삼각형
㉢ 윗변이 20 cm, 아랫변이 16 cm, 높이가 8 cm인 사다리꼴
㉣ 두 대각선이 14 cm, 10 cm인 마름모

( )

생활 속 도형의 넓이 구하기

16 윗변의 길이가 9 m, 아랫변의 길이가 11 m인 사다리꼴 모양의 꽃밭이 있습니다. 두 밑변 사이의 거리가 7 m라면 이 꽃밭의 넓이는 몇 m^2인가요?

( )

17 교과역량 야구장에서 내야는 홈, 1루, 2루, 3루를 잇는 네 개의 베이스 라인의 안쪽 부분으로 마름모 모양입니다. 야구장의 내야의 넓이는 몇 m^2인가요?

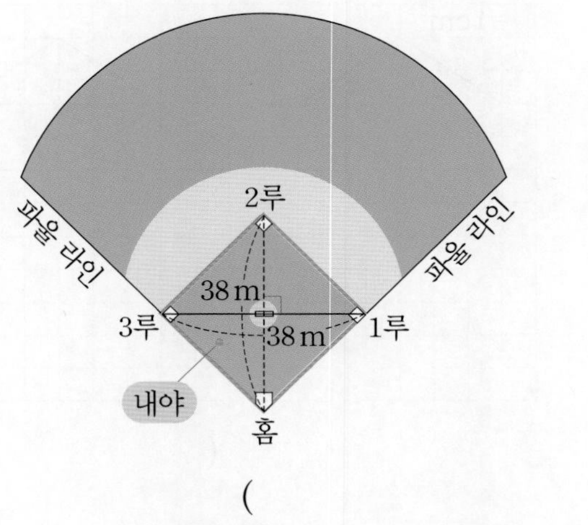

( )

18 교과역량 진서는 미술 시간에 안전 표지판을 만들었습니다. 안전 표지판은 밑변의 길이가 25 cm이고 높이가 20 cm인 삼각형 모양입니다. 이 표지판의 넓이는 몇 cm^2인가요?

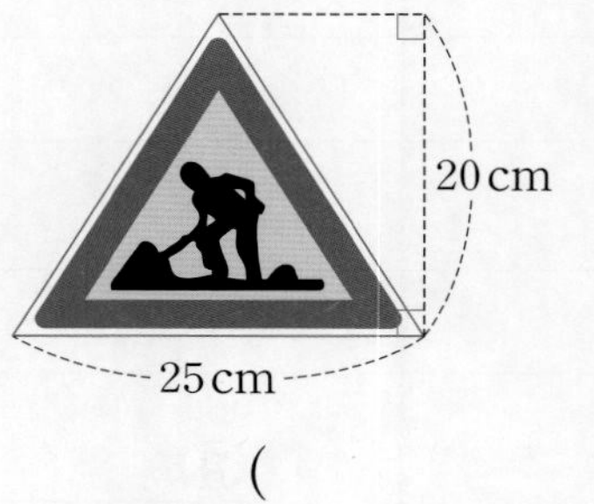

( )

넓이가 주어진 도형에서 변의 길이 구하기

19 삼각형의 넓이는 90 m^2입니다. 밑변의 길이가 9 m일 때 높이는 몇 m인가요?

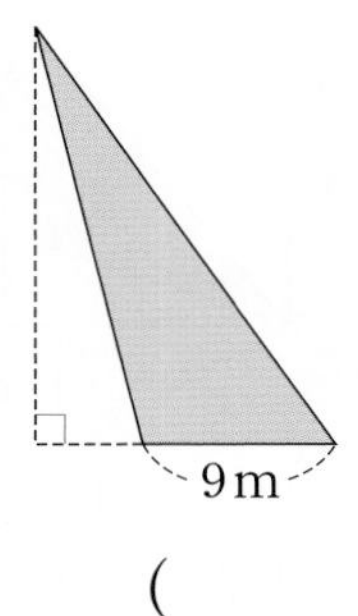

(　　　　　　　)

20 마름모의 넓이는 60 cm^2입니다. □ 안에 알맞은 수를 구하세요.

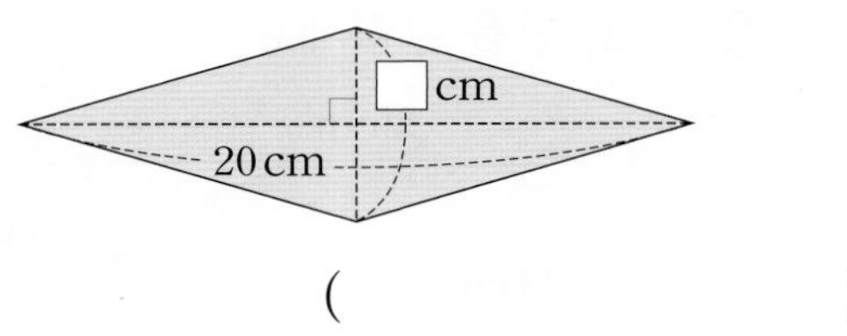

(　　　　　　　)

서술형

21 윗변의 길이가 15 cm, 아랫변의 길이가 23 cm인 사다리꼴이 있습니다. 이 사다리꼴의 넓이가 114 cm^2일 때 높이는 몇 cm인지 풀이 과정을 쓰고, 답을 구하세요.

풀이

답

두 도형의 넓이가 같을 때 변의 길이 구하기

22 평행사변형 모양의 땅 가와 나가 있습니다. 땅 가와 나의 넓이가 같을 때 □ 안에 알맞은 수를 구하세요.

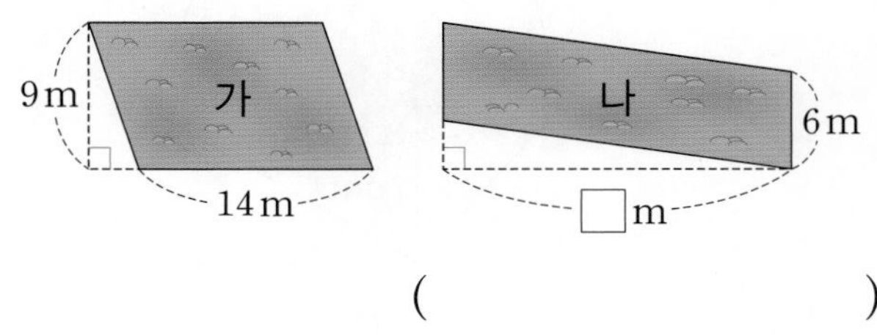

(　　　　　　　)

23 두 삼각형의 넓이가 같습니다. □ 안에 알맞은 수를 써넣으세요.

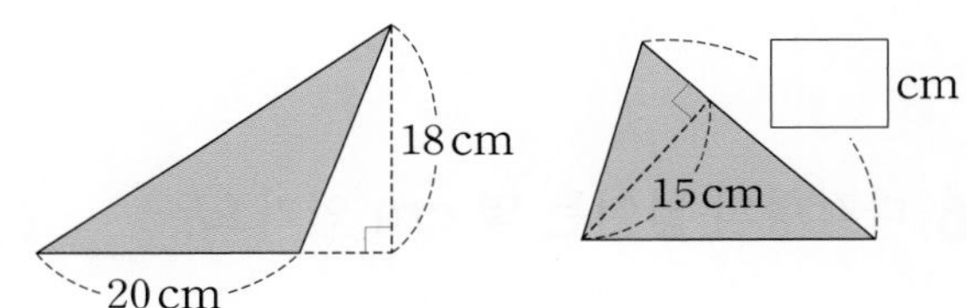

24 마름모 가와 삼각형 나의 넓이가 같습니다. 삼각형 나의 밑변의 길이가 15 m일 때 높이를 구하세요.

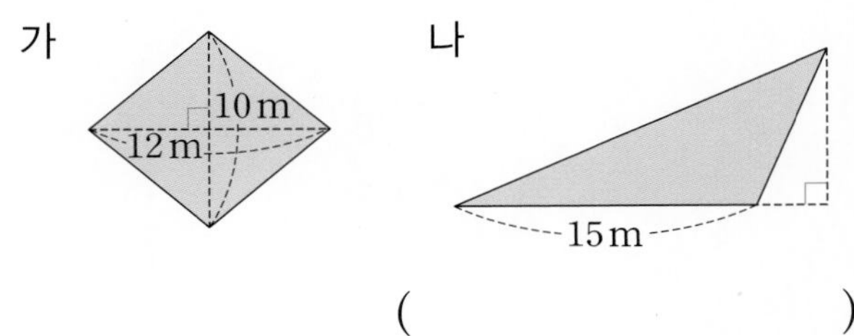

(　　　　　　　)

6 단원

약점 체크 넓이의 합으로 다각형의 넓이 구하기

25 다각형의 넓이를 구하세요.

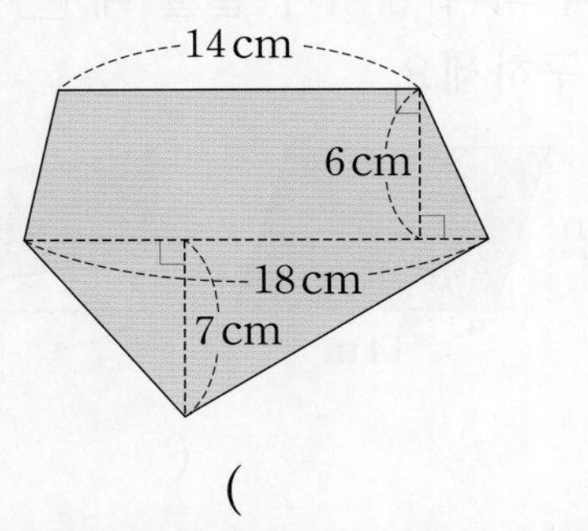

( )

해결 다각형을 평행사변형, 삼각형, 마름모, 사다리꼴 등으로 나누어 넓이를 구한 후 더합니다.

확인 **26** 다각형의 넓이는 몇 cm^2인가요?

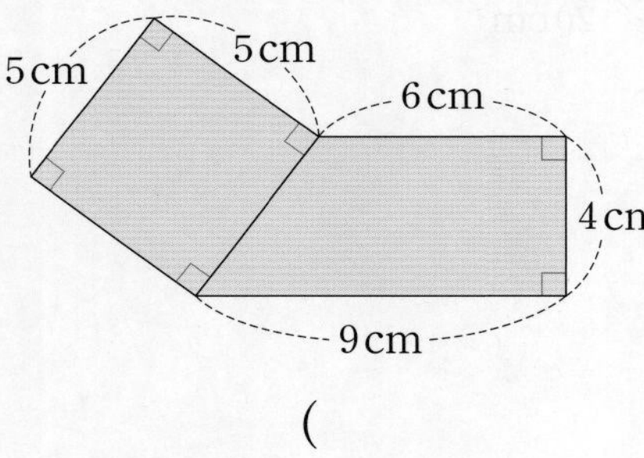

( )

약점 체크 넓이의 차로 다각형의 넓이 구하기

27 색칠한 부분의 넓이는 몇 cm^2인가요?

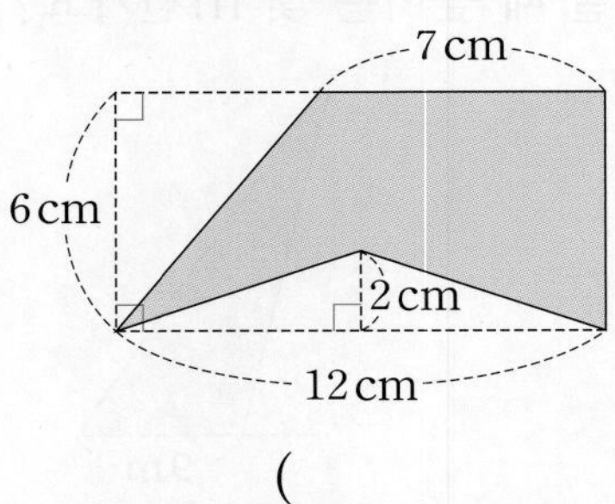

( )

해결 색칠한 부분의 넓이는 전체 넓이에서 색칠하지 않은 부분의 넓이를 빼서 구합니다.

서술형

28 색칠한 부분의 넓이는 몇 cm^2인지 풀이 과정을 쓰고, 답을 구하세요.

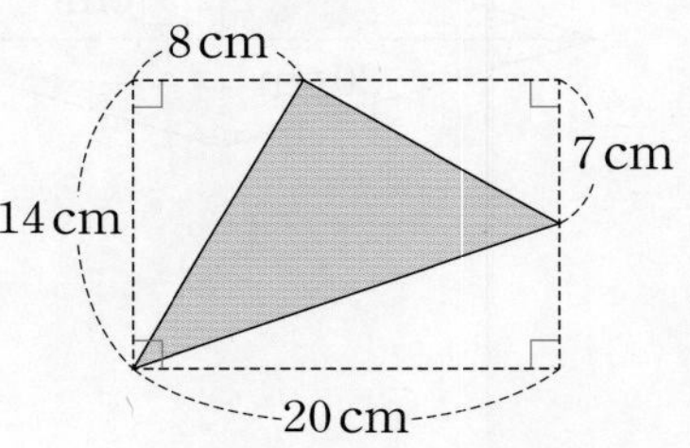

풀이

답

정답 38쪽

약점 체크 넓이를 이용하여 도형의 둘레 구하기

29 정사각형 안에 네 변의 가운데를 이어 그린 마름모의 넓이가 32 cm^2입니다. 가장 큰 정사각형의 둘레는 몇 cm인가요? (단, 마름모의 넓이는 모두 같습니다.)

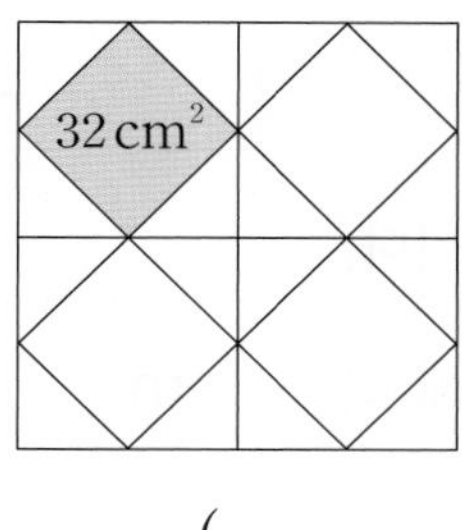

(   )

해결 마름모의 넓이를 이용하여 두 대각선의 길이를 구한 후 가장 큰 정사각형의 한 변의 길이를 구합니다.

서술형

30 똑같은 정사각형을 겹치지 않게 붙여서 자음 ㅂ 모양의 도형을 만들었습니다. 만든 도형의 넓이가 300 cm^2일 때 도형의 둘레는 몇 cm인지 풀이 과정을 쓰고, 답을 구하세요.

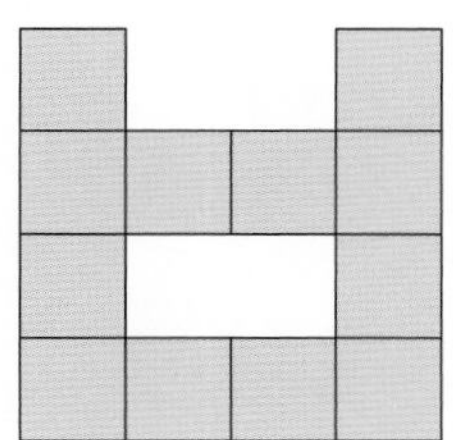

풀이

답

약점 체크 한 도형에서 넓이를 이용하여 길이 구하기

31 □ 안에 알맞은 수를 구하세요.

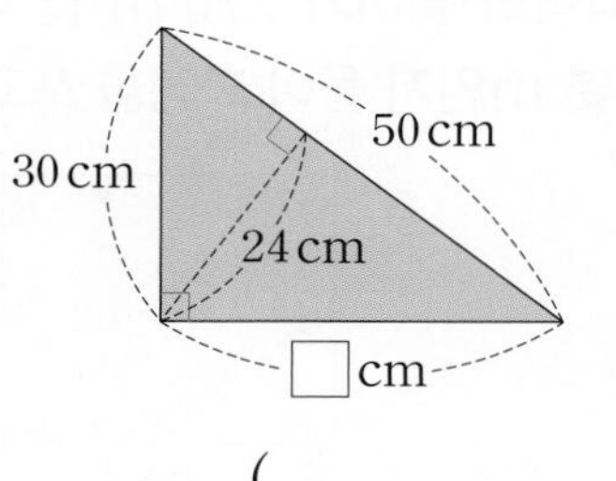

(   )

주의 삼각형에서 어느 변을 밑변으로 정하는지에 따라 높이가 다릅니다.

32 다음 도형은 사다리꼴입니다. □ 안에 알맞은 수를 써넣으세요.

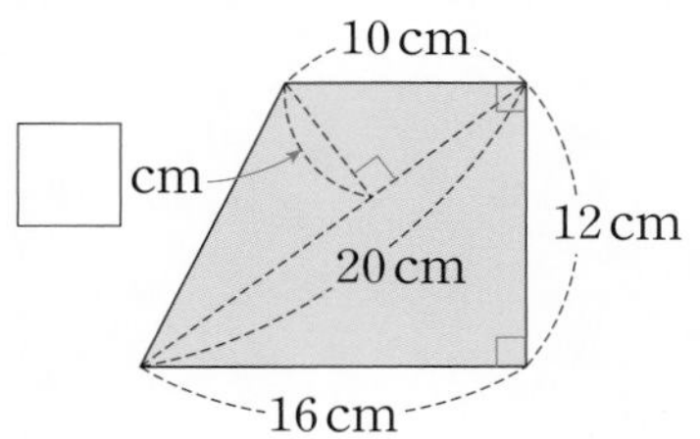

6 단원

STEP 3 연습 단계 실전

서술형 해결하기

연습

01 직사각형의 넓이가 270 m^2일 때 직사각형의 둘레는 몇 m인지 풀이 과정을 쓰고, 답을 구하세요.

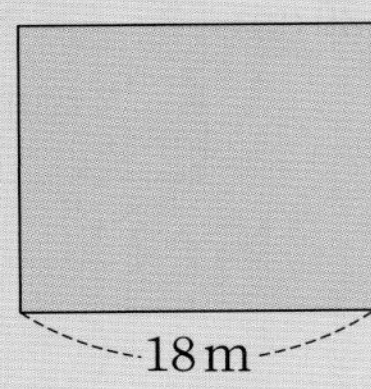

서술형 포인트 직사각형의 둘레를 구하기 위해서는 세로를 알아야 합니다. 직사각형의 넓이를 이용하여 세로를 먼저 구합니다.

풀이를 완성하세요.

❶ (직사각형의 넓이)=(□)×(□)이므로

직사각형의 가로는 18 m이고, 세로를 ■ m라

하면 에서

■=□입니다.

직사각형의 세로: □ m

❷ (직사각형의 둘레)= (m)

답

단계

02 다음을 만족하는 **직사각형의 둘레**는 몇 cm인지 풀이 과정을 쓰고, 답을 구하세요.

- 가로는 세로의 4배입니다.
- 넓이는 144 cm^2입니다.

❶ 직사각형의 가로와 세로 구하기

풀이

❷ 직사각형의 둘레 구하기

풀이

답

실전

03 다음을 만족하는 **직사각형의 넓이**는 몇 cm^2인지 풀이 과정을 쓰고, 답을 구하세요.

- 가로는 세로보다 3 cm 더 깁니다.
- 둘레는 34 cm입니다.

풀이

답

연습, 실전 문제는 매칭북 45쪽에서 한 번 더!

정답 39쪽

연습

04 마름모 나의 넓이는 마름모 가의 넓이의 3배입니다. ▲에 알맞은 수는 얼마인지 풀이 과정을 쓰고, 답을 구하세요.

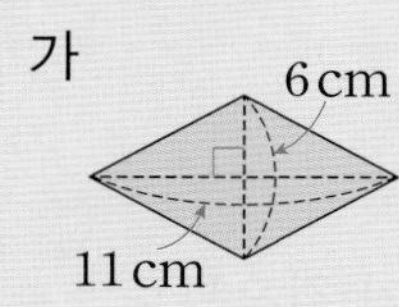

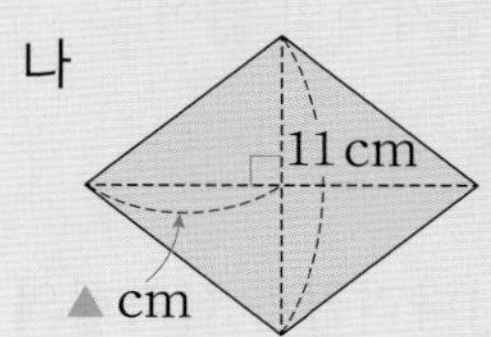

서술형 포인트 마름모 가의 넓이를 먼저 구한 후 그 넓이를 이용하여 마름모 나에서 ▲에 알맞은 수를 구합니다.

풀이를 완성하세요.

❶ (마름모 가의 넓이)= (cm^2)

(마름모 나의 넓이)=□×3=□(cm^2)

❷ (마름모 나의 넓이)=▲×2×□÷2=□

에서 ▲=□입니다.

따라서 ▲에 알맞은 수는 □입니다.

답

단계

05 사다리꼴 ㄱㄴㅁㅂ의 윗변과 평행사변형 ㄱㄷㄹㅂ의 밑변이 겹치도록 그린 것입니다. 색칠한 부분의 넓이가 평행사변형 ㄱㄷㄹㅂ의 넓이의 2배일 때 □ **안에 알맞은 수**는 얼마인지 풀이 과정을 쓰고, 답을 구하세요.

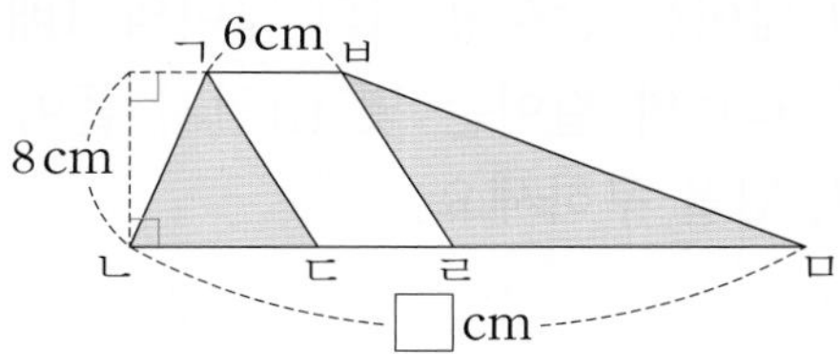

❶ 평행사변형 ㄱㄷㄹㅂ과 사다리꼴 ㄱㄴㅁㅂ의 넓이 구하기

풀이

❷ □ 안에 알맞은 수 구하기

풀이

답

실전

06 밑변의 길이가 모두 같고 높이가 15 cm인 삼각형 5개를 겹치지 않게 이어 붙여서 만든 도형입니다. 색칠한 부분의 넓이가 90 cm^2일 때 □ **안에 알맞은 수**는 얼마인지 풀이 과정을 쓰고, 답을 구하세요.

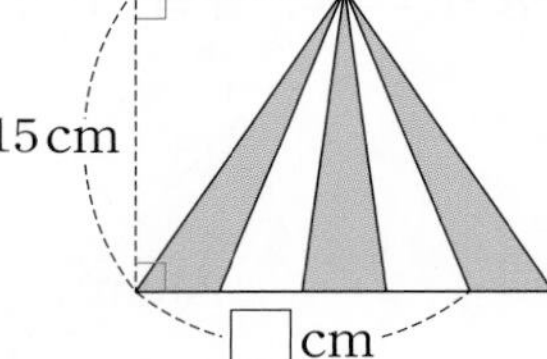

풀이

답

6 단원

STEP 3 서술형 해결하기

연습

07 사다리꼴과 삼각형을 겹치지 않게 이어 붙여서 만든 도형입니다. 삼각형 ㅁㄷㄹ의 넓이가 32 m^2일 때 사다리꼴 ㄱㄴㄷㅁ의 넓이는 몇 m^2인지 풀이 과정을 쓰고, 답을 구하세요.

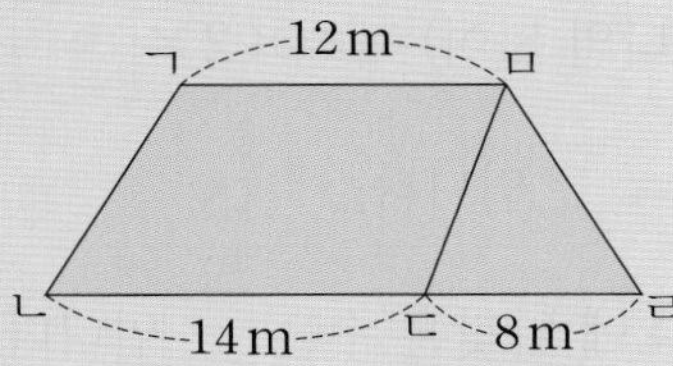

서술형 포인트 사다리꼴과 삼각형의 높이가 같음을 알고 삼각형의 넓이를 이용하여 사다리꼴의 높이를 구합니다.

풀이를 완성하세요.

❶ 삼각형 ㅁㄷㄹ에서 높이를 ■ m라 하면

(삼각형의 넓이)= 에서

■=☐입니다.

❷ 사다리꼴과 삼각형의 높이가 같으므로

사다리꼴 ㄱㄴㄷㅁ의 높이도 ☐ m입니다.

따라서 사다리꼴 ㄱㄴㄷㅁ의 넓이는

(m^2)입니다.

답

단계

08 삼각형 ㄱㄴㄷ의 넓이는 삼각형 ㄹㄴㄷ의 넓이의 2배입니다. **변 ㄹㄷ의 길이**는 몇 cm인지 풀이 과정을 쓰고, 답을 구하세요.

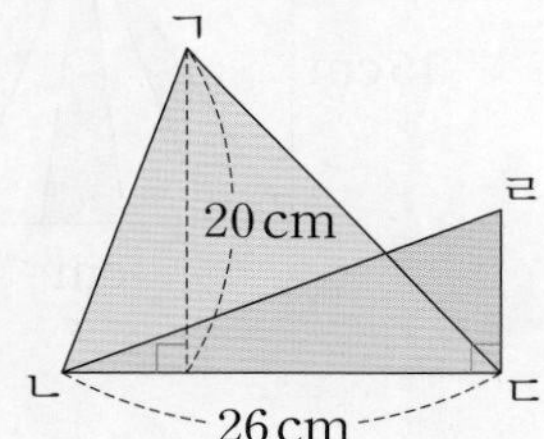

❶ 삼각형 ㄹㄴㄷ의 넓이 구하기

풀이

❷ 변 ㄹㄷ의 길이 구하기

풀이

답

실전

09 평행사변형 가와 삼각형 나를 겹치지 않게 이어 붙여 만든 사다리꼴입니다. 평행사변형 가의 넓이는 삼각형 나의 넓이의 4배입니다. **선분 ㄴㄷ의 길이**는 몇 m인지 풀이 과정을 쓰고, 답을 구하세요.

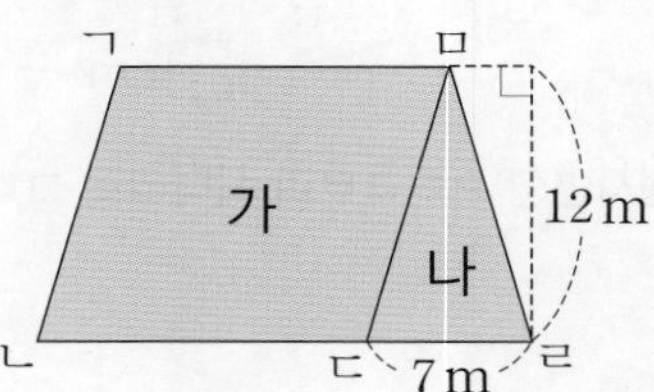

풀이

답

10 사각형 ㄱㄴㄷㄹ의 넓이는 몇 cm^2인지 풀이 과정을 쓰고, 답을 구하세요.

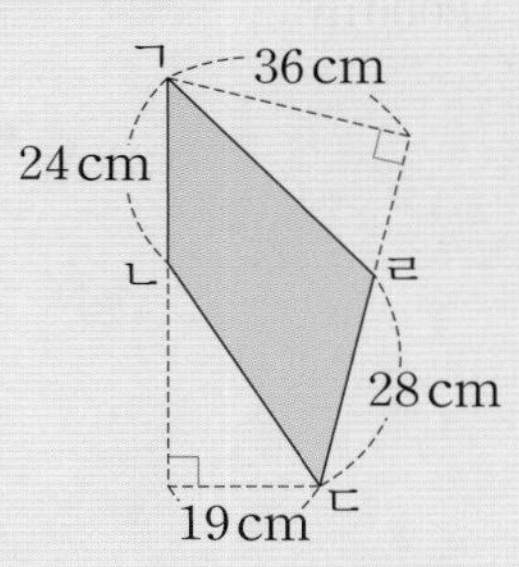

서술형 포인트 도형에서 길이가 주어진 선분을 기준으로 평행사변형, 삼각형 등으로 나누어 넓이를 구하는 방법을 생각합니다.

풀이를 완성하세요.

❶ 사각형 ㄱㄴㄷㄹ의 넓이는 삼각형 ㄱㄴㄷ과 삼각형 ㄱㄷㄹ의 넓이의 합으로 구합니다.

(삼각형 ㄱㄴㄷ의 넓이)

= (cm^2)

❷ (삼각형 ㄱㄷㄹ의 넓이)

= (cm^2)

❸ 따라서 사각형 ㄱㄴㄷㄹ의 넓이는

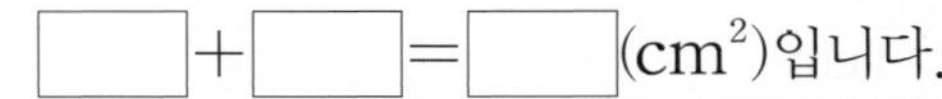
□+□=□(cm^2)입니다.

답

11 그림과 같이 크기가 다른 정사각형 3개를 겹치지 않게 이어 붙였습니다. **색칠한 부분의 넓이**는 몇 cm^2인지 풀이 과정을 쓰고, 답을 구하세요.

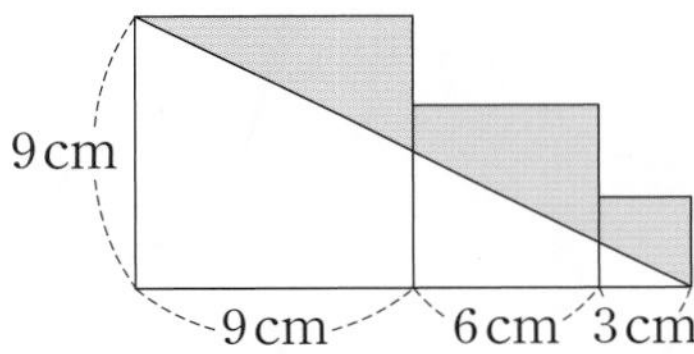

❶ 정사각형 3개의 넓이의 합 구하기

풀이

❷ 색칠하지 않은 삼각형의 넓이 구하기

풀이

❸ 색칠한 부분의 넓이 구하기

풀이

답

12 그림과 같이 모양과 크기가 같은 마름모 2개를 겹쳐서 도형을 만들었습니다. **만든 도형의 넓이**는 몇 cm^2인지 풀이 과정을 쓰고, 답을 구하세요.

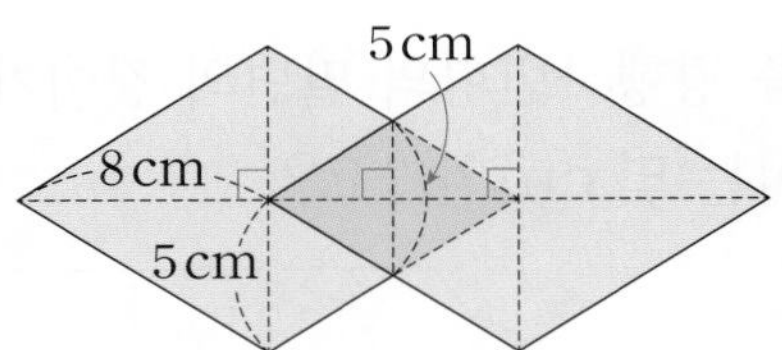

풀이

답

6 단원

단원 마무리

01 직사각형의 둘레를 구하려고 합니다. □ 안에 알맞은 수를 써넣으세요.

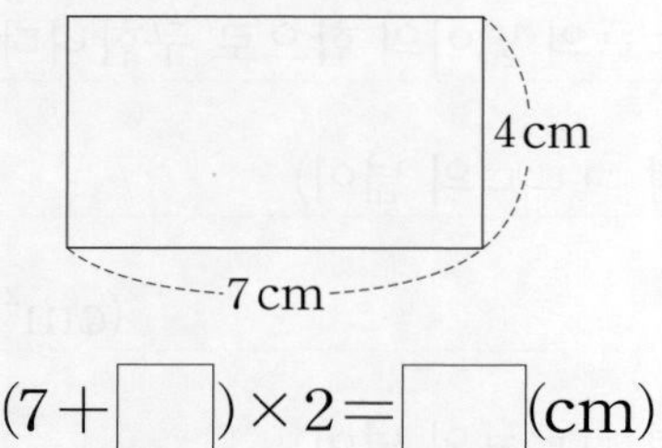

(7＋□)×2＝□(cm)

02 도형의 넓이는 몇 cm^2인지 구하세요.

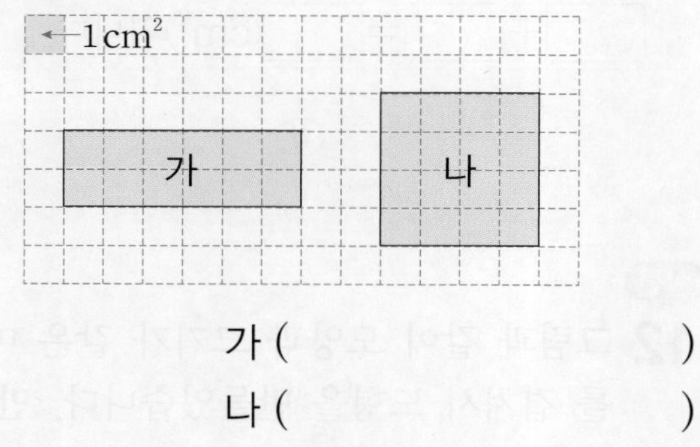

가 (　　　　　)

나 (　　　　　)

03 다음 평행사변형의 밑변의 길이가 8 cm일 때 높이는 몇 cm인가요?

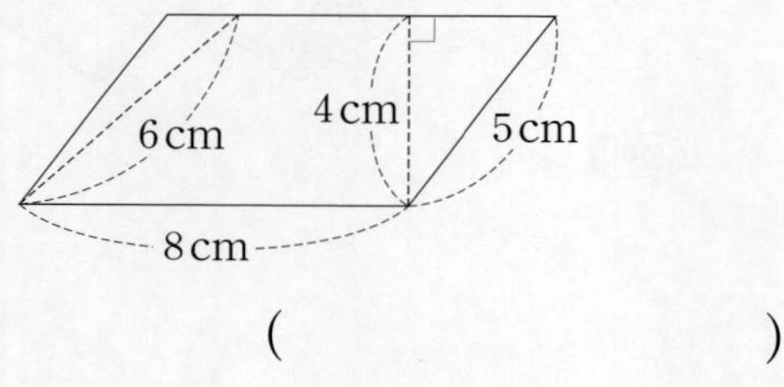

(　　　　　)

04 □ 안에 알맞은 수를 써넣으세요.

- $60000\ cm^2$＝□ m^2
- $5\ m^2$＝□ cm^2

05 직사각형의 넓이를 주어진 단위로 구하세요.

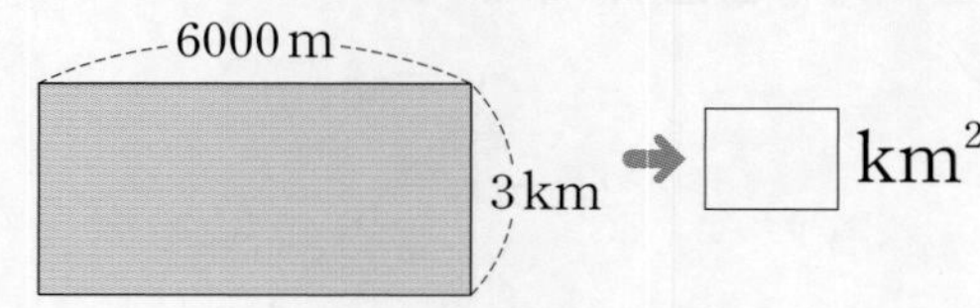

06 두 정다각형의 둘레가 같을 때 □ 안에 알맞은 수를 써넣으세요.

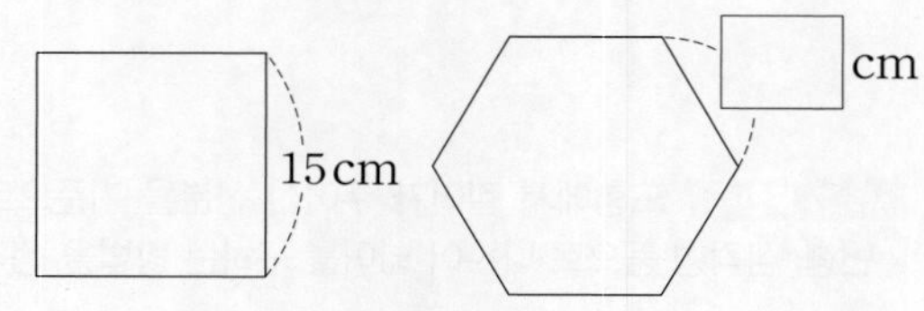

07 삼각형의 넓이는 몇 m^2인가요?

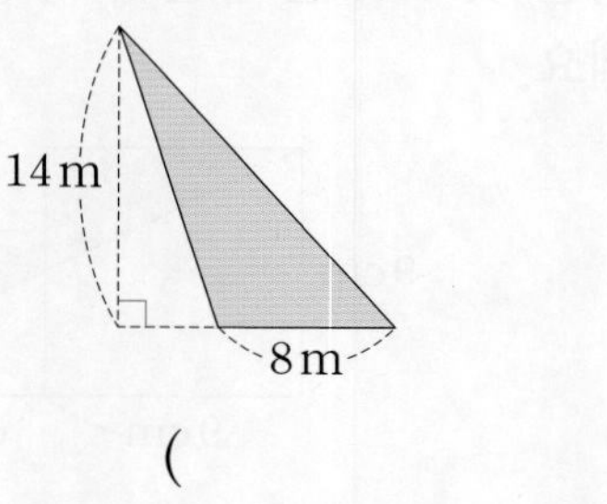

(　　　　　)

08 윗변의 길이가 11 cm이고 아랫변의 길이가 9 cm인 사다리꼴 모양의 색종이가 있습니다. 두 밑변 사이의 거리가 10 cm라면 색종이의 넓이는 몇 cm^2인가요?

식

답

09 넓이를 비교하여 넓은 것부터 차례로 기호를 쓰세요.

> ㉠ 밑변이 10 cm, 높이가 9 cm인 평행사변형
> ㉡ 밑변이 16 cm, 높이가 8 cm인 삼각형
> ㉢ 윗변이 7 cm, 아랫변이 13 cm, 높이가 5 cm인 사다리꼴
> ㉣ 두 대각선이 각각 12 cm인 마름모

( )

10 승휘는 종이를 마름모 모양으로 잘라 가오리연을 만들었습니다. 마름모 모양 종이의 넓이는 몇 cm^2인가요?

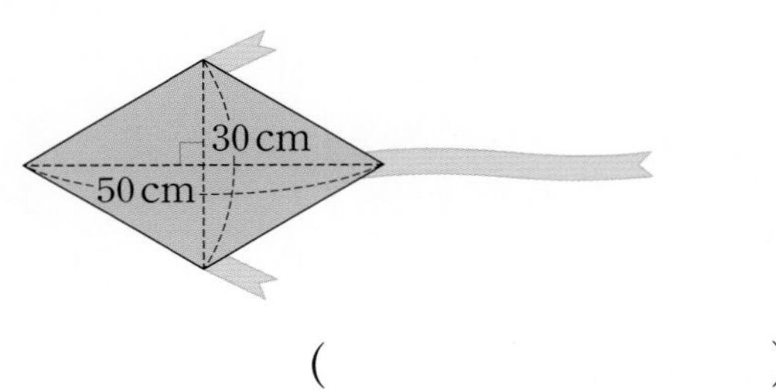

( )

11 박물관의 한쪽 벽에 가로가 40 cm이고, 세로가 30 cm인 직사각형 모양의 타일을 그림과 같이 25개씩 10줄 붙였습니다. 타일을 붙인 벽의 넓이는 몇 m^2인가요?

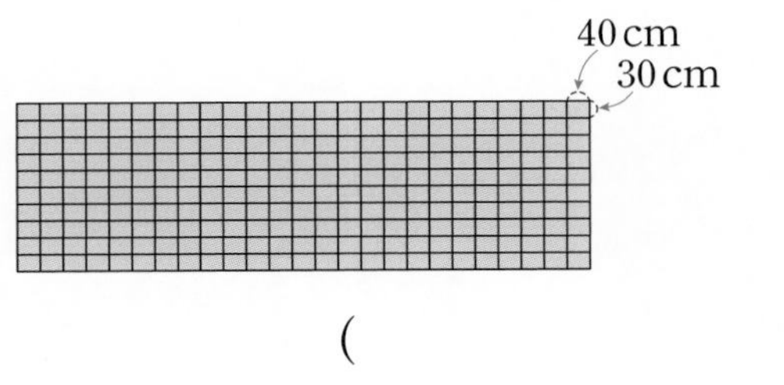

( )

12 평행사변형의 넓이가 42 cm^2일 때 □ 안에 알맞은 수를 구하세요.

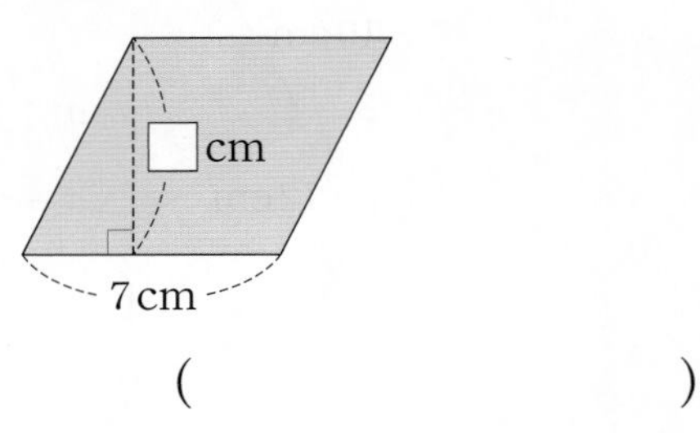

( )

13 마름모와 사다리꼴의 넓이가 같을 때 □ 안에 알맞은 수를 써넣으세요.

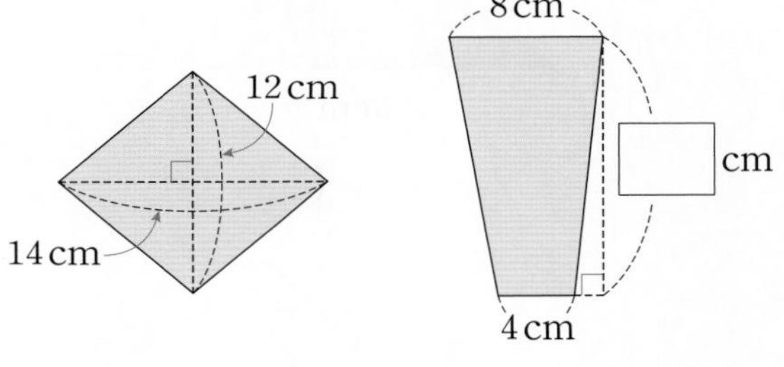

14 도형의 둘레는 몇 cm인가요?

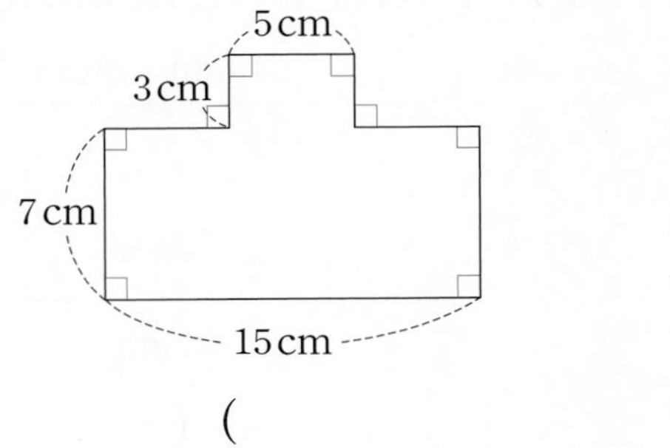

( )

15 다각형의 넓이를 구하세요.

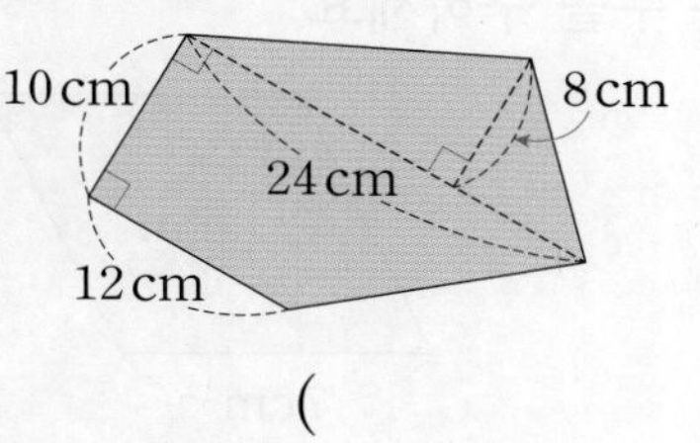

(　　　　　　　　　)

16 □ 안에 알맞은 수를 구하세요.

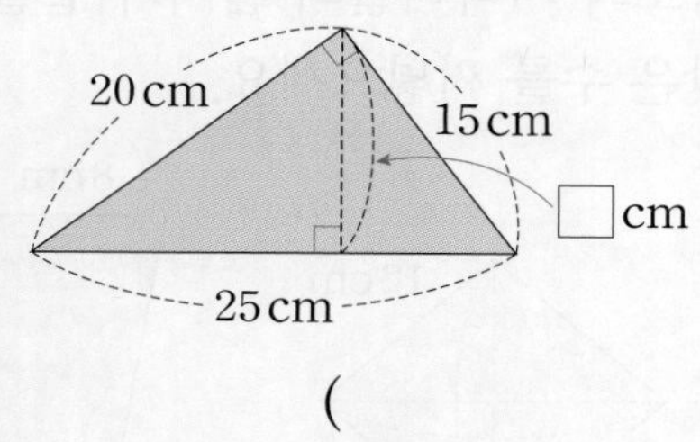

(　　　　　　　　　)

17 사다리꼴과 삼각형을 겹치지 않게 이어 붙여서 만든 도형입니다. 삼각형의 넓이가 64 cm^2일 때 사다리꼴의 넓이는 몇 cm^2인가요?

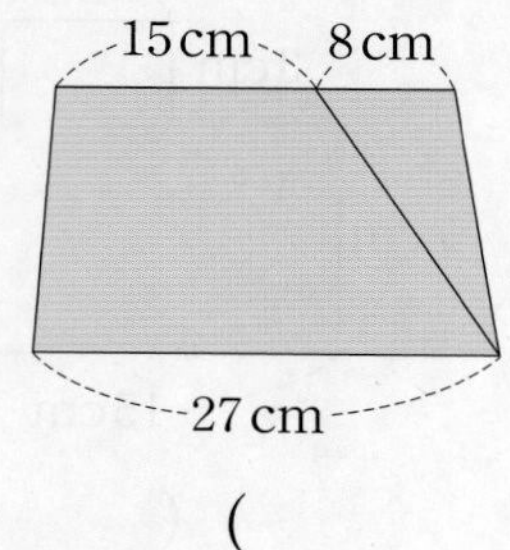

(　　　　　　　　　)

서술형 문제

18 넓이가 36 cm^2인 정사각형의 한 변의 길이는 몇 cm인지 풀이 과정을 쓰고, 답을 구하세요.

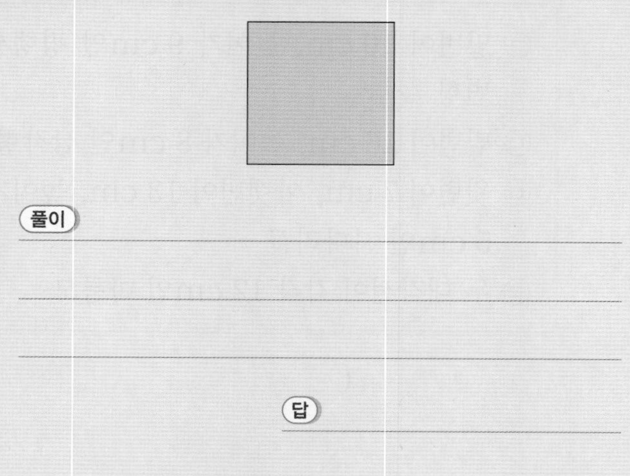

풀이

답

19 세로가 가로보다 6 cm 더 긴 직사각형의 둘레가 64 cm일 때 넓이는 몇 cm^2인지 풀이 과정을 쓰고, 답을 구하세요.

풀이

답

20 사다리꼴과 마름모의 넓이의 차는 몇 cm^2인지 풀이 과정을 쓰고, 답을 구하세요.

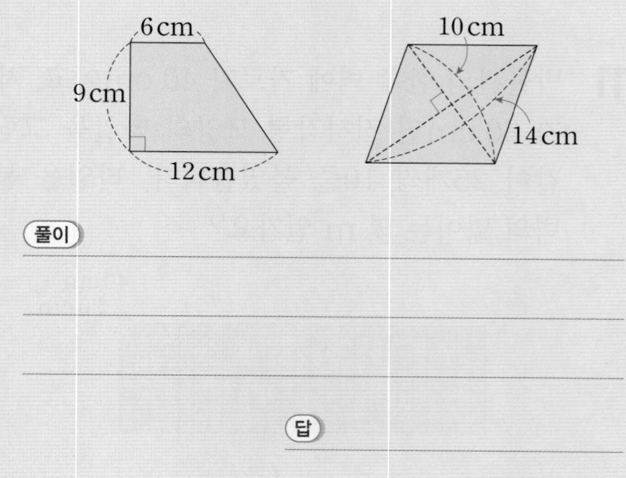

풀이

답

쉬어가기

필리핀 친구

'쿠무스타 까' 내 이름은 이만 하이준이야.
7000개가 넘는 섬으로 이루어진 필리핀에서 살아.
"쿠무스타 까"는 일상생활에서 쓰는 인사말로 "안녕하세요."
와 같은 뜻이야.

필리핀에 대해 더 알아볼까?
필리핀의 수도는 마닐라이고 세부, 보라카이, 보홀 등 아름다운 섬이 많아.
세부는 필리핀 제3의 도시로 포르투갈의 탐험가 마젤란이 처음으로 도착한 역사적인 곳이기도 해. 보라카이는 고운 모래와 깨끗한 해변으로 널리 알려진 세계적인 휴양지야.

세부

보라카이 화이트 비치

필리핀 '독수리'

'필리핀 독수리'는 세계에서 가장 큰 독수리예요.
주로 원숭이를 잡아먹어 원숭이잡이수리라고도 알려져 있어요.

특강 다각형의 둘레와 넓이

정다각형의 둘레

(정다각형의 둘레)=(한 변의 길이)×(변의 수)

직사각형의 둘레

(직사각형의 둘레)=(가로+세로)×2
=(7+4)×2
=22(cm)

7 cm
4 cm

평행사변형의 둘레

(평행사변형의 둘레)
=(한 변의 길이+다른 한 변의 길이)×2
=(4+3)×2=14(cm)

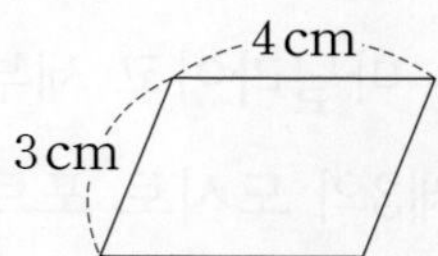

마름모의 둘레

(마름모의 둘레)=(한 변의 길이)×4
=3×4=12(cm)

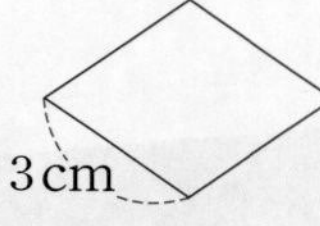

정사각형의 둘레

(정사각형의 둘레)=(한 변의 길이)×4
=6×4=24(cm)

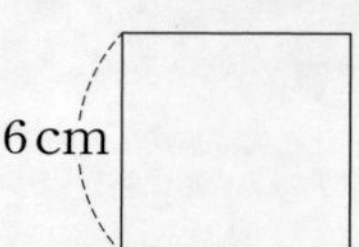

1 cm^2

1 cm
1 cm　1 cm^2

쓰기: 1 cm^2
읽기: 1 제곱센티미터

1 m^2

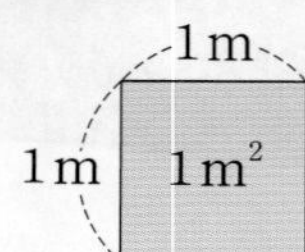

쓰기: 1 m^2
읽기: 1 제곱미터

1 km^2

1 km
1 km　1 km^2

쓰기: 1 km^2
읽기: 1 제곱킬로미터

넓이 단위 사이의 관계

- 1 m^2=10000 cm^2
- 1 km^2=1000000 m^2

직사각형의 넓이

(직사각형의 넓이)=(가로)×(세로)

$=5\times3=15(\text{cm}^2)$

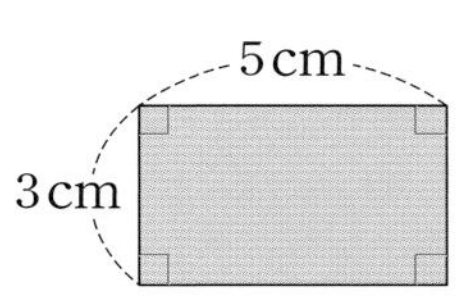

정사각형의 넓이

(정사각형의 넓이)

=(한 변의 길이)×(한 변의 길이)

$=5\times5=25(\text{cm}^2)$

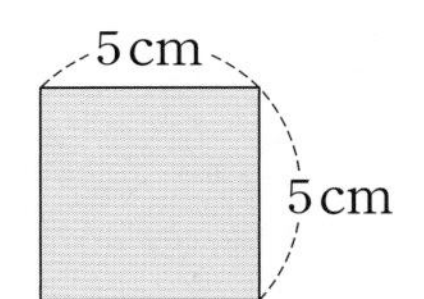

평행사변형의 넓이

- 밑변: 평행한 두 변
- 높이: 두 밑변 사이의 거리
- (평행사변형의 넓이)
  =(밑변의 길이)×(높이)
  $=9\times5=45(\text{cm}^2)$

밑변
높이
밑변

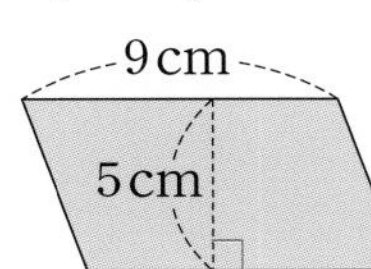

삼각형의 넓이

- 밑변: 삼각형에서 어느 한 변
- 높이: 밑변과 마주 보는 꼭짓점에서 밑변에 수직으로 그은 선분의 길이
- (삼각형의 넓이)
  =(밑변의 길이)×(높이)÷2

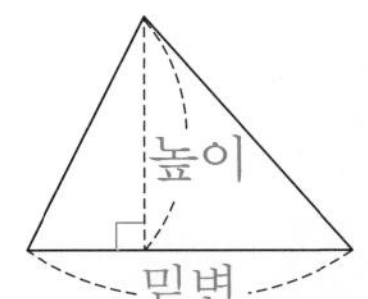

마름모의 넓이

(마름모의 넓이)

=(한 대각선의 길이)×(다른 대각선의 길이)÷2

$=9\times8\div2=36(\text{cm}^2)$

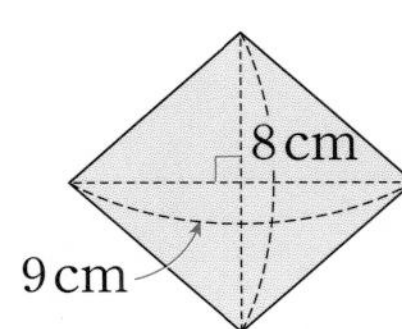

사다리꼴의 넓이

- 밑변: 평행한 두 변
- 윗변: 한 밑변
- 아랫변: 다른 밑변
- 높이: 두 밑변 사이의 거리
- (사다리꼴의 넓이)
  =(윗변의 길이+아랫변의 길이)×(높이)÷2

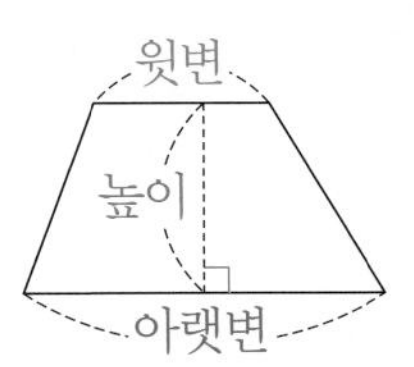

MEMO

동아출판

동아출판
초등 무료
스마트러닝

동아출판 초등 **무료 스마트러닝**으로 쉽고 재미있게!

과목별·영역별 특화 강의

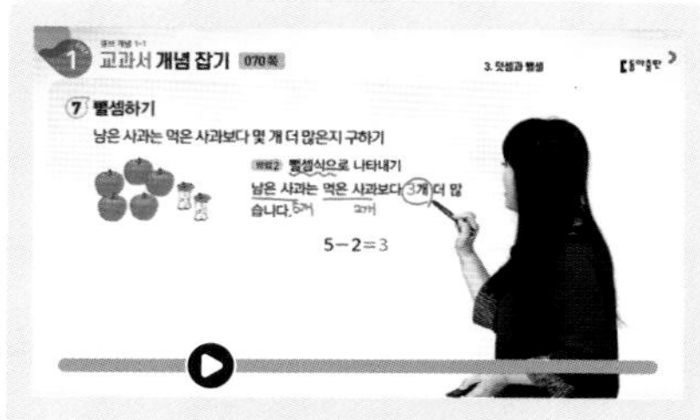

수학 개념 강의

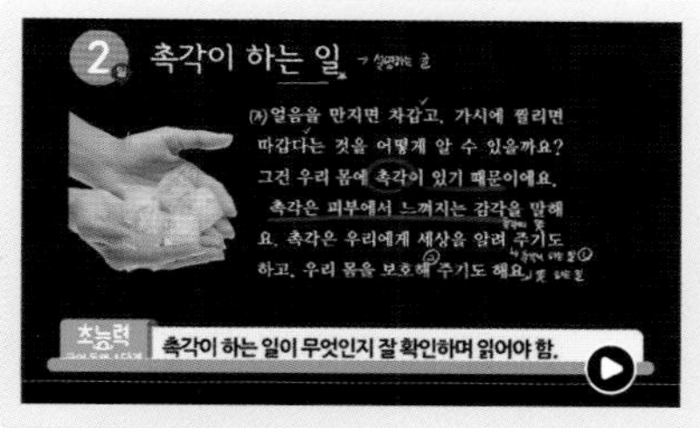

국어 독해 지문 분석 강의

구구단 송

그림으로 이해하는 비주얼씽킹 강의

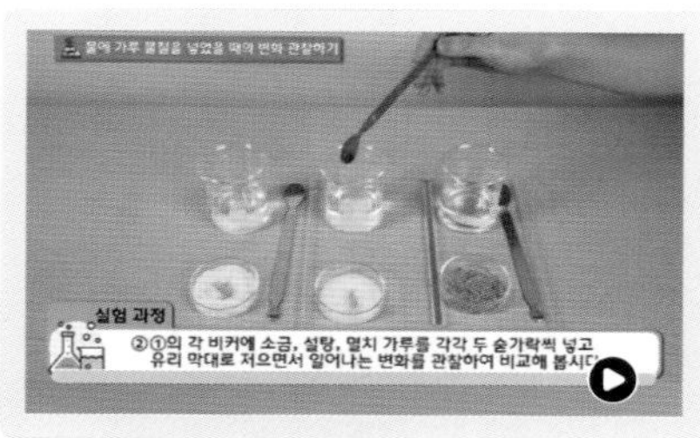

과학 실험 동영상 강의

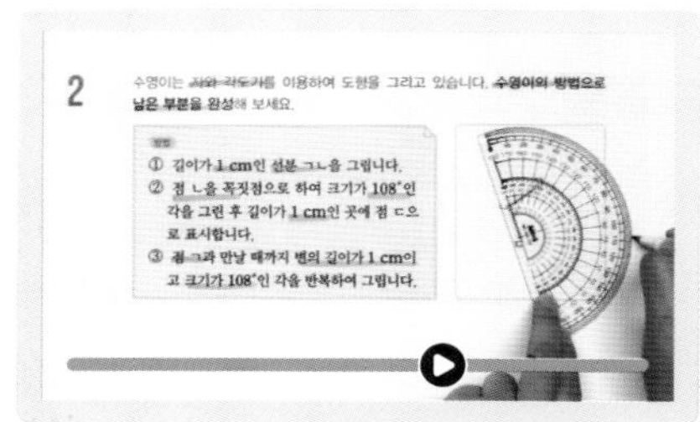

과목별 문제 풀이 강의

서비스 제공 교재 큐브 | 백점 과학 | 빠작 초등 국어 | 초능력 | 초고필 | 하이탑 초등 과학

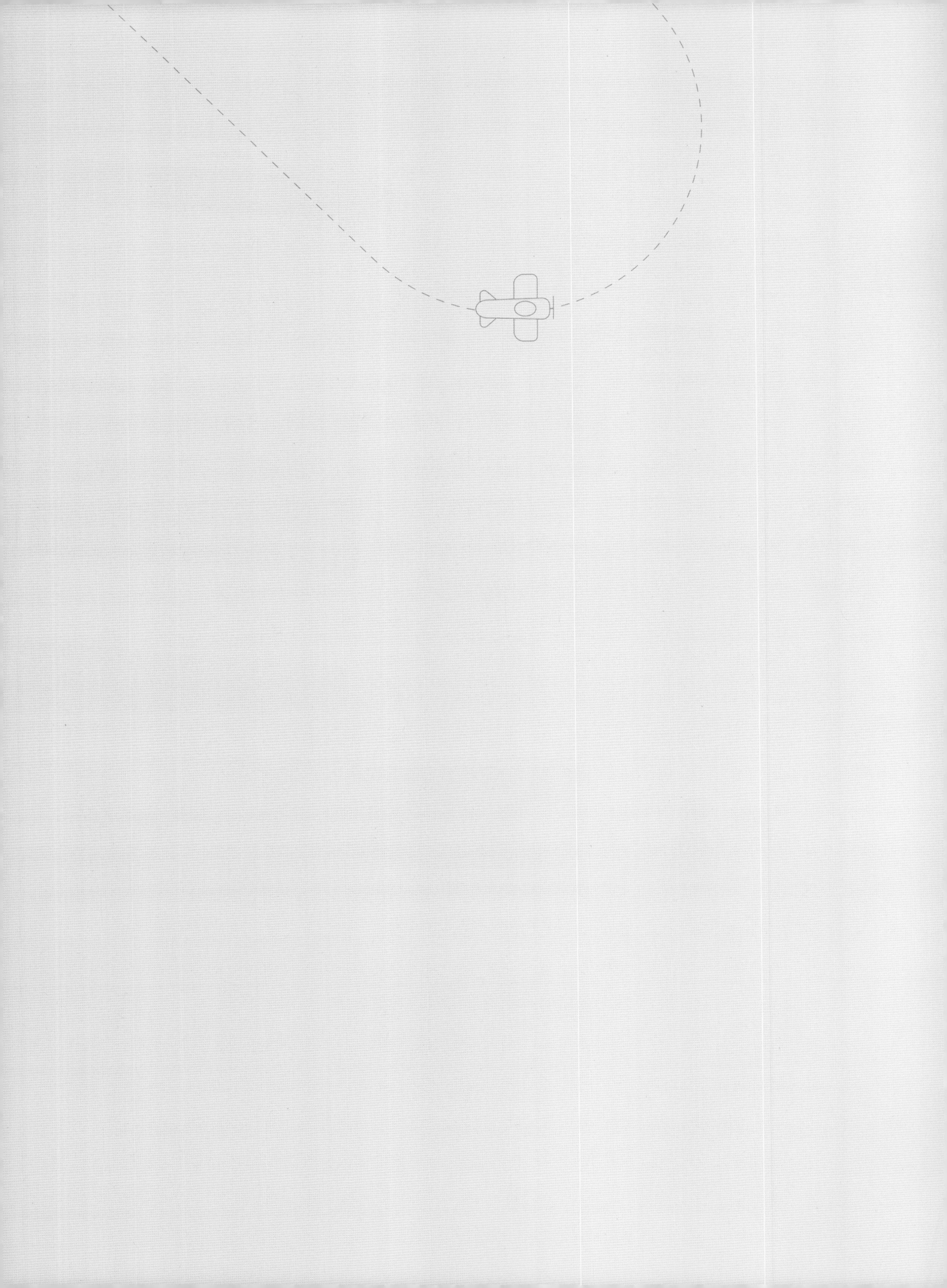

큐브 수학

실력

매칭북

5·1

◆ 1 : 1 매칭 학습 ▸ 매칭북으로 진도북의 문제를 한 번 더 복습 | 단원 평가지 제공

동아출판

매칭북

5·1

차례

정답 42쪽

1 계산 결과를 비교하여 값이 다른 하나를 찾아 기호를 쓰세요.

㉠ $(34-15)+12$
㉡ $34-15+12$
㉢ $34-(15+12)$

(　　　　　　)

2 한 접시에 방울토마토가 42개씩 있습니다. 방울토마토 5접시를 남김없이 6명에게 똑같이 나누어 주면 한 사람은 방울토마토를 몇 개씩 갖게 되나요?

$\square \times 5 \div \square = \square$(개)

3 계산 결과를 비교하여 ○ 안에 >, =, <를 알맞게 써넣으세요.

$60 \div 4+8-4$ ○ $60 \div (4+8)-4$

4 문제를 하나의 식으로 옳게 나타낸 것은 어느 것인가요? (　　　)

서울에서 대전까지의 거리는 161 km입니다. 한 시간에 70 km씩 가는 자동차로 서울을 출발하여 대전까지 가려고 합니다. 2시간을 갔다면 남은 거리는 몇 km인가요?

① $161+70\times 2$　② $161-70\times 2$
③ $161+70\div 2$　④ $161-70\div 2$
⑤ $161-70-2$

5 계산하세요.

$23-(12+2\times 4)\div 5$

(　　　　　　)

6 사과 한 개는 1200원이고, 한 봉지에 5개씩 들어 있는 배 한 봉지는 8000원입니다. 사과 한 개와 배 3개의 값은 얼마인지 하나의 식으로 나타내어 답을 구하세요.

식 $\square + \square \div 5 \times \square = \square$

답

1 단원

01 계산 결과가 가장 큰 식을 말한 사람은 누구인가요? (02 유사)

훈이: $3+15\div5-1$
재연: $2\times10\div(13-8)$
나라: $15-(10-4)\div3\times2$

(　　　　　　　　)

02 계산 결과가 작은 순서대로 기호를 쓰세요. (03 유사)

㉠ $20-2\times8+5$
㉡ $12+54\div6\times2-8$
㉢ $13+25\div5-4\times3$

(　　　　　　　　)

03 보기 와 같이 두 식을 하나로 나타내세요.

보기
$8\times5=40$, $65-40+21=46$
➔ $65-8\times5+21=46$

$27\div9=3$, $19-3+5=21$

➔ ______________________

04 두 식을 ( )를 사용하여 하나로 나타내세요. (06 유사)

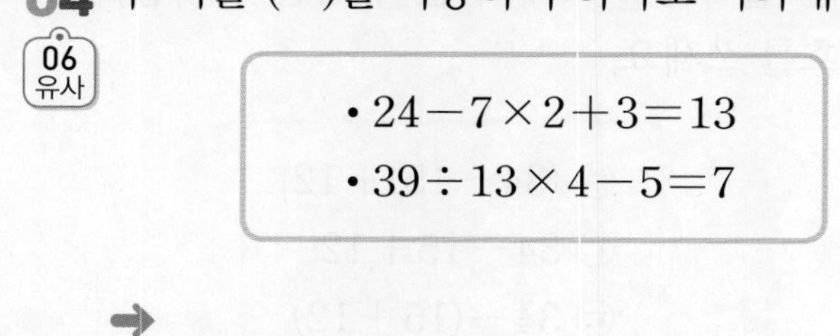

• $24-7\times2+3=13$
• $39\div13\times4-5=7$

➔ ______________________

서술형

05 계산에서 잘못된 곳을 찾아 그 이유를 쓰세요. (08 유사)

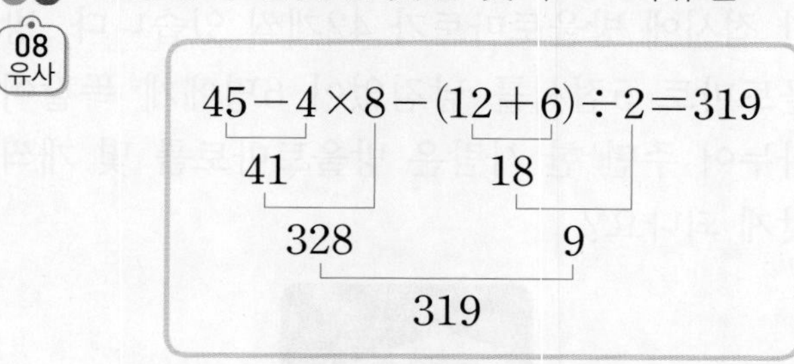

$45-4\times8-(12+6)\div2=319$
41　　18
328　　9
319

이유 ______________________

06 ㉠과 ㉡ 중 계산이 옳은 것을 찾아 기호를 쓰세요. (09 유사)

㉠ $25\times2-12\div4=47$
㉡ $36-(12-8)\times4=25$

(　　　　　　　　)

07 11 유사 호준이네 반 학생 21명 중에서 8명씩 2모둠은 발야구를 하고, 나머지는 다른 반 학생 2명과 함께 응원을 했습니다. 응원한 학생은 모두 몇 명인지 하나의 식으로 나타내고, 답을 구하세요.

식

답

08 12 유사 대화를 보고 승원이는 소율이보다 줄넘기를 몇 번 더 많이 했는지 하나의 식으로 나타내고, 답을 구하세요.

나는 15일 동안 매일 줄넘기를 40번씩 했어.

난 15일 중에서 4일은 쉬고 나머지 날은 매일 줄넘기를 50번씩 했어.

식

답

09 14 유사 지구에서 잰 무게는 달에서 잰 무게의 약 6배입니다. 지구에서 우진이의 몸무게는 39 kg이고, 은이의 몸무게는 33 kg입니다. 만약 달에서 몸무게를 잰다면 서현이의 몸무게는 7 kg이 됩니다. 세 사람 모두 달에서 몸무게를 잰다면 서현이의 몸무게는 우진이와 은이의 몸무게의 합보다 약 몇 kg 더 가벼운지 구하세요.

(　　　　　　)

10 15 유사 생활에서 온도를 나타내는 단위에는 섭씨(℃)와 화씨(°F)가 있습니다. 화씨온도에서 32를 뺀 수에 10을 곱하고 18로 나누면 섭씨온도가 됩니다. 화씨온도로 77도인 현재 기온을 섭씨로 나타내면 몇 ℃인가요?

(　　　　　　)

11 □ 안에 알맞은 수를 써넣으세요.

$$24-(13+\square)\div 3-6=13$$

12 18 유사 ■에 알맞은 수를 구하세요.

$$3+(28\div 7-■)\times 6=9$$

(　　　　　　)

13 20 유사 똑같은 주스 3병이 들어 있는 상자의 무게를 재어 보니 780 g이었습니다. 여기에 똑같은 주스 2병을 더 넣어 무게를 재어 보니 1200 g이었습니다. 상자만의 무게는 몇 g인지 하나의 식으로 나타내고, 답을 구하세요.

식

답

1 단원

14 21 유사 선영이는 채소 가게에서 900원짜리 양파 4개와 당근 5개를 샀습니다. 10000원을 내고 거스름돈으로 2400원을 받았다면 당근 한 개는 얼마인가요? (단, 당근의 가격은 모두 같습니다.)

( )

15 23 유사 다음 식이 성립하도록 ○ 안에 +, −, ×, ÷를 한 번씩 써넣으세요.

$7 \bigcirc 10 \bigcirc 2 \bigcirc 4 \bigcirc 3 = 14$

16 24 유사 수 카드를 한 번씩만 사용하여 다음과 같은 식을 만들려고 합니다. 계산 결과가 다른 식을 2개 만들고, 계산한 값을 각각 구하세요.

3 4 5 6 7

① □−□+□÷□×□

② □−□+□÷□×□

① ( ), ② ( )

17 26 유사 다음 단어를 사용하여 식 $15-4\times2+7$에 알맞은 문제를 만들고 답을 구하세요.

혜진, 수수깡, 친구

문제

( )

서술형

18 28 유사 다음과 같이 약속할 때, 12★(4★2)는 얼마인지 풀이 과정을 쓰고, 답을 구하세요.

㉮★㉯=㉮×㉮÷㉯−㉯

풀이

답

19 30 유사 수 카드 3, 6, 18을 한 번씩 사용하여 다음과 같은 식을 만들려고 합니다. 계산 결과가 가장 큰 자연수가 되도록 □ 안에 알맞은 수를 써넣고, 식을 계산하세요.

□×□÷□

( )

서술형

20 32 유사 □ 안에 들어갈 수 있는 가장 큰 자연수는 얼마인지 풀이 과정을 쓰고, 답을 구하세요.

$\square < 35-(4+8)\div3\times7$

풀이

답

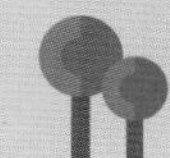

정답 43쪽

01 (01 유사) 은지의 나이는 12살이고, 언니는 은지보다 2살이 많습니다. 어머니의 나이는 언니 나이의 3배보다 3살이 많습니다. **어머니의 나이는 몇 살**인지 풀이 과정을 쓰고, 답을 구하세요.

❶ 언니의 나이 구하기

풀이

❷ 어머니의 나이 구하기

풀이

답

02 (03 유사) 대화를 보고 **승주와 아버지의 나이의 차는 몇 살**인지 풀이 과정을 쓰고, 답을 구하세요.

풀이

답

03 (04 유사) 어떤 수를 3으로 나누고 4를 더한 후 2를 곱하고 5를 뺐더니 11이 되었습니다. **어떤 수는 얼마**인지 풀이 과정을 쓰고, 답을 구하세요.

❶ 어떤 수를 □라 하고 식 세우기

풀이

❷ 어떤 수 구하기

풀이

답

04 (06 유사) 어떤 수에 4를 더하고 7을 곱한 후 6으로 나누어야 하는데 잘못하여 어떤 수에서 4를 빼고 6을 곱한 후 5로 나누었더니 12가 되었습니다. **바르게 계산한 값은 얼마**인지 풀이 과정을 쓰고, 답을 구하세요.

풀이

답

STEP 1

한번더 개념 완성하기

정답 44쪽

1 어떤 수의 배수를 가장 작은 수부터 차례로 쓴 것입니다. 어떤 수의 배수인가요?

(1) 12, 24, 36, 48, 60……

( )

(2) 16, 32, 48, 64, 80……

( )

2 7의 배수를 모두 찾아 쓰세요.

17	24	35	21	45	26
7	67	42	60	27	34

( )

3 25의 약수 중에서 가장 작은 수와 가장 큰 수를 각각 구하세요.

가장 작은 수 ( )

가장 큰 수 ( )

4 왼쪽 수 42와 약수와 배수의 관계인 수를 모두 찾아 쓰세요.

42 — 20 84 21 9 7

( )

5 두 수가 약수와 배수의 관계가 되도록 빈 곳에 알맞은 수를 써넣으세요. (단, 1과 자신의 수는 제외합니다.)

	30

6 다음 설명 중 틀린 것을 모두 고르세요.

( )

$24=6\times4$

① 24는 6의 약수입니다.
② 6은 24의 약수입니다.
③ 4는 24의 약수입니다.
④ 24는 6과 4의 배수입니다.
⑤ 4는 6과 24의 약수입니다.

정답 44쪽

01 7은 247의 약수인지 아닌지 알아보고, 그 이유를 쓰세요. 서술형
02 유사

답

이유

02 공책 45권을 학생들에게 남김없이 똑같이 나누어 주려고 합니다. 한 명이 모두 갖는 경우는 생각하지 않을 때 공책을 나누어 줄 수 있는 방법은 모두 몇 가지인가요?
03 유사

( )

03 다음에서 약수의 수가 가장 적은 수를 찾아 그 수의 모든 약수의 합을 구하세요.
05 유사

12 35 28

( )

04 150의 모든 약수의 합은 얼마인가요?
06 유사

( )

05 어떤 수의 배수를 가장 작은 수부터 차례로 쓴 것입니다. 22번째에 올 수를 구하세요.
08 유사

11, 22, 33, 44……

( )

06 정류소에서 워터파크로 가는 버스가 오전 8시부터 12분 간격으로 출발합니다. 오전 10시까지 버스는 몇 번 출발하나요?
09 유사

( )

07 다음 두 가지 조건을 만족하는 수를 모두 구하세요.
11 유사

- 15의 배수입니다.
- 두 자리 수입니다.

( )

08 23의 배수 중에서 가장 큰 두 자리 수는 얼마인지 풀이 과정을 쓰고, 답을 구하세요. 서술형
12 유사

풀이

답

2 단원

진도북[034~035쪽]의 확인, 강화 문제 복습

정답 44쪽

09 왼쪽 수는 오른쪽 수의 배수입니다. □ 안에 들어갈 수 있는 수를 모두 구하세요.

14 유사

38, □

(　　　　　　　　)

서술형

10 두 수 (28, ♥)는 약수와 배수의 관계입니다. ♥에 알맞은 수가 아닌 것을 찾아 기호를 쓰려고 합니다. 풀이 과정을 쓰고, 답을 구하세요.

03 유사

㉠ 2　㉡ 4　㉢ 7　㉣ 56　㉤ 60

풀이

답

11 다음 네 자리 수는 6의 배수입니다. □ 안에 알맞은 수를 구하세요.

17 유사

452□

(　　　　　　　　)

12 수 카드를 한 번씩만 사용하여 세 자리 수를 만들려고 합니다. 만들 수 있는 수 중에서 가장 큰 4의 배수를 구하세요.

18 유사

0　5　8

(　　　　　　　　)

13 다음 조건을 모두 만족하는 수를 구하세요.

20 유사

- 42의 약수입니다.
- 35의 약수입니다.
- 1이 아닙니다.

(　　　　　　　　)

서술형

14 1부터 9까지의 수 중에서 □ 안에 들어갈 수 있는 수를 모두 구하려고 합니다. 풀이 과정을 쓰고, 답을 구하세요.

22 유사

24의 배수는 모두 □의 배수입니다.

풀이

답

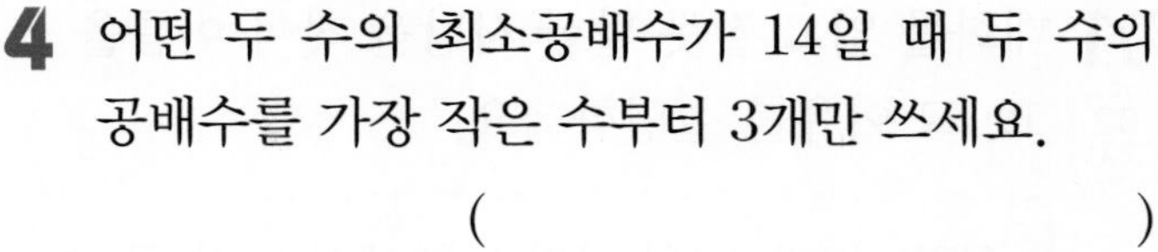

정답 44쪽

1 어떤 두 수의 최대공약수가 20일 때 두 수의 공약수를 모두 구하세요.

( )

2 42와 63의 공약수가 <u>아닌</u> 것은 어느 것인가요?

( )

① 1 ② 3 ③ 7
④ 14 ⑤ 21

3 27과 36의 최대공약수를 두 가지 방법으로 구하세요.

방법 1 곱셈식을 이용하여 구하기

방법 2 공약수를 이용하여 구하기

4 어떤 두 수의 최소공배수가 14일 때 두 수의 공배수를 가장 작은 수부터 3개만 쓰세요.

( )

5 12의 배수도 되고 15의 배수도 되는 수 중에서 가장 작은 수를 구하세요.

( )

6 54와 72의 최소공배수를 두 가지 방법으로 구하세요.

방법 1 곱셈식을 이용하여 구하기

방법 2 공약수를 이용하여 구하기

서술형

01 대화를 읽고 잘못 말한 사람을 찾아 이름을 쓰고, 그 이유를 설명하세요.
02 유사

정민: 42와 18의 공약수 중에서 가장 큰 수는 6이야.
현애: 42와 18의 공약수는 18을 나누어떨어지게 할 수 없어.

답
이유

02 두 수의 최대공약수가 더 큰 것에 ○표 하세요.
03 유사

(32, 40)	(25, 30)
( )	( )

03 어떤 두 수가 있습니다. 이 두 수의 최대공약수가 14일 때 두 수의 모든 공약수의 합을 구하세요.
05 유사

( )

04 48과 어떤 수의 최대공약수는 12입니다. 48과 어떤 수의 공약수는 모두 몇 개인가요?
06 유사

( )

05 다음에서 설명하는 수를 구하세요.
08 유사

• 4와 9의 공배수입니다.
• 110보다 크고 150보다 작습니다.

( )

06 민기와 지수가 다음과 같이 규칙에 따라 각각 바둑돌을 25개씩 놓을 때, 같은 자리에 검은 바둑돌을 놓는 경우는 모두 몇 번인가요?
09 유사

민기 ○●○●○●○●○●○●……
지수 ○○●○○●○○●○○●……

( )

07 두 수 가와 나를 여러 수의 곱으로 나타낸 것입니다. 두 수 가와 나의 공배수를 가장 작은 수부터 4개만 쓰세요.
11 유사

가$=2\times2\times3\times5$
나$=2\times3\times5$

( )

서술형

08 두 수의 공배수 중에서 두 자리 수는 모두 몇 개인지 풀이 과정을 쓰고, 답을 구하세요.

12 유사

(4, 18)

풀이

답

09 사탕 45개와 캐러멜 36개를 최대한 많은 봉지에 남김없이 똑같이 나누어 담으려고 합니다. 한 봉지에 사탕과 캐러멜을 각각 몇 개씩 담아야 하나요?

14 유사

사탕 (　　　　　　)

캐러멜 (　　　　　　)

10 가로가 78 cm이고 세로가 54 cm인 직사각형 모양의 벽을 정사각형 모양의 종이 조각으로 덮으려고 합니다. 최대한 큰 종이 조각을 사용하여 벽을 겹치지 않게 빈틈없이 덮으려면 종이 조각은 모두 몇 장 필요한가요?

15 유사

(　　　　　　)

11 주영이와 나현이는 원 모양의 호수 둘레를 일정한 빠르기로 걷고 있습니다. 주영이는 8분마다, 나현이는 6분마다 호수를 한 바퀴 돕니다. 두 사람이 출발점에서 같은 방향으로 동시에 출발할 때, 출발 후 1시간 동안 출발점에서 몇 번 다시 만나나요?

17 유사

(　　　　　　)

12 서우는 6일마다 산책을 하고, 영준이는 9일마다 산책을 합니다. 8월 1일에 두 사람이 같이 산책을 했다면 다음에 처음으로 같이 산책을 하는 날은 몇 월 며칠인지 구하세요.

18 유사

(　　　　　　)

서술형

13 올해 12살인 혜란이는 아버지와 띠가 서로 같습니다. 띠는 모두 12가지가 있고, 12년마다 같은 띠가 되풀이됩니다. 아버지의 나이는 37세인 삼촌보다 많고, 60세인 고모보다 적다면 아버지의 나이는 몇 살인지 풀이 과정을 쓰고, 답을 구하세요.

20 유사

풀이

답

2 단원

진도북[043~045쪽]의 확인, 강화 문제 복습

정답 45쪽

14 다음 조건을 모두 만족하는 수는 몇 개인가요?
22 유사

- 16의 배수입니다.
- 24의 배수입니다.
- 100보다 크고 200보다 작습니다.

( )

15 두 수의 공배수가 100보다 작으면서 100에 가장 가까운 것을 찾아 기호를 쓰세요.
23 유사

㉠ (2, 15) ㉡ (5, 35) ㉢ (7, 21)

( )

16 둘레가 1 km인 원 모양의 놀이터 둘레에 같은 곳에서 시작하여 40 m 간격으로 의자를 놓고, 50 m 간격으로 가로등을 세우려고 합니다. 의자를 놓을 곳과 가로등을 세울 곳이 겹치면 가로등만 세우려고 합니다. 의자와 가로등은 각각 몇 개씩 필요하나요? (단, 의자와 가로등의 두께는 생각하지 않습니다.)
25 유사

의자 ( )

가로등 ( )

17 27과 21을 어떤 수로 나누었더니 나머지가 각각 3이었습니다. 어떤 수를 구하세요.
27 유사

( )

서술형

18 8로 나누어도 18로 나누어도 나머지가 모두 3인 어떤 수가 있습니다. 어떤 수가 될 수 있는 수 중에서 가장 작은 수는 얼마인지 풀이 과정을 쓰고, 답을 구하세요.
29 유사

풀이

답

서술형

19 32와 어떤 수의 최대공약수는 8이고, 최소공배수는 160입니다. 어떤 수는 얼마인지 풀이 과정을 쓰고, 답을 구하세요.
31 유사

풀이

답

STEP 3 한번더 서술형 해결하기

정답 46쪽

01 (01 유사) 두 수 (■, 60)은 약수와 배수의 관계입니다. ■의 모든 약수의 합이 28일 때 **■는 얼마**인지 풀이 과정을 쓰고, 답을 구하세요.

❶ 60의 약수 구하기

풀이

❷ ■의 값 구하기

풀이

답

02 (03 유사) 7과 약수와 배수의 관계인 어떤 수가 있습니다. 이 수의 모든 약수의 합은 48입니다. **어떤 수는 얼마**인지 풀이 과정을 쓰고, 답을 구하세요.

풀이

답

03 (04 유사) 기차역에서 대전행 기차는 15분마다, 하동행 기차는 35분마다 각각 출발합니다. 오전 6시에 두 기차가 동시에 출발했다면 **다음에 처음으로 동시에 출발하는 시각**은 오전 몇 시 몇 분인지 풀이 과정을 쓰고, 답을 구하세요.

❶ 두 기차가 몇 분마다 동시에 출발하는지 구하기

풀이

❷ 다음에 처음으로 동시에 출발하는 시각 구하기

풀이

답

04 (06 유사) 나은이네 동네 마을버스 출발 시간표입니다. 행운 버스와 사랑 버스는 일정한 간격으로 출발하고 오전 5시에 동시에 출발했습니다. **다섯 번째로 동시에 출발하는 시각**은 오전 몇 시 몇 분인지 풀이 과정을 쓰고, 답을 구하세요.

출발 시각

출발 순서	행운 버스	사랑 버스
1	오전 05:00	오전 05:00
2	오전 05:15	오전 05:09
3	오전 05:30	오전 05:18
⋮	⋮	⋮

풀이

답

2 단원

진도북[048~049쪽]의 연습, 실전 문제 복습

정답 46쪽

05 (07 유사) 가로가 18 cm이고, 세로가 24 cm인 직사각형 모양의 색종이를 남는 부분 없이 크기가 같은 정사각형 모양으로 자르려고 합니다. 가장 큰 정사각형 모양으로 자르려면 **정사각형의 한 변의 길이를 몇 cm로 해야 하는지** 풀이 과정을 쓰고, 답을 구하세요.

❶ 가로와 세로의 최대공약수 구하기

풀이

❷ 정사각형의 한 변의 길이 구하기

풀이

답

06 (09 유사) 가로가 40 cm이고, 세로가 24 cm인 직사각형 모양의 카드를 겹치지 않게 늘어놓아 될 수 있는 대로 작은 정사각형을 만들려고 합니다. **카드는 모두 몇 장 필요**한지 풀이 과정을 쓰고, 답을 구하세요.

풀이

답

07 (10 유사) 어떤 수로 42를 나누면 나머지가 2이고, 60을 나누면 나머지가 4입니다. **어떤 수는 얼마**인지 풀이 과정을 쓰고, 답을 구하세요.

❶ 40과 56의 공약수 구하기

풀이

❷ 어떤 수 구하기

풀이

답

08 (12 유사) 다음 조건을 모두 만족하는 어떤 수를 구하려고 합니다. **어떤 수가 될 수 있는 수는 모두 몇 개**인지 풀이 과정을 쓰고, 답을 구하세요.

69÷(어떤 수)=▲ ⋯ 5
55÷(어떤 수)=◆ ⋯ 7

풀이

답

정답 47쪽

[1~2] 벽돌의 수와 벽돌을 위로 쌓은 높이 사이의 대응 관계를 알아보려고 합니다. 벽돌 한 장의 높이가 12 cm일 때 물음에 답하세요.

1 벽돌의 수(장)와 높이(cm) 사이의 대응 관계를 나타낸 표를 완성하세요.

벽돌의 수(장)	1	2	5	7	……
높이(cm)	12				……

2 □ 안에 알맞은 수를 써넣어 벽돌의 수(장)과 높이(cm) 사이의 대응 관계를 나타내세요.

(1) 벽돌의 수(장)에 □를 곱하면 벽돌을 쌓은 높이(cm)와 같습니다.

(2) 벽돌을 쌓은 높이(cm)를 □로 나누면 벽돌의 수(장)과 같습니다.

3 오각형의 수와 각의 수 사이의 대응 관계를 쓰세요.

오각형의 수(개)	1	2	3	4	5
각의 수(개)	5	10	15	20	25

□는 □의 □배입니다.

4 관계있는 것끼리 선으로 이으세요.

(1)

○	1	2	3	4	5
□	8	9	10	11	12

(2)

○	1	2	3	4	5
□	3	6	9	12	15

• ㉠ □×7=○

• ㉡ ○+7=□

• ㉢ □÷3=○

5 다래와 영우가 수로 대응 관계를 만들어 알아맞히기를 하고 있습니다. 다래가 말한 수와 영우가 답한 수를 보고 대응 관계를 찾아 식으로 나타내세요.

다래가 말한 수	3	13	15	……
영우가 답한 수	7	27	31	……

□를 ◎, 영우가 답한 수를 ◇이라고 하면 대응 관계는 □입니다.

6 바구니에 방울토마토가 12개씩 들어 있습니다. 바구니의 수를 ▽, 방울토마토의 수를 ☆이라고 할 때 두 양 사이의 대응 관계를 식으로 나타내세요.

㉠식

01 주사위와 수 카드로 규칙적인 배열을 만들고 있습니다. 배열에서 주사위가 배열 순서를 나타낼 때 배열 순서와 수 카드의 수 사이의 대응 관계를 쓰세요.

02 유사

3 4 5 ……

( )

02 규칙적인 배열을 보고 하트 조각의 수와 삼각형 조각의 수 사이의 대응 관계를 쓰세요.

03 유사

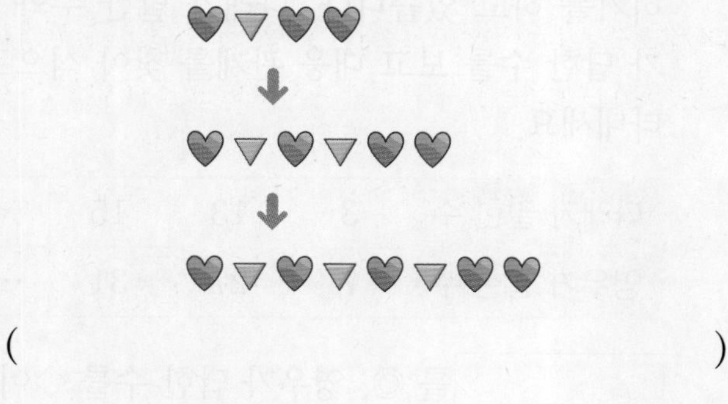

( )

03 어느 문구점에 한 자루에 800원인 볼펜이 있습니다. 이 볼펜의 팔린 개수와 판매 금액 사이의 대응 관계를 쓰세요.

05 유사

( )

서술형

04 팔각형의 수와 변의 수 사이의 대응 관계를 2가지로 쓰세요.

06 유사

①

②

05 표를 완성하고, △와 □ 사이의 대응 관계를 식으로 나타내세요.

08 유사

△	1	2	3	4	
□	6		18		30

식

06 대응 관계를 나타낸 식을 보고 표를 완성하고, 식에 알맞은 상황을 한 가지 쓰세요.

09 유사

○+▽=14

○	2	3	4	5	6
▽	12				

( )

07 샤워기에서 1분에 15 L의 물이 나옵니다. 물이 나온 시간을 □(분), 나온 물의 양을 ○(L)라고 할 때 두 양 사이의 대응 관계를 식으로 나타내세요.

11 유사

식

08 희주는 매일 운동을 아침에 20분, 저녁에 30분 동안 합니다. 희주가 운동을 한 날수를 ○(일), 운동을 한 전체 시간을 △(분)이라고 할 때 두 양 사이의 대응 관계를 식으로 나타내세요.

12 유사

식

09 세발자전거의 수와 바퀴의 수 사이의 관계를 잘못 이야기한 사람을 찾아 이름을 쓰세요.

14 유사

은재: 세발자전거의 수를 □, 바퀴의 수를 △라고 할 때 두 양 사이의 관계는 △÷3=□야.
현우: 대응 관계를 나타낸 식 ☆×3=○에서 ☆은 세발자전거의 수, ○는 바퀴의 수를 나타내.
나현: 세발자전거의 수는 바퀴의 수보다 3씩 커져.

(   )

10 □와 ☆ 사이의 대응 관계를 나타낸 표입니다. 표를 완성하고, □가 99일 때 ☆의 값을 구하세요.

16 유사

□	11	22	33	44	55
☆	1	2	3		

(   )

서술형

11 ♡와 ▽ 사이의 대응 관계를 나타낸 표입니다. ㉠은 얼마인지 풀이 과정을 쓰고, 답을 구하세요.

17 유사

♡	1	2	3	……	14
▽	21	42	63	……	㉠

풀이

답

12 배열 순서에 따른 빨간색 사각형의 수와 초록색 사각형의 수 사이의 대응 관계를 찾아 14째에 필요한 초록색 사각형 조각의 수를 구하세요.

19 유사

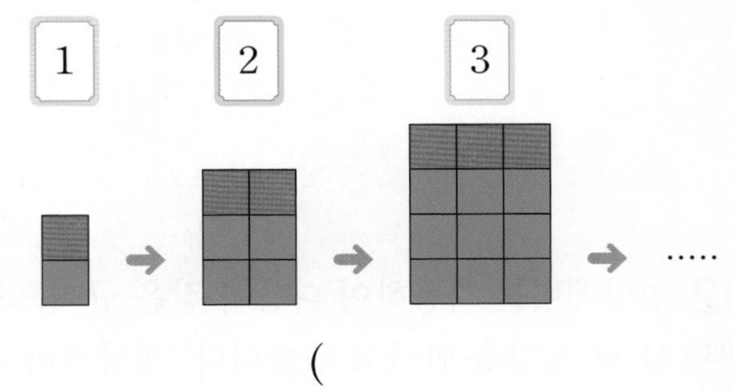

(   )

서술형

13 다음과 같은 규칙으로 구슬을 놓고 있습니다. 10째에 놓는 구슬은 몇 개인지 풀이 과정을 쓰고, 답을 구하세요.

21 유사

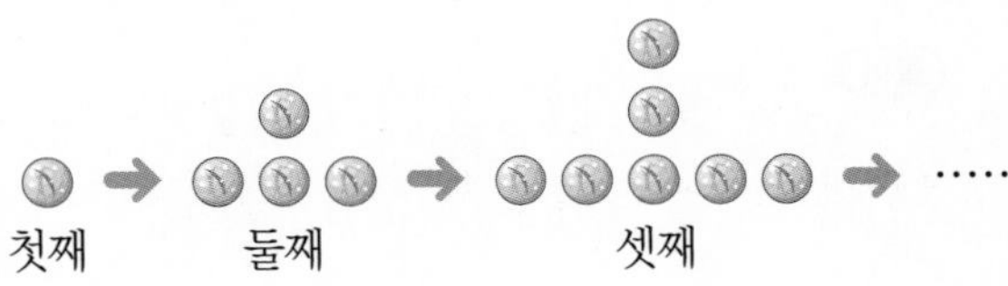

풀이

답

정답 47쪽

01 (01 유사) 성냥개비를 사용하여 다음과 같은 규칙으로 마름모를 만들고 있습니다. **마름모를 10개 만드는 데 필요한 성냥개비는 모두 몇 개**인지 풀이 과정을 쓰고, 답을 구하세요.

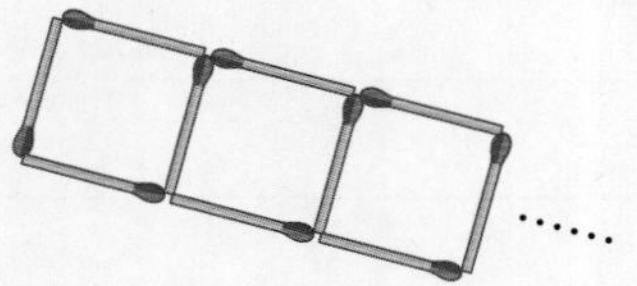

❶ 마름모의 수와 성냥개비의 수 사이의 대응 관계를 식으로 나타내기

풀이

❷ 필요한 성냥개비의 수 구하기

풀이

답

02 (03 유사) 성냥개비를 사용하여 다음과 같은 규칙으로 자음 ㅂ 모양을 만들고 있습니다. **성냥개비 42개로 만들 수 있는 자음 ㅂ 모양은 모두 몇 개**인지 풀이 과정을 쓰고, 답을 구하세요.

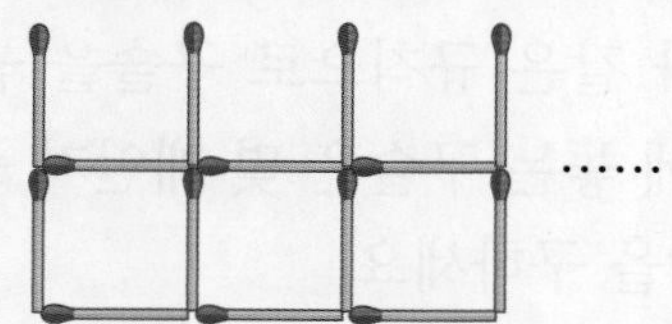

풀이

답

03 (04 유사) □, △, ○ 사이의 대응 관계를 나타낸 표입니다. **㉠+㉡은 얼마**인지 풀이 과정을 쓰고, 답을 구하세요.

□	1	2	3	4	5
△	7	㉠	21	28	35
○	6	7	8	㉡	10

❶ ㉠에 알맞은 수 구하기

풀이

❷ ㉡에 알맞은 수 구하기

풀이

❸ ㉠+㉡의 값 구하기

풀이

답

04 (06 유사) ○, ◇, ☆ 사이의 대응 관계를 나타낸 표입니다. **㉠×㉡−㉢은 얼마**인지 풀이 과정을 쓰고, 답을 구하세요.

○	1	2	3	4	㉠
◇	9	㉡	7	6	5
☆	9	18	㉢	36	45

풀이

답

정답 48쪽

1 왼쪽 수와 크기가 같은 분수를 모두 찾아 ○표 하세요.

(1) $\frac{2}{3}$ ➔ $\frac{5}{7}$ $\frac{6}{9}$ $\frac{12}{13}$ $\frac{10}{15}$

(2) $\frac{4}{5}$ ➔ $\frac{6}{10}$ $\frac{12}{15}$ $\frac{20}{25}$ $\frac{24}{40}$

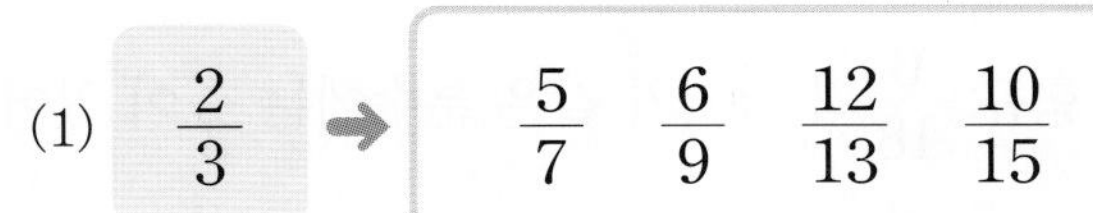

2 $\frac{12}{40}$와 크기가 같은 분수를 모두 찾아 쓰세요.

$\frac{3}{10}$ $\frac{6}{15}$ $\frac{1}{2}$ $\frac{6}{20}$ $\frac{2}{5}$

(　　　　　　　　　　)

3 분모와 분자에 0이 아닌 같은 수를 곱하여 $\frac{3}{7}$과 크기가 같은 분수를 만들려고 합니다. 분모가 가장 작은 것부터 3개만 쓰세요. (단, $\frac{3}{7}$은 제외합니다.)

(　　　　　　　　　　)

4 왼쪽 분수를 약분한 분수를 오른쪽에서 찾아 선으로 이으세요.

(1) $\frac{6}{15}$ • 　　　　• ㉠ $\frac{3}{4}$

(2) $\frac{6}{9}$ • 　　　　• ㉡ $\frac{2}{3}$

(3) $\frac{6}{8}$ • 　　　　• ㉢ $\frac{2}{5}$

5 다음 중에서 기약분수를 모두 고르세요.

(　　　　　　)

① $\frac{8}{28}$　② $\frac{3}{19}$　③ $\frac{4}{6}$

④ $\frac{13}{169}$　⑤ $\frac{22}{59}$

6 $\frac{24}{64}$를 어떤 수로 약분하였더니 $\frac{3}{8}$이 되었습니다. 분모와 분자를 어떤 수로 약분한 것인가요?

$$\frac{24 \div \square}{64 \div \square} = \frac{3}{8}$$

(　　　　　　　　　　)

01 사다리를 타고 내려가 도착한 곳이 크기가 같은 분수이면 ○표, 크기가 같은 분수가 아니면 ×표 하세요.
02 유사

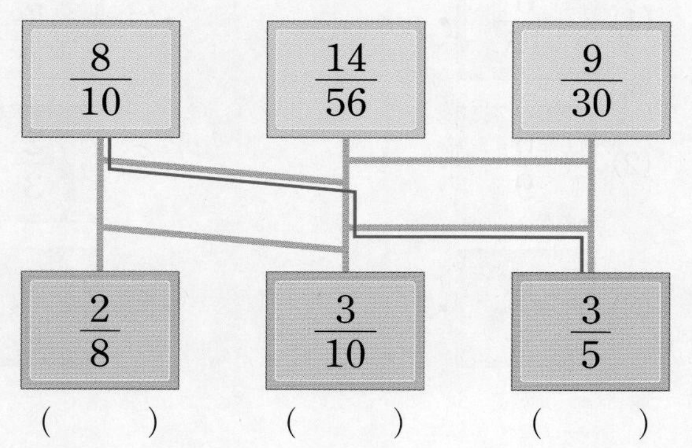

( ) ( ) ( )

02 크기가 같은 분수끼리 짝 지어진 것을 찾아 기호를 쓰세요.
03 유사

㉠ $\left(\frac{1}{5}, \frac{3}{15}\right)$ ㉡ $\left(\frac{2}{14}, \frac{4}{21}\right)$

( )

03 수 카드를 사용하여 $\frac{7}{15}$과 크기가 같은 분수를 만드세요.
05 유사

$\frac{7}{15}=\frac{\square}{\square}$

14 18 21 30 42

( )

04 대화를 읽고 크기가 같은 분수를 같은 방법으로 구한 두 사람을 찾아 쓰세요.
06 유사

형규: $\frac{6}{18}$과 크기가 같은 분수에는 $\frac{1}{3}$이 있어.

수아: $\frac{4}{16}$와 크기가 같은 분수는 $\frac{8}{32}$이야.

나리: $\frac{15}{20}$와 크기가 같은 분수에는 $\frac{3}{4}$이 있어.

( ), ( )

05 $\frac{32}{60}$를 약분한 것입니다. ★에 알맞은 수를 구하세요.
08 유사

$\frac{32}{60}=\frac{8}{★}$

( )

06 분모가 45인 분수 중에서 약분하면 $\frac{7}{9}$이 되는 분수를 구하세요.
09 유사

( )

07 $\frac{12}{48}$에 대해 잘못 말한 사람을 쓰세요.

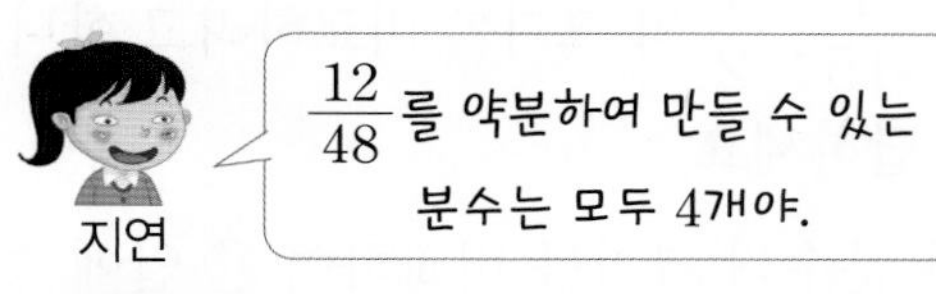

지연

$\frac{12}{48}$를 약분하면 $\frac{3}{12}$이야.

준서

$\frac{12}{48}$를 기약분수로 나타내면 $\frac{1}{4}$이야.

사랑

(　　　　　　　　)

08 $\frac{30}{54}$을 기약분수로 나타냈을 때 분모와 분자의 합을 구하세요.

12 유사

(　　　　　　　　)

09 $\frac{2}{7}$와 크기가 같은 분수 중에서 분모와 분자의 합이 36인 분수를 구하세요.

14 유사

(　　　　　　　　)

10 분모가 30보다 크고 70보다 작은 분수 중에서 $\frac{5}{12}$와 크기가 같은 분수는 모두 몇 개인가요?

15 유사

(　　　　　　　　)

11 다음 조건을 만족하는 기약분수는 모두 몇 개인가요?

17 유사

- $\frac{11}{18}$보다 작습니다.
- 분모가 18입니다.

(　　　　　　　　)

12 분모가 14인 진분수 중에서 기약분수는 모두 몇 개인가요?

18 유사

(　　　　　　　　)

13 기약분수로 나타냈을 때 $\frac{7}{12}$이 되는 분수 중에서 분모가 가장 큰 두 자리 수인 분수는 얼마인가요?

20 유사

(　　　　　　　　)

14 어떤 분수의 분자에서 5를 뺀 후 6으로 약분했더니 $\frac{3}{10}$이 되었습니다. 어떤 분수를 구하세요.

22 유사

(　　　　　　　　)

4 단원

정답 49쪽

1 두 분수를 서로 다른 2개의 공통분모로 통분하세요.

$\left(3\frac{1}{24}, 2\frac{5}{16}\right)$

(,)

(,)

2 $\frac{5}{6}$와 $\frac{7}{8}$을 통분한 것을 찾아 기호를 쓰세요.

㉠ $\left(\frac{15}{48}, \frac{35}{48}\right)$ ㉡ $\left(\frac{20}{24}, \frac{21}{24}\right)$
㉢ $\left(\frac{10}{12}, \frac{12}{14}\right)$ ㉣ $\left(\frac{35}{60}, \frac{48}{60}\right)$

( )

3 쌀 $\frac{7}{12}$ kg과 보리 $\frac{8}{15}$ kg이 있습니다. 쌀과 보리의 양을 분모의 최소공배수를 공통분모로 하여 통분하세요.

$\left(\frac{7}{12}, \frac{8}{15}\right) \rightarrow$ (,)

4 $\frac{9}{10}$, $\frac{7}{15}$, $\frac{1}{2}$의 크기를 비교하려고 합니다. 물음에 답하세요.

(1) 두 분수씩 크기를 비교하여 ○ 안에 >, =, <를 알맞게 써넣으세요.

$\frac{9}{10}$ ○ $\frac{7}{15}$ $\frac{7}{15}$ ○ $\frac{1}{2}$ $\frac{9}{10}$ ○ $\frac{1}{2}$

(2) 세 분수의 크기를 비교하여 빈 곳에 알맞게 써넣으세요.

□ < □ < □

5 두 수의 크기를 비교하여 ○ 안에 >, =, <를 알맞게 써넣으세요.

(1) $\frac{1}{2}$ ○ 0.2 (2) $\frac{7}{8}$ ○ 0.8

6 학교에서 연아네 집까지의 거리는 $\frac{1}{4}$ km이고, 은규네 집까지의 거리는 $\frac{3}{16}$ km입니다. 연아와 은규 중 누구네 집이 학교에서 더 먼가요?

$\frac{1}{4}$ ○ $\frac{3}{16}$

( )

STEP 2 한번더 실력 다지기

정답 50쪽

01 (02 유사) 두 분수를 가장 작은 공통분모로 각각 통분할 때 공통분모가 가장 큰 것의 기호를 쓰세요.

㉠ $\left(\frac{3}{10}, \frac{7}{20}\right)$ ㉡ $\left(\frac{2}{5}, \frac{5}{9}\right)$ ㉢ $\left(\frac{1}{2}, \frac{9}{16}\right)$

( )

02 (05 유사) $\frac{1}{5}$과 $\frac{7}{45}$을 통분하려고 합니다. 70보다 크고 150보다 작은 수 중에서 공통분모가 될 수 있는 수를 모두 쓰세요.

( )

서술형

03 (06 유사) $3\frac{4}{15}$와 $2\frac{3}{7}$을 가장 작은 수를 공통분모로 하여 통분하려고 합니다. 공통분모를 얼마로 해야 하는지 풀이 과정을 쓰고, 통분하세요.

풀이

답

04 (08 유사) 두 분수의 크기를 잘못 비교한 것을 찾아 기호를 쓰세요.

㉠ $\frac{3}{8} < \frac{2}{5}$ ㉡ $\frac{5}{13} > \frac{1}{2}$ ㉢ $1\frac{5}{18} > 1\frac{2}{9}$

( )

서술형

05 (09 유사) 서현이와 은주가 각자 키를 재었더니 서현이는 $1\frac{9}{20}$ m이고, 은주는 $1\frac{2}{5}$ m였다면 누구의 키가 더 큰지 풀이 과정을 쓰고, 답을 구하세요.

풀이

답

06 (11 유사) 세 분수의 크기를 비교하여 큰 분수부터 차례로 쓰세요.

$4\frac{1}{5}$ $4\frac{7}{25}$ $3\frac{4}{17}$

( )

4 단원

07 서라네 집에서 서점, 도서관, 문구점까지의 거리를 나타낸 것입니다. 서라네 집에서 가장 가까운 곳은 어디인가요?

12 유사

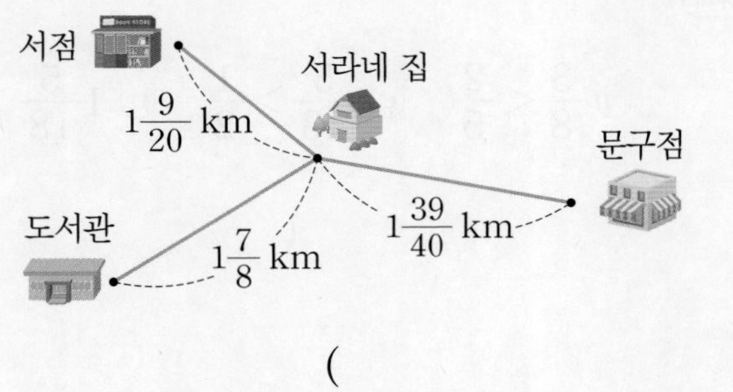

( )

08 분수와 소수의 크기를 비교하여 작은 수부터 차례로 쓰세요.

14 유사

$3\frac{1}{2}$ 5.4 3.2 $5\frac{1}{5}$

( )

서술형

09 분리수거함에 페트병이 $4\frac{7}{25}$ kg, 플라스틱이 4.8 kg 있습니다. 페트병과 플라스틱 중 더 많이 있는 것은 어느 것인지 풀이 과정을 쓰고, 답을 구하세요.

15 유사

풀이

답

10 어떤 두 기약분수를 통분하였더니 $\left(\frac{45}{\square}, \frac{28}{60}\right)$이 되었습니다. 통분하기 전의 두 기약분수를 각각 구하세요.

17 유사

( )

11 오른쪽의 두 분수는 왼쪽의 기약분수를 통분하여 나타낸 것입니다. □ 안에 알맞은 수를 써넣으세요.

18 유사

$\left(\frac{\square}{\square}, \frac{\square}{\square}\right) \rightarrow \left(\frac{20}{\square}, \frac{27}{72}\right)$

12 혜교는 수학 공부를 $1\frac{1}{5}$시간 동안 하고, 영어 공부를 $1\frac{3}{55}$시간 동안 했습니다. 수학과 영어 중 어느 과목을 더 많이 공부했는지 분자가 같은 분수를 비교하는 방법으로 구하세요.

20 유사

( )

13 분자가 같은 분수의 크기 비교 방법을 이용하여 작은 수부터 차례로 쓰세요.

21 유사

$\frac{1}{4}$ $\frac{3}{7}$ $\frac{9}{10}$

( )

14 수 카드가 4장 있습니다. 이 중에서 2장을 뽑아 진분수를 만들려고 합니다. 만들 수 있는 진분수 중 가장 큰 수를 소수로 나타내세요.
23 유사

1 3 5 8

( )

15 혜주는 빈 병과 우유갑을 다음과 같이 모았습니다. 모은 빈 병과 우유갑 중에서 어느 것이 더 무거운지 구하세요.
24 유사

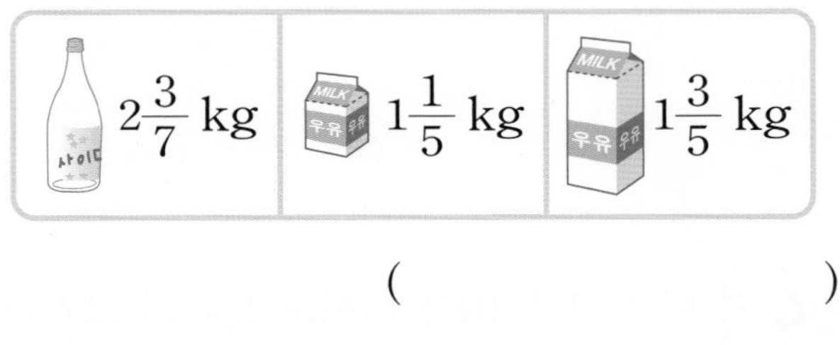

$2\frac{3}{7}$ kg | $1\frac{1}{5}$ kg | $1\frac{3}{5}$ kg

( )

16 다음 중 조건을 모두 만족하는 분수를 찾아 쓰세요.
26 유사

$\frac{3}{10}$ $\frac{5}{8}$ $\frac{7}{15}$ $\frac{19}{24}$ $\frac{12}{35}$

조건
① $\frac{1}{2}$보다 작습니다. ② $\frac{3}{7}$보다 큽니다.

( )

17 □ 안에 들어갈 수 있는 자연수를 모두 구하세요.
28 유사

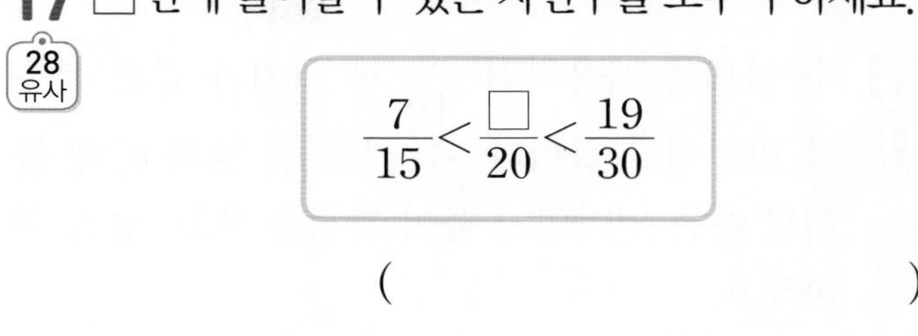

$$\frac{7}{15}<\frac{\square}{20}<\frac{19}{30}$$

( )

서술형

18 $\frac{13}{24}$보다 크고 $\frac{11}{16}$보다 작은 분수 중에서 분모가 48인 기약분수를 모두 구하려고 합니다. 풀이 과정을 쓰고, 답을 구하세요.
30 유사

풀이

답

19 □ 안에 들어갈 수 있는 자연수는 모두 몇 개인가요?
32 유사

$$0.125<\frac{\square}{8}<0.75$$

( )

01 01 유사 수 카드를 사용하여 $\frac{3}{16}$과 크기가 같은 분수를 만들려고 합니다. 수 카드 중 **㉠과 ㉡에 들어갈 수**는 얼마인지 풀이 과정을 쓰고, 답을 구하세요.

$$\frac{3}{16}=\frac{㉠}{㉡}$$

9	14	28	32	48	54

❶ 크기가 같은 분수 만드는 방법 쓰기

풀이

❷ ㉠과 ㉡에 들어갈 수 구하기

풀이

답 ㉠: , ㉡:

02 03 유사 **㉠과 ㉡에 알맞은 수**를 구하려고 합니다. 풀이 과정을 쓰고, 답을 구하세요.

$$\frac{6}{㉠}=\frac{18}{㉡}=\frac{36}{66}$$

풀이

답 ㉠: , ㉡:

03 04 유사 $\frac{3}{35}$의 분모와 분자에 같은 수를 더하여 $\frac{7}{15}$과 크기가 같은 분수를 만들려고 합니다. **분모와 분자에 각각 얼마를 더해야** 하는지 풀이 과정을 쓰고, 답을 구하세요.

❶ $\frac{7}{15}$과 크기가 같은 분수 구하기

풀이

❷ 분모와 분자에 각각 더해야 하는 수 구하기

풀이

답

04 06 유사 $\frac{3}{5}$의 분모에 10을 더해도 분수의 크기가 변하지 않게 하려면 **분자에는 얼마를 더해야** 하는지 풀이 과정을 쓰고, 답을 구하세요.

풀이

답

05 분자가 분모보다 1 작은 분수인 $\frac{4}{5}$, $\frac{5}{6}$, $\frac{6}{7}$의 크기를 비교하려고 합니다. **분수만큼 색칠**한 후 **분자가 분모보다 1 작은 분수의 크기 비교 방법을 이용하여 큰 수부터** 차례로 쓰세요.

07 유사

❶ 분수만큼 색칠하기

풀이

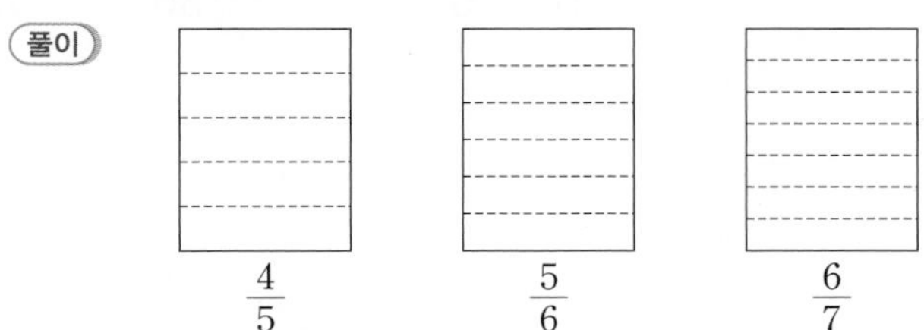

$\frac{4}{5}$ $\frac{5}{6}$ $\frac{6}{7}$

❷ 큰 수부터 차례로 쓰기

풀이

➜ 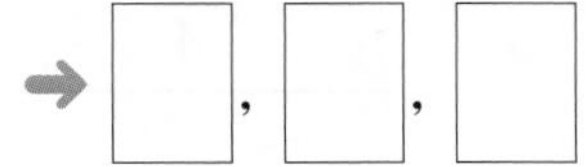

06 **분자가 같은 분수의 크기 비교 방법**으로 **가장 큰 수**를 구하려고 합니다. 풀이 과정을 쓰고, 답을 구하세요.

09 유사

$\frac{3}{5}$ $\frac{9}{20}$ $\frac{3}{10}$ $\frac{9}{25}$

풀이

답

07 수 카드 3장을 한 번씩 모두 사용하여 소수 두 자리 수를 만들려고 합니다. 만들 수 있는 **가장 큰 소수를 기약분수로** 나타내면 얼마인지 풀이 과정을 쓰고, 답을 구하세요.

10 유사

2 8 4

❶ 만들 수 있는 가장 큰 소수 두 자리 수 구하기

풀이

❷ 소수를 기약분수로 나타내기

풀이

답

08 주머니에 구슬이 4개 들어 있습니다. 이 중에서 3개를 뽑아 한 번씩 사용하여 대분수를 만들려고 합니다. 만들 수 있는 **가장 큰 대분수를 소수로** 나타내면 얼마인지 풀이 과정을 쓰고, 답을 구하세요.

12 유사

풀이

답

4 단원

정답 52쪽

[1~2] $\frac{5}{6}+\frac{2}{3}$를 주어진 방법으로 계산하세요.

1 분모의 곱을 공통분모로 하여 통분한 후 계산하세요.

$\frac{5}{6}+\frac{2}{3}$

2 분모의 최소공배수를 공통분모로 하여 통분한 후 계산하세요.

$\frac{5}{6}+\frac{2}{3}$

3 설탕을 주희는 $\frac{5}{8}$컵, 윤후는 $\frac{7}{10}$컵 가지고 있습니다. 두 사람이 가지고 있는 설탕은 모두 몇 컵인가요?

$\frac{5}{8}+\square=\square$(컵)

4 크기를 비교하여 ○ 안에 >, =, <를 알맞게 써넣으세요.

$3\frac{2}{5}+\frac{5}{6}$ ○ $4\frac{17}{30}$

5 □ 안에 알맞은 수를 써넣으세요.

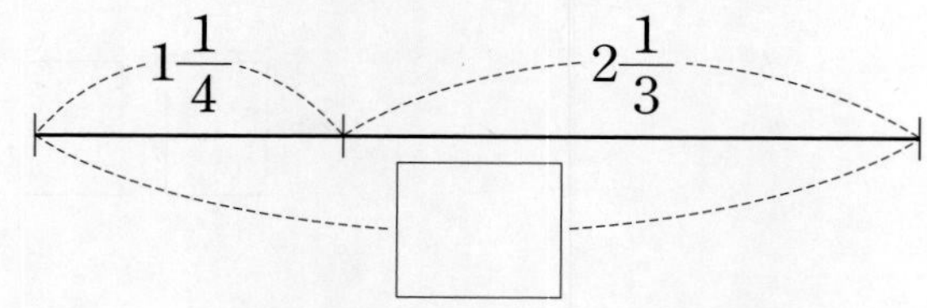

6 수현이가 산 수박은 $3\frac{7}{9}$ kg이고, 나라가 산 수박은 $4\frac{5}{12}$ kg입니다. 두 사람이 산 수박은 모두 몇 kg인가요?

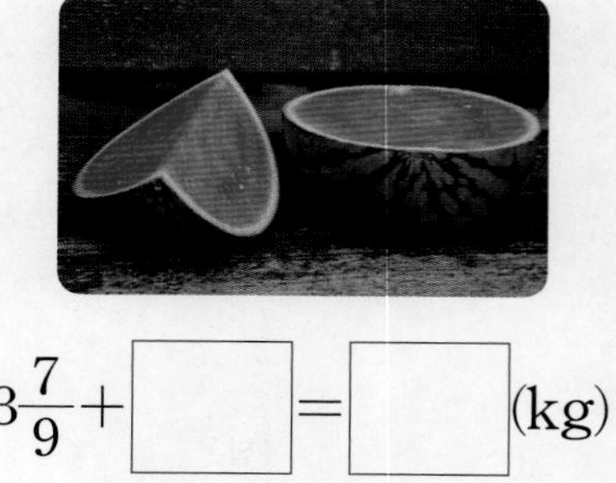

$3\frac{7}{9}+\square=\square$(kg)

정답 52쪽

01 직사각형의 가로와 세로의 합은 몇 m인가요?

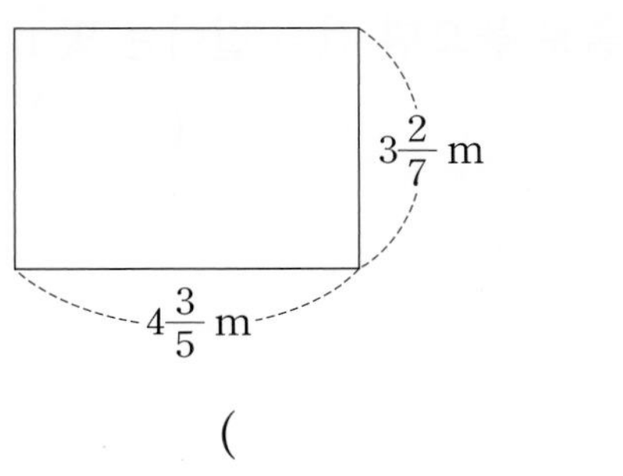

(   )

02 가장 큰 분수와 가장 작은 분수를 찾아 두 수의 합을 구하세요.

03 유사

$5\frac{3}{8}$　　$2\frac{2}{5}$　　$5\frac{1}{6}$

(   )

서술형

03 예지는 다음과 같이 잘못 계산했습니다. 계산이 처음으로 잘못된 곳을 찾아 이유를 쓰고, 옳게 고쳐 계산하세요.

05 유사

$$\frac{3}{20}+\frac{1}{5}=\frac{3}{20}+\frac{1\times4}{5\times4}$$
$$=\frac{3}{20}+\frac{4}{20}=\frac{7}{40}$$

이유

$\frac{3}{20}+\frac{1}{5}$

04 $5\frac{1}{6}+2\frac{3}{4}$을 두 가지 방법으로 계산하세요.

05 계산 결과가 더 큰 식을 쓴 사람은 누구인가요?

08 유사

여주: $2\frac{1}{3}+3\frac{1}{8}$　　혜리: $1\frac{3}{4}+3\frac{1}{2}$

(   )

06 계산 결과가 작은 순서대로 기호를 쓰세요.

09 유사

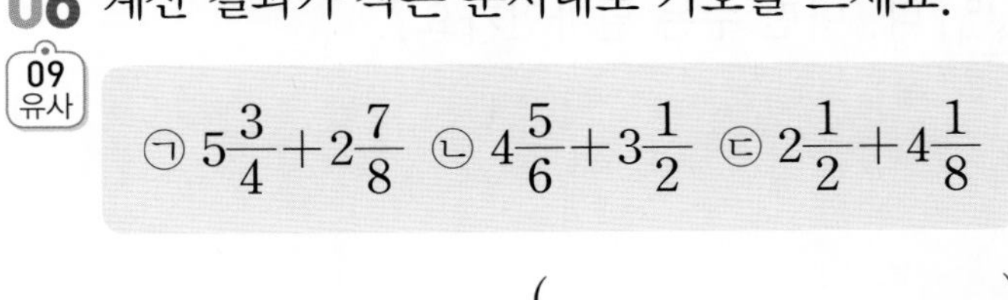

(   )

07 은규가 가지고 있는 빨간색 끈은 $6\frac{7}{10}$ m이고, 흰색 끈은 빨간색 끈보다 $2\frac{2}{15}$ m 더 깁니다. 은규가 가지고 있는 흰색 끈은 몇 m인가요?

11 유사

(   )

08 (12 유사) 진이네 집에서 체육관까지 가려면 약국을 지나야 합니다. 진이네 집에서 약국까지 $\frac{2}{5}$ km이고, 약국에서 체육관까지 $\frac{7}{12}$ km입니다. 진이네 집에서 체육관까지의 거리가 1 km보다 가까우면 걸어가고, 1 km가 넘으면 자전거를 타고 가려고 합니다. 진이네 집에서 체육관까지 어느 방법으로 가면 좋을지 구하세요.

( )

09 (14 유사) ㉠에 알맞은 수를 구하세요.

$$\frac{5}{6}+\frac{㉠}{3}=2\frac{1}{2}$$

( )

10 (15 유사) 어떤 수에서 $3\frac{1}{4}$을 뺐더니 $2\frac{7}{12}$이 되었습니다. 어떤 수는 얼마인가요?

( )

11 (17 유사) 계산 결과가 더 큰 것의 기호를 쓰세요.

㉠ $\frac{1}{3}+\frac{1}{5}+\frac{4}{15}$

㉡ $\frac{2}{5}+\frac{1}{30}+\frac{7}{10}$

( )

12 (18 유사) 길이가 각각 $\frac{3}{7}$ m, $\frac{3}{14}$ m, $1\frac{10}{21}$ m인 막대가 한 개씩 있습니다. 세 막대를 겹치지 않게 한 줄로 놓으면 전체 길이는 몇 m가 되나요?

( )

서술형

13 (20 유사) 은혜와 영미가 각자 가지고 있는 수 카드를 한 번씩만 사용하여 가장 큰 대분수를 만들려고 합니다. 은혜가 만들 수 있는 가장 큰 대분수와 영미가 만들 수 있는 가장 큰 대분수의 합은 얼마인지 풀이 과정을 쓰고, 답을 구하세요.

3 5 8

은혜

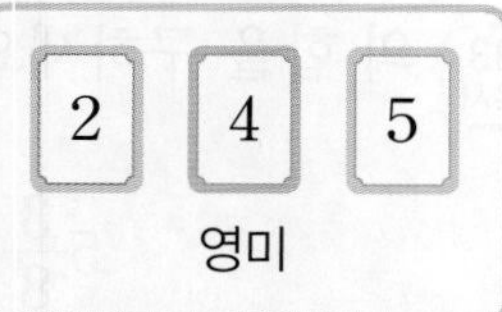

풀이

답

14 (22 유사) 다음 식을 만족하는 두 자연수 가와 나를 각각 구하세요. (단, 가<나입니다.)

$$\frac{16}{63}=\frac{1}{가}+\frac{1}{나}$$

가 ( )

나 ( )

진도북[108~111쪽]의 기본 유형 문제 복습

정답 53쪽

[1~2] $\frac{7}{8}-\frac{5}{18}$를 주어진 방법으로 계산하세요.

1 분모의 곱을 공통분모로 하여 통분한 후 계산하세요.

$\frac{7}{8}-\frac{5}{18}$

2 분모의 최소공배수를 공통분모로 하여 통분한 후 계산하세요.

$\frac{7}{8}-\frac{5}{18}$

3 두 막대의 길이의 차는 몇 m인가요?

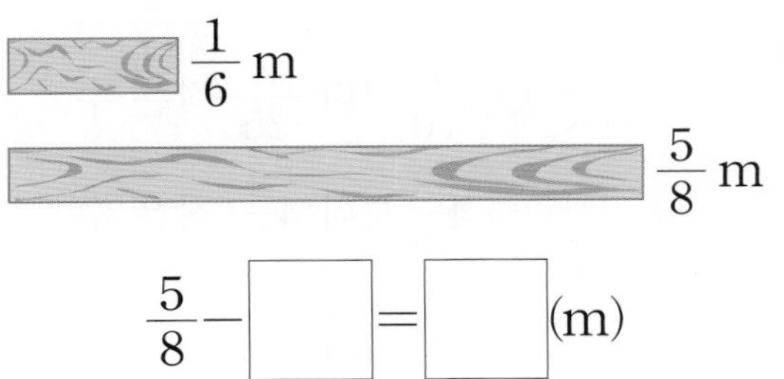

$\frac{5}{8}-\square=\square$(m)

4 □ 안에 알맞은 수를 써넣으세요.

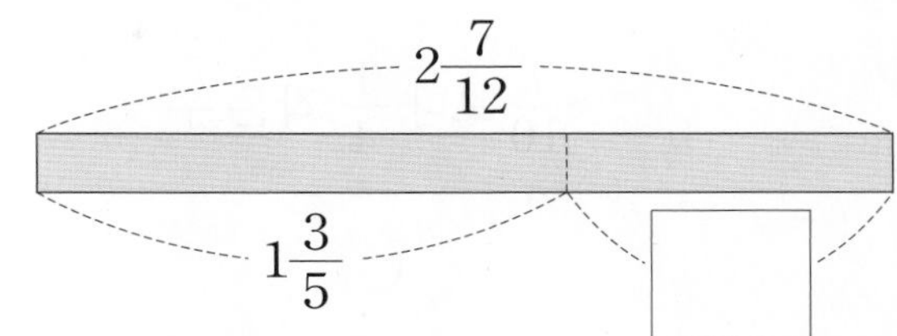

5 크기를 비교하여 ○ 안에 >, =, <를 알맞게 써넣으세요.

$6\frac{1}{15}-2\frac{4}{5}$ ○ $3\frac{3}{10}$

6 ㉠과 ㉡ 중 옳게 계산한 것의 기호를 쓰세요.

㉠ $3\frac{7}{20}-2\frac{1}{5}=1\frac{3}{20}$

㉡ $2\frac{5}{12}-1\frac{1}{5}=1\frac{4}{5}$

(　　　　　　)

5 단원

01 다음이 나타내는 수를 구하세요.

02 유사

$\frac{7}{10}$보다 $\frac{1}{4}$ 작은 수

(　　　　　　　　)

02 3장의 분수 카드 중 2장을 골라 차가 가장 크게 되도록 □ 안에 한 번씩 써넣고, 계산한 값을 구하세요.

03 유사

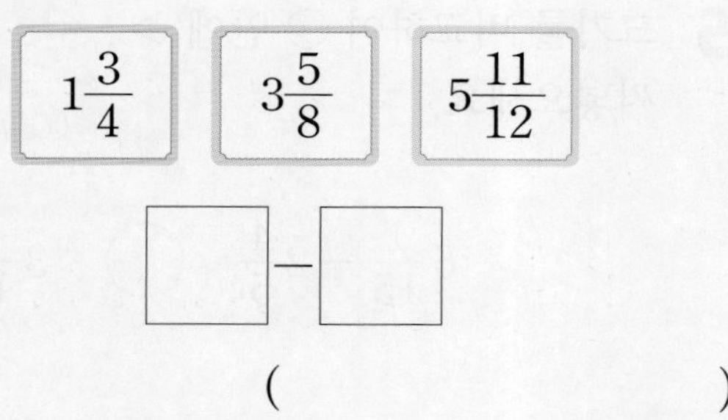

$1\frac{3}{4}$　$3\frac{5}{8}$　$5\frac{11}{12}$

□ − □

(　　　　　　　　)

03 다음은 잘못 계산한 것입니다. 옳게 고쳐 계산하세요.

05 유사

$$4\frac{1}{20}-2\frac{1}{4}=\frac{81}{20}-\frac{9}{4}$$
$$=\frac{81}{20}-\frac{72}{20}=\frac{9}{20}$$

$4\frac{1}{20}-2\frac{1}{4}$

04 $6\frac{2}{7}-2\frac{3}{4}$을 두 가지 방법으로 계산하세요.

06 유사

방법 1

방법 2

05 계산 결과가 작은 식을 쓴 사람부터 차례로 이름을 쓰세요.

08 유사

수아: $2\frac{1}{3}-\frac{3}{7}$

혜진: $6\frac{9}{14}-5\frac{1}{7}$

나라: $\frac{1}{2}-\frac{1}{7}$

(　　　　　　　　)

06 나타내는 분수가 더 작은 것의 기호를 쓰세요.

09 유사

㉠ $\frac{7}{10}$보다 $\frac{3}{25}$ 작은 수

㉡ $4\frac{3}{5}$보다 $4\frac{1}{2}$ 작은 수

(　　　　　　　　)

07 서진이의 일기를 읽고 학교에서 유미네 집까지의 거리는 몇 km인지 구하세요.

11 유사

6월 23일 흐림

학교에서 우리 집까지의 거리는 $2\frac{7}{15}$ km인데 학교에서 유미네 집까지의 거리는 우리 집보다 $1\frac{3}{10}$ km 더 가깝다고 한다.

(　　　　　　　　)

서술형

08 현준이의 몸무게는 $37\frac{4}{15}$ kg이고, 성소의 몸무게는 $35\frac{4}{5}$ kg입니다. 누가 몇 kg 더 무거운지 풀이 과정을 쓰고, 답을 구하세요.

12 유사

풀이

답 　　　　,

09 가려져서 분수가 한 개 보이지 않습니다. 가려진 부분에 알맞은 분수를 구하세요.

14 유사

$4\frac{7}{9}-1\frac{5}{6}=\square+1\frac{1}{3}$

(　　　　　　　　)

10 ㉠에 알맞은 수를 구하세요.

15 유사

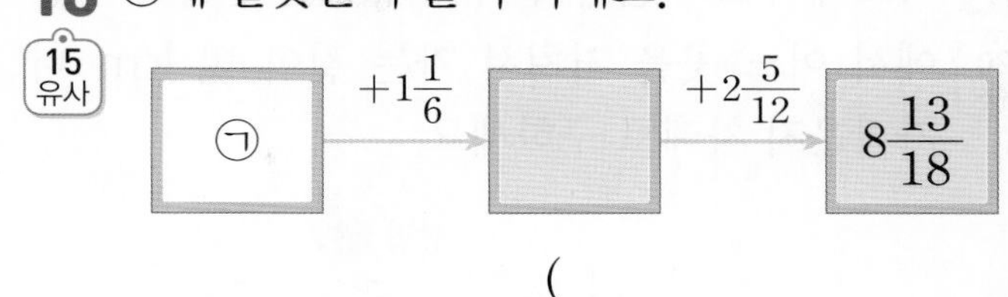

(　　　　　　　　)

서술형

11 계산 결과가 더 큰 것의 기호를 쓰려고 합니다. 풀이 과정을 쓰고, 답을 구하세요.

17 유사

㉠ $\frac{5}{7}+\frac{1}{3}-\frac{4}{15}$　　㉡ $\frac{2}{15}+1\frac{2}{3}-\frac{9}{10}$

풀이

답

12 콩 3 kg이 있었는데 $\frac{7}{20}$ kg은 썩어서 버리고, $\frac{2}{15}$ kg은 밥을 짓는 데 사용했습니다. 남은 콩은 몇 kg인가요?

18 유사

(　　　　　　　　)

5 단원

진도북[115~117쪽]의 확인, 강화 문제 복습

정답 54쪽

13 학교에서 도서관까지 가는데 빵집과 놀이터 중에서 어느 곳을 거쳐서 가는 길이 몇 km 더 가까운지 차례로 구하세요.

20 유사

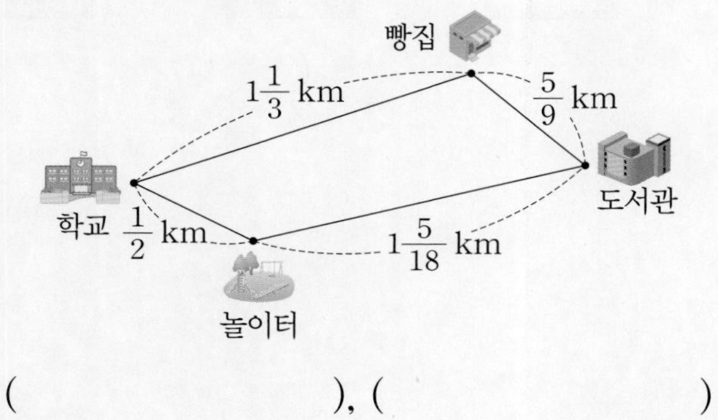

( ), ( )

14 $1\frac{1}{2}-\frac{4}{5}$를 계산하려고 합니다. □ 안에 알맞은 수를 써넣으세요.

22 유사

$\frac{1}{10}$	$\frac{1}{10}$	$\frac{1}{10}$	$\frac{1}{10}$	$\frac{1}{10}$	$\frac{1}{10}$	$\frac{1}{10}$	$\frac{1}{10}$	$\frac{1}{10}$	$\frac{1}{10}$
$\frac{1}{5}$		$\frac{1}{5}$		$\frac{1}{5}$		$\frac{1}{5}$		$\frac{1}{5}$	
$\frac{1}{2}$					$\frac{1}{2}$				
1									

$\frac{1}{2}$에서 $\frac{4}{5}$를 뺄 수 없으므로 $1\frac{1}{2}$을 $\frac{1}{10}$ 막대 □개로 바꾸면 $\frac{4}{5}$는 $\frac{1}{10}$ 막대 □개와 같으므로 $1\frac{1}{2}$과 $\frac{4}{5}$의 차는 □입니다.

15 4장의 수 카드 중에서 3장을 골라 한 번씩만 사용하여 대분수를 만들려고 합니다. 만든 두 대분수의 차가 가장 클 때의 값을 구하세요.

24 유사

2 8 4 3

( )

16 길이가 $2\frac{4}{15}$ m인 색 테이프 4장을 그림과 같이 $\frac{2}{9}$ m가 겹치게 한 줄로 이어 붙였습니다. 이어 붙인 색 테이프의 전체 길이는 몇 m인가요?

26 유사

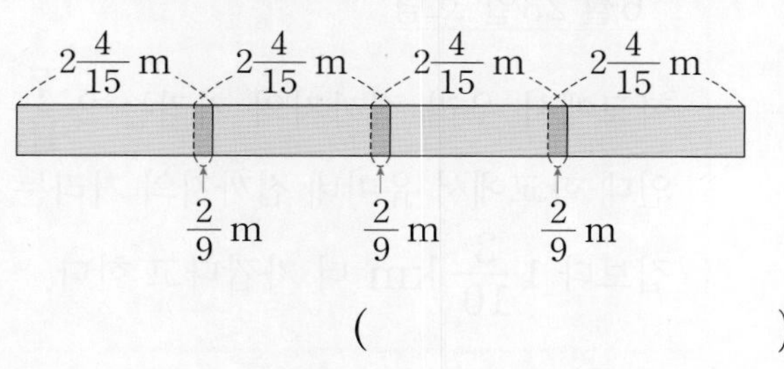

( )

17 □ 안에 들어갈 수 있는 자연수는 모두 몇 개인지 구하세요.

28 유사

$$3\frac{1}{2}-\frac{5}{12}<\square<9\frac{7}{24}-1\frac{5}{6}$$

( )

18 과학관 체험을 오전 10시에 시작하여 $1\frac{1}{15}$ 시간 동안 드론을 만들고, $\frac{1}{3}$시간 동안 체험 일지를 쓰고, 10분 동안 느낀 점을 발표했습니다. 과학관 체험이 끝난 시각은 오전 몇 시 몇 분인가요?

30 유사

( )

정답 55쪽

01 □ **안에 알맞은 수**는 얼마인지 풀이 과정을 쓰고, 답을 구하세요. (01 유사)

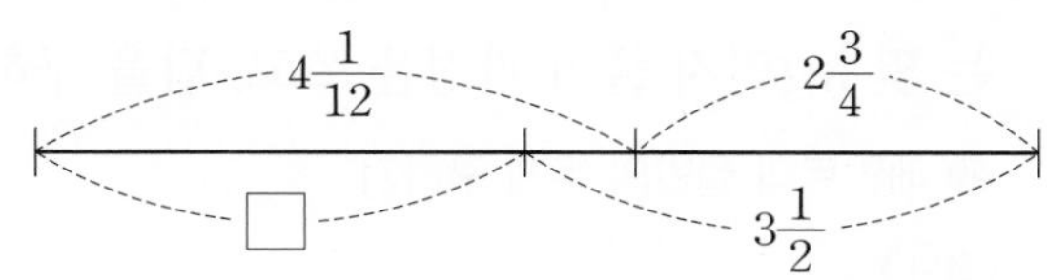

❶ 전체의 값 구하기

풀이

❷ □ 안에 알맞은 수 구하기

풀이

답

02 ㉠**에서** ㉣**까지의 거리**는 몇 m인지 풀이 과정을 쓰고, 답을 구하세요. (03 유사)

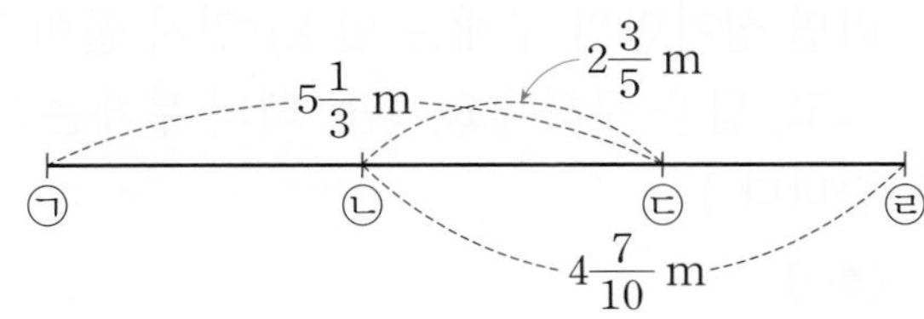

풀이

답

03 어떤 수에서 $1\frac{8}{15}$을 뺐더니 $2\frac{9}{25}$가 되었습니다. **어떤 수는 얼마**인지 풀이 과정을 쓰고, 답을 구하세요. (04 유사)

❶ 어떤 수를 □라 하고 식 세우기

풀이

❷ 어떤 수 구하기

풀이

답

04 어떤 수에서 $2\frac{6}{11}$을 빼야 할 것을 잘못하여 더했더니 $7\frac{1}{3}$이 되었습니다. **바르게 계산하면 얼마**인지 풀이 과정을 쓰고, 답을 구하세요. (06 유사)

풀이

답

진도북[120~121쪽]의 연습, 실전 문제 복습

정답 55쪽

05 (07 유사) **ⓒ에 알맞은 기약분수**를 구하려고 합니다. 풀이 과정을 쓰고, 답을 구하세요.

- $2\frac{1}{8}+㉠=6\frac{7}{12}$ • $㉠-3\frac{2}{3}=㉡$

❶ ㉠의 값 구하기

풀이

❷ ㉡에 알맞은 기약분수 구하기

풀이

답

06 (09 유사) **♥에 알맞은 기약분수**를 구하려고 합니다. 풀이 과정을 쓰고, 답을 구하세요.

- $7\frac{5}{16}-■=2\frac{1}{12}$
- $■-\frac{5}{6}=▲$
- $■+▲=♥$

풀이

답

07 (10 유사) 페인트가 가득 들어 있는 통의 무게가 $2\frac{4}{15}$ kg입니다. 페인트의 절반을 사용한 후 통의 무게를 재었더니 $1\frac{1}{5}$ kg이었습니다. **빈 통의 무게**는 몇 kg인지 풀이 과정을 쓰고, 답을 구하세요.

❶ 페인트의 절반의 무게 구하기

풀이

❷ 빈 통의 무게 구하기

풀이

답

08 (12 유사) 책 5권의 무게를 재었더니 $3\frac{5}{12}$ kg이었습니다. 책 20권이 들어 있는 상자의 무게가 15 kg이라면 **상자만의 무게**는 몇 kg인지 풀이 과정을 쓰고, 답을 구하세요. (단, 책의 무게는 모두 같습니다.)

풀이

답

정답 56쪽

1 직사각형 모양인 명함의 둘레는 몇 cm인지 자로 재어 구하세요.

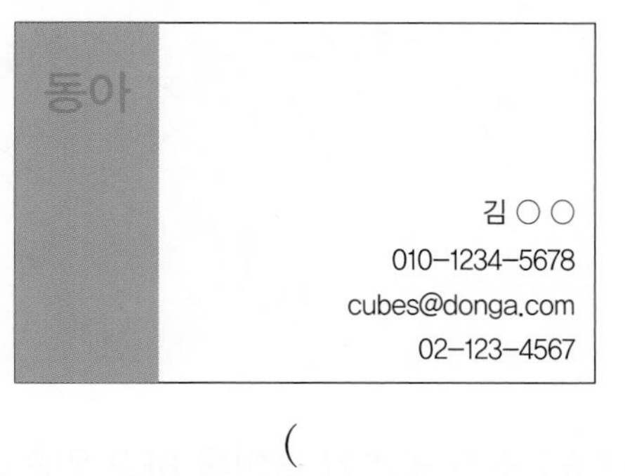

(　　　　　　　　)

2 다음 도형은 직사각형입니다. 둘레가 36 cm일 때 가로는 몇 cm인가요?

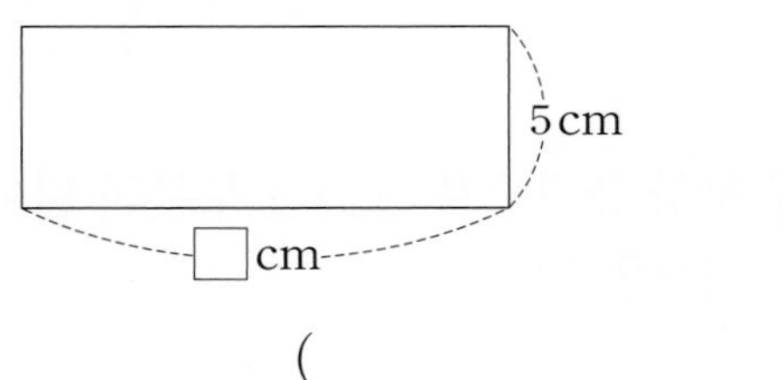

(　　　　　　　　)

3 정사각형의 넓이는 몇 cm^2인가요?

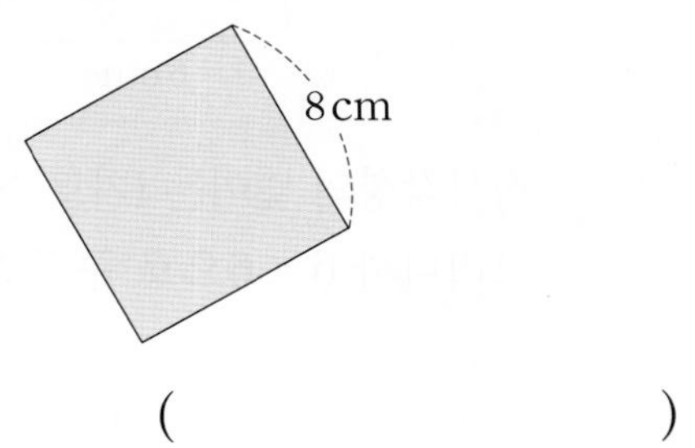

(　　　　　　　　)

4 가로가 30 cm이고 세로가 15 cm인 직사각형 모양의 액자가 있습니다. 이 액자의 넓이는 몇 cm^2인가요?

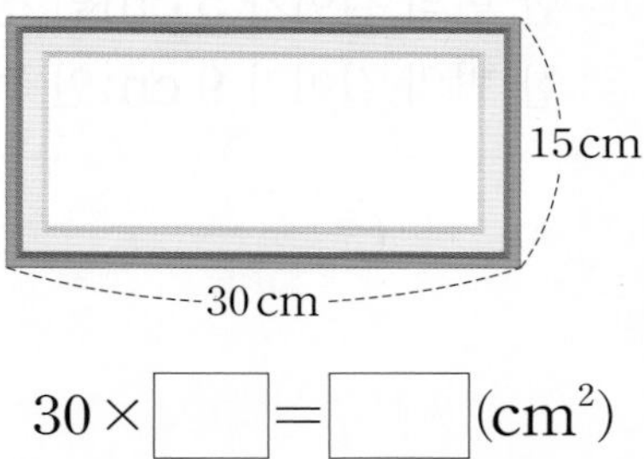

30 × □ = □ (cm^2)

5 직사각형의 넓이는 몇 m^2인가요?

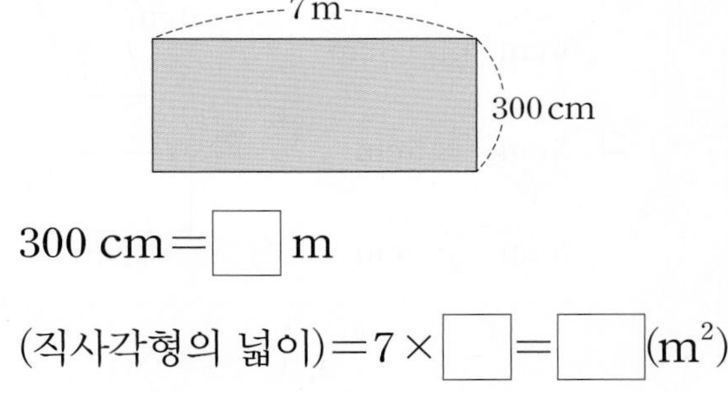

300 cm = □ m

(직사각형의 넓이) = 7 × □ = □ (m^2)

6 가로가 12000 m이고, 세로가 5 km인 직사각형 모양의 어느 도시의 넓이는 몇 km^2인가요?

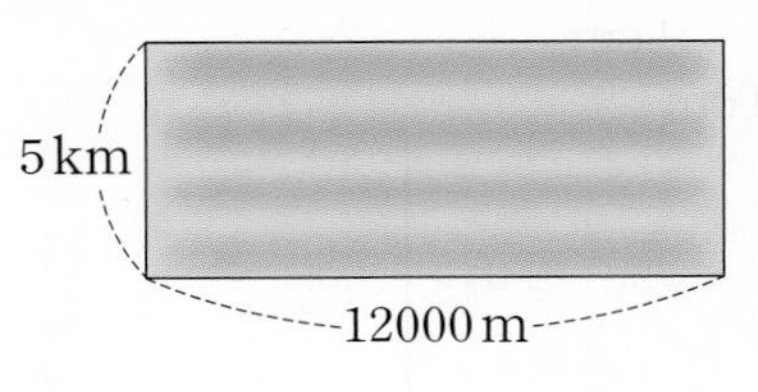

12000 m = □ km

(어느 도시의 넓이) = □ × 5 = □ (km^2)

6 단원

01 둘레가 긴 도형부터 차례로 기호를 쓰세요.
02 유사

㉠ 한 변의 길이가 6 cm인 정오각형
㉡ 한 변의 길이가 5 cm인 정팔각형
㉢ 한 변의 길이가 9 cm인 정삼각형

( )

02 둘레가 가장 긴 사각형을 찾아 기호를 쓰고, 그 둘레를 구하세요.
03 유사

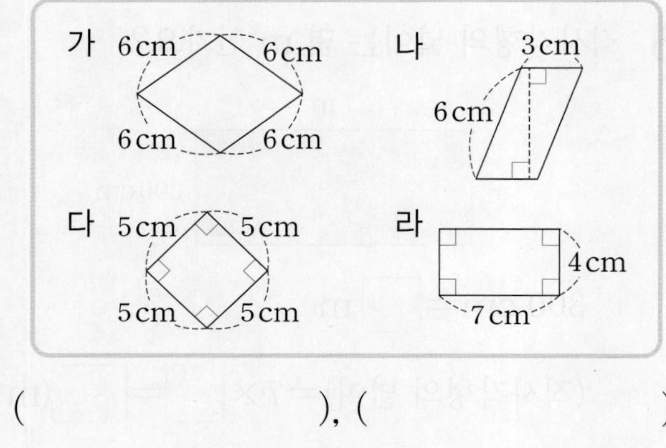

( ), ( )

03 다음 주어진 선분을 한 변으로 하는 둘레가 각각 16 cm인 직사각형 2개를 그리세요.
05 유사

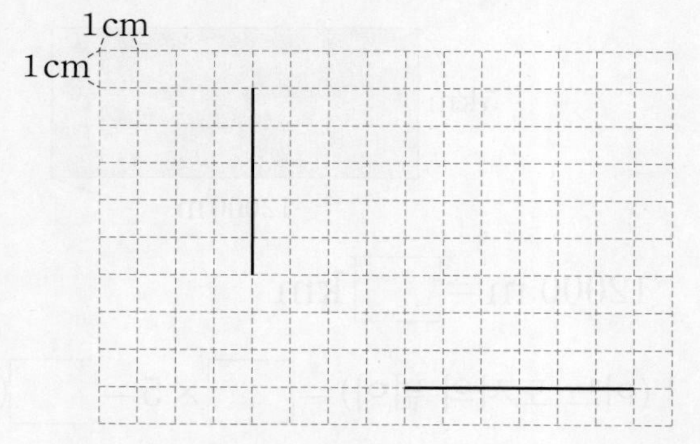

04 평행사변형과 마름모의 둘레가 같습니다. 마름모의 한 변의 길이는 몇 cm인가요?
06 유사

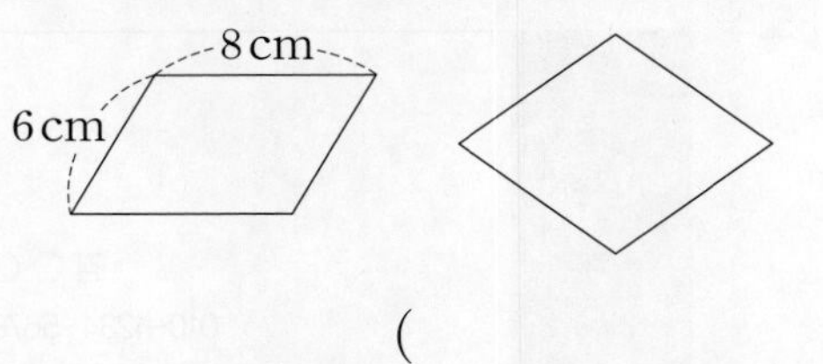

( )

[05~06] 조각 맞추기 놀이를 하고 있습니다. 물음에 답하세요. (단, 흰 부분은 빈 공간입니다.)

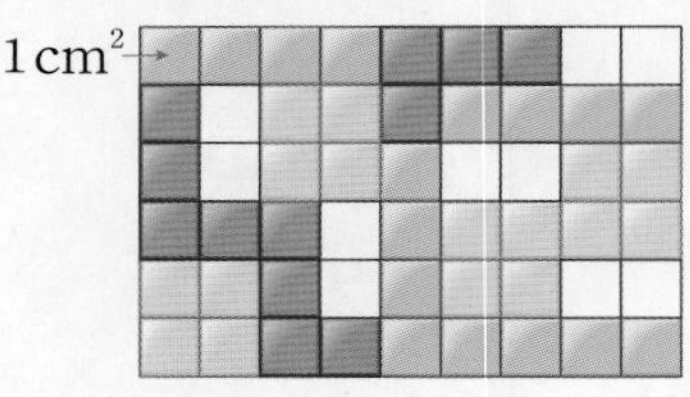

05  로 채워진 부분의 넓이를 구하세요.
08 유사

( )

06 모양 조각으로 채워진 부분의 넓이는 몇 cm^2인가요?
09 유사

( )

07 진혁이가 직사각형의 넓이를 구하고 있습니다. 잘못된 곳을 찾아 밑줄을 긋고, 직사각형의 넓이를 구하세요.
11 유사

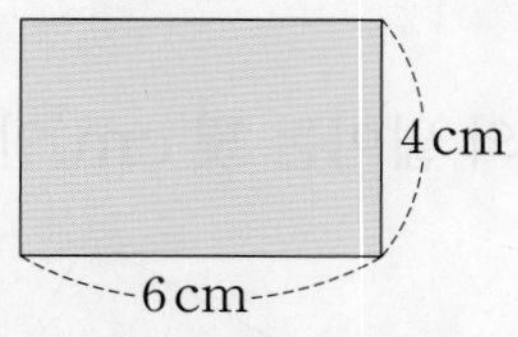

직사각형의 넓이는 (가로) × (가로)로 계산해. 그러니까 6 × 6으로 구하면 돼.

( )

08 (12 유사) 가로가 16 cm이고, 세로가 9 cm인 직사각형 모양의 파란 카드와 한 변의 길이가 11 cm인 정사각형 모양의 초록 카드가 있습니다. 어느 카드의 넓이가 더 넓은가요?

( )

09 (14 유사) 넓이를 비교하여 가장 넓은 직사각형의 기호를 쓰세요.

㉠ 가로가 5 m, 세로가 가로보다 2 m 긴 직사각형
㉡ 한 변의 길이가 600 cm인 정사각형
㉢ 가로가 3 m, 세로가 7 m인 직사각형

( )

10 (15 유사) 화장실의 한쪽 벽에 가로가 15 cm이고, 세로가 20 cm인 직사각형 모양의 타일을 40개씩 30줄 붙였습니다. 타일을 붙인 벽의 넓이는 몇 m^2인가요?

( )

서술형

11 (17 유사) 연지가 말한 내용에서 잘못된 부분을 찾아 이유를 쓰고, 옳게 고치세요.

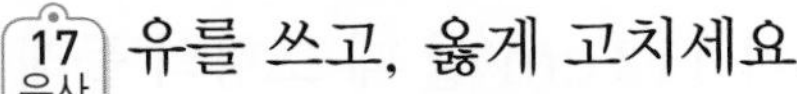

이유

옳게 고치기

12 (18 유사) 아영이네 집의 평면도입니다. 아영이 방의 넓이는 몇 m^2인가요?

(단위: mm)

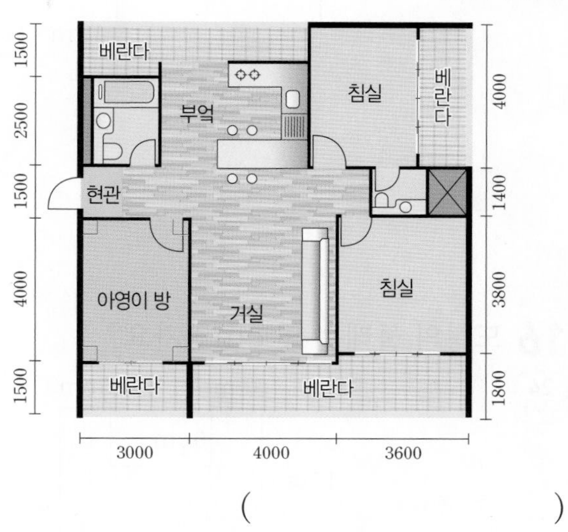

( )

13 (20 유사) 둘레가 16 cm인 정사각형 10개를 겹치지 않게 이어 붙여서 만든 도형입니다. 도형의 둘레를 구하세요.

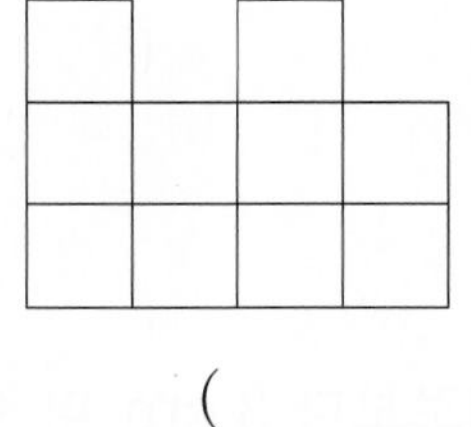

( )

14 (21 유사) 크기가 같은 정사각형 6개를 겹치지 않게 이어 붙여 만든 직사각형입니다. 이 직사각형의 둘레가 112 cm일 때 정사각형의 한 변의 길이는 몇 cm인가요?

( )

6 단원

15 도형의 둘레는 몇 m인가요?
23 유사

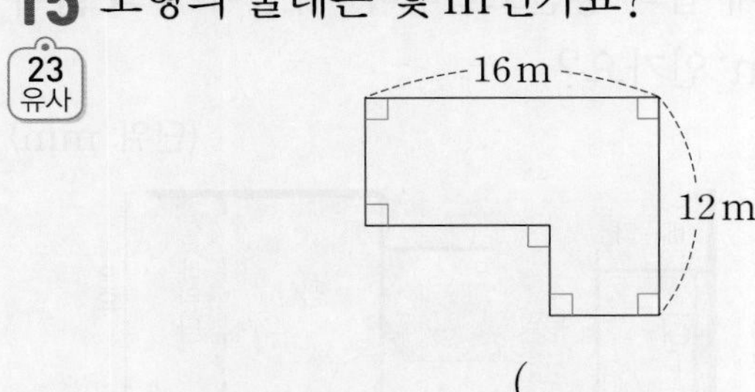

( )

16 도형의 둘레는 몇 cm인가요?
24 유사

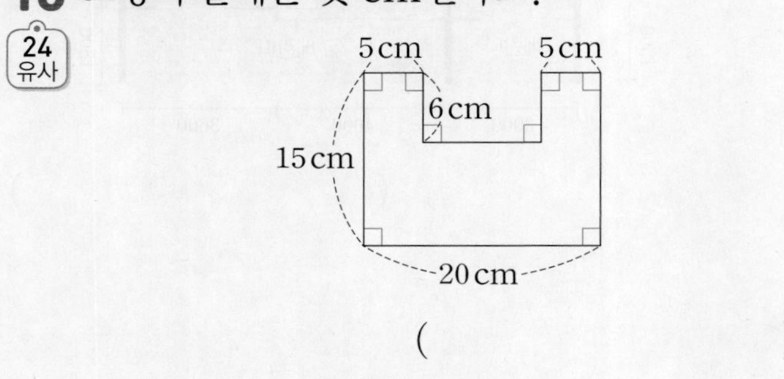

( )

17 둘레가 80 cm인 정사각형의 넓이는 몇 cm^2인가요?
26 유사

( )

서술형

18 가로가 세로보다 3 cm 더 짧은 직사각형이 있습니다. 이 직사각형의 둘레가 42 cm일 때 넓이는 몇 cm^2인지 풀이 과정을 쓰고, 답을 구하세요.
27 유사

풀이

답

19 둘레가 14 m인 직사각형 중 넓이가 가장 넓은 직사각형의 가로와 세로를 구하려고 합니다. 표를 완성하여 답을 구하세요. (단, 직사각형의 세로가 가로보다 더 깁니다.)
29 유사

가로(m)			
세로(m)			
넓이(m^2)			

가로 ( )
세로 ( )

20 색칠한 부분의 넓이는 몇 cm^2인가요?
31 유사

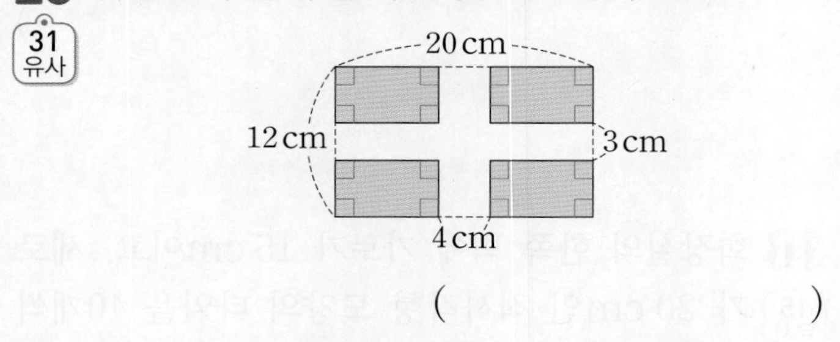

( )

21 다음 도형은 직사각형 ㄱㄴㄷㅅ과 정사각형 ㅂㄷㄹㅁ을 겹치지 않게 이어 붙여서 만든 도형입니다. 이 도형의 넓이가 176 cm^2이고, 직사각형 ㄱㄴㄷㅅ의 넓이가 112 cm^2일 때 도형의 둘레를 구하세요.
33 유사

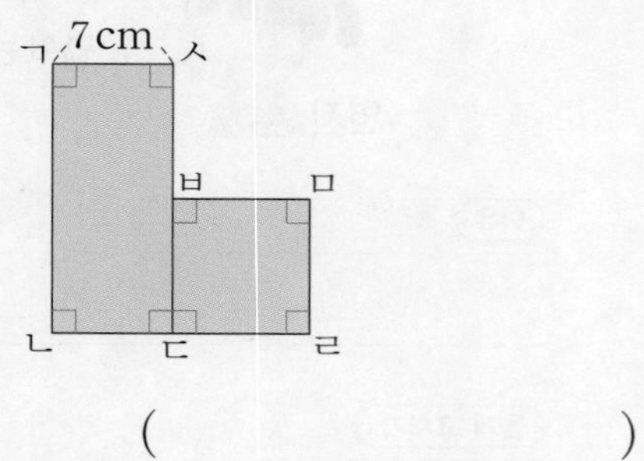

( )

한번더 개념 완성하기

정답 57쪽

1 넓이가 다른 평행사변형을 찾아 기호를 쓰세요.

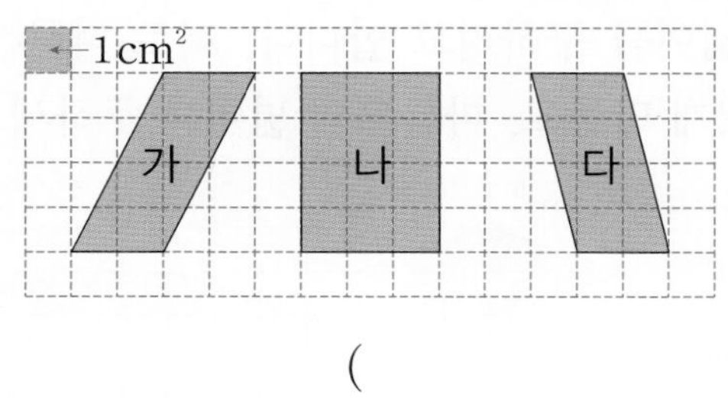

(　　　　　　　　)

2 삼각형의 넓이는 몇 m^2인가요?

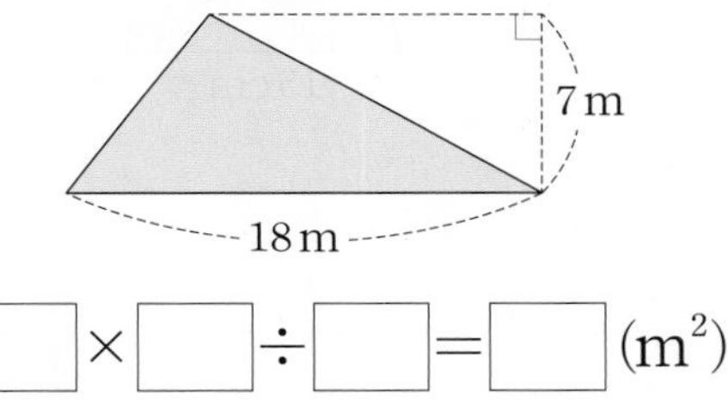

□ × □ ÷ □ = □ (m^2)

3 밑변의 길이가 14 cm, 높이가 9 cm인 평행사변형 모양의 타일 조각이 있습니다. 이 타일 조각의 넓이는 몇 cm^2인가요?

(타일 조각의 넓이) = 14 × □
= □ (cm^2)

4 직사각형 안에 마름모를 그린 것입니다. 마름모의 넓이는 몇 cm^2인가요?

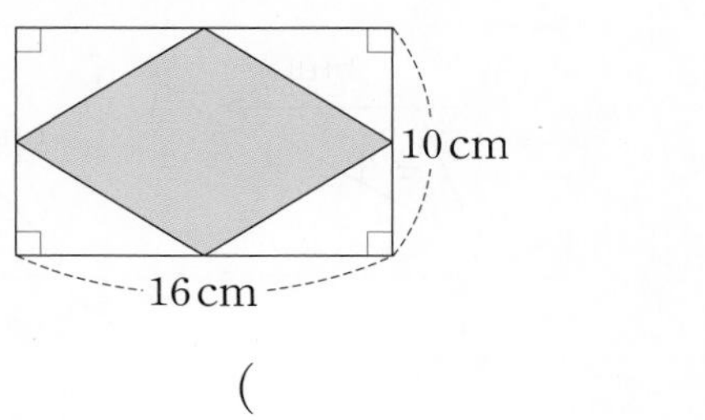

(　　　　　　　　)

5 사다리꼴의 윗변의 길이, 아랫변의 길이, 높이를 자로 재어 사다리꼴의 넓이를 구하세요.

(　　　　　　　　)

6 한 대각선의 길이가 24 m이고, 다른 대각선의 길이가 12 m인 마름모 모양의 땅이 있습니다. 이 땅의 넓이는 몇 m^2인가요?

□ × 12 ÷ □ = □ (m^2)

01 삼각형에서 밑변과 높이를 옳게 나타낸 것을 찾아 기호를 쓰세요.
02 유사

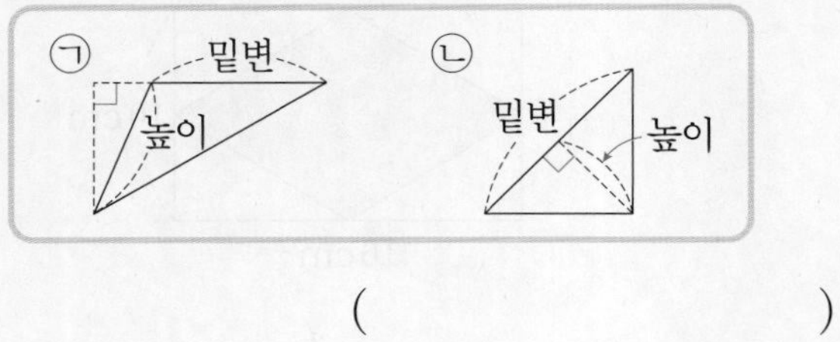

(　　　　　　　　　　)

02 오른쪽 사다리꼴의 윗변의 길이가 12 m일 때 아랫변과 높이를 각각 구하세요.
03 유사

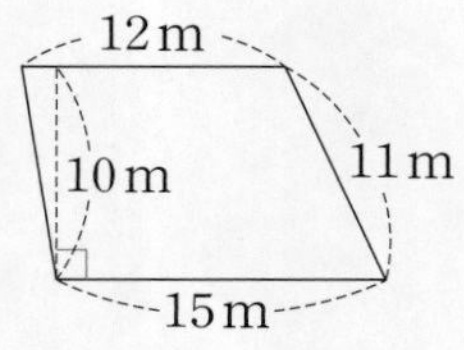

아랫변 (　　　　　　　　　　)

높이 (　　　　　　　　　　)

03 평행사변형 가, 나, 다, 라의 넓이는 모두 같습니까, 다릅니까?
05 유사

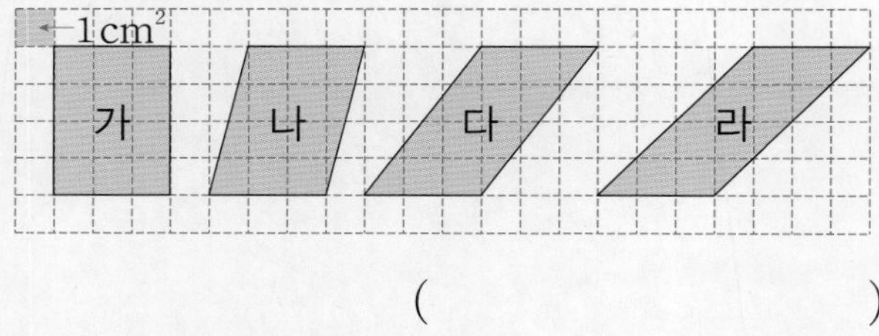

(　　　　　　　　　　)

04 삼각형 모양의 땅의 넓이를 구하는 방법을 이야기하고 있습니다. 옳게 말한 사람은 누구인가요?
06 유사

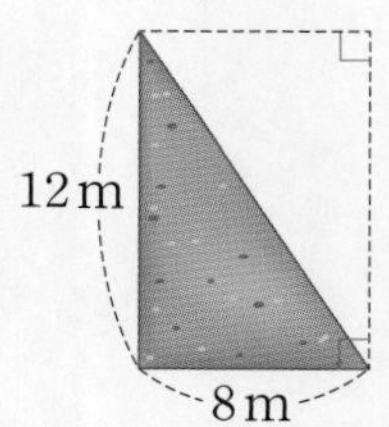

선미: 밑변의 길이가 8 m, 높이가 12 m니까 넓이는 8×12로 구하면 돼.

상희: 직사각형의 넓이는 삼각형의 넓이의 2배니까 직사각형의 넓이를 구한 후 2로 나누면 돼.

(　　　　　　　　　　)

05 그림과 같이 마름모를 다른 도형으로 만들어 넓이를 구하려고 합니다. 서로 다른 모양으로 2개 만들고, 마름모의 넓이를 구하세요.
08 유사

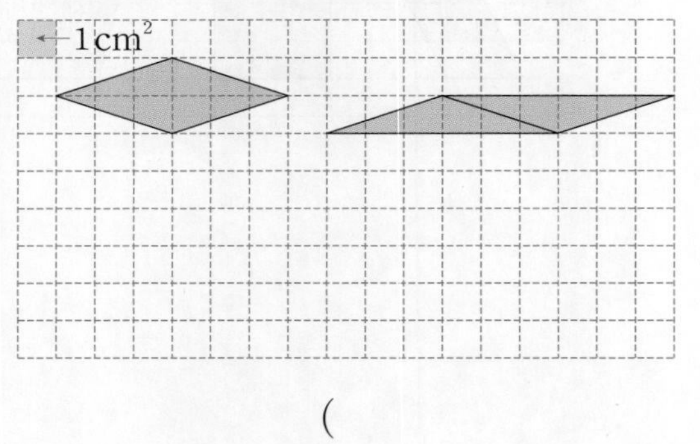

(　　　　　　　　　　)

서술형

06 사다리꼴의 넓이를 2가지 방법으로 구하세요.
09 유사

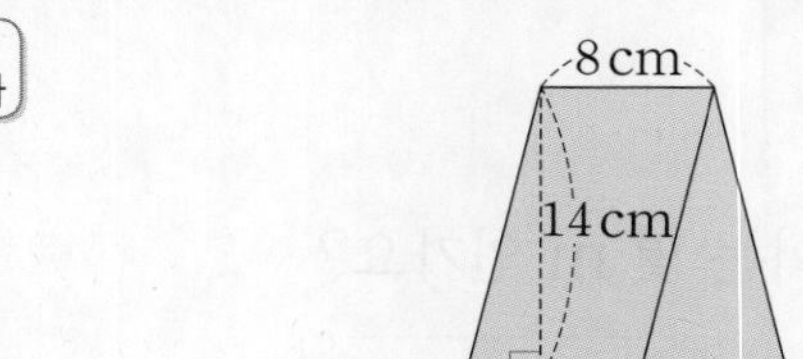

①

②

답

07 넓이가 6 cm²인 삼각형을 서로 다른 모양으로 3개 그리세요.
12 유사

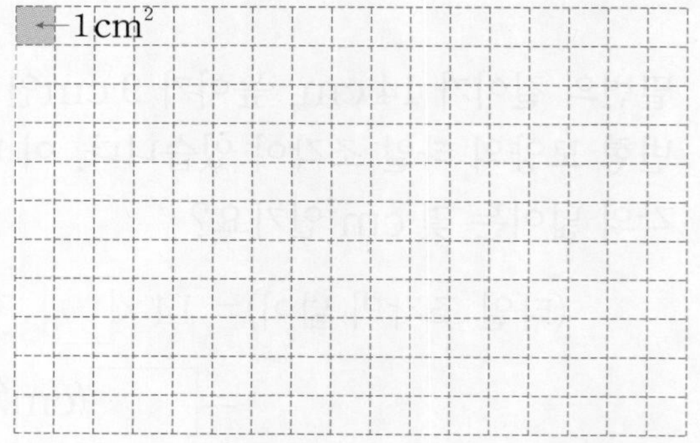

서술형

08 평행사변형과 마름모의 넓이의 합은 몇 cm^2인지 풀이 과정을 쓰고, 답을 구하세요.

14 유사

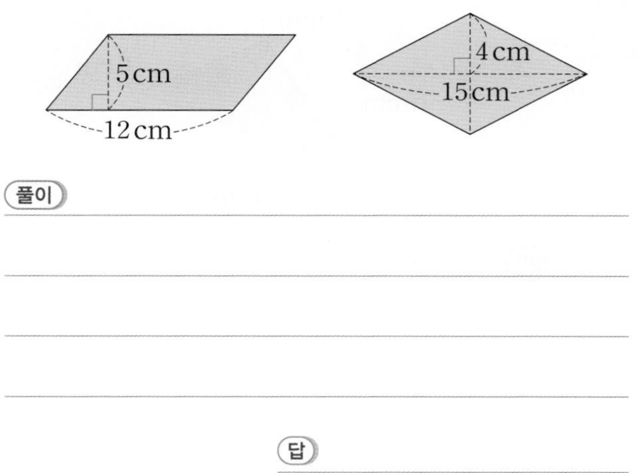

풀이

답

09 도형의 넓이를 비교하여 넓은 것부터 차례로 기호를 쓰세요.

15 유사

㉠ 밑변이 16 cm, 높이가 10 cm인 삼각형
㉡ 윗변이 14 cm, 아랫변이 8 cm, 높이가 10 cm인 사다리꼴
㉢ 두 대각선이 16 cm, 12 cm인 마름모

( )

10 가오리연은 가오리 모양으로 만들어 꼬리를 길게 달아 띄우는 연입니다. 다음과 같이 마름모 모양으로 만든 가오리연의 넓이는 몇 cm^2인지 구하세요.

17 유사

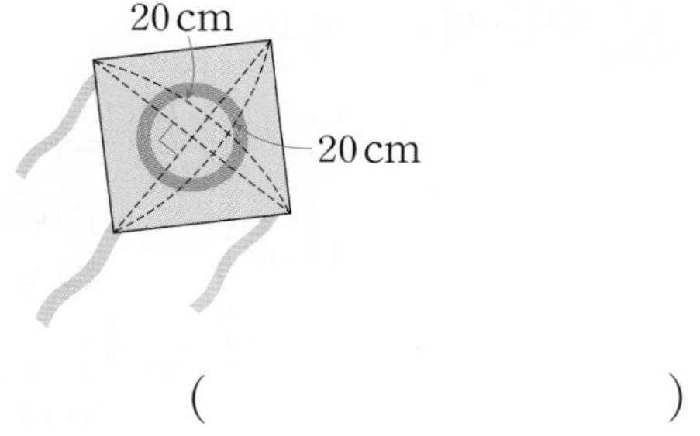

( )

11 지애는 미술 시간에 안전 표지판을 만들었습니다. 안전 표지판은 밑변의 길이가 22 cm이고 높이가 19 cm인 삼각형 모양입니다. 이 표지판의 넓이는 몇 cm^2인가요?

18 유사

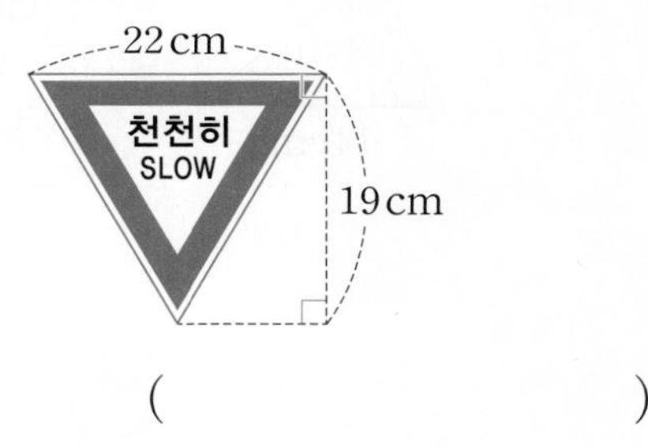

( )

12 마름모의 넓이는 189 cm^2입니다. □ 안에 알맞은 수를 구하세요.

20 유사

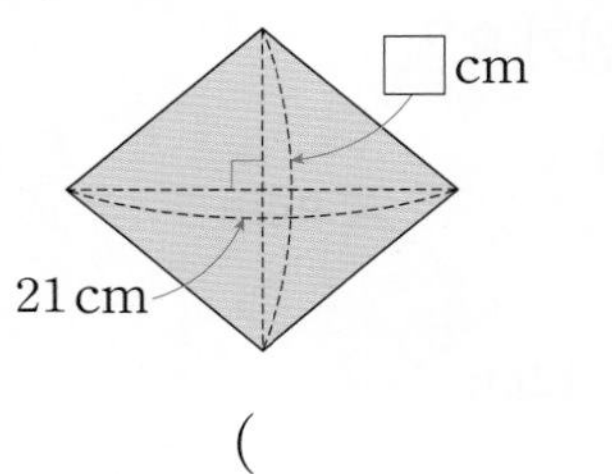

( )

서술형

13 윗변의 길이가 9 cm, 아랫변의 길이가 21 cm인 사다리꼴이 있습니다. 이 사다리꼴의 넓이가 225 cm^2일 때 높이는 몇 cm인지 풀이 과정을 쓰고, 답을 구하세요.

21 유사

풀이

답

14 두 삼각형의 넓이가 같습니다. □ 안에 알맞은 수를 써넣으세요.
23 유사

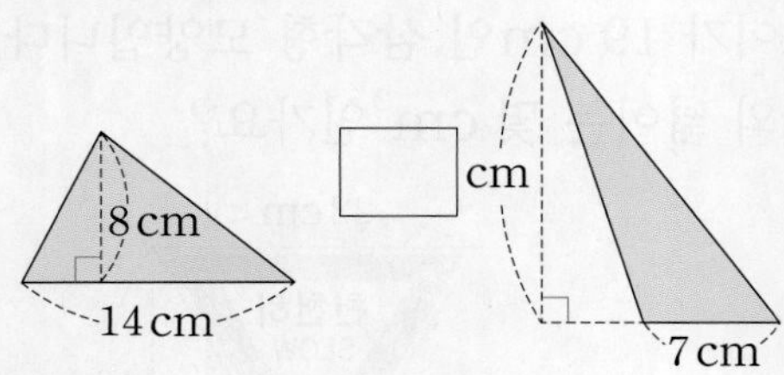

15 마름모 가와 삼각형 나의 넓이가 같습니다. 삼각형 나의 밑변의 길이가 6 cm일 때 높이는 몇 cm인가요?
24 유사

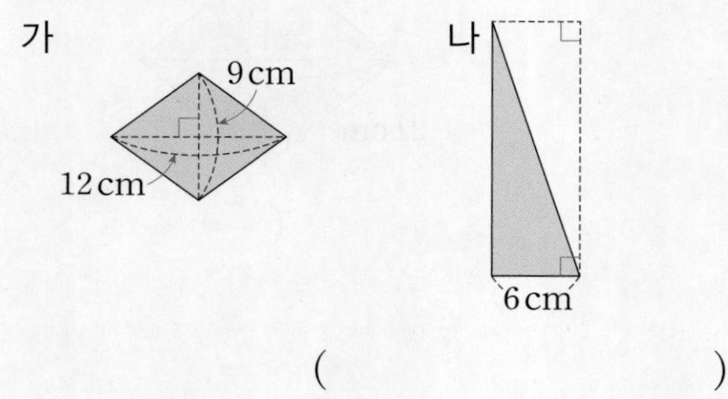

(　　　　　　　　)

16 다각형의 넓이는 몇 cm^2인가요?
26 유사

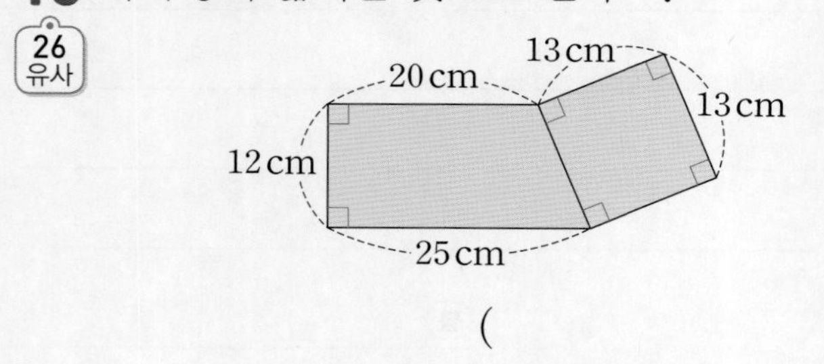

(　　　　　　　　)

서술형

17 색칠한 부분의 넓이는 몇 cm^2인지 풀이 과정을 쓰고, 답을 구하세요.
28 유사

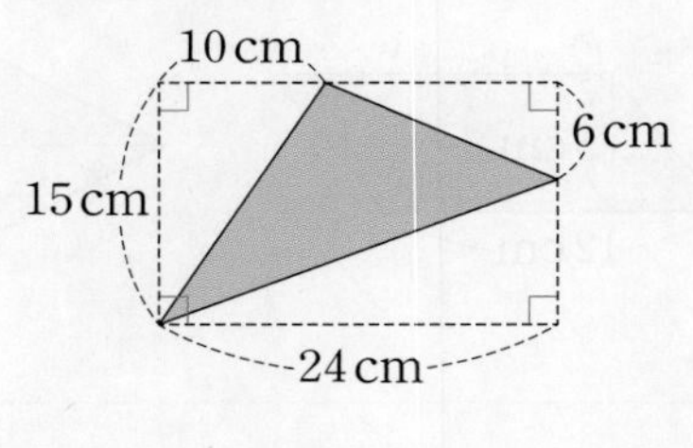

풀이

답

18 똑같은 정사각형을 겹치지 않게 이어 붙여서 자음 ㄹ 모양의 도형을 만들었습니다. 만든 도형의 넓이가 126 cm^2일 때 도형의 둘레는 몇 cm인가요?
30 유사

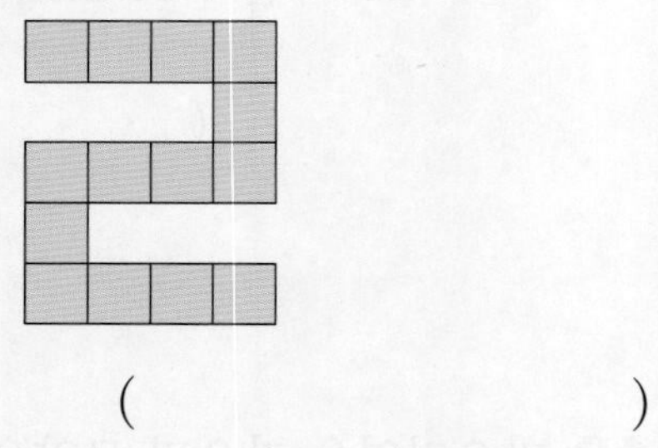

(　　　　　　　　)

19 다음 도형은 사다리꼴입니다. □ 안에 알맞은 수를 써넣으세요.
32 유사

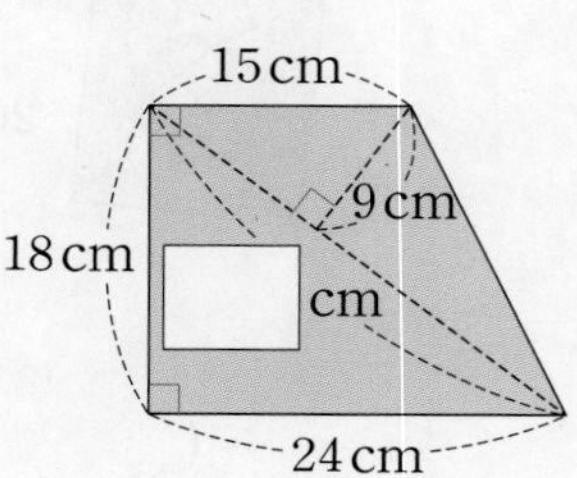

진도북[150~151쪽]의 연습, 실전 문제 복습

정답 58쪽

01 직사각형의 넓이가 320 m^2일 때 **직사각형의 둘레**는 몇 m인지 풀이 과정을 쓰고, 답을 구하세요.

01 유사

❶ 직사각형의 세로 구하기

풀이

❷ 직사각형의 둘레 구하기

풀이

답

02 다음을 만족하는 **직사각형의 넓이**는 몇 cm^2인지 풀이 과정을 쓰고, 답을 구하세요.

03 유사

- 가로는 세로보다 2 cm 더 짧습니다.
- 둘레는 40 cm입니다.

풀이

답

03 마름모 가의 넓이는 마름모 나의 넓이의 2배입니다. □ **안에 알맞은 수**는 얼마인지 풀이 과정을 쓰고, 답을 구하세요.

04 유사

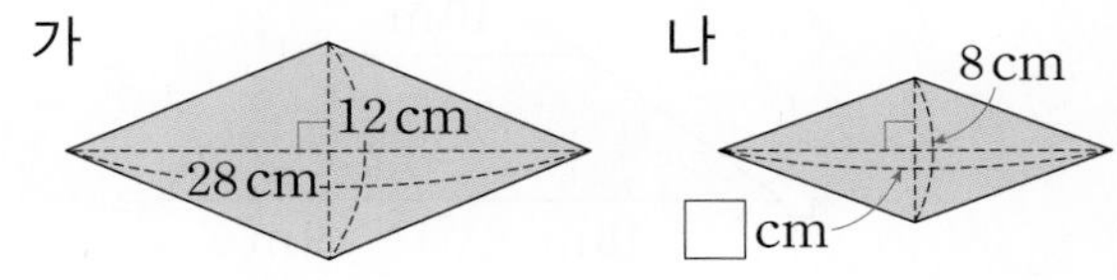

❶ 마름모 나의 넓이 구하기

풀이

❷ □ 안에 알맞은 수 구하기

풀이

답

04 밑변의 길이가 모두 같고 높이가 12 cm인 삼각형 5개를 겹치지 않게 이어 붙여서 만든 도형입니다. 색칠한 부분의 넓이가 126 cm^2일 때 □ **안에 알맞은 수**는 얼마인지 풀이 과정을 쓰고, 답을 구하세요.

06 유사

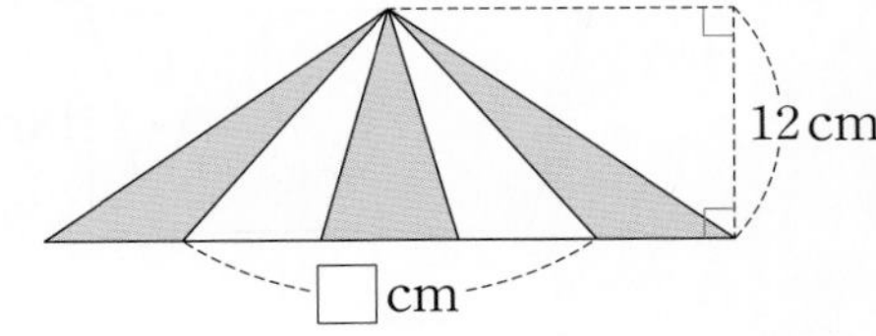

풀이

답

6 단원

진도북[152~153쪽]의 연습, 실전 문제 복습

정답 58쪽

05 07 유사 사다리꼴과 삼각형을 겹치지 않게 이어 붙여 서 만든 도형입니다. 삼각형 ㅁㄷㄹ의 넓이가 $27\ m^2$일 때 **사다리꼴 ㄱㄴㄷㅁ의 넓이**는 몇 m^2인지 풀이 과정을 쓰고, 답을 구하세요.

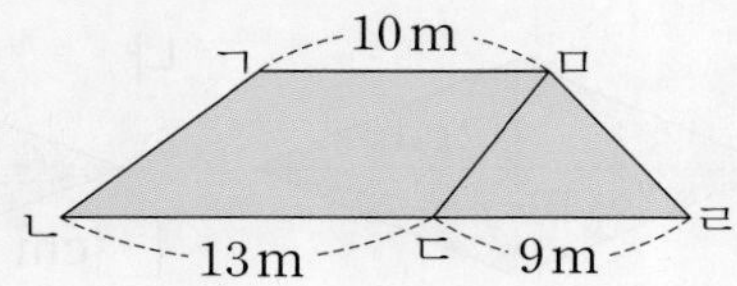

❶ 삼각형의 높이 구하기

풀이

❷ 사다리꼴의 넓이 구하기

풀이

답

06 09 유사 평행사변형 가와 삼각형 나를 겹치지 않게 이어 붙여 만든 사다리꼴입니다. 평행사변형 가의 넓이는 삼각형 나의 넓이의 6배입니다. **선분 ㄱㅁ의 길이**는 몇 m인지 풀이 과정을 쓰고, 답을 구하세요.

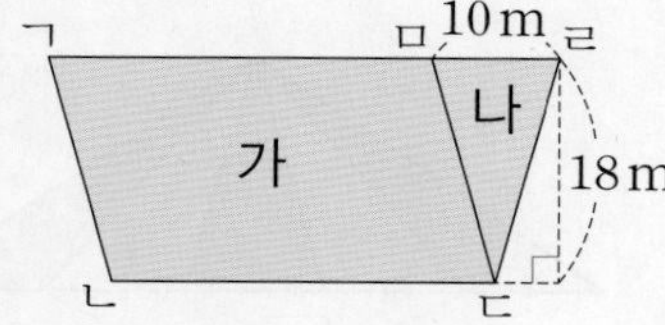

풀이

답

07 10 유사 **사각형 ㄱㄴㄷㄹ의 넓이**는 몇 cm^2인지 풀이 과정을 쓰고, 답을 구하세요.

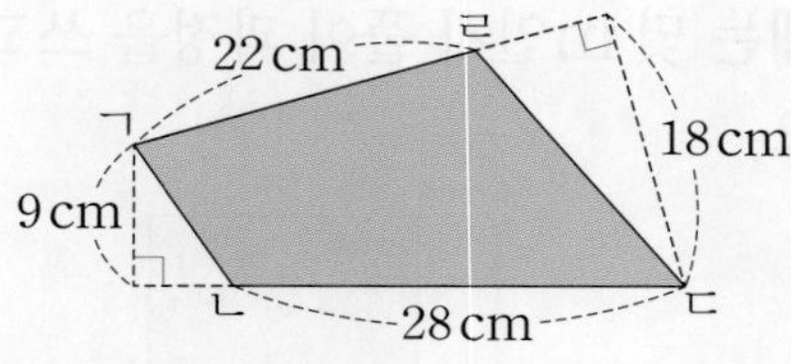

❶ 삼각형 ㄱㄴㄷ의 넓이 구하기

풀이

❷ 삼각형 ㄱㄷㄹ의 넓이 구하기

풀이

❸ 사각형 ㄱㄴㄷㄹ의 넓이 구하기

풀이

답

08 12 유사 그림과 같이 모양과 크기가 같은 마름모 2개를 겹쳐서 도형을 만들었습니다. **만든 도형의 넓이**는 몇 cm^2인지 풀이 과정을 쓰고, 답을 구하세요.

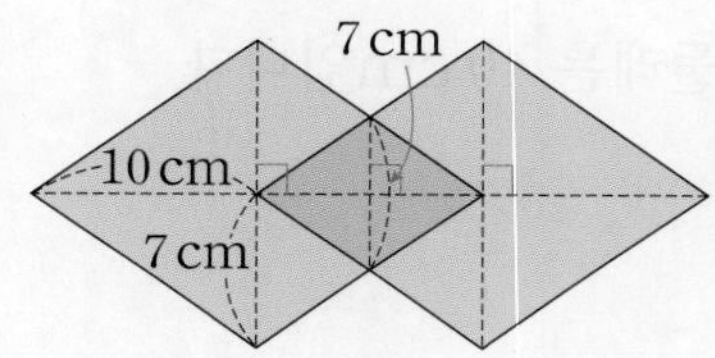

풀이

답

단원 평가

5점 × ( )개 = ( )점

정답 59쪽

01 먼저 계산해야 하는 부분의 기호를 쓰세요.

$23 - (9 + 7)$

㉠: −, ㉡: +

( )

02 □ 안에 알맞은 수를 써넣으세요.

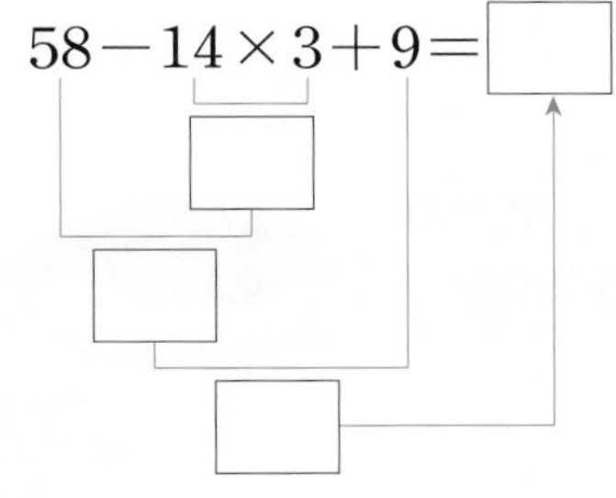

03 계산 순서를 나타내고 계산하세요.

$35-56\div8+16\times2$

04 계산 결과가 더 작은 식에 ○표 하세요.

$(17+43)\div4$	$12-49\div7+8$
( )	( )

05 계산을 옳게 한 사람은 누구인가요?

재민	$(12-7)\times16\div8=10$
현수	$42\div14\times7-3=12$

( )

06 문제에 알맞은 식을 찾아 기호를 쓰고, 답을 구하세요.

500원짜리 사탕 한 개와 700원짜리 캐러멜 3개를 샀습니다. 모두 얼마를 내야 하나요?

㉠ $(500+700)\times3$

㉡ $500+700\times3$

㉢ $500\times3+700$

( ), ( )

07 계산 결과를 비교하여 ○ 안에 >, =, <를 알맞게 써넣으세요.

$50-42\div7\times4$ ○ $9\times12\div18+15$

단원 평가

08 ( )가 없어도 계산 결과가 같은 것끼리 짝 지어진 것을 모두 찾아 기호를 쓰세요.

㉠ $12+(53-27)$, $12+53-27$
㉡ $24\div3+3$, $24\div(3+3)$
㉢ $12\times(6+3)$, $12\times6+3$
㉣ $7\times36\div9$, $7\times(36\div9)$

( )

09 두 식을 하나로 나타내세요.

$21\div3=7$, $13+7\times6=55$

➜

10 다음 식이 성립하도록 ( )로 묶으세요.

$9 + 6 \times 7 - 3 = 33$

11 장미가 30송이 있습니다. 여학생 4명과 남학생 2명에게 장미를 각각 2송이씩 주었습니다. 남은 장미는 몇 송이인지 하나의 식으로 나타내고, 답을 구하세요.

식

답

12 귤 한 봉지는 3500원, 오렌지 4개는 5200원, 사과 한 봉지는 4000원입니다. 귤 한 봉지와 오렌지 한 개를 같이 사면 사과 한 봉지보다 얼마나 비싼지 구하세요.

( )

13 짜장 4인분을 만들기 위해 15000원으로 필요한 재료를 사고 남은 돈은 얼마인지 하나의 식으로 나타내고, 답을 구하세요.

식

답

14 연수 어머니의 나이는 몇 살인가요?

저는 12살이고 동생은 9살입니다. 어머니의 나이는 저와 동생 나이의 합의 3배보다 6살이 적습니다.

( )

15 지구에서 잰 무게는 달에서 잰 무게의 약 6배입니다. 세 사람이 모두 지구에서 몸무게를 잰다면 현이와 수민이의 몸무게의 합은 아인이의 몸무게보다 몇 kg 더 무거운지 구하세요.

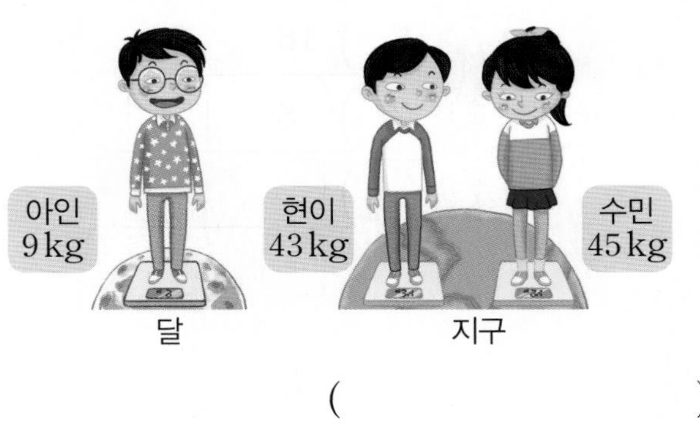

( )

16 수 카드 [3], [6], [9]를 한 번씩 사용하여 다음과 같은 식을 만들려고 합니다. 계산 결과가 가장 작은 자연수가 되도록 □ 안에 알맞은 수를 써넣고, 식을 계산하세요.

$\square \times \square \div \square$

( )

17 다음 식이 성립하도록 ○ 안에 $+$, $-$, $\times$, $\div$를 한 번씩 써넣으세요.

15 ○ 2 ○ 7 ○ 12 ○ 3 = 5

서술형 문제

18 어떤 수와 7의 합에 5를 곱한 후 17을 뺐더니 58이 되었습니다. 어떤 수는 얼마인지 풀이 과정을 쓰고, 답을 구하세요.

풀이

답

19 □ 안에 알맞은 수는 얼마인지 풀이 과정을 쓰고, 답을 구하세요.

$11+6\times(5+9)\div\square=23$

풀이

답

20 길이가 87 cm인 파란색 테이프를 3등분한 것 중의 한 도막과 길이가 72 cm인 노란색 테이프를 6등분한 것 중의 한 도막을 5 cm가 겹치게 이어 붙였습니다. 이어 붙인 테이프의 전체 길이는 몇 cm인지 풀이 과정을 쓰고, 답을 구하세요.

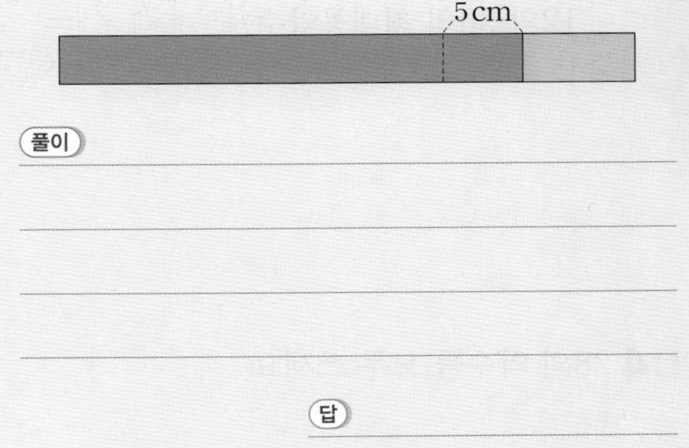

풀이

답

단원 평가지

01 □ 안에 알맞은 수를 써넣고, 15의 약수를 모두 구하세요.

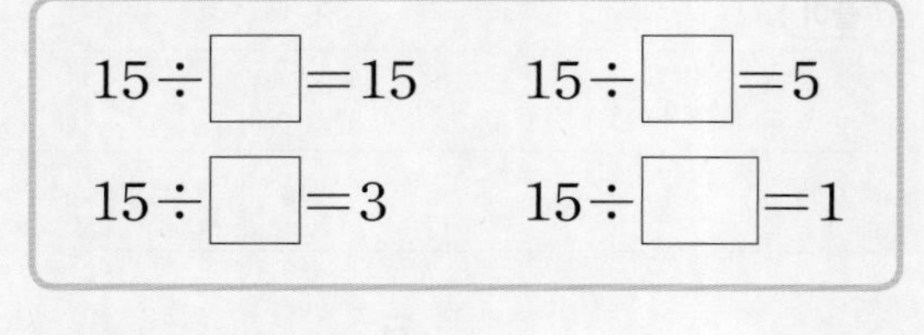

15÷□=15　15÷□=5
15÷□=3　15÷□=1

15의 약수 ➜ (　　　　　　　　)

02 8의 배수를 모두 찾아 ○표 하세요.

8　15　24　32　46

03 12와 30을 여러 수의 곱으로 나타낸 곱셈식을 이용하여 12와 30의 최대공약수를 구하세요.

12=2×2×3
30=2×3×5

12와 30의 최대공약수: □×□=□

04 28의 약수를 모두 쓰세요.

(　　　　　　　　)

05 □ 안에 알맞은 수를 써넣고, 16과 24의 최소공배수를 구하세요.

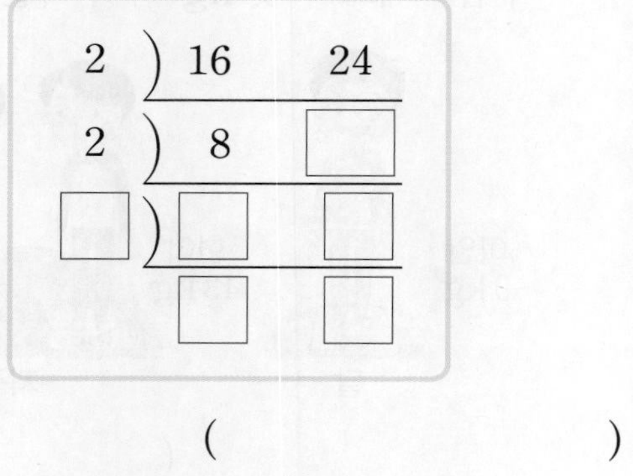

2) 16　24
2) 8　□
□) □　□
　　□　□

(　　　　　　　　)

06 두 수가 약수와 배수의 관계인 것을 찾아 기호를 쓰세요.

㉠ (7, 50)　㉡ (64, 9)　㉢ (33, 11)

(　　　　　　　　)

07 45와 60의 공약수가 아닌 수를 말한 사람은 누구인가요?

(　　　　　　　　)

정답 60쪽

08 두 수의 최대공약수와 최소공배수를 각각 구하세요.

(36, 42)

최대공약수 (   )
최소공배수 (   )

09 다음에서 설명하는 두 수의 공약수를 모두 구하세요.

두 수의 최대공약수는 16입니다.

(   )

10 18과 27의 공배수를 가장 작은 수부터 3개 쓰세요.

(   )

11 20과 8의 공배수 중에서 가장 작은 세 자리 수는 얼마인가요?

(   )

12 두 수의 최대공약수가 가장 큰 것은 어느 것인가요? (   )

① (4, 18)　② (13, 65)
③ (20, 50)　④ (42, 24)
⑤ (60, 72)

13 사탕 32개, 초콜릿 56개를 최대한 많은 친구들에게 남김없이 똑같이 나누어 주려고 합니다. 최대 몇 명의 친구들에게 나누어 줄 수 있나요?

(   )

14 어떤 수의 배수를 가장 작은 수부터 차례로 쓴 것입니다. 12번째의 수는 얼마인가요?

9, 18, 27, 36……

(   )

단원 평가지

단원 평가

15 오른쪽 수가 왼쪽 수의 배수일 때 □ 안에 알맞은 수는 모두 몇 개인가요?

(□, 32)

(　　　　　　　　)

16 두 사람의 대화를 읽고 9월 1일 이후 처음으로 두 사람이 같은 날 시장에 가는 날은 몇 월 며칠인지 구하세요.

(　　　　　　　　)

17 가로가 45 cm, 세로가 36 cm인 직사각형 모양의 도화지를 크기가 같은 정사각형 모양으로 남김없이 잘라서 종이배를 접으려고 합니다. 가장 큰 정사각형 모양으로 자를 때 접을 수 있는 종이배는 모두 몇 개인가요?

(　　　　　　　　)

서술형 문제

18 대화를 읽고 공약수와 공배수에 대해 잘못 말한 사람을 찾고, 그 이유를 설명하세요.

성열: 35와 14의 최대공약수는 최소공배수보다 작아.
아중: 35와 14의 최소공배수의 배수는 35와 14의 공약수와 같아.

답

이유

19 민희와 아라가 아래와 같이 규칙에 따라 각각 바둑돌을 50개씩 놓을 때 같은 자리에 흰 바둑돌을 놓는 경우는 모두 몇 번인지 풀이 과정을 쓰고, 답을 구하세요.

풀이

답

20 버스 터미널에서 대전행 버스는 28분마다, 대구행 버스는 21분마다 각각 출발합니다. 오전 9시에 두 버스가 동시에 출발했다면 다음에 처음으로 동시에 출발하는 시각은 오전 몇 시 몇 분인지 풀이 과정을 쓰고, 답을 구하세요.

풀이

답

단원 평가

5점 × ( )개 = ( )점

정답 61쪽

[01~02] 삼각판과 사각판으로 규칙적인 배열을 만들고 있습니다. 물음에 답하세요.

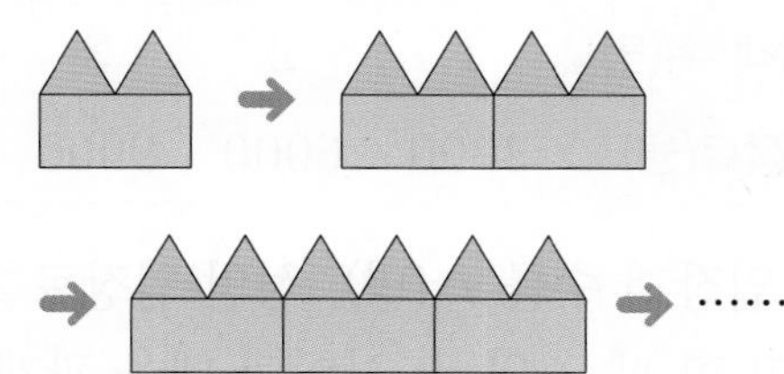

01 사각판과 삼각판의 수가 어떻게 변하는지 표를 완성하세요.

사각판의 수(개)	1	2	3	4	……
삼각판의 수(개)	2				……

02 사각판의 수와 삼각판의 수 사이의 대응 관계를 나타낸 것입니다. □ 안에 알맞은 수를 써넣으세요.

> 사각판의 수를 □배 하면 삼각판의 수와 같습니다.

03 달걀이 한 판에 10개씩 들어 있습니다. 달걀판의 수와 달걀의 수 사이의 대응 관계를 나타낸 표를 완성하고, 두 양 사이의 대응 관계를 쓰세요.

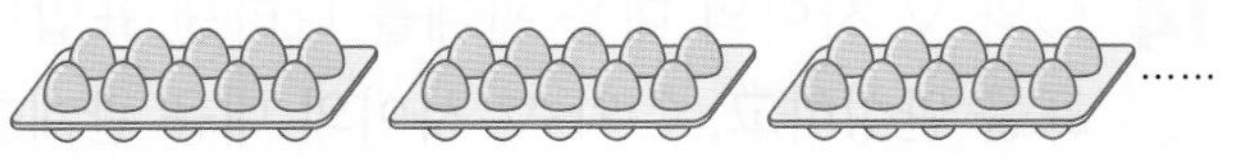

달걀판의 수(판)	1	2	3	4	5
달걀의 수(개)	10	20			

□는 □의 □배입니다.

[04~06] 오토바이의 바퀴는 2개입니다. 물음에 답하세요.

04 오토바이의 수와 바퀴의 수 사이의 대응 관계를 나타낸 표를 완성하세요.

오토바이의 수(대)	바퀴의 수(개)
1	2
2	4
⋮	⋮

05 알맞은 카드를 골라 표를 통해 알 수 있는 두 양 사이의 대응 관계를 식으로 나타내세요.

> 오토바이의 수 | 바퀴의 수
>
> + − × ÷ =
>
> 2 4 10

□ × □ = □

06 오토바이의 수를 ☆, 바퀴의 수를 ◇라고 할 때, 두 양 사이의 대응 관계를 식으로 나타내세요.

식

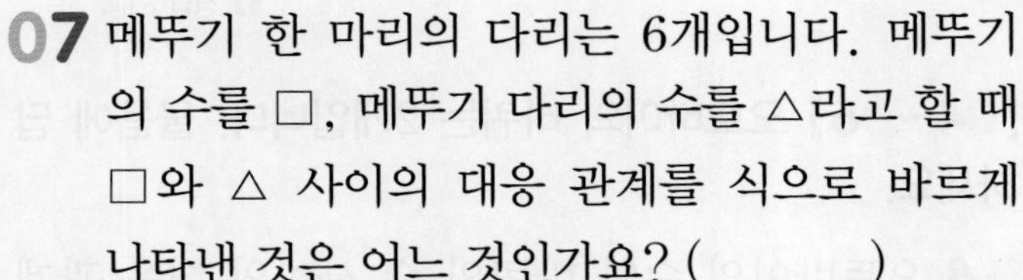

단원 평가

07 메뚜기 한 마리의 다리는 6개입니다. 메뚜기의 수를 □, 메뚜기 다리의 수를 △라고 할 때 □와 △ 사이의 대응 관계를 식으로 바르게 나타낸 것은 어느 것인가요? (　　　)

① □＋6＝△　② □－6＝△
③ □×6＝△　④ □÷6＝△
⑤ △＋6＝□

[08~09] ⊙와 ◇ 사이의 대응 관계를 나타낸 표입니다. 물음에 답하세요.

⊙	1	2	3	4	5
◇	4	8	12	16	20

08 ⊙와 ◇ 사이의 대응 관계를 식으로 나타내세요.

식

09 ⊙가 9일 때 ◇는 얼마일까요?

(　　　　　　　　)

10 관계있는 것끼리 선으로 이으세요.

(1)

□	1	2	3	4
△	8	9	10	11

(2)

□	1	2	3	4
△	8	7	6	5

• ㉠ □×8＝△
• ㉡ □＋7＝△
• ㉢ 9－□＝△

[11~12] 어느 전시관의 성인 입장객 수와 성인 입장료 사이의 대응 관계를 나타낸 표입니다. 물음에 답하세요.

성인 입장객 수(명)	1	2	3	4
성인 입장료(원)	3000	6000	9000	12000

11 성인 입장객 수를 △(명), 성인 입장료를 ☆(원)이라고 할 때 △와 ☆ 사이의 대응 관계를 식으로 나타내세요.

식

12 성인 입장료가 96000원이라면 성인 입장객은 몇 명일까요?

(　　　　　　　　)

13 ⊙와 ♡ 사이의 대응 관계가 다음과 같을 때, 표를 완성하세요.

⊙＋♡＝20

⊙	1	3	5	9	15
♡	19				

14 ○와 ▽ 사이의 대응 관계를 나타낸 표입니다. 표를 완성하고, ○와 ▽ 사이의 대응 관계를 식으로 나타내세요.

○	24	23	22		20
▽	15	14		12	

식

15 수진이가 말한 수를 ☆, 나라가 답한 수를 △라고 할 때, 두 양 사이의 대응 관계를 식으로 나타내세요.

식

16 윗몸일으키기를 한 시간(분)과 소모된 열량(kcal) 사이의 대응 관계를 나타낸 표입니다. 윗몸일으키기를 30분 동안 하면 소모된 열량은 몇 kcal일까요?

시간(분)	1	2	3	4	5	……
열량(kcal)	7	14				……

( )

17 면봉을 사용하여 다음과 같은 규칙으로 정육각형을 만들고 있습니다. 정육각형 8개를 만들려면 면봉이 적어도 몇 개 필요할까요?

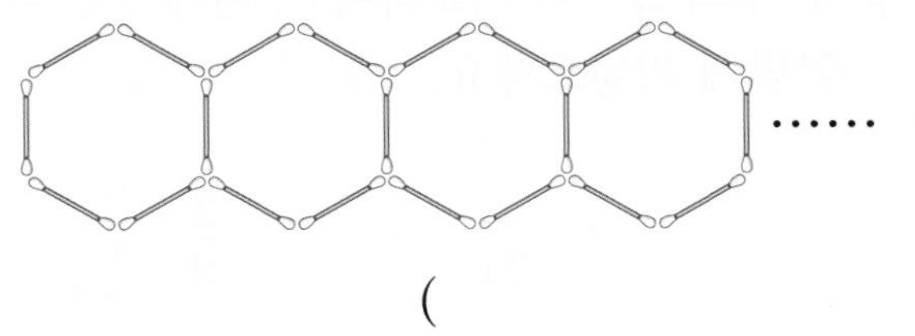

( )

서술형 문제

18 주변에서 볼 수 있는 대응 관계 중 식에 해당하는 상황 한 가지를 찾아 쓰세요.

5×☆=△

상황

19 한 사람에게 꽃을 3송이씩 나누어 주고 있습니다. 사람의 수와 꽃의 수 사이의 대응 관계를 잘못 말한 사람을 찾고, 바르게 고쳐 보세요.

> 은지: 사람의 수와 꽃의 수 사이의 관계는 항상 3배로 일정해.
> 현민: 대응 관계를 나타낸 식 □÷3=△에서 □는 사람의 수를 나타내.
> 재준: 대응 관계를 나타낸 식 △×3=□에서 □는 꽃의 수를 나타내.

답

바르게 고치기

20 다음과 같은 규칙으로 구슬을 놓고 있습니다. 12째에 놓는 구슬은 몇 개인지 풀이 과정을 쓰고, 답을 구하세요.

첫째 → 둘째 → 셋째 → 넷째 ……

풀이

답

단원 평가지

단원 평가

01 □ 안에 알맞은 수를 써넣으세요.

$$\frac{2}{7}=\frac{\square}{14}=\frac{\square}{21}=\frac{8}{\square}$$

02 다음 그림과 크기가 같은 분수를 찾아 ○표 하세요.

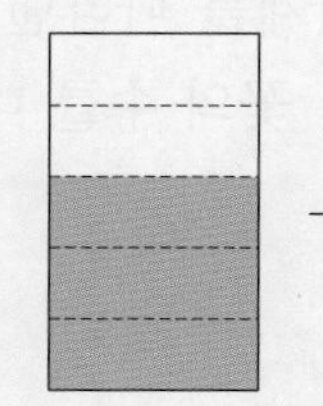

$\frac{9}{15}$　　$\frac{5}{12}$　　$\frac{4}{10}$　　$\frac{12}{25}$

03 $\frac{24}{60}$를 약분하려고 합니다. 분모와 분자를 나눌 수 없는 수는 어느 것인가요? (　　　)

① 2　　② 4　　③ 6
④ 8　　⑤ 12

04 $\frac{5}{6}$와 $\frac{2}{9}$를 통분할 때 공통분모가 될 수 있는 수를 모두 찾아 ○표 하세요.

18　　24　　36　　48　　72

05 두 분수를 통분하세요.

$\left(\frac{5}{14}, \frac{3}{8}\right)$ ➜ (　　　　,　　　　)

06 기약분수를 모두 찾아 쓰세요.

$\frac{1}{2}$　　$\frac{6}{10}$　　$\frac{4}{7}$　　$\frac{9}{24}$　　$\frac{5}{13}$　　$\frac{8}{18}$

(　　　　　　　　　　)

07 두 수의 크기를 비교하여 ○ 안에 >, =, <를 알맞게 써넣으세요.

$\frac{5}{21}$ ○ $\frac{2}{9}$

08 $\frac{20}{30}$을 약분하여 나타낼 수 있는 분수를 모두 쓰세요.

( )

09 세 분수의 크기를 비교하여 □ 안에 알맞게 써넣으세요.

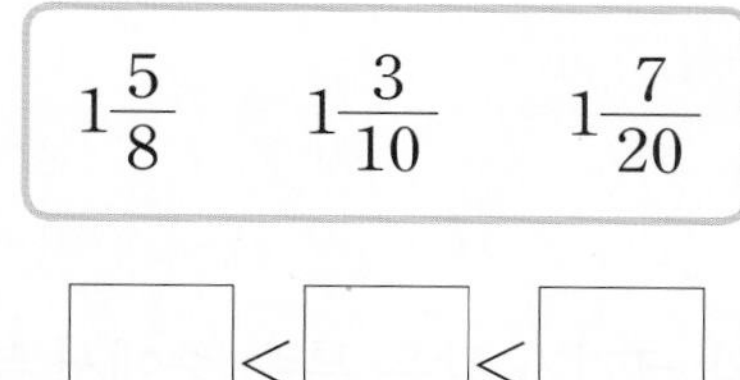

$1\frac{5}{8}$ $1\frac{3}{10}$ $1\frac{7}{20}$

□ < □ < □

10 어떤 두 기약분수를 통분하였더니 $\left(\frac{36}{45}, \frac{25}{45}\right)$가 되었습니다. 통분하기 전의 두 기약분수를 구하세요.

( )

11 수아는 $\frac{7}{15}$ km를 걸었고, 서준이는 $\frac{4}{9}$ km를 걸었습니다. 두 사람 중 더 많이 걸은 사람은 누구인가요?

( )

12 아름이가 설명하는 분수를 구하세요.

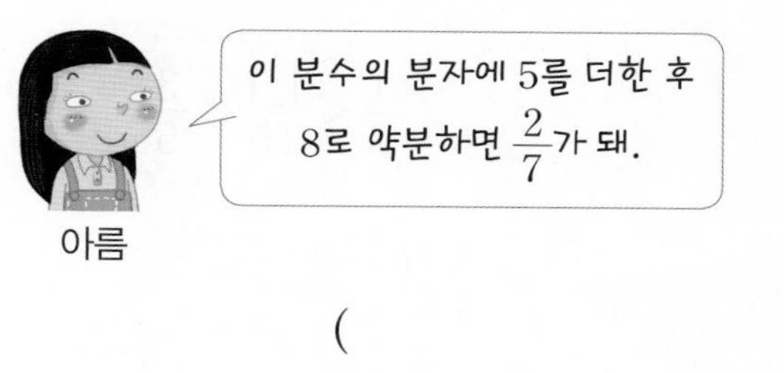

( )

13 두 조건을 만족하는 분수는 모두 몇 개인가요?

- 분모가 8인 진분수
- 기약분수

( )

14 분수와 소수의 크기를 비교하여 작은 수부터 차례로 쓰세요.

2.5 $2\frac{3}{4}$ $\frac{7}{5}$ 1.7

( )

서술형 문제

15 □ 안에 들어갈 수 있는 자연수를 모두 쓰세요.

$$\frac{1}{3}<\frac{\square}{15}<\frac{3}{5}$$

(　　　　　　　　　　　)

16 수 카드가 4장 있습니다. 이 중에서 2장을 뽑아 한 번씩 사용하여 진분수를 만들려고 합니다. 만들 수 있는 진분수 중 가장 작은 수를 소수로 나타내세요.

3　5　7　8

(　　　　　　　　　　　)

17 □ 안에 들어갈 수 있는 소수 한 자리 수는 모두 몇 개인가요?

$$4\frac{4}{25}<\square<4\frac{3}{4}$$

(　　　　　　　　　　　)

18 $\frac{27}{36}$에 대해 잘못 말한 사람을 찾고, 그 이유를 설명하세요.

답

이유

19 $\frac{4}{11}$와 크기가 같은 분수 중에서 분모와 분자의 차가 28인 분수를 구하려고 합니다. 풀이 과정을 쓰고, 답을 구하세요.

20 $\frac{3}{8}$보다 크고 $\frac{7}{12}$보다 작은 분수 중에서 분모가 24인 기약분수는 모두 몇 개인지 풀이 과정을 쓰고, 답을 구하세요.

풀이

답

단원 평가

정답 63쪽

01 □ 안에 알맞은 수를 써넣으세요.

$$\frac{3}{4}+\frac{1}{3}=\frac{\square}{12}+\frac{\square}{12}=\frac{\square}{12}=\square$$

02 보기 와 같은 방법으로 계산하세요.

보기

$$\frac{7}{9}-\frac{1}{6}=\frac{14}{18}-\frac{3}{18}=\frac{11}{18}$$

$$\frac{9}{10}-\frac{1}{4}$$

03 계산하세요.

$$1\frac{1}{6}+2\frac{5}{8}$$

04 □ 안에 알맞은 수를 써넣으세요.

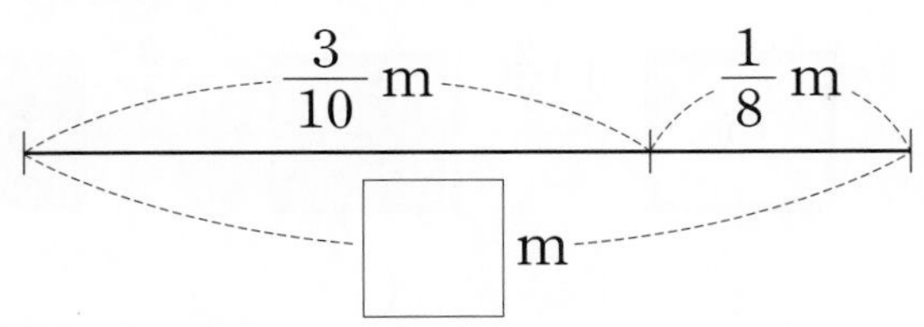

05 빈 곳에 알맞은 수를 써넣으세요.

$4\frac{1}{2}$ →

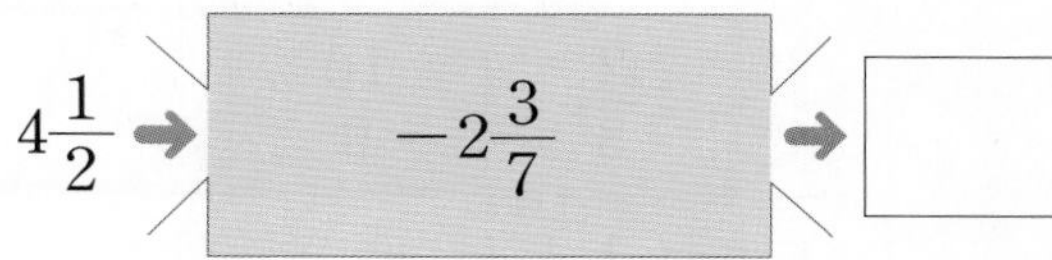

→ □

06 크기를 비교하여 ○ 안에 >, =, <를 알맞게 써넣으세요.

$1\frac{3}{5}+3\frac{1}{2}$ ○ $7\frac{3}{4}-2\frac{2}{5}$

07 왼쪽 식의 계산 결과를 오른쪽에서 찾아 선으로 이으세요.

(1)	$\frac{7}{8}-\frac{5}{6}$	㉠	$\frac{7}{12}$
(2)	$\frac{2}{3}-\frac{1}{12}$	㉡	$\frac{1}{24}$
(3)	$\frac{7}{12}-\frac{4}{9}$	㉢	$\frac{5}{36}$

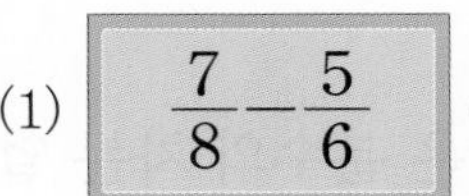

단원 평가지

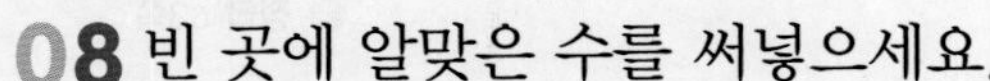

단원 평가

08 빈 곳에 알맞은 수를 써넣으세요.

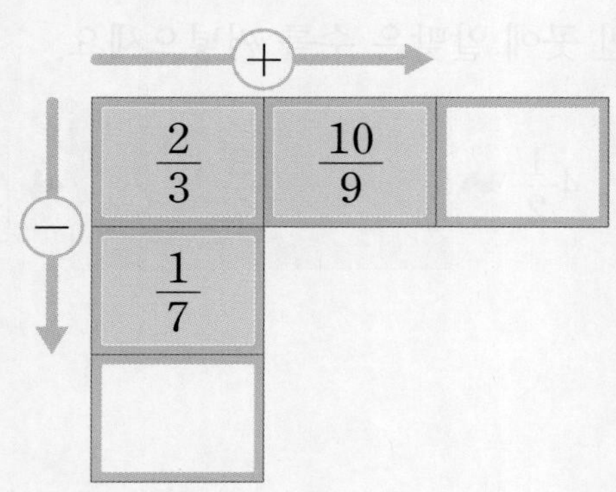

09 직사각형의 가로와 세로의 합은 몇 cm인가요?

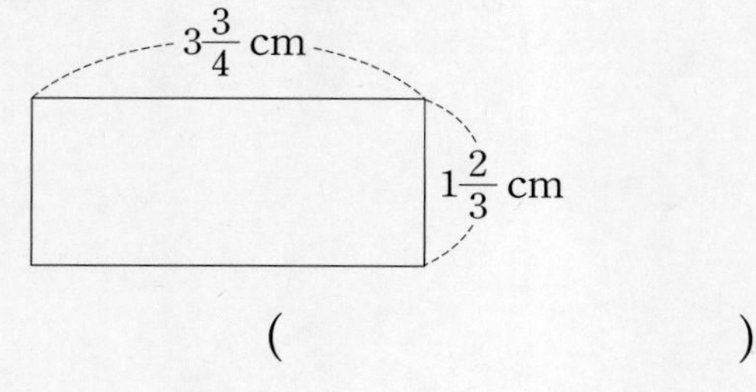

(　　　　　　　　　　)

10 가장 큰 분수와 가장 작은 분수의 차는 얼마인가요?

$\frac{3}{8}$　　$\frac{9}{16}$　　$\frac{5}{12}$

(　　　　　　　　　　)

11 계산 결과가 큰 것부터 차례로 기호를 쓰세요.

㉠ $\frac{1}{4}+2\frac{8}{9}$

㉡ $4\frac{1}{18}-1\frac{7}{12}$

㉢ $1\frac{5}{6}+1\frac{1}{36}$

(　　　　　　　　　　)

12 수박의 무게는 $2\frac{5}{7}$ kg, 호박의 무게는 $3\frac{3}{4}$ kg입니다. 수박과 호박 중에서 어느 것이 몇 kg 더 무거운지 차례로 구하세요.

(　　　　　　　　　　), (　　　　　　　　　　)

13 3장의 분수 카드 중 2장을 골라 차가 가장 크게 되도록 □ 안에 한 번씩 써넣고, 계산하세요.

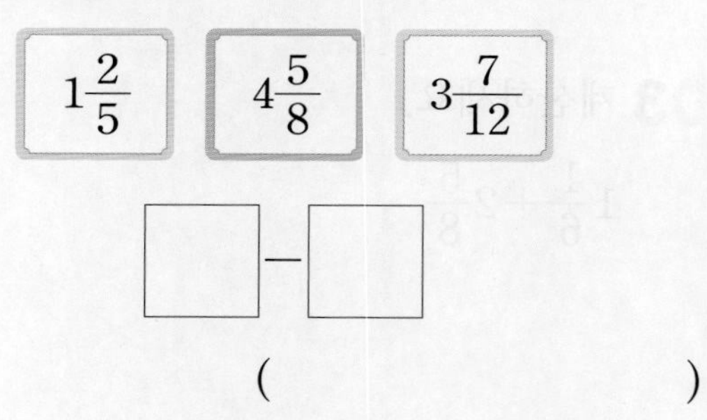

(　　　　　　　　　　)

14 ㉠에 알맞은 수를 구하세요.

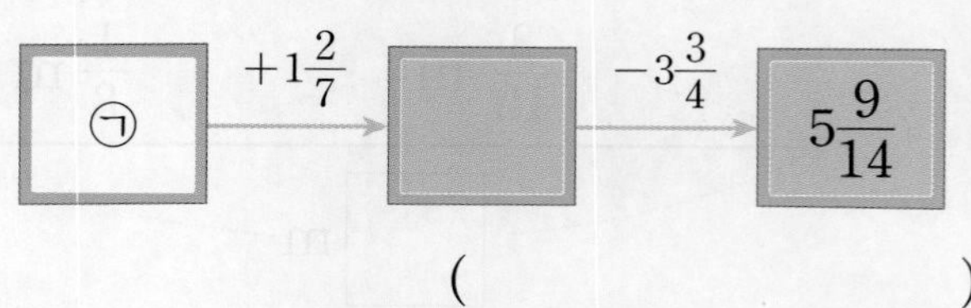

(　　　　　　　　　　)

서술형 문제

15 철사를 윤아는 $\frac{5}{9}$m 가지고 있고, 승기는 윤아보다 $\frac{7}{15}$m 더 많이 가지고 있습니다. 두 사람이 가지고 있는 철사는 모두 몇 m인가요?

(　　　　　　　　)

16 연수네 밭에 옥수수, 감자, 고구마를 심었습니다. 옥수수는 전체의 $\frac{1}{5}$, 감자는 전체의 $\frac{9}{20}$, 나머지는 모두 고구마라면 고구마는 전체의 얼마인가요?

(　　　　　　　　)

17 사과 따기 체험에서 지민이는 사과를 오전에 $5\frac{4}{5}$kg, 오후에 $4\frac{1}{10}$kg 땄고, 선영이는 사과를 오전에 $3\frac{1}{4}$kg, 오후에 $6\frac{3}{20}$kg 땄습니다. 사과 따기 체험에서 누가 사과를 몇 kg 더 많이 땄는지 차례로 구하세요.

(　　　　　　　　), (　　　　　　　　)

18 $\frac{1}{6}-\frac{1}{8}$을 2가지 방법으로 계산하세요.

방법 1

방법 2

19 $7\frac{1}{5}$에 어떤 수를 더해야 할 것을 잘못하여 뺐더니 $3\frac{5}{6}$가 되었습니다. 바르게 계산하면 얼마인지 풀이 과정을 쓰고, 답을 구하세요.

풀이

답

20 4장의 수 카드 중에서 3장을 골라 한 번씩만 사용하여 대분수를 만들려고 합니다. 만들 수 있는 가장 큰 대분수와 가장 작은 대분수의 합은 얼마인지 풀이 과정을 쓰고, 답을 구하세요.

3	4	8	9

풀이

답

단원 평가지

단원 평가

01 직사각형의 둘레는 몇 cm인가요?

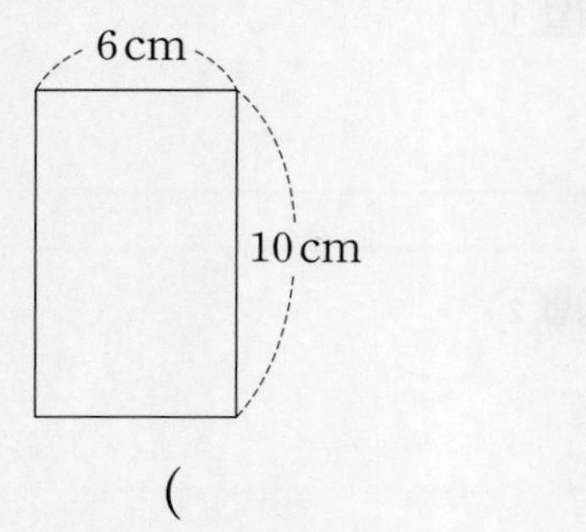

( )

02 □ 안에 알맞은 수를 써넣으세요.

$7\ km^2=$ □ m^2

03 넓이가 더 넓은 도형의 기호를 쓰세요.

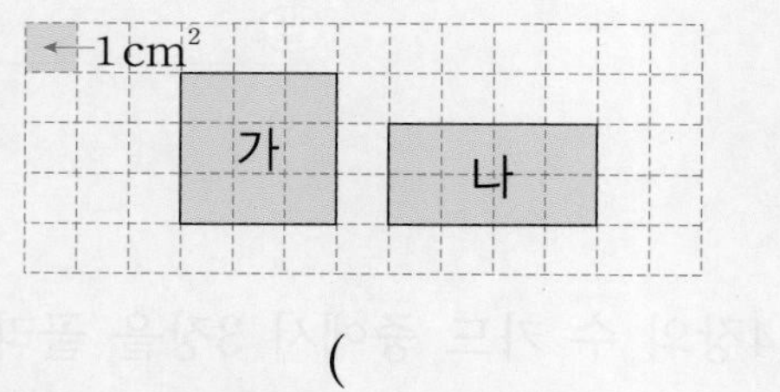

( )

04 모눈을 이용하여 평행사변형의 넓이는 몇 cm^2 인지 구하세요.

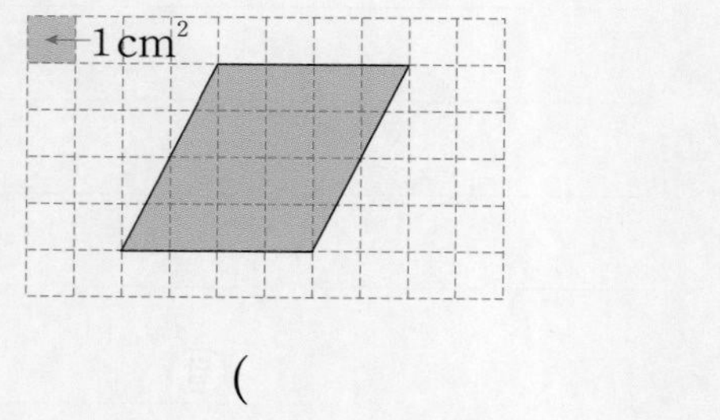

( )

05 정사각형의 넓이는 몇 cm^2인가요?

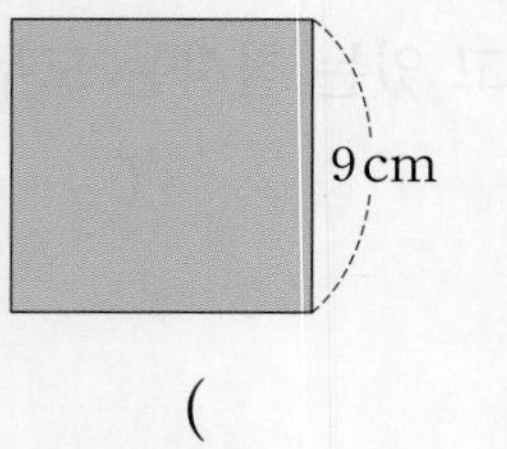

( )

06 사다리꼴의 넓이는 몇 cm^2인가요?

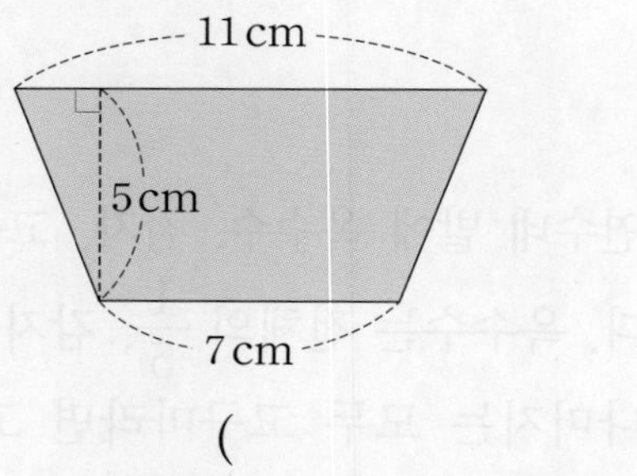

( )

07 단위를 알맞게 사용한 사람은 누구인가요?

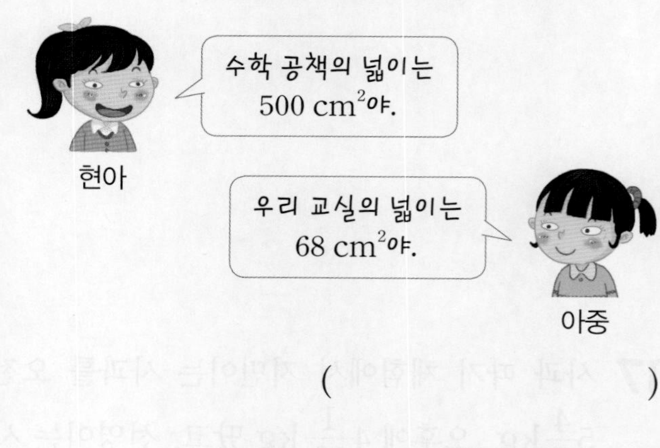

( )

08 두 대각선의 길이가 각각 16 cm, 8 cm인 마름모의 넓이는 몇 cm^2인가요?

( )

09 주어진 삼각형과 넓이가 같고 모양이 다른 삼각형을 2개 그리세요.

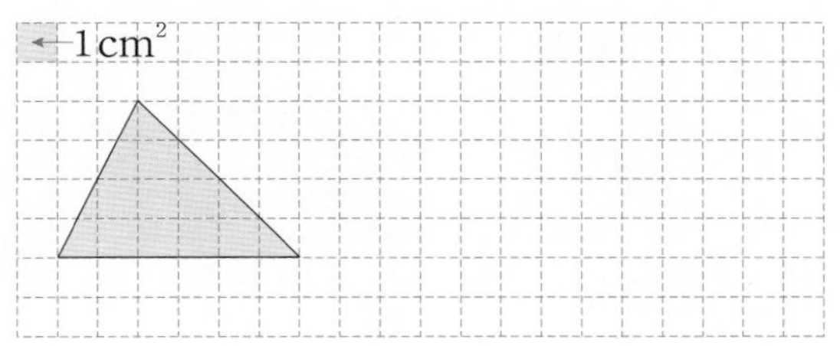

10 넓이가 60 cm²인 직사각형의 가로가 12 cm일 때 □ 안에 알맞은 수를 써넣으세요.

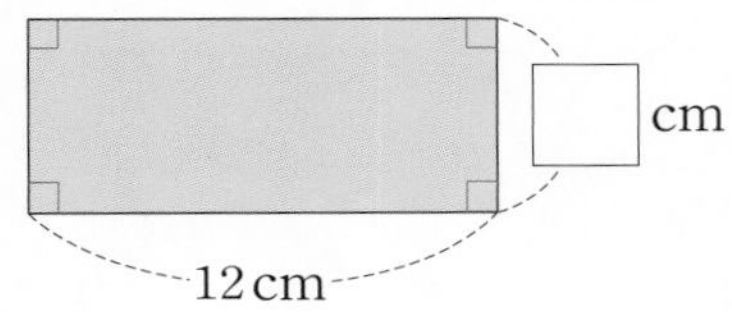

11 그림과 같은 직사각형 모양의 도화지를 잘라 만들 수 있는 가장 큰 정사각형의 넓이는 몇 cm²인가요?

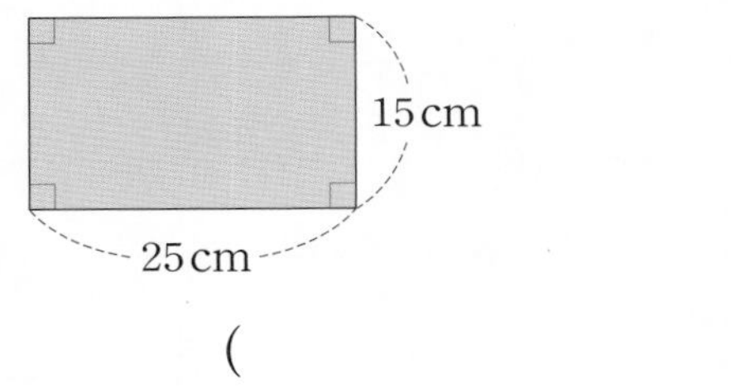

( )

12 마름모의 넓이가 65 m²일 때 □ 안에 알맞은 수를 써넣으세요.

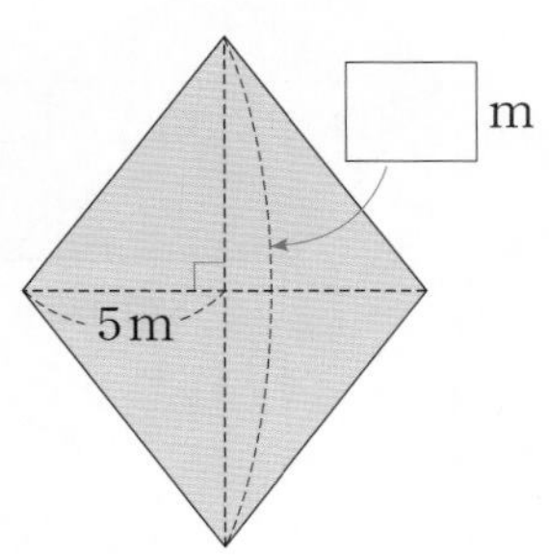

13 색칠한 부분의 넓이는 몇 cm²인가요?

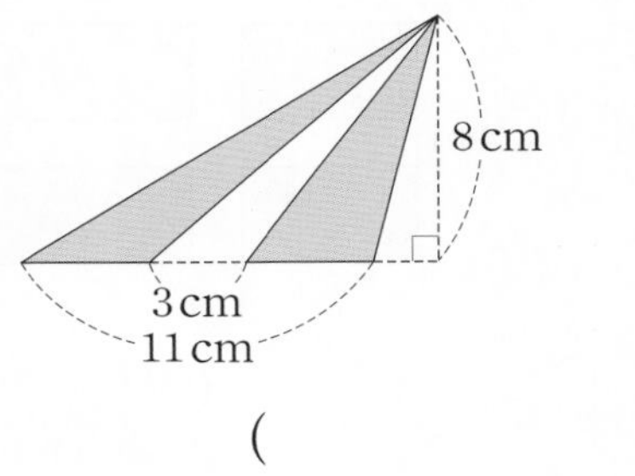

( )

14 마름모와 사다리꼴의 넓이가 같을 때 사다리꼴의 높이를 구하세요.

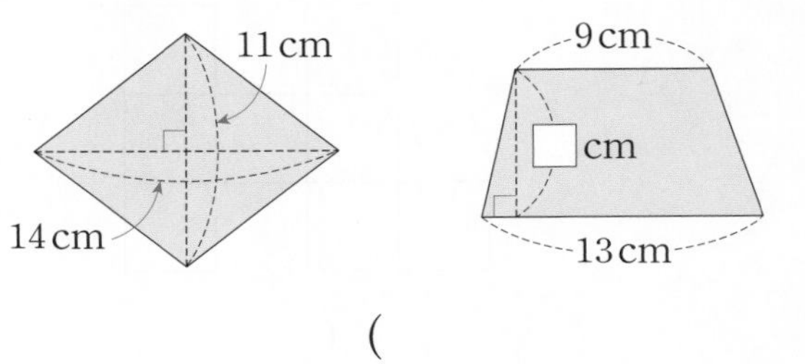

( )

단원 평가

15 다각형의 넓이는 몇 cm^2인가요?

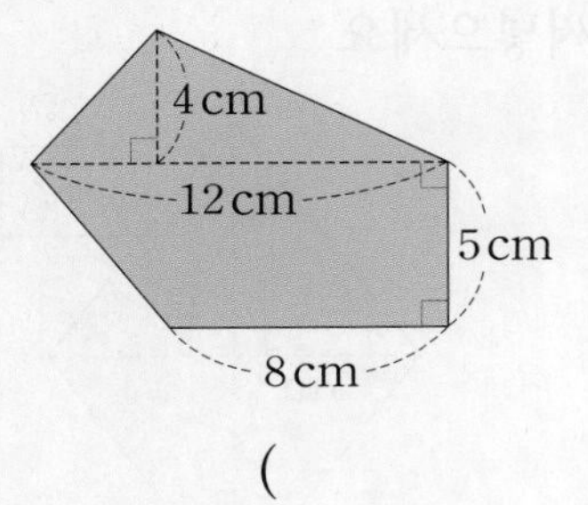

( )

16 공원에 폭이 4 m인 길이 있습니다. 길을 뺀 공원의 넓이는 몇 m^2인가요?

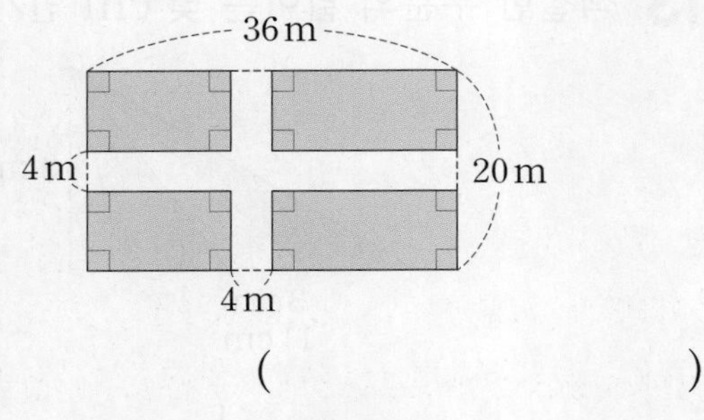

( )

17 둘레가 20 cm인 정사각형 8개를 겹치지 않게 이어 붙여서 만든 도형입니다. 만든 도형의 둘레를 구하세요.

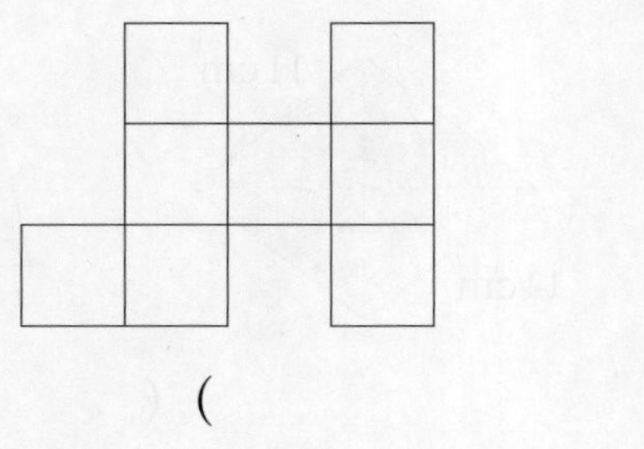

( )

서술형 문제

18 평행사변형의 넓이가 다른 하나를 찾아 쓰고, 그 이유를 설명하세요.

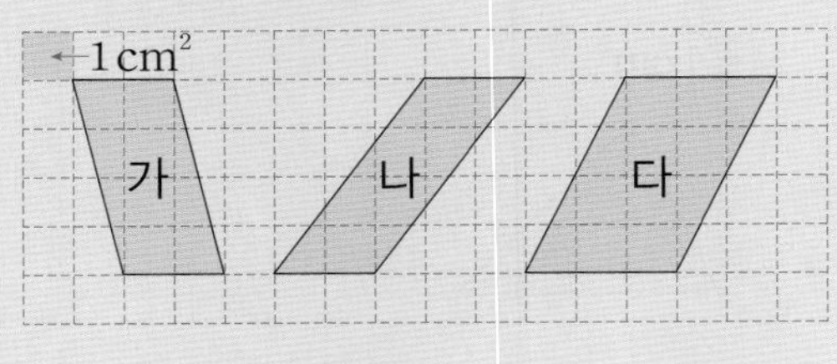

답

이유

19 둘레가 56 cm인 정사각형의 넓이는 몇 cm^2인지 풀이 과정을 쓰고, 답을 구하세요.

풀이

답

20 윗변이 9 cm, 아랫변이 15 cm인 사다리꼴이 있습니다. 이 사다리꼴의 넓이가 216 cm^2일 때 높이는 몇 cm인지 풀이 과정을 쓰고, 답을 구하세요.

풀이

답

동아출판

초고필로
중학교 성적이
바뀐다!

초등 고학년을 위한 중학교 필수 영역 초고필

국어
비문학 독해 1·2 / 문학 독해 1·2 / 국어 어휘 / 국어 문법

수학
유리수의 사칙연산 / 방정식 / 도형의 각도

한국사
한국사 1권 / 한국사 2권

큐브 수학 실력

매칭북 5·1

엄마 매니저의 큐브수학 STORY

초등수학 문제집 추천

개념

3년째 큐브수학 개념으로 엄마표 수학 완성!

닉네임
사*

4학년부터 개념은 큐브수학으로 시작했는데요. 설명이 쉽게 되어 있어서 접근하기가 좋더라고요. 기초개념만 제대로 잡히면 그다음 단계로 올라가는 건 어렵지 않아요. 처음부터 너무 어려우면 부담스러워 피하기도 하는데 아이가 쉽게 잘 풀어나가는게 효과가 아주 좋았어요. **기초 잡기에는 큐브수학 개념이 제일 만족스러웠어요.**

쉽고 재미있게 개념도 탄탄하게!

닉네임
그**

큐브수학 개념을 계속해서 선택한 이유는 **기초 수학을 체계적으로 풀어가면서 수학 실력을 쌓을 수 있기 때문이에요.** 무료 스마트러닝 개념 동영상 강의도 쉽고 재미나서 혼자서도 충실하게 잘 듣더라고요! 수학 익힘 문제, 더 확장된 문제들까지 다양하게 풀어 볼 수 있어서 좋았어요. 큐브수학만큼 만족도가 큰 문제집은 없는 것 같네요.

무료 동영상 강의로 빈틈 없는 홈스쿨링

닉네임
매****

엄마표 수학을 진행하고 있기 때문에 아이가 잘 따라올 수 있는 수준의 문제집을 고르려고 해요. **특히 홈스쿨링으로 예습을 할 때 가장 좋은 건 동영상 강의예요.** QR코드를 찍으면 바로 동영상을 볼 수 있고, 선생님이 제가 알려주는 것보다 더 알기 쉽게 알려주세요. 부족한 학습은 동영상을 통해 채워줄 수 있어서 정말 좋아요. 혼자서도 언제 어느 때나 강의를 들을 수 있다는 점이 최고!

큐브수학 실력

정답 및 풀이

모바일
쉽고 편리한 빠른 정답

5·1

동아출판

정답 및 풀이

5·1

차례

| 모바일 빠른 정답 |

QR코드를 찍으면 **정답 및 풀이**를 쉽고 빠르게 확인할 수 있습니다.

1. 자연수의 혼합 계산

STEP 1 개념 완성하기 008~009쪽

1 (1) 29, 6, 23 (2) 72, 12, 6 **2** ㉡
3 (1) $16-(5+7)=16-12$ ① $=4$ ②
(2) $48\div(8\times3)=48\div24$ ① $=2$ ②
4 (1) 31 (2) 4
5 (1) 27, 3 (2) 다르므로에 ○표, 다릅니다에 ○표
6 (1) 3500, 700, 4200 (2) 3500, 700, 800
7 ㉠ **8** (1) ㉢ (2) ㉠ **9** 35, 7, 30

4 (1) $25+13-7=38-7=31$
(2) $80\div(5\times4)=80\div20=4$

5 앞의 식은 나눗셈을 먼저 계산한 후 곱셈을 계산하고, 뒤의 식은 ( ) 안을 먼저 계산한 후 나눗셈을 계산합니다.

7 ㉠ $56-(22+9)=56-31=25$
㉡ $56-22+9=34+9=43$
㉢ $(56-22)+9=34+9=43$

8 (1) $21+4-17+29=25-17+29=37$
(2) $64\div8\div2\times3=8\div2\times3=4\times3=12$

9 (한 사람이 갖는 체리의 수)
$=35\times6\div7=210\div7=30$(개)

STEP 1 개념 완성하기 010~011쪽

1 (1) 19−13에 ○표 (2) 45÷3에 ○표
2 (1) $14+(11-5)\times3=14+6\times3$
$=14+18=32$
(2) $64\div4+18-21=16+18-21$
$=34-21=13$
3 누리 **4** (1) 10 (2) 15 (3) 47
5 ○ **6** (1) 2, 3, 3, 15 (2) 2, 3, 3, 13
7 > **8** ③ **9** 22, 5, 7

1 (2) 덧셈, 뺄셈, 나눗셈이 섞여 있는 식은 나눗셈을 먼저 계산하고, 덧셈과 뺄셈은 앞에서부터 차례로 계산합니다.

3 ( )가 있는 식이므로 ( ) 안을 가장 먼저 계산한 후 곱셈을 계산하고, 덧셈을 계산합니다.

4 (1) $32+18-8\times5=32+18-40=50-40=10$
(2) $9+(24-6)\div3=9+18\div3=9+6=15$
(3) $(11+3)\times4-9=14\times4-9=56-9=47$

5 • $20+(3\times4)-11=20+12-11=21$
• $20+3\times4-11=20+12-11=21$
중요 $20+(3\times4)-11$은 ( )가 없어도 곱셈을 먼저 계산하므로 ( )가 없는 식과 계산 결과가 같습니다.

6 다른 풀이 (2) $28-2\times3-3\times3=13$(개)

7 • $48\div6+10-1=8+10-1=18-1=17$
• $48\div(6+10)-1=48\div16-1=3-1=2$
➜ $17>2$

8 (남은 거리)
=(안산에서 목포까지의 거리)
−(한 시간 동안 가는 거리)×(달린 시간)
$=334-80\times4$

9 (영준이에게 남는 한지의 수)
$=(14+22)\div3-5=36\div3-5$
$=12-5=7$(장)

STEP 1 개념 완성하기 012~013쪽

1 ㉡, ㉢, ㉣, ㉤ **2** 5, 20, 11, 19
3 ③
4 (1) $64\div4-(11-7)\times3+24$
$=64\div4-4\times3+24$
$=16-12+24=4+24=28$
(2) $(47+25)\div6-2\times5=72\div6-2\times5$
$=12-10$
$=2$
5 (1) 8 (2) 21 **6** (1) ㉢ (2) ㉡ **7** ㉡
8 18 **9** 500, 2400, 4, 1300 / 1300원

진도북 정답 및 풀이

1 덧셈, 뺄셈, 곱셈, 나눗셈, ( )가 섞여 있는 식은 ( ) 안을 가장 먼저 계산하고, 곱셈과 나눗셈, 덧셈과 뺄셈의 순서로 계산합니다.

2 덧셈, 뺄셈, 곱셈, 나눗셈이 섞여 있는 식은 곱셈과 나눗셈, 덧셈과 뺄셈의 순서로 계산합니다.

3 $72-12\times2+(34+26)\div2$
$=72-12\times2+60\div2$
$=72-24+30=48+30=78$

4 ( )가 있는 식은 ( ) 안을 가장 먼저 계산합니다.

5 (1) $45\div5+3\times4-13=9+3\times4-13$
$=9+12-13=8$
(2) $31-(13+2)\times4\div6=31-15\times4\div6$
$=31-60\div6=21$

6 (1) $2\times(6+12)\div3-4=2\times18\div3-4$
$=36\div3-4=8$
(2) $4\times(2+3)-32\div2=4\times5-32\div2$
$=20-16=4$

7 ㉠ $43-12\times3+40\div8=43-36+5=12$
㉡ $(43-12)\times3+40\div8=31\times3+40\div8$
$=93+5=98$
➜ $12<98$이므로 ㉡이 더 큽니다.

8 $11+(29-3\times7)\div4+5=11+(29-21)\div4+5$
$=11+8\div4+5=18$

9 (볼펜 한 자루의 값)+(연필 4자루의 값)
$=500+2400\div12\times4$
$=500+200\times4=500+800=1300$(원)

STEP 2 실력 다지기 014~019쪽

01 1, 3, 2 **02** 서준
03 ㉠, ㉡, ㉢, ㉣ **04** 43, 27
05 $23+8-18\div3=25$
06 $14\div(36\div6-4)\times8-17=39$
07 $30\div6$에 ○표
/ $6+(26-2)\div6-2=6+24\div6-2$
$=6+4-2=10-2=8$
08 예 ( )가 있을 때에는 ( ) 안을 가장 먼저 계산해야 하는데 곱셈을 먼저 계산했습니다. ▸5점
09 ㉠ **10** $189\div(7\times9)=3$ / 3시간
11 $29-12\times2+6=11$ / 11명
12 $10\times25-(10-3)\times30=40$ / 40번
13 40 cm **14** 약 2 kg **15** 20 ℃
16 3 **17** 5
18 예 ❶ $12+(58-■)\div7-8=11$,
$12+(58-■)\div7=11+8=19$,
$(58-■)\div7=19-12=7$,
$58-■=7\times7=49$ ▸4점
❷ $■=58-49=9$ ▸1점 / 9
19 4920원 **20** 200 g
21 예 ❶ 책 한 권의 값은
((낸 돈)−(거스름돈)−(볼펜 3자루의 값))÷(산 책의 수)$=(5000-700-500\times3)\div2$입니다. ▸3점
❷ 따라서 책 한 권의 값은
$(5000-700-500\times3)\div2$
$=2800\div2=1400$(원)입니다. ▸2점 / 1400원
22 $3\times(14-6)\div4=6$ **23** ×, +, ÷
24 예 ① 7, 2, 4, 6, 3 ② 4, 7, 3, 6, 2
/ ① 13 ② 22
25 예 정민이는 스케치북 1권을 사고, 연주는 색도화지 2장과 색연필 1자루를 샀습니다. 정민이는 연주보다 얼마를 더 내야 하나요? / 2200원
26 예 동주는 한 봉지에 6개씩 들어 있는 젤리 3봉지를 똑같이 2묶음으로 나누어 한 묶음을 가졌습니다. 이 중에서 동생에게 5개를 주고 형에게서 4개를 받았다면 동주가 가지고 있는 젤리는 몇 개인가요? / 8개
27 4
28 예 ❶ $7◈6=6+6\times7-7=6+42-7=41$ ▸3점
❷ $4◈(7◈6)=4◈41=41+41\times4-4$
$=41+164-4=201$ ▸2점
/ 201
29 10, 4 **30** 8, 4, 12(또는 12, 4, 8) / 24
31 1, 2
32 예 ❶ 오른쪽 식을 먼저 계산합니다.
$(42+18)\div6\times4-10$
$=60\div6\times4-10$
$=10\times4-10=40-10=30$ ▸3점
❷ $\square<30$이므로 □ 안에 들어갈 수 있는 가장 큰 자연수는 29입니다. ▸2점 / 29

01 • $21+19-16-4=40-16-4=24-4=20$
• $36\div3\div6\times13=12\div6\times13=2\times13=26$
• $4\times(17-13)+6=4\times4+6=16+6=22$
➜ $20<22<26$

02 • 지우: $48\div6+10-1=8+10-1=17$
• 서준: $14+5\times8\div(13-3)=14+40\div10=18$
• 민영: $5+(17-3)\div7\times2=5+14\div7\times2=9$
➡ $18>17>9$

03 ㉠ $18+5\times7-21=18+35-21=32$
㉡ $(42+18)\div6\times4-10=60\div6\times4-10$
$=10\times4-10=30$
㉢ $80\div5-4+10=16-4+10=22$
㉣ $56\div7+(21-18)\times4=56\div7+3\times4$
$=8+12=20$
➡ ㉠>㉡>㉢>㉣

04 $43-27=16$　　$16+13=29$
➡ $43-27+13=29$

05 $18\div3=6$　　$23+8-6=25$
➡ $23+8-18\div3=25$

06 $36\div6-4=2$　　$14\div2\times8-17=39$
➡ $14\div(36\div6-4)\times8-17=39$
중요 두 식을 하나로 나타낼 때 가장 먼저 계산해야 하는 식을 ( ) 안에 나타냅니다.

08

채점 기준	잘못된 이유 쓰기	5점

09 ㉠ $25-(8+12)\div4\times2$
$=25-20\div4\times2$
$=25-5\times2=15$(○)
㉡ $9+(20+8)\div4-3\times4$
$=9+28\div4-3\times4$
$=9+7-12=4$(×)

10 7명이 한 시간에 만들 수 있는 종이학 수: 7×9
종이학 189개를 만드는 데 걸리는 시간:
$189\div(7\times9)=3$(시간)

11 소프트볼을 한 학생 수: 12×2
은정이네 반 학생 중 응원을 한 학생 수: $29-12\times2$
➡ 응원한 학생 수: $29-12\times2+6=11$(명)

12 (승주의 윗몸일으키기 횟수)$=10\times25=250$(번)
(연아의 윗몸일으키기 횟수)$=(10-3)\times30$
$=210$(번)
➡ 승주가 $10\times25-(10-3)\times30=40$(번) 더 많이 했습니다.

13 (이어 붙인 종이의 전체 길이)
=(3등분한 것 중의 한 도막)
+(5등분한 것 중의 한 도막)−(겹친 길이)
$=84\div3+95\div5-7=28+19-7=40$(cm)

14 (지구에서 잰 선생님의 몸무게)÷6
−(지구에서 잰 수지와 선미의 몸무게의 합)÷6
$=84\div6-(37+35)\div6=14-72\div6=2$(kg)

15 (섭씨온도)=((화씨온도)−32)×10÷18
➡ $(68-32)\times10\div18=36\times10\div18=20$(℃)

16 $15+6\times\square-7=26$, $15+6\times\square=26+7=33$,
$6\times\square=33-15=18$, $\square=18\div6=3$

17 $14\times(\square+2)-11=87$,
$14\times(\square+2)=87+11=98$,
$\square+2=98\div14=7$, $\square=7-2=5$

18

채점 기준	❶ 계산 순서를 거꾸로 생각하여 식 계산하기	4점
	❷ ■에 알맞은 수 구하기	1점

19 떡볶이 3인분을 만드는 데 필요한 재료의 값:
(떡 3인분)+(어묵 3인분)+(파 3인분)
$=2200+660\times3+1800\div6\times3$
➡ $10000-(2200+660\times3+1800\div6\times3)$
$=10000-(2200+1980+900)=4920$(원)

20 음료수 1병의 무게: $(1280-920)\div2$
(상자만의 무게)$=920-(1280-920)\div2\times4$
$=920-360\div2\times4$
$=920-180\times4=200$(g)

21

채점 기준	❶ 하나의 식으로 나타내기	3점
	❷ 책 한 권의 값 구하기	2점

22 계산 순서가 달라질 수 있는 곳에 ( )를 넣어 식이 성립하는 것을 찾아봅니다.
➡ $3\times(14-6)\div4=3\times8\div4=24\div4=6$

23 $4\times3-6+8\div2=12-6+8\div2=12-6+4$
$=6+4=10$

24 ① $7+2\times4-6\div3=7+8-2=13$
② $4+7\times3-6\div2=4+21-3=22$

25 약점 포인트　정답률 80%
주어진 식에서 물건들의 값을 찾고, 식에서 각 물건의 수량을 확인하여 문제를 만듭니다.

$4000-(3000\div6\times2+8000\div10)$
$=4000-(1000+800)$
$=4000-1800=2200$(원)

26 (동주가 가지고 있는 젤리의 수)
$=6\times3\div2-5+4=18\div2-5+4=8$(개)

27 약점 포인트 정답률 75%

기호를 약속한 연산에 따라 ㉠에 6, ㉡에 2를 넣어서 계산합니다.

$6★2=(6+2)\div2=8\div2=4$

28

채점 기준		
	❶ 7◈6의 값 구하기	3점
	❷ 4◈(7◈6)의 값 구하기	2점

29 약점 포인트 정답률 70%

계산 결과를 가장 크게 만들려면 90을 나누는 수가 가장 작아야 하고, 계산 결과를 가장 작게 만들려면 90을 나누는 수가 가장 커야 합니다.

- 계산 결과가 가장 클 때는 90을 나누는 수가 가장 작아야 하므로 (2, 3, 5) 또는 (3, 2, 5)로 수 카드를 놓습니다. 두 경우 계산 결과는 같습니다.
➡ $90\div(2\times3)-5=90\div6-5=15-5=10$
- 계산 결과가 가장 작을 때는 90을 나누는 수가 가장 커야 하므로 (5, 3, 2) 또는 (3, 5, 2)로 수 카드를 놓습니다. 두 경우 계산 결과는 같습니다.
➡ $90\div(5\times3)-2=90\div15-2=6-2=4$

30 계산 결과가 가장 크려면 나누는 수를 가장 작게 해야 합니다.
➡ $8\div4\times12=2\times12=24$
또는 $12\div4\times8=3\times8=24$

주의 계산 결과가 자연수가 되어야 하므로 식을 만들 때 나눗셈이 나누어떨어지지 않는 경우가 되지 않도록 주의합니다.

31 약점 포인트 정답률 75%

>의 양쪽의 혼합 계산식을 계산하여 간단하게 나타낸 후 양쪽의 크기를 비교하여 □ 안에 들어갈 수 있는 수를 구합니다.

왼쪽 식을 먼저 계산합니다.
$72\div(2+4)-2=72\div6-2=12-2=10$
오른쪽 식은 $49\div7+□$에서 $7+□$입니다.

$10>7+□$
- □=1일 때, $10>7+1=8$(○)
- □=2일 때, $10>7+2=9$(○)
- □=3일 때, $10=7+3=10$(×)

따라서 □ 안에 들어갈 수 있는 수는 1, 2입니다.

32

채점 기준		
	❶ 오른쪽 혼합 계산식 계산하기	3점
	❷ □ 안에 들어갈 수 있는 가장 큰 자연수 구하기	2점

STEP 3 서술형 해결하기

020~021쪽

01 ❶ 12, 17 ▸2점
❷ $(12+5)\times3-4=47$(살), 47 ▸3점 / 47살

02 예 ❶ 형은 재우보다 5살이 많으므로 형의 나이는 $9+5=14$(살)입니다. ▸2점
❷ 어머니는 형의 나이의 3배보다 2살이 많으므로 $14\times3+2=42+2=44$(살)입니다. ▸2점
❸ 따라서 아버지는 어머니보다 3살이 적으므로 하나의 식으로 나타내면
$(9+5)\times3+2-3=41$(살)입니다. ▸1점 / 41살

03 예 ❶ 승환이는 누나보다 4살이 적으므로 누나의 나이를 먼저 구합니다.
(누나의 나이)=(어머니의 나이)÷3=48÷3=16(살)
(승환이의 나이)=16−4=12(살) ▸2점
❷ 아버지의 나이는 승환이 나이의 4배보다 5살이 많으므로 하나의 식으로 나타내면
$(48\div3-4)\times4+5=53$(살)입니다. ▸2점
❸ (승환이의 나이)+(아버지의 나이)
=12+53=65(살) ▸1점 / 65살

04 ❶ $(□\times3+8)\div2-4=9$ ▸2점
❷ $(□\times3+8)\div2-4=9$,
$(□\times3+8)\div2=9+4=13$,
$□\times3+8=13\times2=26$, $□\times3=26-8=18$,
$□=18\div3=6$, 6 ▸3점 / 6

05 예 ❶ 어떤 수를 □라 하고 잘못 계산한 식을 세우면
$(□\times2-8)\div4+4=7$,
$(□\times2-8)\div4=7-4=3$,
$□\times2-8=3\times4=12$, $□\times2=12+8=20$,
$□=20\div2=10$에서 어떤 수는 10입니다. ▸3점
❷ 바르게 계산하면
$(10-2)\times8+4=8\times8+4=68$ ▸2점 / 68

06 예 ❶ 어떤 수를 □라 하고 잘못 계산한 식을 세우면
$(□-13)\times8\div16=6$,
$(□-13)\times8=6\times16=96$,
$□-13=96\div8=12$,
$□=12+13=25$에서 어떤 수는 25입니다. ▸3점
❷ 바르게 계산하면
$(25-8)\times16\div8=17\times16\div8=34$ ▸2점 / 34

01

채점 기준		
	❶ 오빠의 나이 구하기	2점
	❷ 어머니의 나이 구하기	3점

02

채점 기준	❶ 형의 나이 구하기	2점
	❷ 어머니의 나이 구하기	2점
	❸ 아버지의 나이 구하기	1점

03

채점 기준	❶ 승환이의 나이 구하기	2점
	❷ 아버지의 나이 구하기	2점
	❸ 승환이와 아버지의 나이의 합 구하기	1점

04

채점 기준	❶ 어떤 수를 □라 하고 식 세우기	2점
	❷ 어떤 수 구하기	3점

05

채점 기준	❶ 어떤 수 구하기	3점
	❷ 바르게 계산한 값 구하기	2점

06

채점 기준	❶ 어떤 수 구하기	3점
	❷ 바르게 계산한 값 구하기	2점

단원 마무리

022~024쪽

01 22, 2, 24 **02** ㉠, ㉡, ㉢ **03** <

04 66 **05** (1) ㉢ (2) ㉠

06 $22+(17-48\div12)\times5=87$ **07** 1000원

08 ②, ⑤ **09** ㉢, ㉡, ㉠

10 $7\times8\div4=14$ / 14모둠 **11** 562 kcal

12 21, 3 **13** 10 **14** 2

15 $17-8\times(22-7)\div12=7$

16 $10000-750\times3-4800\div12\times6=5350$ / 5350원

17 39

18 예 ❶ ( )가 있는 식은 ( ) 안을 가장 먼저 계산해야 하는데 곱셈을 먼저 계산했습니다. ▸3점

❷ 31 ▸2점

19 예 ❶ 서우가 넘은 줄넘기 횟수는 7×20, 근수가 넘은 줄넘기 횟수는 $(7-1)\times15$이므로 하나의 식으로 나타내면 $7\times20+(7-1)\times15$입니다. ▸2점

❷ $7\times20+(7-1)\times15=7\times20+6\times15$
$=140+90=230$

서우와 근수는 줄넘기를 모두 230번 했습니다. ▸3점 / 230번

20 예 ❶ 왼쪽 식을 먼저 계산합니다.

$42\div7\times4-8=6\times4-8=24-8=16$ ▸3점

❷ 16>□이므로 □ 안에는 16보다 작은 자연수가 들어갈 수 있습니다. 따라서 □ 안에 들어갈 수 있는 가장 큰 자연수는 15입니다. ▸2점 / 15

01 덧셈, 뺄셈, ( )가 있는 식에서는 ( ) 안을 먼저 계산합니다.

03 • $50-(6+15)\div3=50-21\div3=50-7=43$

• $50-6+15\div3=50-6+5=44+5=49$

➜ $43<49$

04 덧셈, 뺄셈, 곱셈, 나눗셈, ( )가 섞여 있는 식은 ( ) 안을 가장 먼저 계산하고, 곱셈과 나눗셈, 덧셈과 뺄셈의 순서로 계산합니다.

➜ $9\times(2+6)-108\div18=9\times8-108\div18$
$=72-6=66$

05 (1) $(13+8)\times3-135\div5=21\times3-135\div5$
$=63-27=36$

(2) $32-5\times8\div4+9=32-40\div4+9$
$=32-10+9=31$

06 $17-48\div12=13$ $22+13\times5=87$

➜ $22+(17-48\div12)\times5=87$

07 (우진이가 먹은 음식의 가격)−(성우가 먹은 음식의 가격)

=(불고기 버거의 가격)+(감자튀김의 가격) −(치즈 버거의 가격)

$=3500+1500-4000$

$=5000-4000=1000$(원)

08 ① $35-(15+18)=35-33=2$
$35-15+18=20+18=38$

② $27+(19-13)=27+6=33$
$27+19-13=46-13=33$

③ $16-(11-4)=16-7=9$
$16-11-4=5-4=1$

④ $8\times6\div(3\times4)=8\times6\div12=48\div12=4$
$8\times6\div3\times4=48\div3\times4=16\times4=64$

⑤ $18+(5\times7)-21=18+35-21=32$
$18+5\times7-21=18+35-21=32$

09 ㉠ $4\times6-(15+7)=24-22=2$

㉡ $8\times(3+20\div4)-49=8\times(3+5)-49$
$=8\times8-49=15$

㉢ $45\div(9-4)+12=45\div5+12$
$=9+12=21$

➜ $21>15>2$

10 학생이 7명씩 8줄: 7×8

4명이 한 모둠이 되면 모두 $7\times8\div4=14$(모둠)을 만들 수 있습니다.

진도북 1단원

11 (우유 1개)+(토마토 300 g)+(핫도그 2개)
$=120+14\times3+800\div4\times2$
$=120+42+400=562$(kcal)

12 • $60\div(15-5)\times2=60\div10\times2=6\times2=12$
• $3+(28\div7-3)\times6=3+(4-3)\times6=9$
➡ 합: $12+9=21$, 차: $12-9=3$

13 $16●8=16\div(16-8)+8=16\div8+8=10$

14 계산 순서를 거꾸로 생각하여 계산합니다.
$58-□\times9+21=61$,
$58-□\times9=61-21=40$,
$□\times9=58-40=18$,
$□=18\div9=2$

15 계산 순서가 달라질 수 있는 곳에 ( )를 넣어 식이 성립하는 것을 찾아봅니다.
$17-8\times(22-7)\div12=17-8\times15\div12$
$=17-120\div12$
$=17-10=7$

16 공책 값: 750×3
연필 6자루의 값: $4800\div12\times6$
(거스름돈)$=10000-750\times3-4800\div12\times6$
$=10000-2250-400\times6$
$=10000-2250-2400$
$=5350$(원)

17 어떤 수를 □라 하고 잘못 계산한 식을 세우면
$(□+7)\times6\div8-15=9$,
$(□+7)\times6\div8=9+15=24$,
$(□+7)\times6=24\times8=192$,
$□+7=192\div6=32$,
$□=32-7=25$
어떤 수는 25이므로 바르게 계산하면
$(25-7)\times8\div6+15=18\times8\div6+15$
$=24+15$
$=39$

18

채점 기준	❶ 계산에서 잘못된 곳을 찾아 이유 쓰기	3점
	❷ 바르게 계산하기	2점

$(20-6)\times2+3=14\times2+3=28+3=31$

19

채점 기준	❶ 하나의 식으로 나타내기	2점
	❷ 두 사람이 넘은 줄넘기 횟수의 합 구하기	3점

20

채점 기준	❶ 왼쪽 혼합 계산식 계산하기	3점
	❷ □ 안에 들어갈 수 있는 가장 큰 자연수 구하기	2점

2. 약수와 배수

STEP 1 개념 완성하기 028~029쪽

1 (위에서부터) 1, 2, 3, 4, 6, 12 / 1, 2, 3, 4, 6, 12
2 (1) 1, 2, 3, 6, 9, 18 (2) 1, 2, 4, 5, 8, 10, 20, 40
3 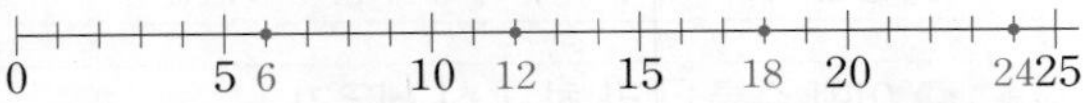

/ 12, 18, 24
4 (1) 7, 14, 21, 28, 35 (2) 13, 26, 39, 52, 65
5 (○)(×) / (×)(○)
6 12, 24, 36, 48에 ○표 / 15, 30, 45에 △표
7 (1) 10 (2) 9 **8** 24, 32, 48, 56 **9** 1, 42

5 $11\div1=11$ $14\div8=1\cdots6$
$21\div4=5\cdots1$ $72\div9=8$
중요 왼쪽 수가 오른쪽 수의 약수이면 오른쪽 수를 왼쪽 수로 나누었을 때 나누어떨어집니다.

9 어떤 수의 약수 중에서 가장 작은 수는 1이고, 가장 큰 수는 어떤 수 자신입니다.

STEP 1 개념 완성하기 030~031쪽

1 (1) 약수 (2) 배수
2 (위에서부터) 30, 15, 10, 6
(1) 3, 5, 6, 10, 15, 30 (2) 3, 5, 6, 10, 15, 30
3 (위에서부터) 8, 4, 2
(1) 1, 2, 4, 8, 16 (2) 1, 2, 4, 8, 16
4 (○)(×) / (○)(×)
5 ㉡, ㉢
6 (1) ㉠, ㉢ (2) ㉠, ㉡
7 4, 12, 72 **8** (1) 예 2 (2) 예 5 **9** ④

7 큰 수를 작은 수로 나누었을 때 나누어떨어지면 두 수는 약수와 배수의 관계입니다.
$96\div36=2\cdots24$(×) $36\div10=3\cdots6$(×)
$36\div4=9$(◯) $36\div12=3$(◯)
$72\div36=2$(◯)

8 (1) $1\times24=24$, $2\times12=24$, $3\times8=24$, $4\times6=24$이므로 2, 3, 4, 6, 8, 12 또는 24의 배수 중 24를 제외한 수를 써넣습니다.
(2) $1\times35=35$, $5\times7=35$이므로 5, 7 또는 35의 배수 중 35를 제외한 수를 써넣습니다.

STEP 2 실력 다지기 032~035쪽

01 ②

02 ❶ 8은 376의 약수입니다. ▸1점
❷ 예 큰 수를 작은 수로 나누었을 때 나누어떨어지면 작은 수는 큰 수의 약수입니다. 376÷8=47로 나누어떨어지므로 8은 376의 약수입니다. ▸4점

03 5가지 **04** 20 **05** 31
06 240 **07** 윤민 **08** 105
09 16번 **10** 7개
11 36, 45, 54, 63

12 예 ❶ 14의 배수는 14, 28, 42, 56, 70, 84, 98, 112…… 입니다. ▸3점
❷ 따라서 14의 배수 중에서 가장 작은 세 자리 수는 112입니다. ▸2점 / 112

13 ②, ⑤ **14** 1, 2, 3, 6, 11, 22, 33, 66

15 예 ❶ 큰 수를 작은 수로 나누었을 때 나누어떨어지면 두 수는 약수와 배수의 관계입니다. ▸2점
❷ ㉠ 16÷2=8(◯), ㉡ 16÷6=2…4(×), ㉢ 16÷8=2(◯), ㉣ 32÷16=2(◯), ㉤ 80÷16=5(◯)이므로 ★에 알맞은 수가 아닌 것은 ㉡입니다. ▸3점 / ㉡

16 ㉠, ㉢ **17** 4 **18** 715
19 20 **20** 8 **21** 연주

22 예 ❶ 16의 배수는 □의 배수이므로 □는 16의 약수입니다. 16의 약수는 1, 2, 4, 8, 16입니다. ▸3점
❷ 1부터 9까지의 수 중에서 □ 안에 들어갈 수 있는 수는 1, 2, 4, 8입니다. ▸2점 / 1, 2, 4, 8

01 ① 100의 약수: 1, 2, 4, 5, 10, 20, 25, 50, 100 ➜ 9개
② 72의 약수: 1, 2, 3, 4, 6, 8, 9, 12, 18, 24, 36, 72 ➜ 12개
③ 56의 약수: 1, 2, 4, 7, 8, 14, 28, 56 ➜ 8개
④ 42의 약수: 1, 2, 3, 6, 7, 14, 21, 42 ➜ 8개
⑤ 24의 약수: 1, 2, 3, 4, 6, 8, 12, 24 ➜ 8개

02

채점 기준		
	❶ 약수인지 아닌지 쓰기	1점
	❷ 이유 쓰기	4점

05 • 10의 약수: 1, 2, 5, 10(4개)
• 25의 약수: 1, 5, 25(3개)
• 27의 약수: 1, 3, 9, 27(4개)
➜ (25의 약수의 합)=1+5+25=31

06 135의 약수: 1, 3, 5, 9, 15, 27, 45, 135
➜ 약수의 합: 240

07 주어진 수를 16으로 나누었을 때 나누어떨어지면 16의 배수입니다.
시아: 112÷16=7(◯)
윤민: 126÷16=7…14(×)
민재: 176÷16=11(◯)
안나: 96÷16=6(◯)

08 (15번째 배수)=7×15=105

09 오전 9시에 첫차가 출발한 후 8분 간격으로 출발하므로 8의 배수가 출발 시각이 됩니다.
출발 시각: 9시, 9시 8분, 9시 16분, 9시 24분, 9시 32분, 9시 40분, 9시 48분, 9시 56분, 10시 4분, 10시 12분, 10시 20분, 10시 28분, 10시 36분, 10시 44분, 10시 52분, 11시 ➜ 16번

10 43보다 작은 6의 배수: 6, 12, 18, 24, 30, 36, 42
다른 풀이 43÷6=7…1이므로 모두 7개입니다.

11 9의 배수 중에서 35보다 크고 70보다 작은 수:
36, 45, 54, 63

12

채점 기준		
	❶ 14의 배수 구하기	3점
	❷ 14의 배수 중 가장 작은 세 자리 수 구하기	2점

13 큰 수를 작은 수로 나누었을 때 나누어떨어지면 두 수는 약수와 배수의 관계입니다.
① 54÷5=10…4 ② 54÷18=3
③ 54÷36=1…18 ④ 72÷54=1…18
⑤ 162÷54=3

14 66이 □의 배수이므로 □는 66의 약수입니다.
□ 안에 들어갈 수 있는 수는 66의 약수입니다.
66의 약수: 1, 2, 3, 6, 11, 22, 33, 66

15

채점 기준		
	❶ 두 수가 약수와 배수의 관계가 되는 조건 알기	2점
	❷ ★에 알맞은 수가 아닌 것 구하기	3점

16 ㉠ 8+4+7+5=24에서 24는 3의 배수이므로 8475는 3의 배수입니다.
㉡ 끝의 두 자리 수인 75가 4의 배수가 아닙니다.
㉢ 일의 자리 숫자가 5이므로 5의 배수입니다.
㉣ 8+4+7+5=24에서 24는 9의 배수가 아닙니다.

17 9의 배수는 각 자리 숫자의 합이 9의 배수이므로 3+0+□+2=5+□는 9의 배수입니다.
➜ 5+□=9, □=4

18 만들 수 있는 세 자리 수:
157, 175, 517, 571, 715, 751
5의 배수는 일의 자리 숫자가 0이거나 5이므로 만들 수 있는 가장 큰 5의 배수는 715입니다.

19 약점 포인트 정답률 80%
① 각 조건에 맞는 수 구하기
② 공통인 수 구하기
③ 조건을 모두 만족하는 수 구하기

10보다 크고 26보다 작은 수: 11, 12, 13, 14, 15, 16, 17, 18, 19, 20, 21, 22, 23, 24, 25
5의 배수: 5, 10, 15, 20, 25……
60의 약수: 1, 2, 3, 4, 5, 6, 10, 12, 15, 20, 30, 60
➜ 공통인 수: 15, 20
➜ 공통인 수 중에서 짝수: 20

20 20의 약수
40의 약수: ①, ②, ④, ⑤, 8, ⑩, ⑳, 40
➜ 40의 약수 중에서 20의 약수가 아닌 수: 8, 40
➜ 한 자리 수: 8

21 약점 포인트 정답률 65%
■가 ●의 약수 ➜ ●의 배수는 모두 ■의 배수

15의 배수인 15, 30, 45, 60……은 모두 5의 배수입니다.

22

채점 기준		
	❶ □는 16의 약수임을 알고 16의 약수 구하기	3점
	❷ □ 안에 들어갈 수 있는 수 구하기	2점

STEP 1 개념 완성하기 036~037쪽

1 1, 2, 4, 8 / 8
2 1, 2, 3, 6, 9, 18 / 1, 2, 3, 5, 6, 10, 15, 30
3 1, 2, 3, 6
4 6
5 6, 6 / 6
6 2) 32 44 / 4
2) 16 22
8 11
7 (1) 15 (2) 12
8 1, 3, 9
9 ④
10 예 방법 1 $36=2\times2\times3\times3$
$48=2\times2\times2\times2\times3$
➜ 36과 48의 최대공약수: $2\times2\times3=12$

방법 2 2) 36 48
2) 18 24
3) 9 12
3 4
➜ 36과 48의 최대공약수: $2\times2\times3=12$

7 (1) 3) 45 75
5) 15 25
3 5
최대공약수: $3\times5=15$

(2) 2) 24 60
2) 12 30
3) 6 15
2 5
최대공약수: $2\times2\times3=12$

9 27의 약수: ①, ③, ⑨, 27
54의 약수: ①, 2, ③, 6, ⑨, 18, 27, 54
➜ 27과 54의 공약수: 1, 3, 9, 27

10 다른 풀이 36의 약수: ①, ②, ③, ④, ⑥, 9, ⑫, 18, 36
48의 약수: ①, ②, ③, ④, ⑥, 8, ⑫, 16, 24, 48
➜ 36과 48의 최대공약수: 12

STEP 1 개념 완성하기 038~039쪽

1 6, 12, 18 / 6
2 4, 8, 12, 16, 20, 24 / 6, 12, 18, 24, 30, 36
3 12, 24
4 12
5 (앞에서부터) 4, 2 / 4, 2 / 84
6 2) 18 24 / 72
3) 9 12
3 4
7 (1) 80 (2) 252
8 8, 16, 24
9 54
10 예 방법 1 $14=2\times7$ $21=3\times7$
➜ 14와 21의 최소공배수: $7\times2\times3=42$

방법 2 7) 14 21
2 3
➜ 14와 21의 최소공배수: $7\times2\times3=42$

7 (1) 4) 16 20
4 5
➜ $4\times4\times5=80$

(2) 9) 36 63
4 7
➜ $9\times4\times7=252$

8 두 수의 공배수는 두 수의 최소공배수의 배수와 같습니다. ➜ 두 수의 공배수: 8, 16, 24

10 다른 풀이 14의 배수: 14, 28, 42, 56……
21의 배수: 21, 42, 63, 84……
➜ 14와 21의 최소공배수: 42

STEP 2 실력 다지기 040~045쪽

01 20
02 ❶ 민지 ▸1점
❷ 예 30과 42의 공약수 중에서 가장 작은 수는 1입니다. ▸4점
03 ㉢ **04** 12 / 1, 2, 3, 4, 6, 12
05 39 **06** 4개 **07** 24, 36, 48
08 48 **09** 3번 **10** 6개
11 210, 420, 630, 840
12 예 ❶ 14와 28의 최소공배수가 28이므로 14와 28의 공배수는 28, 56, 84, 112……입니다. ▸3점
❷ 따라서 두 수의 공배수 중 100보다 작은 수는 28, 56, 84로 모두 3개입니다. ▸2점 / 3개
13 15명 **14** 13자루, 14자루
15 예 ❶

$$\begin{array}{r|rr} 2 & 112 & 126 \\ \hline 7 & 56 & 63 \\ \hline & 8 & 9 \end{array}$$

➜ 112와 126의 최대공약수: $2\times7=14$ ▸3점
❷ 한 변의 길이가 14 cm인 정사각형 모양의 타일로 현관 바닥을 빈틈없이 덮으려면 가로로 $112\div14=8$(장), 세로로 $126\div14=9$(장)을 놓아야 합니다. 따라서 필요한 타일은 모두 $8\times9=72$(장)입니다. ▸2점 / 72장
16 45 **17** 2번
18 7월 21일 **19** 신해년, 돼지띠
20 예 ❶ 띠는 모두 12가지이므로 띠가 서로 같으면 나이의 차는 12의 배수가 됩니다. 미소가 12살이므로 이모의 나이는 12의 배수입니다. ▸2점
❷ $12\times2=24$, $12\times3=36$, $12\times4=48$이므로 33보다 크고 42보다 작은 12의 배수는 36입니다. 따라서 이모의 나이는 36살입니다. ▸3점 / 36살
21 90 **22** 2개 **23** ㉡
24 22그루 **25** 30개, 50개 **26** 3, 9
27 예 ❶ 어떤 수는 $(17-1)$과 $(29-1)$의 공약수입니다. 16과 28의 최대공약수는 4이므로 16과 28의 공약수는 1, 2, 4입니다. ▸3점
❷ 나누는 수는 나머지보다 커야 하므로 1은 될 수 없습니다. 따라서 어떤 수가 될 수 있는 수는 2, 4로 모두 2개입니다. ▸2점 / 2개
28 40
29 예 ❶ 어떤 수를 12로 나누어도 9로 나누어도 나머지가 모두 2이므로 어떤 수는 12와 9의 공배수보다 2 큰 수입니다.

$$\begin{array}{r|rr} 3 & 12 & 9 \\ \hline & 4 & 3 \end{array}$$

➜ 12와 9의 최소공배수: $3\times4\times3=36$
12와 9의 공배수는 36, 72, 108……입니다. ▸3점
❷ 따라서 어떤 수가 될 수 있는 수 중에서 가장 작은 수는 $36+2=38$입니다. ▸2점 / 38
30 20 **31** 18

02

채점 기준		
	❶ 잘못 말한 사람 쓰기	1점
	❷ 이유 쓰기	4점

03 각각의 최대공약수: ㉠ 15 ㉡ 4 ㉢ 18

05 (두 수의 공약수의 합)$=1+2+3+6+9+18=39$

06 66과 어떤 수의 최대공약수가 22이므로 66과 어떤 수의 공약수는 22의 약수와 같습니다. ➜ 1, 2, 11, 22

07 4의 배수이면서 6의 배수인 수는 12의 배수입니다.
20부터 50까지의 수 중에서 12의 배수 ➜ 24, 36, 48

09 정우의 규칙: 검은색－검은색－검은색－흰색
슬이의 규칙: 검은색－검은색－흰색
4와 3의 공배수인 12의 배수일 때 같은 자리에 흰 바둑돌을 놓으므로 12번째, 24번째, 36번째입니다.

10 두 수의 공배수는 두 수의 최소공배수의 배수와 같으므로 16의 배수: 16, 32, 48, 64, 80, 96, 112……
따라서 16의 배수 중 두 자리 수는 모두 6개입니다.

11 가와 나의 최소공배수: $2\times7\times3\times5=210$
➜ 가와 나의 공배수: 210, 420, 630, 840……

12

채점 기준		
	❶ 14와 28의 공배수 구하기	3점
	❷ 두 수의 공배수 중 100보다 작은 수는 모두 몇 개인지 구하기	2점

13

$$\begin{array}{r|rr} 3 & 30 & 45 \\ \hline 5 & 10 & 15 \\ \hline & 2 & 3 \end{array}$$

➜ 30과 45의 최대공약수: $3\times5=15$
사탕 30개와 과자 45개를 15명까지 나누어 줄 수 있습니다.

14

$$\begin{array}{r|rr} 2 & 78 & 84 \\ \hline 3 & 39 & 42 \\ \hline & 13 & 14 \end{array}$$

➜ 78과 84의 최대공약수: $2\times3=6$
최대공약수는 6이므로 6상자에 똑같이 나누어 담을 수 있습니다.
➜ (한 상자에 담을 연필의 수)$=78\div6=13$(자루)
(한 상자에 담을 형광펜의 수)$=84\div6=14$(자루)

진도북 2단원

15

채점 기준	❶ 112와 126의 최대공약수 구하기	3점
	❷ 필요한 타일의 수 구하기	2점

16 손뼉을 치는 15의 배수: 15, 30, 45
제자리 뛰기를 하는 9의 배수: 9, 18, 27, 36, 45
➡ 처음으로 손뼉을 치면서 동시에 제자리 뛰기를 하게 하는 수: 45

17 6과 8의 최소공배수는 24이므로 24분, 48분……으로 출발 후 50분 동안 2번 다시 만납니다.

18 다음에 도서관에서 만나게 되는 날은 4일과 10일의 최소공배수인 20일만큼 지났을 때입니다.
7월 1일에서 20일 후 ➡ 7월 21일

19 2031년은 2019년의 12년 후이므로 십이지가 '해'로 반복됩니다. 따라서 2031년은 신해년이고, 태어나는 사람은 돼지띠입니다.

20

채점 기준	❶ 이모의 나이는 어떤 수의 배수인지 구하기	2점
	❷ 이모의 나이 구하기	3점

21 2) 6 10
　　3 5
➡ 6과 10의 최소공배수: $2 \times 3 \times 5 = 30$
6과 10의 최소공배수는 30이므로 6과 10의 공배수는 30의 배수입니다. 따라서 30의 배수 중에서 100보다 작으면서 100에 가장 가까운 수는 90입니다.

22 12와 30의 최소공배수: 60
12와 30의 공배수: 60, 120, 180, 240, 300……

23 ㉠ 4와 14의 공배수인 28의 배수 중에서 150보다 작으면서 150에 가장 가까운 수: 140
㉡ 12와 16의 공배수인 48의 배수 중에서 150보다 작으면서 150에 가장 가까운 수: 144
㉢ 15와 20의 공배수인 60의 배수 중에서 150보다 작으면서 150에 가장 가까운 수: 120

24 약점 포인트 정답률 75%
나무를 가장 적게 심으려면 나무 사이의 간격이 길어야 하므로 최대공약수를 이용하여 나무 사이의 간격을 먼저 구한 후 필요한 나무 수를 구합니다.

10) 350 200
5) 35 20
　　7 4
➡ 최대공약수: $10 \times 5 = 50$
$350 \div 50 = 7$이므로 가로: $7 \times 2 = 14$(그루)
$200 \div 50 = 4$이므로 세로: $4 \times 2 = 8$(그루)
➡ 필요한 나무: $14 + 8 = 22$(그루)

25 • 쓰레기통을 놓을 곳: $800 \div 25 = 32$(군데)
• 가로등을 세울 곳: $800 \div 16 = 50$(군데)
• 쓰레기통과 가로등이 겹쳐지는 곳:
25와 16의 최소공배수인 400 m마다로 2군데
➡ 쓰레기통: $32 - 2 = 30$(개)
가로등: 50개

26 약점 포인트 정답률 70%
어떤 수는 81과 117을 모두 나누어떨어지게 하는 수이므로 81과 117의 공약수입니다.

81과 117을 각각 어떤 수로 나누었을 때 모두 나누어떨어졌으므로 어떤 수는 81과 117의 공약수입니다.
3) 81 117
3) 27 39
　　9 13
➡ 최대공약수: $3 \times 3 = 9$
➡ 81과 117의 공약수: 1, 3, 9

27

채점 기준	❶ 16과 28의 공약수 구하기	3점
	❷ 어떤 수가 될 수 있는 수는 모두 몇 개인지 구하기	2점

28 약점 포인트 정답률 70%
어떤 수는 8과 10으로 나누어떨어지는 수이므로 8과 10의 공배수 중 하나입니다. 그중에서 가장 작은 수를 찾습니다.

어떤 수는 8로 나누어도 나누어떨어지고, 10으로 나누어도 나누어떨어지므로 8과 10의 공배수입니다.
2) 8 10
　　4 5
➡ 최소공배수: $2 \times 4 \times 5 = 40$
8과 10의 공배수: 40, 80, 120……
어떤 수가 될 수 있는 수 중에서 가장 작은 수는 40입니다.

29

채점 기준	❶ 12와 9의 공배수 구하기	3점
	❷ 어떤 수가 될 수 있는 중 가장 작은 수 구하기	2점

30 약점 포인트 정답률 65%
두 수 ■, ▲를 최대공약수 ★과 나머지 수 □, △의 곱으로 나타내면 다음과 같습니다. (단, □, △는 공약수가 1뿐인 수입니다.)
■ = ★ × □
▲ = ★ × △
➡ 최대공약수: ★
　 최소공배수: ★ × □ × △

$12 = 4 \times 3$, (어떤 수) $= 4 \times \square$
두 수의 최소공배수: $4 \times 3 \times \square = 60$
$60 = 4 \times 3 \times 5$에서 $\square = 5$입니다.
따라서 어떤 수는 $4 \times 5 = 20$입니다.

31 ■와 24를 각각 최대공약수 6과 다른 수의 곱으로 나타내면 ■$=6\times\square$, $24=6\times4$입니다.
■와 24의 최소공배수는 $6\times\square\times4=72$에서 $72=6\times3\times4$, $\square=3$이므로 ■는 $6\times3=18$입니다.

STEP 3 서술형 해결하기 046~049쪽

01 ❶ 약수, 약수, 1, 3, 5, 9, 15, 45 ▸1점
❷ 15, $1+3+5+15=24$ / 약수, 15, 15 ▸4점
/ 15

02 예 ❶ 7의 배수는 7, 14, 21, 28……입니다. ▸1점
❷ (7의 약수의 합)$=1+7=8$
(14의 약수의 합)$=1+2+7+14=24$
(21의 약수의 합)$=1+3+7+21=32$
(28의 약수의 합)$=1+2+4+7+14+28=56$
따라서 어떤 수는 28입니다. ▸4점 / 28

03 예 ❶ 8의 약수의 합은 $1+2+4+8=15$로 60보다 작으므로 어떤 수는 8의 배수입니다.
8의 배수는 8, 16, 24, 32……입니다. ▸1점
❷ (16의 약수의 합)$=1+2+4+8+16=31$
(24의 약수의 합)
$=1+2+3+4+6+8+12+24=60$
따라서 어떤 수는 24입니다. ▸4점 / 24

04 ❶ 최소공배수 / 5, 2, 3 ▸3점
❷ 30, 6, 30 ▸2점 / 오전 6시 30분

05 예 ❶ A 버스는 16분마다, B 버스는 12분마다 출발하므로 동시에 출발하는 시각을 구하려면 16과 12의 최소공배수를 구합니다.
$4\,)\,\underline{16\quad12}$ ➔ 16과 12의 최소공배수:
$\quad\ \ 4\quad\ 3$ $\qquad 4\times4\times3=48$ ▸3점
❷ 두 버스는 48분마다 동시에 출발하므로 다음에 처음으로 동시에 출발하는 시각은 오전 6시 18분입니다. ▸2점 / 오전 6시 18분

06 예 ❶ 가 버스는 8분마다, 나 버스는 12분마다 출발하므로 두 버스는 8과 12의 최소공배수인 24분마다 동시에 출발합니다. ▸3점
❷ 오전 7시 20분에 처음으로 동시에 출발했으므로 세 번째로 동시에 출발하는 시각은 오전 7시 20분 +24분+24분=오전 8시 8분입니다. ▸2점
/ 오전 8시 8분

07 ❶ 최대공약수 / 3, 5, 4 ▸3점
❷ 최대공약수, 3, 3 ▸2점 / 3 cm

08 예 ❶ 남는 부분 없이 크기가 같은 가장 큰 정사각형 모양을 만들어야 하므로 가로와 세로의 최대공약수를 구합니다. 60과 45의 최대공약수는 15이므로 정사각형의 한 변의 길이는 15 cm가 되어야 합니다. ▸3점
❷ 가로는 $60\div15=4$(장), 세로는 $45\div15=3$(장)으로 나눌 수 있으므로 만들 수 있는 가장 큰 정사각형은 모두 $4\times3=12$(장)입니다. ▸2점 / 12장

09 예 ❶ 될 수 있는 대로 작은 정사각형을 만들어야 하므로 가로와 세로의 최소공배수를 구합니다.
$4\,)\,\underline{20\quad12}$ ➔ 20과 12의 최소공배수:
$\quad\ \ 5\quad\ 3$ $\qquad 4\times5\times3=60$
정사각형의 한 변의 길이는 60 cm가 되어야 합니다. ▸3점
❷ 정사각형의 한 변의 길이가 60 cm이므로 직사각형 모양의 카드를 가로로 $60\div20=3$(장), 세로로 $60\div12=5$(장) 놓아야 합니다. 따라서 카드는 모두 $3\times5=15$(장) 필요합니다. ▸2점 / 15장

10 ❶ 6, 36, 5, 54, 공약수, 18 / 1, 2, 3, 6, 9, 18 ▸3점
❷ 9, 18, 9 ▸2점 / 9

11 예 ❶ 어떤 수는 $84-4=80$과 $93-3=90$의 공약수입니다. 80과 90의 최대공약수는 10이므로 공약수는 1, 2, 5, 10입니다. ▸3점
❷ 어떤 수는 나머지보다 커야 하므로 어떤 수가 될 수 있는 수는 5, 10으로 모두 2개입니다. ▸2점 / 2개

12 예 ❶ 어떤 수는 $77-5=72$와 $88-4=84$의 공약수입니다. 72와 84의 최대공약수는 12이므로 공약수는 1, 2, 3, 4, 6, 12입니다. ▸3점
❷ 어떤 수는 나머지보다 커야 하므로 어떤 수가 될 수 있는 수는 6, 12로 모두 2개입니다. ▸2점 / 2개

01

채점 기준		
채점 기준	❶ 45의 약수 구하기	1점
	❷ ▼의 값 구하기	4점

02

채점 기준		
채점 기준	❶ 7의 배수 구하기	1점
	❷ 어떤 수 구하기	4점

03

채점 기준		
채점 기준	❶ 8의 배수 구하기	1점
	❷ 어떤 수 구하기	4점

04

채점 기준		
채점 기준	❶ 두 버스가 몇 분마다 동시에 출발하는지 구하기	3점
	❷ 다음에 처음으로 동시에 출발하는 시각 구하기	2점

05

채점 기준		
채점 기준	❶ 두 버스가 몇 분마다 동시에 출발하는지 구하기	3점
	❷ 다음에 처음으로 동시에 출발하는 시각 구하기	2점

06

채점 기준	❶ 두 버스가 몇 분마다 동시에 출발하는지 구하기	3점
	❷ 세 번째로 동시에 출발하는 시각 구하기	2점

07

채점 기준	❶ 가로와 세로의 최대공약수 구하기	3점
	❷ 정사각형의 한 변의 길이 구하기	2점

08

채점 기준	❶ 정사각형의 한 변의 길이 구하기	3점
	❷ 정사각형의 수 구하기	2점

09

채점 기준	❶ 정사각형의 한 변의 길이 구하기	3점
	❷ 필요한 카드는 모두 몇 장인지 구하기	2점

10

채점 기준	❶ 36과 54의 공약수 구하기	3점
	❷ 어떤 수가 될 수 있는 수 중에서 가장 작은 수 구하기	2점

11

채점 기준	❶ 80과 90의 공약수 구하기	3점
	❷ 조건을 모두 만족하는 수는 몇 개인지 구하기	2점

12

채점 기준	❶ 72와 84의 공약수 구하기	3점
	❷ 어떤 수가 될 수 있는 수는 모두 몇 개인지 구하기	2점

단원 마무리 050~052쪽

01 1, 3, 7, 21 **02** 32, 40, 48, 56, 64에 ○표
03 1, 2, 3, 6 **04** ④
05 예 $4\,\underline{)\,32\quad 28}$ / 224 **06** ①, ③
$\quad\;\; 8\quad\;\; 7$
07 8, 48 **08** $5\times7=35$ 또는 $7\times5=35$
09 12 **10** 480 **11** ㉠, ㉣, ㉡, ㉢
12 4개, 3개 **13** 660 **14** 90일 후
15 3개 **16** 4 cm **17** 4
18 예 9는 3의 배수이므로 9의 배수는 모두 3의 배수입니다. ▸5점
19 ❶ 지우 ▸1점
❷ 예 64와 72의 최대공약수는 8이고, 최소공배수는 576이므로 최소공배수가 최대공약수보다 큽니다. ▸4점
20 예 ❶ 4와 6의 최소공배수는 12이므로 두 사람은 12일마다 수영장에서 만납니다. ▸2점
❷ 4월은 30일까지 있으므로 두 사람은 수영장에서 2일, $2+12=14$(일), $14+12=26$(일)로 3번 만납니다. ▸3점 / 3번

04 큰 수를 작은 수로 나누었을 때 나누어떨어지면 두 수는 약수와 배수의 관계입니다. ➡ ④ $20\div10=2$

07 $8\,\underline{)\,16\quad 24}$ ➡ 최대공약수: 8
$\quad\;\; 2\quad\; 3$ ➡ 최소공배수: $8\times2\times3=48$

10 8과 15의 최소공배수: 120
8과 15의 공배수: 120, 240, 360, 480, 600……
➡ 450에 가장 가까운 수: 480

11 각각의 최소공배수: ㉠ 15 ㉡ 72 ㉢ 75 ㉣ 60

12 $9\,\underline{)\,36\quad 27}$
$\quad\;\; 4\quad\; 3$ ➡ 최대공약수: 9
따라서 접시 9개에 자두는 $36\div9=4$(개)씩, 복숭아는 $27\div9=3$(개)씩 담으면 됩니다.

13 최대공약수가 33이므로 ㉠과 ㉡을 여러 수의 곱으로 나타냈을 때 공통으로 3×11이 있어야 합니다.
㉡$=3\times5\times$□에서 □$=11$입니다.
➡ 최소공배수: $3\times11\times4\times5=660$

14 $2\,\underline{)\,10\quad 18}$
$\quad\;\; 5\quad\; 9$ ➡ 최소공배수: $2\times5\times9=90$
10과 18의 최소공배수는 90이므로 다음에 처음으로 두 기계를 동시에 점검하는 날은 90일 후입니다.

15 $3\,\underline{)\,9\quad 12}$ ➡ 9와 12의 최소공배수:
$\quad\;\; 3\quad\; 4$ $\qquad 3\times3\times4=36$
9와 12의 공배수: 36, 72, 108, 144, 180, 216……
100보다 크고 200보다 작은 수: 108, 144, 180

16 남는 부분 없이 크기가 같은 가장 큰 정사각형 모양을 만들어야 하므로 가로와 세로의 최대공약수를 구합니다.
$4\,\underline{)\,40\quad 52}$
$\quad\; 10\quad 13$ ➡ 최대공약수: 4
40과 52의 최대공약수가 4이므로 정사각형의 한 변의 길이를 4 cm로 해야 합니다.

17 어떤 수는 $25-1=24$와 $35-3=32$의 공약수입니다. 24와 32의 최대공약수는 8이므로 두 수의 공약수는 1, 2, 4, 8입니다. 어떤 수는 나머지보다 커야 하므로 4, 8이고 이 중 가장 작은 수는 4입니다.

18

채점 기준	이유 쓰기	5점

19

채점 기준	❶ 잘못 말한 사람 쓰기	1점
	❷ 이유 쓰기	4점

20

채점 기준	❶ 두 사람이 며칠마다 만나는지 구하기	2점
	❷ 4월 한 달 동안 수영장에서 몇 번 만나는지 구하기	3점

3. 규칙과 대응

STEP 1 개념 완성하기 056~057쪽

1 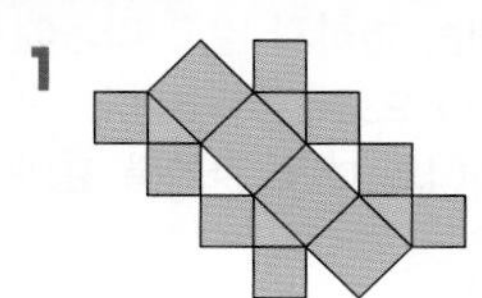

2 (1) 30 (2) 90 (3) 3
3 4, 5, 6
4 27개
5 2
6 14, 42, 70
7 (1) 7 (2) 7
8 변의 수, 사각형의 수, 4

1 삼각형이 1개 늘어날 때마다 사각형은 3개씩 늘어납니다.

3 양옆에 있는 사각판 2개는 변하지 않고 가운데에 있는 삼각판의 수와 사각판의 수만 변하므로 사각판의 수는 삼각판의 수보다 항상 2개가 많습니다.

4 사각판은 삼각판보다 2개가 많으므로 삼각판이 25개이면 사각판은 27개입니다.

STEP 1 개념 완성하기 058~059쪽

1 (위에서부터) 12, 30, 40, 420
2 (1) 바람개비, 6, 날개 (2) 날개, 6, 바람개비
3 ○×6=◇ 또는 ◇÷6=○
4 ○+1=♡ 또는 ♡−1=○
5 □×9=△ 또는 △÷9=□
6 ◇×850=◎ 또는 ◎÷850=◇
7 (1) ㉢ (2) ㉠
8 정연이가 말한 수, △×2=○ 또는 ○÷2=△
9 △×8=⊙ 또는 ⊙÷8=△

5

우유의 수(갑)	1	2	3	4
탄수화물의 양(g)	9	18	27	36

- 탄수화물의 양은 우유의 수의 9배입니다.
- 우유의 수는 탄수화물의 양을 9로 나눈 몫입니다.

6

걸린 시간(시간)	1	2	3	4
비행기의 이동 거리(km)	850	1700	2550	3400

- 비행기의 이동 거리는 걸린 시간의 850배입니다.
- 걸린 시간은 비행기의 이동 거리를 850으로 나눈 몫입니다.

8 (정연이가 말한 수)×2=(단비가 답한 수)
➜ △×2=○

STEP 2 실력 다지기 060~063쪽

01 예 사각형 조각의 수는 삼각형 조각의 수보다 1개 많습니다.
02 예 배열 순서에 6을 더하면 사각형 조각의 수와 같습니다.
03 예 별 조각의 수는 사각형 조각의 수보다 2개 많습니다.
04 49, 48, 47, 46, 45 / 예 사용한 길이와 남은 길이를 더하면 50 cm가 됩니다.
05 예 판매 금액은 팔린 빵의 개수의 1000배입니다.
06 예 ❶ 변의 수는 오각형의 수의 5배입니다. ▸3점
❷ 변의 수를 5로 나누면 오각형의 수와 같습니다. ▸2점
07 ㉡, ㉢
08 (위에서부터) 4, 5
/ 8−□=☆ 또는 8−☆=□ 또는 □+☆=8
09 17, 18, 19 / 예 예서의 나이(△)는 언니의 나이(☆)보다 6살 적습니다.
10 △×2=□ 또는 □÷2=△
11 ▽×12=○ 또는 ○÷12=▽
12 예 ❶ 민지가 하루 동안 책을 읽는 시간은 10+20=30(분)입니다. 책을 읽은 전체 시간은 책을 읽은 날수의 30배입니다. ▸3점
❷ 따라서 ○와 ☆ 사이의 대응 관계를 식으로 나타내면 ○×30=☆ 또는 ☆÷30=○입니다. ▸2점
/ ○×30=☆ 또는 ☆÷30=○
13 지성 14 민현 15 7 16 4, 5 / 8
17 예 ❶ △가 1씩 늘어날 때마다 ○는 12씩 늘어나므로 두 양 사이의 대응 관계를 식으로 나타내면 △×12=○입니다. ▸3점
❷ 따라서 △=8일 때 ○=8×12=96이므로 ㉠은 96입니다. ▸2점 / 96
18 100개 19 96개 20 35개
21 예 ❶ 배열 순서를 △, 구슬의 수를 ○라고 할 때 두 양 사이의 대응 관계를 식으로 나타내면 △×4=○입니다. ▸3점
❷ 따라서 8째에 놓는 구슬은 8×4=32(개)입니다. ▸2점 / 32개

진도북 3단원

02 • 배열 순서는 1, 2, 3……으로 1씩 늘어납니다.
• 사각형 조각의 수는 7, 8, 9……로 1씩 늘어납니다.
➜ 사각형 조각의 수는 배열 순서보다 6 큽니다.

03 • 별 조각의 수는 3, 5, 7……로 2씩 늘어납니다.
• 사각형 조각의 수는 1, 3, 5……로 2씩 늘어납니다.
➜ 별 조각의 수는 사각형 조각의 수보다 2개 많습니다.

06

채점 기준		
	❶ 대응 관계를 한 가지로 쓴 경우	3점
	❷ 대응 관계를 다른 한 가지로 쓴 경우	2점

07 • □는 ○의 8배입니다. ➜ ○×8=□
• ○는 □를 8로 나눈 몫입니다. ➜ □÷8=○

08 • 8에서 □를 뺀 수가 ☆입니다. ➜ 8−□=☆
• 8에서 ☆을 뺀 수가 □입니다. ➜ 8−☆=□
• □와 ☆을 더하면 8입니다. ➜ □+☆=8

09 주어진 식에서 △는 ☆보다 6만큼 작으므로 차가 6인 관계를 나타내는 두 양을 찾아 상황을 만듭니다.

10

색종이의 수(장)	2	4	6	8
이름표의 수(개)	1	2	3	4

➜ △×2=□

11

물이 나온 시간(분)	1	2	3	4
나온 물의 양(L)	12	24	36	48

➜ ▽×12=○

12

채점 기준		
	❶ 책을 읽은 날수와 책을 읽은 전체 시간 사이의 대응 관계 알기	3점
	❷ 대응 관계를 식으로 나타내기	2점

13 지성: 모둠의 수에 5배 한 만큼 학생 수가 있습니다. (○)
정연: 학생 수는 모둠의 수의 5배로 항상 일정합니다. (×)

14 민현: 고무공의 수가 사람 수의 3배이므로 △×3=□에서 △는 사람 수, □는 고무공의 수입니다.

15 ◇와 ○ 사이의 대응 관계를 식으로 나타내면 ◇+13=○입니다.
➜ ○=20, ◇=20−13=7

16 □÷6=☆
➜ □=24, ☆=24÷6=4
➜ □=30, ☆=30÷6=5
➜ □=48, ☆=48÷6=8

17

채점 기준		
	❶ △와 ○ 사이의 대응 관계를 식으로 나타내기	3점
	❷ ㉠의 값 구하기	2점

18 약점 포인트 정답률 75%

사각형 조각의 수에서 윗줄의 2개는 변하지 않고 다음에 있는 사각형 조각의 수가 2, 4, 6……으로 늘어납니다. 배열 순서와 사각형 조각의 수 사이의 대응 관계를 표와 식으로 나타냅니다.

배열 순서에 따른 사각형 조각의 수를 표로 나타내면 다음과 같습니다.

배열 순서	1	2	3	4	……
사각형 조각의 수(개)	2 (2×1)	4 (2×2)	6 (2×3)	8 (2×4)	……

배열 순서와 사각형 조각의 수 사이의 대응 관계를 식으로 나타내면
(사각형 조각의 수)=2×(배열 순서)입니다.
➜ (50째의 사각형 조각의 수)
=2×50=100(개)

19 노란색 사각형의 수는 배열 순서와 같으므로 노란색 사각형의 수를 ☆, 연두색 사각형의 수를 ○라 하고 두 양 사이의 대응 관계를 식으로 나타내면
○=☆×2+6입니다.
➜ (45째에 필요한 연두색 사각형의 수)
=45×2+6
=96(개)

20 약점 포인트 정답률 80%

탑의 층수가 1, 2, 3……으로 1씩 늘어날 때마다 수수깡의 수는 5, 10, 15……로 5씩 늘어납니다. 탑의 층수와 수수깡의 수 사이의 대응 관계를 표와 식으로 나타내어 봅니다.

탑의 층수를 ○, 수수깡의 수를 □라고 할 때 두 양 사이의 대응 관계를 나타냅니다.

탑의 층수(층)	1	2	3	4	……
수수깡의 수(개)	5 (1×5)	10 (2×5)	15 (3×5)	20 (4×5)	……

➜ ○×5=□ 또는 □÷5=○
➜ (7층으로 쌓는 데 필요한 수수깡의 수)
=7×5=35(개)

21

채점 기준		
	❶ 배열 순서와 구슬의 수 사이의 대응 관계를 식으로 나타내기	3점
	❷ 8째에 놓는 구슬의 수 구하기	2점

STEP 3 서술형 해결하기 064~065쪽

01 ❶ 4, 7, 10, 13 / 3, 1 ▸3점
❷ 3, 1, 25 ▸2점 / 25개

02 예 ❶

정삼각형의 수(개)	1	2	3	4	……
성냥개비의 수(개)	3	5	7	9	……

➜ (정삼각형의 수) × 2 + 1 = (성냥개비의 수) ▸3점
❷ 성냥개비 31개로 만들 수 있는 정삼각형의 수를 □개라 하면 □ × 2 + 1 = 31, □ = 15입니다.
따라서 성냥개비 31개로 만들 수 있는 정삼각형은 15개입니다. ▸2점 / 15개

03 예 ❶ 정오각형의 수와 성냥개비의 수 사이의 대응 관계를 표로 나타내면 다음과 같습니다.

정오각형의 수(개)	1	2	3	……
성냥개비의 수(개)	5	9	13	……

➜ (정오각형의 수) × 4 + 1 = (성냥개비의 수) ▸3점
❷ 성냥개비 33개로 만들 수 있는 정오각형의 수를 □개라 하면 □ × 4 + 1 = 33, □ = 8입니다.
따라서 성냥개비 33개로 만들 수 있는 정오각형은 8개입니다. ▸2점 / 8개

04 ❶ 10, 10, 30, 30 ▸2점
❷ 2, 2, 6, 6 ▸2점
❸ 30, 6, 36 ▸1점 / 36

05 예 ❶ ♡와 ☆ 사이의 대응 관계를 식으로 나타내면 ♡ + 4 = ☆이므로 ♡ = 1일 때 1 + 4 = 5에서 ㉠ = 5입니다. ▸2점
❷ ♡와 ◇ 사이의 대응 관계를 식으로 나타내면 ♡ × 15 = ◇이므로 ♡ = 5일 때 5 × 15 = 75에서 ㉡ = 75입니다. ▸2점
❸ 따라서 ㉡ − ㉠ = 75 − 5 = 70입니다. ▸1점 / 70

06 예 ❶ △와 ○ 사이의 대응 관계를 식으로 나타내면 △ × 8 = ○이므로 △ = 2일 때 2 × 8 = 16에서 ㉠ = 16입니다. ○ ÷ 8 = △이므로 ○ = 40일 때 40 ÷ 8 = 5에서 ㉢ = 5입니다. ▸3점
❷ △와 ♡ 사이의 대응 관계를 식으로 나타내면 △ + ♡ = 30이므로 △ = 4일 때 4 + ㉡ = 30, ㉡ = 30 − 4 = 26입니다. ▸1점
❸ 따라서 ㉠ + ㉡ − ㉢ = 16 + 26 − 5 = 37입니다. ▸1점 / 37

번호		채점 기준	점수
01	채점 기준	❶ 정사각형의 수와 성냥개비의 수 사이의 대응 관계를 표와 식으로 나타내기	3점
		❷ 정사각형을 8개 만들 때 필요한 성냥개비의 수 구하기	2점
02	채점 기준	❶ 정삼각형의 수와 성냥개비의 수 사이의 대응 관계를 표와 식으로 나타내기	3점
		❷ 성냥개비 31개로 만들 수 있는 정삼각형의 수 구하기	2점
03	채점 기준	❶ 정오각형의 수와 성냥개비의 수 사이의 대응 관계를 표와 식으로 나타내기	3점
		❷ 성냥개비 33개로 만들 수 있는 정오각형의 수 구하기	2점
04	채점 기준	❶ ㉠에 알맞은 수 구하기	2점
		❷ ㉡에 알맞은 수 구하기	2점
		❸ ㉠+㉡의 값 구하기	1점
05	채점 기준	❶ ㉠에 알맞은 수 구하기	2점
		❷ ㉡에 알맞은 수 구하기	2점
		❸ ㉡−㉠의 값 구하기	1점
06	채점 기준	❶ ㉠, ㉢에 알맞은 수 구하기	3점
		❷ ㉡에 알맞은 수 구하기	1점
		❸ ㉠+㉡−㉢의 값 구하기	1점

단원 마무리 066~068쪽

01 3, 4, 5
02 1
03 14, 21, 28 / 변의 수, 칠각형의 수, 7
04 (위에서부터) 6500, 4000 / 8500, 6000
05 예 진우가 모은 돈, −, 2500, =, 정우가 모은 돈
06 ☆ × 4 = ♡, ♡ ÷ 4 = ☆
07 ②
08 정진
09 12, 16, 21, 28
10 (연도) − 2007 = (미나의 나이) 또는 (미나의 나이) + 2007 = (연도)
11 □ × 21 = ○ 또는 ○ ÷ 21 = □
12 □ × 12 = △ 또는 △ ÷ 12 = □
13 192 km
14 4, 5 / 12
15 180장
16 13개
17 40개
18 예 ❶ □가 11씩 커질 때마다 △는 1씩 커지므로 □와 △ 사이의 대응 관계를 식으로 나타내면 △ × 11 = □ 또는 □ ÷ 11 = △입니다. ▸3점
❷ 따라서 ㉠ = 121 ÷ 11 = 11입니다. ▸2점 / 11

진도북 3단원

19 예 오리의 다리 수(○)는 오리의 수(♡)의 2배입니다. ▸5점

20 예 ❶ ▽는 ◇를 16으로 나눈 몫이므로 ◇÷16=▽입니다. ▸3점
❷ ◇=144일 때 ▽=144÷16=9입니다. ▸2점
/ 9

06 • ♡는 ☆의 4배입니다. ➜ ☆×4=♡
• ☆은 ♡를 4로 나눈 몫입니다. ➜ ♡÷4=☆

07 □=2일 때 ○=6, □=3일 때 ○=9
➜ □×3=○

08 • 15에서 ☆을 뺀 수가 ◇입니다. ➜ 15−☆=◇
• ☆과 ◇를 더하면 15입니다. ➜ ☆+◇=15

11

팔찌의 수(개)	1	2	3	4
구슬의 수(개)	21	42	63	84

➜ □×21=○

13 □×12=△에서 □=16이면 △=16×12=192
휘발유 16 L로 갈 수 있는 거리는 192 km입니다.

14 ◇−11=♡ ➜
- ◇=15, ♡=15−11=4
- ◇=16, ♡=16−11=5
- ◇=23, ♡=23−11=12

15 1초에 그림이 15장 필요하므로 2초에 30장, 3초에 45장, 4초에 60장으로 시간이 1초 늘어나면 필요한 그림도 15장씩 많아집니다. 12초 동안 상영하려면 그림이 12×15=180(장) 필요합니다.

16 (사람 수)÷4=(식탁의 수)이므로 52명이 앉으려면 식탁을 52÷4=13(개) 이어 붙여야 합니다.

17

배열 순서	1	2	3	4
초록색 사각형의 수(개)	8	12	16	20

(초록색 사각형의 수)=(배열 순서)×4+4
➜ (9째에 필요한 초록색 사각형의 수)
=9×4+4=40(개)

18

채점 기준		
	❶ □와 △ 사이의 대응 관계를 식으로 나타내기	3점
	❷ ㉠에 알맞은 수 구하기	2점

19

채점 기준	식에 알맞은 상황 만들기	5점

20

채점 기준		
	❶ ◇와 ▽ 사이의 대응 관계를 식으로 나타내기	3점
	❷ ◇가 144일 때 ▽의 값 구하기	2점

4. 약분과 통분

STEP 1 개념 완성하기 072~073쪽

1 예 $\frac{1}{3}$, $\frac{2}{6}$, $\frac{4}{9}$ (0과 1 사이 막대에 색칠) / $\frac{1}{3}$, $\frac{2}{6}$

2 $\frac{1}{4}$, $\frac{3}{8}$, $\frac{3}{12}$ (0과 1 사이 수직선에 표시) / $\frac{1}{4}$, $\frac{3}{12}$

3 포도 주스, 우유

4 2, 2 / 3, 3

5 (왼쪽부터) 2, 2 / 3, 3 / 6, 6

6 (1) 4, 27, 36 (2) 10, 6, 1

7 (1) $\frac{3}{18}$, $\frac{4}{24}$에 ○표 (2) $\frac{6}{14}$, $\frac{9}{21}$에 ○표

8 $\frac{4}{8}$, $\frac{8}{16}$

9 $\frac{4}{10}$, $\frac{6}{15}$, $\frac{8}{20}$

8 $\frac{16}{32}=\frac{16\div4}{32\div4}=\frac{4}{8}$, $\frac{16}{32}=\frac{16\div2}{32\div2}=\frac{8}{16}$

STEP 1 개념 완성하기 074~075쪽

1 (왼쪽부터) (1) 12, 5 (2) 9, 6, 5

2 (1) 3, 3 / $\frac{3}{5}$ (2) 24, 24 / $\frac{2}{3}$

3 2, 4

4 ⑤

5 (1) $\frac{12}{15}$, $\frac{8}{10}$, $\frac{4}{5}$ (2) $\frac{16}{28}$, $\frac{8}{14}$, $\frac{4}{7}$

6 (1) $\frac{7}{9}$ (2) $\frac{5}{6}$

7 (1) ㉡ (2) ㉠ (3) ㉢

8 ㉠, ㉣

9 7

6 (1) $\frac{56\div8}{72\div8}=\frac{7}{9}$ (2) $\frac{75\div15}{90\div15}=\frac{5}{6}$

7 (1) $\frac{10}{25}=\frac{10\div5}{25\div5}=\frac{2}{5}$ (2) $\frac{49}{63}=\frac{49\div7}{63\div7}=\frac{7}{9}$
(3) $\frac{24}{40}=\frac{24\div4}{40\div4}=\frac{6}{10}$

9 $\frac{21}{35}=\frac{21\div7}{35\div7}=\frac{3}{5}$

STEP 2 실력 다지기 076~079쪽

01 $\frac{4}{6}$ / 예 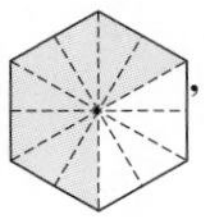, $\frac{8}{12}$ **02** (○)(×)(○)

03 ㉣ **04** $\frac{21}{36}$ **05** $\frac{12}{32}$

06 ❶ 승호, 수빈 ▸2점

❷ 예 분모와 분자를 각각 0이 아닌 같은 수로 나누어서 크기가 같은 분수를 구했습니다. ▸3점

07 $\frac{9}{63}$, $\frac{27}{45}$ **08** 8 **09** $\frac{50}{60}$

10 ②

11 ❶ 승우 ▸1점

❷ 예 $\frac{28}{70}$을 분모와 분자의 최대공약수 14로 나누어 기약분수로 나타내면 $\frac{2}{5}$입니다. ▸4점

12 5 **13** 20 **14** $\frac{12}{16}$

15 4개 **16** 1, 5 **17** 5개

18 예 ❶ 분모가 8인 진분수는 $\frac{1}{8}$, $\frac{2}{8}$, $\frac{3}{8}$, $\frac{4}{8}$, $\frac{5}{8}$, $\frac{6}{8}$, $\frac{7}{8}$입니다. ▸2점

❷ 이 중에서 분모와 분자의 공약수가 1뿐인 분수는 $\frac{1}{8}$, $\frac{3}{8}$, $\frac{5}{8}$, $\frac{7}{8}$로 모두 4개입니다. ▸3점 / 4개

19 $\frac{99}{231}$

20 예 ❶ $15\times6=90$, $15\times7=105$이므로 분모가 될 수 있는 가장 큰 두 자리 수는 90입니다. ▸3점

❷ 따라서 $\frac{4}{15}=\frac{4\times6}{15\times6}=\frac{24}{90}$입니다. ▸2점 / $\frac{24}{90}$

21 $\frac{15}{43}$ **22** $\frac{23}{28}$

02 $\frac{8}{12}=\frac{8\div2}{12\div2}=\frac{4}{6}$ $\frac{7}{21}=\frac{7\div7}{21\div7}=\frac{1}{3}$

$\frac{5}{9}=\frac{5\times7}{9\times7}=\frac{35}{63}$

03 ㉣ $\frac{5}{6}=\frac{5\times3}{6\times3}=\frac{15}{18}$

04 $\frac{7}{12}=\frac{7\times3}{12\times3}=\frac{21}{36}$

05 $\frac{3}{8}=\frac{3\times4}{8\times4}=\frac{12}{32}$

06

채점 기준		
	❶ 같은 방법으로 구한 사람 쓰기	2점
	❷ 만든 방법 설명하기	3점

07 공약수 3, 9, 27로 분자와 분모를 나눕니다.

$\frac{54}{81}=\frac{54\div3}{81\div3}=\frac{18}{27}$, $\frac{54}{81}=\frac{54\div9}{81\div9}=\frac{6}{9}$,

$\frac{54}{81}=\frac{54\div27}{81\div27}=\frac{2}{3}$

08 $24\div4=6$이므로 ◆$=32\div4=8$입니다.

09 분모가 60인 분수의 분자를 □라 하면

$\frac{□}{60}=\frac{□\div10}{60\div10}=\frac{5}{6}$입니다.

➡ $□\div10=5$, $□=50$이므로 $\frac{50}{60}$입니다.

다른 풀이 약분하기 전의 분수를 $\frac{5\times□}{6\times□}$라 하면

$6\times□=60$, $□=10$ ➡ $\frac{5\times10}{6\times10}=\frac{50}{60}$

10 ① $\frac{25}{40}=\frac{25\div5}{40\div5}=\frac{5}{8}$ ② $\frac{64}{72}=\frac{64\div8}{72\div8}=\frac{8}{9}$

③ $\frac{12}{15}=\frac{12\div3}{15\div3}=\frac{4}{5}$ ④ $\frac{24}{48}=\frac{24\div24}{48\div24}=\frac{1}{2}$

⑤ $\frac{27}{54}=\frac{27\div27}{54\div27}=\frac{1}{2}$

11 소영: 약분한 분수의 크기는 모두 같습니다.

현철: 약분하여 만들 수 있는 분수는 $\frac{14}{35}$, $\frac{4}{10}$, $\frac{2}{5}$로 모두 3개입니다.

채점 기준		
	❶ 옳게 말한 사람 쓰기	1점
	❷ 이유 쓰기	4점

12 $\frac{52}{78}=\frac{52\div26}{78\div26}=\frac{2}{3}$ ➡ (분모)+(분자)=5

13 분모를 □라 하면 $\frac{24}{80}=\frac{6}{□}$에서 $24\div4=6$이므로

$\frac{24\div4}{80\div4}=\frac{6}{20}$ ➡ $□=20$

14 $\frac{3}{4}$과 크기가 같은 분수인 $\frac{6}{8}$, $\frac{9}{12}$, $\frac{12}{16}$...... 중에서 분모와 분자의 합이 28인 분수는 $\frac{12}{16}$입니다.

15 $\frac{3}{8}$과 크기가 같은 분수는 $\frac{6}{16}$, $\frac{9}{24}$, $\frac{12}{32}$, $\frac{15}{40}$, $\frac{18}{48}$, $\frac{21}{56}$, $\frac{24}{64}$, $\frac{27}{72}$, $\frac{30}{80}$......입니다. 이 중에서 분모가 40보다 크고 80보다 작은 분수는 모두 4개입니다.

진도북 4 단원

16 $\frac{\square}{6}$가 진분수가 되기 위해서는 □ 안에 1부터 5까지의 수가 들어갈 수 있습니다.
1부터 5까지의 수 중 6과 공약수가 1뿐인 수는 1, 5입니다.

17 $\frac{1}{20}$부터 $\frac{12}{20}$까지 분모가 20인 분수 중에서 분모와 분자의 공약수가 1뿐인 분수는 $\frac{1}{20}$, $\frac{3}{20}$, $\frac{7}{20}$, $\frac{9}{20}$, $\frac{11}{20}$로 모두 5개입니다.

18

채점 기준		
	❶ 분모가 8인 진분수 구하기	2점
	❷ 분모가 8인 진분수 중에서 기약분수 구하기	3점

19 약점 포인트 정답률 75%

거꾸로 생각하여 분모와 분자에 각각 0이 아닌 같은 수를 곱합니다. 분자가 100에 가장 가까운 분수를 구해야 하므로 분자를 기준으로 생각합니다.

약분하기 전의 분수를 $\frac{3\times\square}{7\times\square}$라 하면
□=33일 때, $\frac{3\times33}{7\times33}=\frac{99}{231}$
□=34일 때, $\frac{3\times34}{7\times34}=\frac{102}{238}$
따라서 분자가 100에 가장 가까운 분수는 $\frac{99}{231}$입니다.

20

채점 기준		
	❶ 분모가 될 수 있는 가장 큰 두 자리 수 구하기	3점
	❷ 문제의 조건에 알맞은 분수 구하기	2점

21 약점 포인트 정답률 80%

① 기약분수로 나타내기 전의 분수를 구합니다.
② 분모에 2를 더하기 전의 분수를 구합니다.

분자를 □라 하면 $\frac{\square}{43+2}=\frac{\square}{45}=\frac{1}{3}$입니다.
45÷15=3이므로 분모와 분자를 각각 15로 나누어 기약분수로 나타냈습니다.
기약분수로 나타내기 전의 분수: $\frac{1\times15}{3\times15}=\frac{15}{45}$
➡ 분모에 2를 더하기 전의 처음 분수: $\frac{15}{45-2}=\frac{15}{43}$

22 4로 약분하기 전의 분수: $\frac{5\times4}{7\times4}=\frac{20}{28}$
➡ 분자에서 3을 빼기 전의 처음 분수: $\frac{20+3}{28}=\frac{23}{28}$

STEP 1 개념 완성하기 080~081쪽

1 9, $\frac{2}{12}$ / $\frac{18}{24}$, $\frac{4}{24}$ / 24
2 (1) $\frac{28}{70}$, $\frac{15}{70}$ (2) $\frac{15}{40}$, $\frac{32}{40}$
3 (1) $\frac{15}{18}$, $\frac{14}{18}$ (2) $\frac{25}{40}$, $\frac{12}{40}$ **4** ②, ④
5 (1) 32, 70 (2) 99, 102 **6** 60, 120, 180
7 예 $1\frac{55}{90}$, $2\frac{48}{90}$ / $1\frac{165}{270}$, $2\frac{144}{270}$
8 ㉡ **9** $\frac{21}{24}$, $\frac{20}{24}$

6 분모 10과 12의 공배수인 60, 120, 180……이 공통분모가 될 수 있습니다.

7 $\left(1\frac{11}{18}, 2\frac{8}{15}\right) \rightarrow \left(1\frac{11\times5}{18\times5}, 2\frac{8\times6}{15\times6}\right) \rightarrow \left(1\frac{55}{90}, 2\frac{48}{90}\right)$
$\left(1\frac{11}{18}, 2\frac{8}{15}\right) \rightarrow \left(1\frac{11\times15}{18\times15}, 2\frac{8\times18}{15\times18}\right) \rightarrow \left(1\frac{165}{270}, 2\frac{144}{270}\right)$

8 ㉡ $\left(\frac{3}{4}, \frac{5}{14}\right) \rightarrow \left(\frac{3\times7}{4\times7}, \frac{5\times2}{14\times2}\right) \rightarrow \left(\frac{21}{28}, \frac{10}{28}\right)$
㉢ $\left(\frac{3}{4}, \frac{5}{14}\right) \rightarrow \left(\frac{3\times14}{4\times14}, \frac{5\times4}{14\times4}\right) \rightarrow \left(\frac{42}{56}, \frac{20}{56}\right)$
㉣ $\left(\frac{3}{4}, \frac{5}{14}\right) \rightarrow \left(\frac{3\times21}{4\times21}, \frac{5\times6}{14\times6}\right) \rightarrow \left(\frac{63}{84}, \frac{30}{84}\right)$

9 $\left(\frac{7}{8}, \frac{5}{6}\right) \rightarrow \left(\frac{7\times3}{8\times3}, \frac{5\times4}{6\times4}\right) \rightarrow \left(\frac{21}{24}, \frac{20}{24}\right)$

STEP 1 개념 완성하기 082~083쪽

1 (1) 21, 25, < (2) 10, 9, >
2 4, 3, > / $\frac{16}{50}$, < / $\frac{10}{25}$, > / $\frac{2}{5}$, $\frac{8}{25}$, $\frac{3}{10}$
3 2, 2, 8, 0.8 **4** (1) 6, $\frac{3}{5}$ (2) 2, 75, $2\frac{3}{4}$
5 (1) > (2) <
6 (1) 8, <, 9 / < (2) 0.8, <, 0.9 / <
7 (1) <, >, > (2) $\frac{7}{12}$, $\frac{3}{5}$, $\frac{5}{8}$
8 (1) < (2) > (3) > (4) < **9** 오늘

4 (2) $2.75=2\frac{75}{100}=2+\frac{75\div25}{100\div25}=2+\frac{3}{4}=2\frac{3}{4}$

5 (1) $\frac{4}{9}=\frac{16}{36}$, $\frac{5}{12}=\frac{15}{36}$ ➜ $\frac{4}{9}>\frac{5}{12}$

(2) $2\frac{5}{6}=2\frac{20}{24}$, $2\frac{7}{8}=2\frac{21}{24}$ ➜ $2\frac{5}{6}<2\frac{7}{8}$

7 $\frac{3}{5}\left(=\frac{24}{40}\right)<\frac{5}{8}\left(=\frac{25}{40}\right)$

$\frac{5}{8}\left(=\frac{15}{24}\right)>\frac{7}{12}\left(=\frac{14}{24}\right)$ ➜ $\frac{7}{12}<\frac{3}{5}<\frac{5}{8}$

$\frac{3}{5}\left(=\frac{36}{60}\right)>\frac{7}{12}\left(=\frac{35}{60}\right)$

8 (1) $\frac{1}{5}=\frac{2}{10}=0.2$ ➜ $0.2<0.5$

(2) $0.87=\frac{87}{100}$ ➜ $\frac{87}{100}>\frac{81}{100}$

(3) $\frac{3}{4}=\frac{75}{100}=0.75$ ➜ $0.75>0.42$

(4) $0.65=\frac{65}{100}=\frac{13}{20}$ ➜ $\frac{13}{20}<\frac{17}{20}$

9 $\left(\frac{2}{3}, \frac{5}{6}\right)$ ➜ $\left(\frac{4}{6}, \frac{5}{6}\right)$ ➜ $\frac{2}{3}<\frac{5}{6}$

STEP 2 실력 다지기 084~089쪽

01 (1) ㉢ (2) ㉠ (3) ㉡ **02** ㉡

03 ㉢ **04** 80, 160

05 60, 120, 180, 240

06 예 ❶ 가장 작은 수를 공통분모로 하여 통분하려면 분모 14와 21의 최소공배수인 42로 통분해야 합니다. ▸2점

❷ $2\frac{3}{14}=2\frac{3\times3}{14\times3}=2\frac{9}{42}$, $1\frac{8}{21}=1\frac{8\times2}{21\times2}=1\frac{16}{42}$ 이므로 통분하면 $2\frac{9}{42}$, $1\frac{16}{42}$입니다. ▸3점

/ $2\frac{9}{42}$, $1\frac{16}{42}$

07 (위에서부터) $\frac{13}{15}$, $\frac{13}{15}$, $\frac{7}{9}$ **08** 성일

09 예 ❶ $\frac{17}{20}$과 $\frac{5}{6}$를 통분하여 크기를 비교합니다.

$\left(\frac{17}{20}, \frac{5}{6}\right)$ ➜ $\left(\frac{51}{60}, \frac{50}{60}\right)$ ▸3점

❷ $\frac{17}{20}>\frac{5}{6}$이므로 파란색 끈이 더 깁니다. ▸2점

/ 파란색 끈

10 $\frac{4}{5}$에 ○표, $\frac{7}{12}$에 △표

11 $2\frac{7}{8}$, $2\frac{4}{5}$, $2\frac{1}{4}$ **12** 예린이네 집

13 ㉣ **14** $1\frac{3}{5}$, 1.2, $\frac{1}{2}$, 0.4

15 예 ❶ $1\frac{27}{50}$을 소수로 나타내면

$1\frac{27}{50}=1\frac{54}{100}=1.54$입니다. ▸3점

❷ $1.54<1.8$이므로 $1\frac{27}{50}<1.8$에서 현미를 더 많이 사용했습니다. ▸2점 / 현미

16 $\frac{4}{9}$, $\frac{2}{3}$ **17** $\frac{5}{12}$, $\frac{2}{3}$ **18** $\frac{7}{9}$, $\frac{4}{15}$ / 45 **19** <

20 예 ❶ 분자를 7이 되게 만들면

식초는 $2\frac{14}{22}=2\frac{14\div2}{22\div2}=2\frac{7}{11}$입니다. ▸2점

❷ 분자가 같은 분수는 분모가 클수록 더 작으므로

$2\frac{7}{12}<2\frac{14}{22}\left(=2\frac{7}{11}\right)$에서 간장이 더 적습니다. ▸3점

/ 간장

21 $\frac{4}{7}$, $\frac{2}{5}$, $\frac{1}{3}$ **22** 강아지, 고양이, 토끼

23 0.8 **24** 우체국을 거쳐 가는 길

25 ㉣ **26** $\frac{17}{36}$ **27** 1, 2

28 예 ❶ 세 분수를 24를 공통분모로 하여 통분하면

$\frac{6}{24}<\frac{\square\times3}{24}<\frac{17}{24}$입니다. ▸3점

❷ $6<\square\times3<17$이므로 □ 안에 들어갈 수 있는 자연수는 3, 4, 5입니다. ▸2점 / 3, 4, 5

29 $\frac{2}{5}$, $\frac{3}{5}$

30 예 ❶ $\frac{5}{8}<\frac{\square}{24}<\frac{5}{6}$이므로 공통분모를 24로 하여 통분하면 $\frac{15}{24}<\frac{\square}{24}<\frac{20}{24}$입니다. ▸3점

❷ $\frac{16}{24}$, $\frac{17}{24}$, $\frac{18}{24}$, $\frac{19}{24}$ 중에서 기약분수는 $\frac{17}{24}$, $\frac{19}{24}$입니다. ▸2점 / $\frac{17}{24}$, $\frac{19}{24}$

31 3.6, 3.7, 3.8 **32** 2개

04 공통분모가 될 수 있는 수는 16과 20의 공배수입니다.

06

채점 기준		
	❶ 가장 작은 공통분모 구하기	2점
	❷ 가장 작은 공통분모로 통분하기	3점

진도북 4단원

07 $\left(\frac{4}{5}, \frac{13}{15}\right) \to \left(\frac{12}{15}, \frac{13}{15}\right) \to \frac{4}{5}<\frac{13}{15}$

$\left(\frac{7}{9}, \frac{5}{12}\right) \to \left(\frac{28}{36}, \frac{15}{36}\right) \to \frac{7}{9}>\frac{5}{12}$

$\left(\frac{13}{15}, \frac{7}{9}\right) \to \left(\frac{39}{45}, \frac{35}{45}\right) \to \frac{13}{15}>\frac{7}{9}$

09

채점 기준	❶ 두 분수 통분하기	3점
	❷ 더 긴 끈 구하기	2점

10 $\left(\frac{5}{8}, \frac{4}{5}\right) \to \left(\frac{25}{40}, \frac{32}{40}\right) \to \frac{5}{8}<\frac{4}{5}$

$\left(\frac{4}{5}, \frac{7}{12}\right) \to \left(\frac{48}{60}, \frac{35}{60}\right) \to \frac{4}{5}>\frac{7}{12}$

$\left(\frac{5}{8}, \frac{7}{12}\right) \to \left(\frac{15}{24}, \frac{14}{24}\right) \to \frac{5}{8}>\frac{7}{12}$

$\frac{7}{12}<\frac{5}{8}<\frac{4}{5}$

11 $\left(2\frac{1}{4}, 2\frac{7}{8}, 2\frac{4}{5}\right) \to \left(2\frac{10}{40}, 2\frac{35}{40}, 2\frac{32}{40}\right)$

$\to 2\frac{7}{8}>2\frac{4}{5}>2\frac{1}{4}$

12 $2\frac{7}{8}\left(=2\frac{21}{24}\right)<2\frac{11}{12}\left(=2\frac{22}{24}\right)$

$\to 1\frac{3}{4}<2\frac{7}{8}<2\frac{11}{12}$

13 ㉠ $\frac{17}{25}=\frac{17\times4}{25\times4}=\frac{68}{100}=0.68 \to \frac{17}{25}<0.7(\times)$

㉡ $\frac{13}{20}=\frac{13\times5}{20\times5}=\frac{65}{100}=0.65 \to 0.6<\frac{13}{20}(\times)$

㉢ $1\frac{13}{100}=1.13 \to 1\frac{13}{100}>1.12(\times)$

㉣ $2\frac{19}{50}=2\frac{19\times2}{50\times2}=2\frac{38}{100}=2.38$

$\to 2.42>2\frac{19}{50}(○)$

14 $1\frac{3}{5}=1\frac{6}{10}=1.6,\ \frac{1}{2}=\frac{5}{10}=0.5$

$\to 1\frac{3}{5}>1.2>\frac{1}{2}>0.4$

15

채점 기준	❶ 분수를 소수로 나타내기	3점
	❷ 크기를 비교하여 더 많이 사용한 잡곡 구하기	2점

16 통분한 두 분수를 약분하여 기약분수로 나타냅니다.

17 공통분모가 36이므로 □=36입니다.

$\frac{15}{36}=\frac{15\div3}{36\div3}=\frac{5}{12},\ \frac{24}{36}=\frac{24\div12}{36\div12}=\frac{2}{3}$

18 $\frac{35\div5}{45\div5}=\frac{7}{9},\ \frac{12\div3}{45\div3}=\frac{4}{15}$

19 $\frac{3}{45}$의 분자가 6이 되게 만들면 $\frac{3\times2}{45\times2}=\frac{6}{90}$입니다.
분자가 같은 분수는 분모가 작을수록 더 큽니다.

$\to \frac{3}{45}\left(=\frac{6}{90}\right)<\frac{6}{52}$

20

채점 기준	❶ 분자를 같게 만들기	2점
	❷ 간장과 식초 중 더 적은 것 구하기	3점

21 $\left(\frac{1}{3}, \frac{2}{5}\right) \to \left(\frac{2}{6}, \frac{2}{5}\right) \to \frac{1}{3}<\frac{2}{5}$

$\left(\frac{2}{5}, \frac{4}{7}\right) \to \left(\frac{4}{10}, \frac{4}{7}\right) \to \frac{2}{5}<\frac{4}{7}$

$\frac{4}{7}>\frac{2}{5}>\frac{1}{3}$

22 $4\frac{21}{25}=4\frac{84}{100}=4.84,\ 3\frac{1}{5}=3\frac{2}{10}=3.2$

$4.84>4.61>3.2 \to 4\frac{21}{25}>4.61>3\frac{1}{5}$

23 만들 수 있는 진분수: $\frac{2}{3}, \frac{2}{4}, \frac{3}{4}, \frac{2}{5}, \frac{3}{5}, \frac{4}{5}$

$\to \frac{4}{5}=\frac{8}{10}=0.8$

24 우체국을 거쳐 가는 길: $1\frac{9}{20}+\frac{14}{20}=2\frac{3}{20}$(km)

$2\frac{3}{20}<2\frac{1}{4}\left(=2\frac{5}{20}\right)$이므로 우체국을 거쳐 가는 길이 더 가깝습니다.

25 약점 포인트 정답률 80%

$\frac{1}{2}$을 이용하여 크기를 비교하는 방법을 이해합니다.

㉠ $\frac{6}{13}$에서 분자의 2배인 $6\times2=12$는 분모보다 작습니다.

$\to \frac{6}{13}<\frac{1}{2}$

㉣ $\frac{8}{15}$에서 분자의 2배인 $8\times2=16$은 분모보다 큽니다.

$\to \frac{8}{15}>\frac{1}{2}$

㉠ $6\times2=12<13$ ㉡ $3\times2=6<7$

㉢ $5\times2=10<11$ ㉣ $8\times2=16>15$

따라서 $\frac{1}{2}$보다 큰 분수는 ㉣ $\frac{8}{15}$입니다.

26 ① $\frac{1}{2}$보다 작은 분수는 분자를 2배 한 수가 분모보다 작아야 하므로 $\frac{2}{7}, \frac{17}{36}, \frac{9}{25}$입니다.

② $\frac{2}{7}, \frac{17}{36}, \frac{9}{25}$와 $\frac{4}{9}$를 통분하여 크기를 비교합니다.

$\left(\frac{2}{7}, \frac{4}{9}\right) \to \left(\frac{18}{63}, \frac{28}{63}\right) \to \frac{2}{7}<\frac{4}{9}$

$\left(\frac{17}{36}, \frac{4}{9}\right) \Rightarrow \left(\frac{17}{36}, \frac{16}{36}\right) \Rightarrow \frac{17}{36} > \frac{4}{9}$

$\left(\frac{9}{25}, \frac{4}{9}\right) \Rightarrow \left(\frac{81}{225}, \frac{100}{225}\right) \Rightarrow \frac{9}{25} < \frac{4}{9}$

따라서 조건을 모두 만족하는 분수는 $\frac{17}{36}$입니다.

27 약점 포인트 정답률 75%

분모가 다른 분수의 크기 비교는 통분한 후 분자를 비교합니다. 통분은 분수의 분모와 분자에 각각 같은 수를 곱해야 하므로 $\frac{\square}{4} = \frac{\square\times 3}{4\times 3}$이 되어야 합니다.

$\frac{\square}{4} = \frac{\square\times 3}{4\times 3} = \frac{\square\times 3}{12}$, $\frac{2}{3} = \frac{2\times 4}{3\times 4} = \frac{8}{12}$

$\frac{\square\times 3}{12} < \frac{8}{12} \Rightarrow \square\times 3 < 8$

□ 안에 들어갈 수 있는 자연수는 1, 2입니다.

28

채점 기준		
	❶ 세 분수 통분하기	3점
	❷ □ 안에 들어갈 수 있는 자연수 구하기	2점

29 약점 포인트 정답률 70%

두 가지 조건을 만족하는 수를 구합니다. 먼저 수의 범위에 해당하는 분수를 구한 후, 구한 분수 중 기약분수로 나타냈을 때 분모가 5인 분수를 구합니다.

$\frac{1}{3} = \frac{5}{15}$, $\frac{4}{5} = \frac{12}{15}$이므로 $\frac{5}{15}$보다 크고 $\frac{12}{15}$보다 작은 분수 중에서 기약분수로 나타냈을 때 분모가 5인 분수는 $\frac{6}{15} = \frac{2}{5}$, $\frac{9}{15} = \frac{3}{5}$입니다.

30

채점 기준		
	❶ 두 분수 통분하기	3점
	❷ 분모가 24인 기약분수 모두 구하기	2점

31 약점 포인트 정답률 65%

$3\frac{11}{20}$과 $3\frac{7}{8}$을 소수로 고쳐서 수의 범위를 구합니다. 분모가 20인 분수는 분모가 100인 분수로, 분모가 8인 분수는 분모가 1000인 분수로 고쳐서 소수로 나타냅니다.

$3\frac{11}{20} = 3\frac{55}{100} = 3.55$, $3\frac{7}{8} = 3\frac{875}{1000} = 3.875$

$3.55 < \square < 3.875 \Rightarrow \square$: 3.6, 3.7, 3.8

32 $0.25 = \frac{25}{100} = \frac{1}{4}$, $0.625 = \frac{625}{1000} = \frac{5}{8}$

$\Rightarrow \frac{1}{4} < \frac{\square}{8} < \frac{5}{8}$이므로 $\frac{2}{8} < \frac{\square}{8} < \frac{5}{8}$입니다.

따라서 $2 < \square < 5$이므로 □ 안에 들어갈 수 있는 자연수는 3, 4로 모두 2개입니다.

STEP 3 서술형 해결하기

090~093쪽

01 ❶ 0이 아닌 같은 수를 곱해야 ▸2점

❷ $\frac{14}{24}$, $\frac{21}{36}$, $\frac{28}{48}$, 21, 36 ▸3점 / 21, 36

02 예 ❶ $\frac{㉠}{8} = \frac{15}{24}$에서 $\frac{15\div 3}{24\div 3} = \frac{5}{8}$이므로 ㉠에 알맞은 수는 5입니다. ▸3점

❷ $\frac{15}{24} = \frac{75}{㉡}$에서 $\frac{15\times 5}{24\times 5} = \frac{75}{120}$이므로 ㉡에 알맞은 수는 120입니다. ▸2점 / 5, 120

03 예 ❶ $\frac{2}{㉠} = \frac{12}{18}$에서 $\frac{12\div 6}{18\div 6} = \frac{2}{3}$이므로 ㉠에 알맞은 수는 3입니다. ▸3점

❷ $\frac{12}{18} = \frac{㉡}{144}$에서 $\frac{12\times 8}{18\times 8} = \frac{96}{144}$이므로 ㉡에 알맞은 수는 96입니다. ▸2점 / 3, 96

04 ❶ $\frac{4}{10}$, $\frac{6}{15}$, $\frac{8}{20}$, $\frac{10}{25}$, $\frac{12}{30}$, $\frac{14}{35}$ ▸2점

❷ $\frac{12}{30}$, 2 ▸3점 / 2

05 예 ❶ 분모가 $45-36=9$이므로 $45\div 5=9$에서 분모를 5로 나누어야 합니다. ▸3점

❷ 분수의 크기가 변하지 않으려면 분자도 5로 나누어야 합니다. $25\div 5=5$이므로 분자에서는 $25-5=20$을 빼야 합니다. ▸2점 / 20

06 예 ❶ 분모에 16을 더하면 $8+16=24$이므로 $8\times 3=24$에서 분모에 3을 곱해야 합니다. ▸3점

❷ 분수의 크기가 변하지 않으려면 분자에도 3을 곱해야 하므로 분자는 $7\times 3=21$이 됩니다. 분자에는 $21-7=14$를 더해야 합니다. ▸2점 / 14

07 ❶ 예

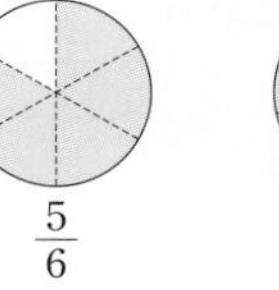
$\frac{5}{6}$

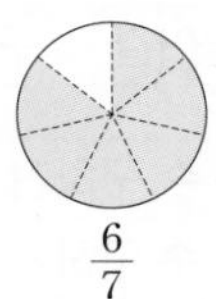
$\frac{6}{7}$

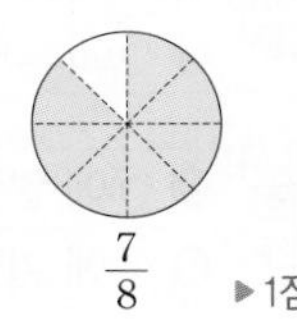
$\frac{7}{8}$ ▸1점

❷ 클수록, $\frac{7}{8}$, $\frac{6}{7}$, $\frac{5}{6}$ ▸4점

08 예 ❶ $\frac{1}{2}$과 크기를 비교할 때 (분자)×2<(분모)이면 $\frac{1}{2}$보다 작고, (분자)×2=(분모)이면 $\frac{1}{2}$과 크기가 같고, (분자)×2>(분모)이면 $\frac{1}{2}$보다 큽니다.

$\frac{1}{2}$보다 큰 분수는 $\frac{10}{14}$, $\frac{1}{2}$과 크기가 같은 분수는 $\frac{12}{24}$, $\frac{1}{2}$보다 작은 분수는 $\frac{20}{48}$, $\frac{12}{30}$입니다. ▸3점

진도북 4단원

❷ $\frac{20}{48}\left(=\frac{100}{240}\right)>\frac{12}{30}\left(=\frac{96}{240}\right)$이므로 큰 분수부터 차례로 쓰면 $\frac{10}{14}$, $\frac{12}{24}$, $\frac{20}{48}$, $\frac{12}{30}$입니다. ▸2점

/ $\frac{10}{14}$, $\frac{12}{24}$, $\frac{20}{48}$, $\frac{12}{30}$

09 예 ❶ 분자가 같은 분수는 분모가 작을수록 더 큽니다. 분자가 같은 분수끼리 크기를 비교하면 $\frac{3}{8}<\frac{3}{4}$, $\frac{7}{12}>\frac{7}{16}$입니다. ▸3점

❷ $\frac{3}{4}\left(=\frac{9}{12}\right)>\frac{7}{12}$이므로 가장 큰 분수는 $\frac{3}{4}$입니다. ▸2점

/ $\frac{3}{4}$

10 ❶ 1, 4, 6, 1, 4, 6 ▸2점

❷ $1.46=1\frac{46}{100}=1\frac{46\div2}{100\div2}=1\frac{23}{50}$ ▸3점 / $1\frac{23}{50}$

11 예 ❶ 수의 크기를 비교하면 $8>5>3>1$이므로 만들 수 있는 가장 큰 대분수는 $8\frac{3}{5}$입니다. ▸2점

❷ 따라서 분수를 소수로 나타내면 $8\frac{3}{5}=8\frac{3\times2}{5\times2}=8\frac{6}{10}=8.6$입니다. ▸3점 / 8.6

12 예 ❶ 수의 크기를 비교하면 $1<2<3<5$이므로 만들 수 있는 가장 작은 대분수는 $1\frac{2}{5}$입니다. ▸2점

❷ 따라서 분수를 소수로 나타내면 $1\frac{2}{5}=1\frac{2\times2}{5\times2}=1\frac{4}{10}=1.4$입니다. ▸3점 / 1.4

01

채점 기준	내용	점수
채점 기준	❶ 크기가 같은 분수 만드는 방법 쓰기	2점
	❷ ㉠과 ㉡에 들어갈 수 구하기	3점

02

채점 기준	내용	점수
채점 기준	❶ ㉠에 알맞은 수 구하기	3점
	❷ ㉡에 알맞은 수 구하기	2점

03

채점 기준	내용	점수
채점 기준	❶ ㉠에 알맞은 수 구하기	3점
	❷ ㉡에 알맞은 수 구하기	2점

04

채점 기준	내용	점수
채점 기준	❶ $\frac{2}{5}$와 크기가 같은 분수 구하기	2점
	❷ 분모와 분자에 각각 더해야 하는 수 구하기	3점

05

채점 기준	내용	점수
채점 기준	❶ $\frac{25}{45}$와 크기가 같은 분수 중에서 분모가 (45−36)인 분수를 만들 때 분모를 나누어야 하는 수 구하기	3점
	❷ 분자에서 빼야 하는 수 구하기	2점

06

채점 기준	내용	점수
채점 기준	❶ $\frac{7}{8}$과 크기가 같은 분수 중에서 분모가 (8+16)인 분수를 만들 때 분모에 곱해야 하는 수 구하기	3점
	❷ 분자에 더해야 하는 수 구하기	2점

07

채점 기준	내용	점수
채점 기준	❶ 분수만큼 색칠하기	1점
	❷ 분수의 크기 비교 방법을 설명하고, 큰 수부터 차례로 쓰기	4점

08

채점 기준	내용	점수
채점 기준	❶ $\frac{1}{2}$과 크기 비교하기	3점
	❷ 큰 수부터 차례로 쓰기	2점

09

채점 기준	내용	점수
채점 기준	❶ 분자가 같은 분수의 크기 비교 방법으로 크기 비교하기	3점
	❷ 가장 큰 수 구하기	2점

10

채점 기준	내용	점수
채점 기준	❶ 만들 수 있는 가장 작은 소수 두 자리 수 구하기	2점
	❷ 소수를 기약분수로 나타내기	3점

11

채점 기준	내용	점수
채점 기준	❶ 만들 수 있는 가장 큰 대분수 구하기	2점
	❷ 대분수를 소수로 나타내기	3점

12

채점 기준	내용	점수
채점 기준	❶ 만들 수 있는 가장 작은 대분수 구하기	2점
	❷ 대분수를 소수로 나타내기	3점

단원 마무리

094~096쪽

01 9, 5 **02** 2, 4, 8, 16에 ○표

03 ①, ④ **04** < **05** ㉣

06 (1) ㉠ (2) ㉢ (3) ㉡

07 (위에서부터) $\frac{9}{10}$, $\frac{2}{3}$, $\frac{9}{10}$

08 $\frac{48}{56}$ **09** 90, 180, 270

10 $\frac{3}{14}$, $\frac{11}{21}$ **11** $\frac{25}{45}$

12 $\frac{4}{15}$, $\frac{5}{9}$, 0.6 **13** 공원을 지나서 가는 길

14 5개 **15** $\frac{37}{86}$ **16** 7개

17 $\frac{32}{56}$, $\frac{19}{38}$, $\frac{8}{18}$, $\frac{10}{24}$

18 ❶ 슬아 ▶1점

❷ 예 0이 아닌 같은 수로 나누어야 합니다. ▶4점

19 예 ❶ 분모가 9인 진분수는 $\frac{1}{9}$, $\frac{2}{9}$, $\frac{3}{9}$, $\frac{4}{9}$, $\frac{5}{9}$, $\frac{6}{9}$, $\frac{7}{9}$, $\frac{8}{9}$입니다. ▶2점

❷ 이 중에서 분모와 분자의 공약수가 1뿐인 분수는 $\frac{1}{9}$, $\frac{2}{9}$, $\frac{4}{9}$, $\frac{5}{9}$, $\frac{7}{9}$, $\frac{8}{9}$로 모두 6개입니다. ▶3점

/ 6개

20 예 ❶ 구하는 분수를 $\frac{\square}{10}$라 하면

$\frac{5}{8}<\frac{\square}{10}$ ➜ $\frac{25}{40}<\frac{\square\times 4}{40}$, $25<\square\times 4$입니다. ▶3점

❷ □ 안에 7, 8, 9……가 들어갈 수 있으므로 가장 작은 분수는 $\frac{7}{10}$입니다. ▶2점 / $\frac{7}{10}$

04 $0.72=\frac{72}{100}=\frac{18}{25}$ ➜ $\frac{18}{25}<\frac{19}{25}$

05 ㉠ $\frac{21}{35}=\frac{21\div 7}{35\div 7}=\frac{3}{5}$ ㉡ $\frac{36}{81}=\frac{36\div 9}{81\div 9}=\frac{4}{9}$

㉢ $\frac{56}{64}=\frac{56\div 8}{64\div 8}=\frac{7}{8}$

06 (1) $\left(\frac{2}{3}, \frac{7}{9}\right)$ ➜ $\left(\frac{2\times 3}{3\times 3}, \frac{7}{9}\right)$ ➜ $\left(\frac{6}{9}, \frac{7}{9}\right)$

(2) $\left(\frac{5}{8}, \frac{9}{14}\right)$ ➜ $\left(\frac{5\times 7}{8\times 7}, \frac{9\times 4}{14\times 4}\right)$ ➜ $\left(\frac{35}{56}, \frac{36}{56}\right)$

(3) $\left(\frac{1}{2}, \frac{1}{7}\right)$ ➜ $\left(\frac{1\times 7}{2\times 7}, \frac{1\times 2}{7\times 2}\right)$ ➜ $\left(\frac{7}{14}, \frac{2}{14}\right)$

07 $\left(\frac{2}{3}, \frac{4}{9}\right)$ ➜ $\left(\frac{6}{9}, \frac{4}{9}\right)$ ➜ $\frac{2}{3}>\frac{4}{9}$

$\left(\frac{5}{6}, \frac{9}{10}\right)$ ➜ $\left(\frac{25}{30}, \frac{27}{30}\right)$ ➜ $\frac{5}{6}<\frac{9}{10}$

$\left(\frac{2}{3}, \frac{9}{10}\right)$ ➜ $\left(\frac{20}{30}, \frac{27}{30}\right)$ ➜ $\frac{2}{3}<\frac{9}{10}$

08 분모가 56인 분수의 분자를 □라 하면

$\frac{\square}{56}=\frac{\square\div 8}{56\div 8}=\frac{6}{7}$입니다.

➜ $\square\div 8=6$, $\square=48$이므로 $\frac{48}{56}$입니다.

09 공통분모가 될 수 있는 수는 분모 15와 18의 공배수인 90, 180, 270, 360……입니다. 이 중에서 50보다 크고 300보다 작은 수는 90, 180, 270입니다.

10 $\frac{9}{42}=\frac{9\div 3}{42\div 3}=\frac{3}{14}$, $\frac{22}{42}=\frac{22\div 2}{42\div 2}=\frac{11}{21}$

11 $\frac{5}{9}$와 크기가 같은 분수인 $\frac{10}{18}$, $\frac{15}{27}$, $\frac{20}{36}$, $\frac{25}{45}$…… 중에서 분모와 분자의 합이 70인 분수는 $\frac{25}{45}$입니다.

12 0.6을 기약분수로 나타내면 $0.6=\frac{6\div 2}{10\div 2}=\frac{3}{5}$입니다.

$\left(\frac{5}{9}, \frac{3}{5}\right)$ ➜ $\left(\frac{25}{45}, \frac{27}{45}\right)$ ➜ $\frac{5}{9}<\frac{3}{5}$

$\left(\frac{3}{5}, \frac{4}{15}\right)$ ➜ $\left(\frac{9}{15}, \frac{4}{15}\right)$ ➜ $\frac{3}{5}>\frac{4}{15}$

$\left(\frac{5}{9}, \frac{4}{15}\right)$ ➜ $\left(\frac{25}{45}, \frac{12}{45}\right)$ ➜ $\frac{5}{9}>\frac{4}{15}$

➜ $\frac{4}{15}<\frac{5}{9}<\frac{3}{5}(=0.6)$

13 $\left(2\frac{6}{35}, 2\frac{3}{14}\right)$ ➜ $\left(2\frac{12}{70}, 2\frac{15}{70}\right)$ ➜ $2\frac{6}{35}<2\frac{3}{14}$

14 $\frac{19}{36}=\frac{38}{72}$, $\frac{11}{18}=\frac{44}{72}$이므로 $\frac{38}{72}$보다 크고 $\frac{44}{72}$보다 작은 분수 중에서 분모가 72인 분수는 $\frac{39}{72}$, $\frac{40}{72}$, $\frac{41}{72}$, $\frac{42}{72}$, $\frac{43}{72}$으로 모두 5개입니다.

15 7로 약분하기 전의 분수: $\frac{5\times 7}{12\times 7}=\frac{35}{84}$

➜ 분모와 분자에서 2를 빼기 전의 처음 분수:

$\frac{35+2}{84+2}=\frac{37}{86}$

16 $\frac{5}{6}=\frac{5\times 3}{6\times 3}=\frac{15}{18}$, $\frac{\square}{9}=\frac{\square\times 2}{9\times 2}=\frac{\square\times 2}{18}$

$\frac{15}{18}>\frac{\square\times 2}{18}$ ➜ $15>\square\times 2$

□ 안에 들어갈 수 있는 자연수: 1, 2, 3, 4, 5, 6, 7

17 $\frac{1}{2}$보다 큰 분수는 $\frac{32}{56}$, $\frac{1}{2}$과 크기가 같은 분수는 $\frac{19}{38}$, $\frac{1}{2}$보다 작은 분수는 $\frac{10}{24}$, $\frac{8}{18}$입니다.

따라서 $\frac{10}{24}\left(=\frac{30}{72}\right)<\frac{8}{18}\left(=\frac{32}{72}\right)$이므로 큰 수부터 차례로 쓰면 $\frac{32}{56}$, $\frac{19}{38}$, $\frac{8}{18}$, $\frac{10}{24}$입니다.

18

채점 기준		
	❶ 잘못 말한 사람 쓰기	1점
	❷ 이유 쓰기	4점

19

채점 기준		
	❶ 분모가 9인 진분수 구하기	2점
	❷ 분모가 9인 진분수 중 기약분수의 개수 구하기	3점

20

채점 기준		
	❶ 통분하여 수의 범위 구하기	3점
	❷ 가장 작은 분수 구하기	2점

5. 분수의 덧셈과 뺄셈

STEP 1 개념 완성하기 100~101쪽

1 3, 4 / 3, 4, 7, $1\frac{1}{6}$ **2** 4, 3, 20, 9, 29, $1\frac{5}{24}$

3 $\frac{1}{8}+\frac{7}{10}=\frac{1\times10}{8\times10}+\frac{7\times8}{10\times8}=\frac{10}{80}+\frac{56}{80}$
$=\frac{66}{80}=\frac{33}{40}$

4 (1) $\frac{19}{28}$ (2) $\frac{17}{18}$ (3) $1\frac{13}{36}$

5 $\frac{17}{20}$ **6** (1) ㉠ (2) ㉡

7 $\frac{9}{10}+\frac{3}{4}=\frac{9\times4}{10\times4}+\frac{3\times10}{4\times10}=\frac{36}{40}+\frac{30}{40}$
$=\frac{66}{40}=1\frac{26}{40}=1\frac{13}{20}$

8 $\frac{9}{10}+\frac{3}{4}=\frac{9\times2}{10\times2}+\frac{3\times5}{4\times5}=\frac{18}{20}+\frac{15}{20}$
$=\frac{33}{20}=1\frac{13}{20}$

9 $\frac{4}{5}$, $1\frac{19}{30}$

4 (1) $\frac{3}{7}+\frac{1}{4}=\frac{12}{28}+\frac{7}{28}=\frac{19}{28}$
(2) $\frac{1}{9}+\frac{5}{6}=\frac{2}{18}+\frac{15}{18}=\frac{17}{18}$
(3) $\frac{11}{12}+\frac{4}{9}=\frac{33}{36}+\frac{16}{36}=\frac{49}{36}=1\frac{13}{36}$

5 $\frac{9}{20}+\frac{2}{5}=\frac{9}{20}+\frac{8}{20}=\frac{17}{20}$

6 (1) $\frac{8}{9}+\frac{2}{3}=\frac{8}{9}+\frac{6}{9}=\frac{14}{9}=1\frac{5}{9}$
(2) $\frac{7}{15}+\frac{7}{10}=\frac{14}{30}+\frac{21}{30}=\frac{35}{30}=1\frac{5}{30}=1\frac{1}{6}$

7 분모의 곱을 공통분모로 하여 통분하면 분모끼리 곱하면 되므로 공통분모를 구하기 쉽습니다.

8 분모의 최소공배수를 공통분모로 하여 통분하면 분자끼리의 덧셈이 쉽고, 계산한 결과를 약분할 필요가 없거나 간단합니다.

9 (빨간색 테이프의 길이)+(노란색 테이프의 길이)
$=\frac{5}{6}+\frac{4}{5}=\frac{5\times5}{6\times5}+\frac{4\times6}{5\times6}=\frac{49}{30}=1\frac{19}{30}$ (m)

STEP 1 개념 완성하기 102~103쪽

1 2, 5, 7, $4\frac{1}{6}$ **2** 9, 5, 27, 25, 52, $3\frac{7}{15}$

3 (1) $3\frac{51}{56}$ (2) $5\frac{53}{60}$ (3) $6\frac{11}{18}$ **4** $5\frac{3}{8}$

5 $1\frac{8}{9}+2\frac{2}{3}=1\frac{8}{9}+2\frac{6}{9}=(1+2)+\left(\frac{8}{9}+\frac{6}{9}\right)$
$=3+\frac{14}{9}=3+1\frac{5}{9}=4\frac{5}{9}$

6 $1\frac{8}{9}+2\frac{2}{3}=\frac{17}{9}+\frac{8}{3}=\frac{17}{9}+\frac{24}{9}=\frac{41}{9}=4\frac{5}{9}$

7 < **8** $3\frac{23}{24}$ **9** $1\frac{3}{10}$, $2\frac{17}{30}$

3 (1) $2\frac{2}{7}+1\frac{5}{8}=2\frac{16}{56}+1\frac{35}{56}=3\frac{51}{56}$
(2) $2\frac{7}{20}+3\frac{8}{15}=2\frac{21}{60}+3\frac{32}{60}=5\frac{53}{60}$
(3) $4\frac{1}{6}+2\frac{4}{9}=4\frac{3}{18}+2\frac{8}{18}=(4+2)+\left(\frac{3}{18}+\frac{8}{18}\right)$
$=6+\frac{11}{18}=6\frac{11}{18}$

4 $3\frac{3}{4}+1\frac{5}{8}=3\frac{6}{8}+1\frac{5}{8}=4\frac{11}{8}=5\frac{3}{8}$

7 $7\frac{4}{7}+\frac{3}{5}=7\frac{20}{35}+\frac{21}{35}=7\frac{41}{35}=8\frac{6}{35}$
→ $8\frac{6}{35}<8\frac{24}{35}$

8 $2\frac{7}{12}+1\frac{3}{8}=2\frac{14}{24}+1\frac{9}{24}=3\frac{23}{24}$

9 (어제 자전거를 탄 시간)+(오늘 자전거를 탄 시간)
$=1\frac{4}{15}+1\frac{3}{10}=1\frac{8}{30}+1\frac{9}{30}=2\frac{17}{30}$ (시간)

STEP 2 실력 다지기 104~107쪽

01 (위에서부터) $4\frac{17}{42}$, $4\frac{6}{35}$, $9\frac{24}{35}$, $7\frac{20}{21}$

02 $6\frac{1}{36}$ m **03** $4\frac{1}{8}$

04 $\frac{7}{10}+\frac{8}{15}=\frac{7\times3}{10\times3}+\frac{8\times2}{15\times2}=\frac{21}{30}+\frac{16}{30}$
$=\frac{37}{30}=1\frac{7}{30}$

05 ❶ 예 분수를 통분할 때 분모와 분자에 같은 수를 곱하지 않았습니다. ▸3점

❷ $\frac{1}{12}+\frac{3}{4}=\frac{1}{12}+\frac{3\times3}{4\times3}=\frac{1}{12}+\frac{9}{12}$

$=\frac{10}{12}=\frac{5}{6}$ ▸2점

06 예 방법 1 $4\frac{3}{4}+2\frac{1}{5}=4\frac{15}{20}+2\frac{4}{20}$

$=(4+2)+\left(\frac{15}{20}+\frac{4}{20}\right)$

$=6+\frac{19}{20}=6\frac{19}{20}$

방법 2 $4\frac{3}{4}+2\frac{1}{5}=\frac{19}{4}+\frac{11}{5}=\frac{95}{20}+\frac{44}{20}$

$=\frac{139}{20}=6\frac{19}{20}$

07 $<$ **08** 정민 **09** ㉢, ㉡, ㉠, ㉣

10 $\frac{41}{63}$ L **11** $34\frac{13}{30}$ kg

12 예 ❶ (집에서 공연장까지의 거리)

$=\frac{3}{8}+\frac{5}{9}=\frac{27}{72}+\frac{40}{72}=\frac{67}{72}$(km) ▸4점

❷ 1 km보다 가까우므로 걸어서 갑니다. ▸1점 / 걷기

13 $1\frac{8}{45}$ **14** 3

15 예 ❶ 어떤 수를 □라 하면 $□-7\frac{7}{12}=1\frac{5}{8}$입니다. ▸2점

❷ $□=1\frac{5}{8}+7\frac{7}{12}=1\frac{15}{24}+7\frac{14}{24}=8\frac{29}{24}=9\frac{5}{24}$

이므로 어떤 수는 $9\frac{5}{24}$입니다. ▸3점 / $9\frac{5}{24}$

16 $1\frac{7}{18}$ **17** ㉠

18 $2\frac{1}{10}$ m **19** $14\frac{7}{12}$

20 예 ❶ 신이가 만들 수 있는 가장 작은 대분수는 $2\frac{5}{7}$이고, 유미가 만들 수 있는 가장 작은 대분수는 $3\frac{4}{9}$입니다. ▸2점

❷ 따라서 두 수의 합은

$2\frac{5}{7}+3\frac{4}{9}=2\frac{45}{63}+3\frac{28}{63}=5\frac{73}{63}=6\frac{10}{63}$ 입니다. ▸3점

/ $6\frac{10}{63}$

21 2, $\frac{1}{2}$ **22** 8, 14

01 • $3\frac{4}{7}+\frac{5}{6}=3\frac{24}{42}+\frac{35}{42}=3\frac{59}{42}=4\frac{17}{42}$

• $3\frac{4}{7}+\frac{3}{5}=3\frac{20}{35}+\frac{21}{35}=3\frac{41}{35}=4\frac{6}{35}$

• $3\frac{4}{7}+6\frac{4}{35}=3\frac{20}{35}+6\frac{4}{35}=9\frac{24}{35}$

• $3\frac{4}{7}+4\frac{8}{21}=3\frac{12}{21}+4\frac{8}{21}=7\frac{20}{21}$

02 (가로)+(세로)

$=3\frac{4}{9}+2\frac{7}{12}=3\frac{16}{36}+2\frac{21}{36}=5\frac{37}{36}=6\frac{1}{36}$ (m)

03 (가장 큰 분수)+(가장 작은 분수)

$=2\frac{3}{4}+1\frac{3}{8}=2\frac{6}{8}+1\frac{3}{8}=3\frac{9}{8}=4\frac{1}{8}$

04 분모 10과 15의 최소공배수인 30을 공통분모로 하여 통분한 후 분모는 그대로 두고 분자끼리 더합니다.

05

채점 기준	❶ 잘못된 이유 쓰기	3점
	❷ 옳게 계산하기	2점

07 • $\frac{11}{6}+\frac{5}{9}=\frac{33}{18}+\frac{10}{18}=\frac{43}{18}=2\frac{7}{18}$

• $\frac{8}{5}+\frac{5}{3}=\frac{24}{15}+\frac{25}{15}=\frac{49}{15}=3\frac{4}{15}$

$2\frac{7}{18}<3\frac{4}{15}$

08 희웅: $3\frac{2}{5}+1\frac{3}{4}=3\frac{8}{20}+1\frac{15}{20}=4\frac{23}{20}=5\frac{3}{20}$

정민: $2\frac{1}{3}+2\frac{1}{4}=2\frac{4}{12}+2\frac{3}{12}=4\frac{7}{12}$

성훈: $1\frac{7}{8}+3\frac{5}{12}=1\frac{21}{24}+3\frac{10}{24}=4\frac{31}{24}=5\frac{7}{24}$

➜ $4\frac{7}{12}<5\frac{3}{20}\left(=5\frac{18}{120}\right)<5\frac{7}{24}\left(=5\frac{35}{120}\right)$

09 ㉠ $2\frac{2}{3}+2\frac{1}{4}=2\frac{8}{12}+2\frac{3}{12}=4\frac{11}{12}$

㉡ $1\frac{3}{4}+3\frac{5}{6}=1\frac{9}{12}+3\frac{10}{12}=4\frac{19}{12}=5\frac{7}{12}$

㉢ $1\frac{1}{2}+4\frac{2}{3}=1\frac{3}{6}+4\frac{4}{6}=5\frac{7}{6}=6\frac{1}{6}$

㉣ $1\frac{3}{5}+2\frac{1}{7}=1\frac{21}{35}+2\frac{5}{35}=3\frac{26}{35}$

➜ $6\frac{1}{6}>5\frac{7}{12}>4\frac{11}{12}>3\frac{26}{35}$

10 (레몬 청의 양)+(물의 양)

$=\frac{2}{9}+\frac{3}{7}=\frac{14}{63}+\frac{27}{63}=\frac{41}{63}$ (L)

11 (혜리의 몸무게)

$=32\frac{3}{10}+2\frac{2}{15}=32\frac{9}{30}+2\frac{4}{30}=34\frac{13}{30}$ (kg)

진도북 5단원

12

채점 기준		
	❶ 집에서 공연장까지의 거리 구하기	4점
	❷ 어느 방법으로 가면 좋을지 구하기	1점

13 $▲=\frac{4}{9}+\frac{11}{15}=\frac{20}{45}+\frac{33}{45}=\frac{53}{45}=1\frac{8}{45}$

14 $\frac{2}{3}+\frac{㉠}{4}=1\frac{5}{12}$, $\frac{8}{12}+\frac{㉠\times3}{12}=1\frac{5}{12}$

$1\frac{5}{12}=\frac{17}{12}$이므로 $8+㉠\times3=17$,

$㉠\times3=17-8=9$, $㉠=9\div3=3$입니다.

15

채점 기준		
	❶ 어떤 수를 □라 하고 식 세우기	2점
	❷ 어떤 수 구하기	3점

16 앞에서부터 두 분수씩 차례로 더합니다.

$\frac{1}{3}+\frac{5}{6}+\frac{2}{9}=\frac{2}{6}+\frac{5}{6}+\frac{2}{9}=\frac{7}{6}+\frac{2}{9}$

$=\frac{21}{18}+\frac{4}{18}=\frac{25}{18}=1\frac{7}{18}$

17 앞에서부터 두 분수씩 차례로 더하거나 한꺼번에 통분하여 계산합니다.

㉠ $\frac{1}{6}+\frac{1}{4}+\frac{5}{12}=\frac{2}{12}+\frac{3}{12}+\frac{5}{12}=\frac{10}{12}=\frac{5}{6}$

㉡ $\frac{2}{15}+\frac{1}{5}+\frac{7}{30}=\frac{4}{30}+\frac{6}{30}+\frac{7}{30}=\frac{17}{30}$

➜ $\frac{5}{6}\left(=\frac{25}{30}\right)>\frac{17}{30}$

18 $\frac{1}{4}+\frac{7}{10}+1\frac{3}{20}=\frac{5}{20}+\frac{14}{20}+\frac{23}{20}=\frac{42}{20}$

$=2\frac{2}{20}=2\frac{1}{10}$ (m)

19 약점 포인트 정답률 70%

구슬에 쓰여 있는 수를 ㉠, ㉡, ㉢이라 하고 ㉠<㉡<㉢일 때

가장 큰 대분수: ㉢$\frac{㉠}{㉡}$ 가장 작은 대분수: ㉠$\frac{㉡}{㉢}$

으로 만들어야 합니다.

가장 큰 대분수: $8\frac{5}{6}$, 가장 작은 대분수: $5\frac{6}{8}$

➜ $8\frac{5}{6}+5\frac{6}{8}=8\frac{20}{24}+5\frac{18}{24}=13+\frac{38}{24}$

$=13+1\frac{14}{24}=14\frac{14}{24}=14\frac{7}{12}$

20

채점 기준		
	❶ 두 사람이 만들 수 있는 가장 작은 대분수 각각 구하기	2점
	❷ 두 수의 합 구하기	3점

21 약점 포인트 정답률 65%

분모의 약수를 이용하지 않고 임의의 수를 □에 넣는 방법으로 구하면 수가 커져 구하기 어려울 수 있습니다. 분모의 약수를 구해 수의 합이 분자가 되는 경우를 찾도록 합니다.

4의 약수 1, 2, 4 중에서 합이 분자인 3이 되는 두 수를 찾으면 1, 2입니다. ➜ $\frac{3}{4}=\frac{1}{4}+\frac{2}{4}=\frac{1}{4}+\frac{1}{2}$

22 56의 약수 1, 2, 4, 7, 8, 14, 28, 56 중에서 합이 분자인 11이 되는 두 수를 찾으면 4, 7입니다.

➜ $\frac{11}{56}=\frac{4}{56}+\frac{7}{56}=\frac{1}{14}+\frac{1}{8}$

가<나이므로 가는 8, 나는 14입니다.

STEP 1 개념 완성하기 108~109쪽

1 12, 10, 2

2 (1) 6, 9, 24, 9, 15, $\frac{5}{18}$

(2) 2, 3, 8, 3, $\frac{5}{18}$

3 $\frac{3}{4}-\frac{3}{10}=\frac{30}{40}-\frac{12}{40}=\frac{18}{40}=\frac{9}{20}$

4 (1) $\frac{8}{21}$ (2) $\frac{4}{15}$ (3) $\frac{32}{39}$

5 $\frac{17}{45}$, $1\frac{17}{24}$

6 (1) ㉡ (2) ㉢

7 $\frac{11}{12}-\frac{5}{8}=\frac{11\times8}{12\times8}-\frac{5\times12}{8\times12}=\frac{88}{96}-\frac{60}{96}$

$=\frac{28}{96}=\frac{7}{24}$

8 $\frac{11}{12}-\frac{5}{8}=\frac{11\times2}{12\times2}-\frac{5\times3}{8\times3}=\frac{22}{24}-\frac{15}{24}=\frac{7}{24}$

9 $\frac{8}{15}$, $\frac{11}{30}$

4 (1) $\frac{5}{7}-\frac{1}{3}=\frac{15}{21}-\frac{7}{21}=\frac{8}{21}$

(2) $\frac{4}{5}-\frac{8}{15}=\frac{12}{15}-\frac{8}{15}=\frac{4}{15}$

(3) $\frac{24}{13}-\frac{40}{39}=\frac{72}{39}-\frac{40}{39}=\frac{32}{39}$

5 • $\frac{7}{9}-\frac{2}{5}=\frac{35}{45}-\frac{18}{45}=\frac{17}{45}$

• $\frac{15}{8}-\frac{1}{6}=\frac{45}{24}-\frac{4}{24}=\frac{41}{24}=1\frac{17}{24}$

6 (1) $\frac{13}{24}-\frac{5}{36}=\frac{39}{72}-\frac{10}{72}=\frac{29}{72}$

(2) $\frac{3}{4}-\frac{9}{14}=\frac{42}{56}-\frac{36}{56}=\frac{6}{56}=\frac{3}{28}$

8 분모의 최소공배수를 공통분모로 하여 통분하면 분자끼리의 뺄셈이 쉽고, 계산한 결과를 약분할 필요가 없거나 간단합니다.

9 $\frac{9}{10}-\frac{8}{15}=\frac{27}{30}-\frac{16}{30}=\frac{11}{30}$ (m)

STEP 1 개념 완성하기 110~111쪽

1 예 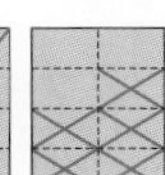 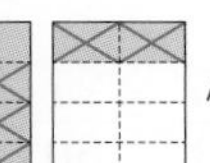 / $\frac{3}{8}$

2 10, 7, 40, 21, 19, $1\frac{7}{12}$

3 (1) $2\frac{5}{14}$ (2) $1\frac{2}{9}$ (3) $1\frac{43}{60}$

4 $2\frac{11}{24}$, $2\frac{19}{30}$

5 $4\frac{1}{4}-2\frac{9}{10}=4\frac{5}{20}-2\frac{18}{20}=3\frac{25}{20}-2\frac{18}{20}$
$=(3-2)+\left(\frac{25}{20}-\frac{18}{20}\right)$
$=1+\frac{7}{20}=1\frac{7}{20}$

6 $4\frac{1}{4}-2\frac{9}{10}=\frac{17}{4}-\frac{29}{10}=\frac{85}{20}-\frac{58}{20}$
$=\frac{27}{20}=1\frac{7}{20}$

7 $2\frac{4}{5}$

8 <

9 민아

3 (1) $2\frac{5}{7}-\frac{5}{14}=2\frac{10}{14}-\frac{5}{14}=2\frac{5}{14}$

(2) $2\frac{2}{3}-1\frac{4}{9}=2\frac{6}{9}-1\frac{4}{9}=1\frac{2}{9}$

(3) $4\frac{3}{10}-2\frac{7}{12}=4\frac{18}{60}-2\frac{35}{60}=3\frac{78}{60}-2\frac{35}{60}$
$=1\frac{43}{60}$

4 • $5\frac{7}{8}-3\frac{5}{12}=5\frac{21}{24}-3\frac{10}{24}=2\frac{11}{24}$

• $4\frac{7}{15}-1\frac{5}{6}=4\frac{14}{30}-1\frac{25}{30}=3\frac{44}{30}-1\frac{25}{30}$
$=2\frac{19}{30}$

7 $4\frac{1}{2}-1\frac{7}{10}=4\frac{5}{10}-1\frac{7}{10}=3\frac{15}{10}-1\frac{7}{10}$
$=2\frac{8}{10}=2\frac{4}{5}$

8 $4\frac{1}{9}-1\frac{5}{12}=4\frac{4}{36}-1\frac{15}{36}=3\frac{40}{36}-1\frac{15}{36}=2\frac{25}{36}$
➔ $2\frac{25}{36}<3\frac{3}{10}$

9 설현: $7\frac{3}{8}-5\frac{1}{10}=7\frac{15}{40}-5\frac{4}{40}=2\frac{11}{40}$ (×)
민아: $9\frac{1}{4}-6\frac{5}{6}=9\frac{3}{12}-6\frac{10}{12}=8\frac{15}{12}-6\frac{10}{12}$
$=2\frac{5}{12}$ (○)

STEP 2 실력 다지기 112~117쪽

01 $3\frac{28}{45}$, $1\frac{11}{36}$

02 $2\frac{19}{20}$

03 $4\frac{5}{8}$, $2\frac{5}{6}$ / $1\frac{19}{24}$

04 $2\frac{3}{8}-1\frac{5}{6}=\frac{19}{8}-\frac{11}{6}=\frac{57}{24}-\frac{44}{24}=\frac{13}{24}$

05 ❶ 예 분수를 통분할 때 분모와 분자에 같은 수를 곱하지 않았습니다. ▸3점

❷ $\frac{7}{9}-\frac{1}{3}=\frac{7}{9}-\frac{3}{9}=\frac{4}{9}$ ▸2점

06 예 방법 1 $4\frac{4}{5}-3\frac{3}{4}=4\frac{16}{20}-3\frac{15}{20}$
$=(4-3)+\left(\frac{16}{20}-\frac{15}{20}\right)$
$=1+\frac{1}{20}=1\frac{1}{20}$

방법 2 $4\frac{4}{5}-3\frac{3}{4}=\frac{24}{5}-\frac{15}{4}=\frac{96}{20}-\frac{75}{20}$
$=\frac{21}{20}=1\frac{1}{20}$

07 >

08 1, 2, 3

09 ㉡

10 $\frac{7}{48}$컵

11 $2\frac{4}{15}$ km

12 예 ❶ $3\frac{7}{16}>1\frac{1}{4}$이므로 성우가 색종이를 더 많이 사용했습니다. ▸1점

❷ $3\frac{7}{16}-1\frac{1}{4}=3\frac{7}{16}-1\frac{4}{16}=2\frac{3}{16}$(장) ▸4점

/ 성우, $2\frac{3}{16}$장

13 $2\frac{5}{12}$

14 $\frac{7}{24}$

15 $\frac{1}{5}$

16 $\frac{13}{30}$

17 예 ❶ ㉠ $\frac{13}{10}+\frac{4}{5}-\frac{1}{2}=\frac{13}{10}+\frac{8}{10}-\frac{5}{10}=\frac{16}{10}$
$=1\frac{6}{10}=1\frac{3}{5}$

㉡ $\frac{5}{8}+\frac{3}{4}-\frac{1}{6}=\frac{15}{24}+\frac{18}{24}-\frac{4}{24}=\frac{29}{24}=1\frac{5}{24}$ ▸3점

❷ $1\frac{3}{5}\left(=1\frac{72}{120}\right)>1\frac{5}{24}\left(=1\frac{25}{120}\right)$이므로 계산 결과가 더 큰 것은 ㉠입니다. ▸2점 / ㉠

18 $\frac{19}{30}$ L **19** 보라색 물감, $\frac{1}{5}$ L

20 예 ❶ (집~우체국~공원)$=1\frac{1}{3}+\frac{5}{6}=2\frac{1}{6}$(km)

(집~서점~공원)$=1\frac{2}{9}+\frac{11}{12}=2\frac{5}{36}$(km) ▸2점

❷ $2\frac{1}{6}\left(=2\frac{6}{36}\right)>2\frac{5}{36}$에서 서점을 거쳐 가는 길이 $2\frac{1}{6}-2\frac{5}{36}=2\frac{6}{36}-2\frac{5}{36}=\frac{1}{36}$(km) 더 가깝습니다. ▸3점 / 서점, $\frac{1}{36}$ km

21 13, 3, $4\frac{1}{12}$ **22** 14, 5, $\frac{9}{10}$

23 $7\frac{10}{63}$

24 예 ❶ 차가 가장 크려면 빼지는 수는 가장 크게, 빼는 수는 가장 작게 만들어야 합니다. 만들 수 있는 가장 큰 대분수는 $8\frac{3}{5}$이고, 가장 작은 대분수는 $1\frac{3}{8}$입니다. ▸3점

❷ $8\frac{3}{5}-1\frac{3}{8}=8\frac{24}{40}-1\frac{15}{40}=7\frac{9}{40}$ ▸2점

/ $7\frac{9}{40}$

25 $4\frac{7}{8}$ m **26** $3\frac{1}{2}$ m **27** 14

28 예 ❶ $6\frac{1}{9}-2\frac{7}{12}=6\frac{4}{36}-2\frac{21}{36}=5\frac{40}{36}-2\frac{21}{36}$
$=3\frac{19}{36}$

$7\frac{9}{20}-1\frac{2}{15}=7\frac{27}{60}-1\frac{8}{60}=6\frac{19}{60}$이므로 $3\frac{19}{36}<\square<6\frac{19}{60}$입니다. ▸4점

❷ 따라서 □ 안에 들어갈 수 있는 자연수는 4, 5, 6입니다. ▸1점 / 4, 5, 6

29 2시간 44분 **30** 오전 11시 39분

01 • $3\frac{8}{9}-\frac{4}{15}=3\frac{40}{45}-\frac{12}{45}=3\frac{28}{45}$

• $3\frac{8}{9}-2\frac{7}{12}=3\frac{32}{36}-2\frac{21}{36}=1\frac{11}{36}$

02 $5\frac{11}{20}-2\frac{3}{5}=5\frac{11}{20}-2\frac{12}{20}=4\frac{31}{20}-2\frac{12}{20}=2\frac{19}{20}$

03 차가 가장 크려면 가장 큰 수에서 가장 작은 수를 빼야 합니다.

가장 큰 수: $4\frac{5}{8}$, 가장 작은 수: $2\frac{5}{6}$

➜ $4\frac{5}{8}-2\frac{5}{6}=4\frac{15}{24}-2\frac{20}{24}=3\frac{39}{24}-2\frac{20}{24}=1\frac{19}{24}$

05

채점 기준		
	❶ 잘못된 이유 쓰기	3점
	❷ 옳게 계산하기	2점

07 • $\frac{14}{15}-\frac{7}{12}=\frac{56}{60}-\frac{35}{60}=\frac{21}{60}=\frac{7}{20}$

• $\frac{9}{20}-\frac{1}{4}=\frac{9}{20}-\frac{5}{20}=\frac{4}{20}$

➜ $\frac{7}{20}>\frac{4}{20}$

08 • $3\frac{1}{8}-1\frac{1}{2}=3\frac{1}{8}-1\frac{4}{8}=2\frac{9}{8}-1\frac{4}{8}=1\frac{5}{8}$

• $3\frac{4}{5}-1\frac{7}{10}=3\frac{8}{10}-1\frac{7}{10}=2\frac{1}{10}$

• $5\frac{1}{2}-2\frac{3}{4}=5\frac{2}{4}-2\frac{3}{4}=4\frac{6}{4}-2\frac{3}{4}=2\frac{3}{4}$

➜ $1\frac{5}{8}<2\frac{1}{10}\left(=2\frac{2}{20}\right)<2\frac{3}{4}\left(=2\frac{15}{20}\right)$

09 ㉠ $5\frac{7}{15}-2\frac{8}{9}=5\frac{21}{45}-2\frac{40}{45}=4\frac{66}{45}-2\frac{40}{45}=2\frac{26}{45}$

㉡ $4\frac{1}{3}-1\frac{4}{5}=4\frac{5}{15}-1\frac{12}{15}=3\frac{20}{15}-1\frac{12}{15}=2\frac{8}{15}$

➜ $2\frac{26}{45}>2\frac{8}{15}\left(=2\frac{24}{45}\right)$

10 (㉯ 비커에 넣은 설탕의 양)

$=$(㉮ 비커에 넣은 설탕의 양)$-\frac{13}{24}$

$=\frac{11}{16}-\frac{13}{24}=\frac{33}{48}-\frac{26}{48}=\frac{7}{48}$(컵)

11 (은진이가 오늘 걸은 거리)

$=3\frac{7}{15}-1\frac{1}{5}=3\frac{7}{15}-1\frac{3}{15}=2\frac{4}{15}$(km)

12

채점 기준		
	❶ 누가 색종이를 더 많이 사용했는지 구하기	1점
	❷ 색종이를 몇 장 더 많이 사용했는지 구하기	4점

13 $\blacksquare=3\frac{5}{6}-1\frac{5}{12}=3\frac{10}{12}-1\frac{5}{12}=2\frac{5}{12}$

14 $\frac{11}{12}-\frac{1}{4}=\frac{11}{12}-\frac{3}{12}=\frac{8}{12}=\frac{2}{3}$

찢어진 부분의 분수를 □라 하면

$\square+\frac{3}{8}=\frac{2}{3}$, $\square=\frac{2}{3}-\frac{3}{8}=\frac{16}{24}-\frac{9}{24}=\frac{7}{24}$입니다.

15 가운데 빈칸에 알맞은 수 구하기

➜ $7\frac{7}{10}-4\frac{5}{6}=7\frac{21}{30}-4\frac{25}{30}=6\frac{51}{30}-4\frac{25}{30}=2\frac{13}{15}$

㉠에 알맞은 수 구하기

➜ $2\frac{13}{15}-2\frac{2}{3}=2\frac{13}{15}-2\frac{10}{15}=\frac{3}{15}=\frac{1}{5}$

16 $\frac{13}{15}-\frac{1}{5}-\frac{7}{30}=\frac{26}{30}-\frac{6}{30}-\frac{7}{30}=\frac{13}{30}$

17

채점 기준		
	❶ ㉠과 ㉡ 각각 계산하기	3점
	❷ 계산 결과가 더 큰 것 구하기	2점

18 (처음에 있던 양)−(팥빙수를 만드는 데 사용한 양)

−(마신 양)

$=2-\frac{5}{6}-\frac{8}{15}=\frac{60}{30}-\frac{25}{30}-\frac{16}{30}=\frac{19}{30}$(L)

19 보라색: $2\frac{1}{4}+\frac{4}{5}=2\frac{5}{20}+\frac{16}{20}=2\frac{21}{20}=3\frac{1}{20}$(L)

하늘색: $1\frac{3}{5}+1\frac{1}{4}=1\frac{12}{20}+1\frac{5}{20}=2\frac{17}{20}$(L)

$3\frac{1}{20}>2\frac{17}{20}$이므로 보라색 물감이 하늘색 물감보다 $3\frac{1}{20}-2\frac{17}{20}=2\frac{21}{20}-2\frac{17}{20}=\frac{4}{20}=\frac{1}{5}$(L) 더 많습니다.

20

채점 기준		
	❶ 우체국과 서점을 거쳐 가는 거리 각각 구하기	2점
	❷ 어느 곳을 거쳐 가는 길이 몇 km 더 가까운지 구하기	3점

21 자연수는 자연수끼리 더하여 3이 되고, 길이가 같은 분수 막대로 바꾸어 $\frac{1}{4}+\frac{5}{6}=\frac{3}{12}+\frac{10}{12}=\frac{13}{12}$으로 계산합니다. $\frac{13}{12}$은 1 막대 1개와 $\frac{1}{12}$ 막대 1개가 되므로 $3+1\frac{1}{12}=4\frac{1}{12}$이 됩니다.

22 $\frac{2}{5}$에서 $\frac{1}{2}$을 뺄 수 없으므로 $1\frac{2}{5}$는 $\frac{1}{10}$ 막대 14개, $\frac{1}{2}$은 $\frac{1}{10}$ 막대 5개로 바꾸어 빼면 $\frac{1}{10}$ 막대 9개가 남으므로 $1\frac{2}{5}$와 $\frac{1}{2}$의 차는 $\frac{9}{10}$입니다.

23 약점 포인트 정답률 70%

수를 ㉠, ㉡, ㉢이라 하고 ㉠<㉡<㉢일 때

가장 큰 대분수: ㉢$\frac{㉠}{㉡}$ 가장 작은 대분수: ㉠$\frac{㉡}{㉢}$

가장 큰 대분수: $9\frac{5}{7}$, 가장 작은 대분수: $2\frac{5}{9}$

➜ $9\frac{5}{7}-2\frac{5}{9}=9\frac{45}{63}-2\frac{35}{63}=7\frac{10}{63}$

24

채점 기준		
	❶ 만들 수 있는 가장 큰 대분수와 가장 작은 대분수 구하기	3점
	❷ 두 수의 차 구하기	2점

25 약점 포인트 정답률 70%

이어 붙인 종이의 전체 길이는 각각의 종이의 길이의 합에서 겹친 부분의 길이를 빼서 구해야 합니다.

(종이 2장의 길이의 합)

$=3\frac{5}{12}+1\frac{3}{4}=3\frac{5}{12}+1\frac{9}{12}=4\frac{14}{12}$

$=5\frac{2}{12}=5\frac{1}{6}$(m)

(이어 붙인 종이의 전체 길이)

$=5\frac{1}{6}-\frac{7}{24}=5\frac{4}{24}-\frac{7}{24}=4\frac{28}{24}-\frac{7}{24}$

$=4\frac{21}{24}=4\frac{7}{8}$(m)

26 (색 테이프 3장의 길이의 합)

$=1\frac{4}{9}+1\frac{4}{9}+1\frac{4}{9}=3\frac{12}{9}=4\frac{3}{9}=4\frac{1}{3}$(m)

(겹친 부분의 길이의 합)$=\frac{5}{12}+\frac{5}{12}=\frac{10}{12}=\frac{5}{6}$(m)

(이어 붙인 색 테이프의 전체 길이)

$=4\frac{1}{3}-\frac{5}{6}=4\frac{2}{6}-\frac{5}{6}=3\frac{8}{6}-\frac{5}{6}=3\frac{3}{6}=3\frac{1}{2}$(m)

27 약점 포인트 정답률 65%

① 수가 모두 주어진 식을 계산하여 식을 간단히 합니다.

② 통분하여 분모를 같게 한 후 크기를 비교합니다.

$5\frac{5}{12}-2\frac{7}{8}=5\frac{10}{24}-2\frac{21}{24}=4\frac{34}{24}-2\frac{21}{24}=2\frac{13}{24}$

$2\frac{13}{24}<2\frac{\square}{24}$이므로 □ 안에 들어갈 수 있는 자연수는 14, 15, 16……이고 이 중 가장 작은 수는 14입니다.

28

채점 기준		
	❶ 뺄셈식을 계산하여 □ 안에 들어갈 수 있는 수의 범위 구하기	4점
	❷ □ 안에 들어갈 수 있는 자연수 모두 구하기	1점

29 약점 포인트 정답률 65%

시간의 덧셈으로 구한 값을 1분$=\frac{1}{60}$시간을 이용하여 몇 시간 몇 분으로 나타낼 수 있어야 합니다.

(독서를 한 시간)+(숙제를 한 시간)

$=1\frac{2}{5}+1\frac{1}{3}=1\frac{6}{15}+1\frac{5}{15}=2\frac{11}{15}$(시간)

$2\frac{11}{15}$시간$=2\frac{44}{60}$시간 ➡ 2시간 44분

30 (치즈를 만든 시간)+(소에게 여물을 준 시간)

$=1\frac{3}{4}+\frac{2}{5}=1\frac{15}{20}+\frac{8}{20}=1\frac{23}{20}=2\frac{3}{20}$(시간)

$2\frac{3}{20}$시간$=2\frac{9}{60}$시간 ➡ 2시간 9분

피자를 만든 시간을 더하면

오전 9시+2시간 9분+30분=오전 11시 39분

윤영이가 체험을 마친 시각은 오전 11시 39분입니다.

STEP 3 서술형 해결하기 118~121쪽

01 ❶ $3\frac{27}{36}+2\frac{22}{36}=5\frac{49}{36}=6\frac{13}{36}$ ▸3점

❷ $6\frac{13}{36}$, $6\frac{13}{36}-3\frac{5}{6}=5\frac{49}{36}-3\frac{30}{36}=2\frac{19}{36}$, $2\frac{19}{36}$ ▸2점 / $2\frac{19}{36}$

02 예 ❶ (문구점~가게)+(호수~집)

$=6\frac{5}{6}+5\frac{1}{4}=6\frac{10}{12}+5\frac{3}{12}=11\frac{13}{12}$

$=12\frac{1}{12}$(km) ▸2점

❷ (호수~가게)$=12\frac{1}{12}-9\frac{5}{8}=12\frac{2}{24}-9\frac{15}{24}$

$=11\frac{26}{24}-9\frac{15}{24}=2\frac{11}{24}$(km) ▸3점

/ $2\frac{11}{24}$ km

03 예 ❶ (병원~우체국)+(소방서~학교)

$=3\frac{1}{6}+2\frac{4}{15}=3\frac{5}{30}+2\frac{8}{30}$

$=5\frac{13}{30}$(km) ▸2점

❷ (병원~학교)$=5\frac{13}{30}-\frac{7}{10}=4\frac{43}{30}-\frac{21}{30}$

$=4\frac{22}{30}=4\frac{11}{15}$(km) ▸3점 / $4\frac{11}{15}$ km

04 ❶ $1\frac{5}{8}$ ▸2점

❷ $2\frac{5}{6}-1\frac{5}{8}=2\frac{20}{24}-1\frac{15}{24}=1\frac{5}{24}$, $1\frac{5}{24}$ ▸3점

/ $1\frac{5}{24}$

05 예 ❶ 어떤 수를 □라 하면 $□-1\frac{4}{15}=2\frac{7}{20}$,

$□=2\frac{7}{20}+1\frac{4}{15}=2\frac{21}{60}+1\frac{16}{60}=3\frac{37}{60}$이므로

어떤 수는 $3\frac{37}{60}$입니다. ▸2점

❷ 바르게 계산하면

$3\frac{37}{60}+1\frac{4}{15}=3\frac{37}{60}+1\frac{16}{60}=4\frac{53}{60}$입니다. ▸3점

/ $4\frac{53}{60}$

06 예 ❶ 어떤 수를 □라 하면 $□+1\frac{3}{5}=3\frac{11}{15}$,

$□=3\frac{11}{15}-1\frac{3}{5}=3\frac{11}{15}-1\frac{9}{15}=2\frac{2}{15}$이므로

어떤 수는 $2\frac{2}{15}$입니다. ▸2점

❷ 따라서 바르게 계산하면

$2\frac{2}{15}-1\frac{3}{5}=2\frac{2}{15}-1\frac{9}{15}=1\frac{17}{15}-1\frac{9}{15}=\frac{8}{15}$

입니다. ▸3점 / $\frac{8}{15}$

07 ❶ $4\frac{13}{15}-1\frac{7}{12}=4\frac{52}{60}-1\frac{35}{60}=3\frac{17}{60}$ ▸2점

❷ $3\frac{17}{60}$, $3\frac{17}{60}-1\frac{5}{6}=2\frac{77}{60}-1\frac{50}{60}=1\frac{27}{60}$

$=1\frac{9}{20}$, $1\frac{9}{20}$ ▸3점 / $1\frac{9}{20}$

08 예 ❶ $▼=9\frac{2}{9}-7\frac{3}{8}=9\frac{16}{72}-7\frac{27}{72}$

$=8\frac{88}{72}-7\frac{27}{72}=1\frac{61}{72}$ ▸2점

❷ $2\frac{3}{4}-▼=♣$에서 $▼=1\frac{61}{72}$이므로

$♣=2\frac{3}{4}-1\frac{61}{72}=2\frac{54}{72}-1\frac{61}{72}=1\frac{126}{72}-1\frac{61}{72}$

$=\frac{65}{72}$ ▸2점

❸ $♣+♥=▼$에서 $♣=\frac{65}{72}$, $▼=1\frac{61}{72}$이므로

$♥=1\frac{61}{72}-\frac{65}{72}=\frac{133}{72}-\frac{65}{72}=\frac{68}{72}=\frac{17}{18}$ ▸1점

/ $\frac{17}{18}$

09 예 ❶ $■=3\frac{4}{9}-1\frac{5}{12}=3\frac{16}{36}-1\frac{15}{36}=2\frac{1}{36}$ ▸2점

❷ $■+\frac{1}{6}=●$에서 $■=2\frac{1}{36}$이므로

$●=2\frac{1}{36}+\frac{1}{6}=2\frac{1}{36}+\frac{6}{36}=2\frac{7}{36}$ ▸2점

❸ $■+●=◆$에서 $■=2\frac{1}{36}$, $●=2\frac{7}{36}$이므로

$◆=2\frac{1}{36}+2\frac{7}{36}=4\frac{8}{36}=4\frac{2}{9}$ ▸1점 / $4\frac{2}{9}$

10 ❶ $3\frac{5}{18}-1\frac{11}{12}=3\frac{10}{36}-1\frac{33}{36}=2\frac{46}{36}-1\frac{33}{36}$

$=1\frac{13}{36}$ ▸2점

❷ $1\frac{11}{12}-1\frac{13}{36}=1\frac{33}{36}-1\frac{13}{36}=\frac{20}{36}=\frac{5}{9}$, $\frac{5}{9}$

▸3점

/ $\frac{5}{9}$ kg

11 예 ❶ (수박 6통의 무게)

$=22\frac{1}{4}+22\frac{1}{4}=44\frac{2}{4}=44\frac{1}{2}$(kg) ▸2점

❷ (상자만의 무게)

=(수박 6통이 들어 있는 상자의 무게)

−(수박 6통의 무게)

$=45\frac{1}{4}-44\frac{1}{2}=44\frac{5}{4}-44\frac{2}{4}=\frac{3}{4}$(kg)

따라서 상자만의 무게는 $\frac{3}{4}$ kg입니다. ▸3점

/ $\frac{3}{4}$ kg

12 예 ❶ (무 18개의 무게)

$=4\frac{2}{5}+4\frac{2}{5}+4\frac{2}{5}=12\frac{6}{5}=13\frac{1}{5}$(kg) ▸2점

❷ (바구니만의 무게)

=(무 18개가 들어 있는 바구니의 무게)

−(무 18개의 무게)

$=14-13\frac{1}{5}=13\frac{5}{5}-13\frac{1}{5}=\frac{4}{5}$(kg)

따라서 바구니만의 무게는 $\frac{4}{5}$ kg입니다. ▸3점

/ $\frac{4}{5}$ kg

01

채점 기준		
채점 기준	❶ 전체의 값 구하기	3점
	❷ ■에 알맞은 수 구하기	2점

02

채점 기준		
채점 기준	❶ (문구점~가게)+(호수~집) 구하기	2점
	❷ 호수~가게 사이의 거리 구하기	3점

03

채점 기준		
채점 기준	❶ (병원~우체국)+(소방서~학교) 구하기	2점
	❷ 병원~학교까지의 거리 구하기	3점

04

채점 기준		
채점 기준	❶ 어떤 수를 ■라 하고 식 세우기	2점
	❷ 어떤 수 구하기	3점

05

채점 기준		
채점 기준	❶ 잘못 계산한 식을 세워 어떤 수 구하기	2점
	❷ 바르게 계산한 값 구하기	3점

06

채점 기준		
채점 기준	❶ 잘못 계산한 식을 세워 어떤 수 구하기	2점
	❷ 바르게 계산한 값 구하기	3점

07

채점 기준		
채점 기준	❶ ㉠의 값 구하기	2점
	❷ ㉡에 알맞은 기약분수 구하기	3점

08

채점 기준		
채점 기준	❶ ▼의 값 구하기	2점
	❷ ♣의 값 구하기	2점
	❸ ♥의 값 구하기	1점

09

채점 기준		
채점 기준	❶ ■의 값 구하기	2점
	❷ ●의 값 구하기	2점
	❸ ◆의 값 구하기	1점

10

채점 기준		
채점 기준	❶ 물의 절반의 무게 구하기	2점
	❷ 빈 수조의 무게 구하기	3점

11

채점 기준		
채점 기준	❶ 수박 6통의 무게 구하기	2점
	❷ 상자만의 무게 구하기	3점

12

채점 기준		
채점 기준	❶ 무 18개의 무게 구하기	2점
	❷ 바구니의 무게 구하기	3점

단원 마무리

122~124쪽

01 8, 3, 5 **02** 7, 6, 7, 6, 13, $4\frac{4}{9}$ **03** $1\frac{13}{24}$

04 < **05** (위에서부터) $5\frac{1}{12}$, $1\frac{1}{9}$, $3\frac{1}{6}$, $\frac{29}{36}$

06 (   ) (   ) (○)

07 예 방법 1 $3\frac{1}{8}-1\frac{3}{4}=3\frac{1}{8}-1\frac{6}{8}=2\frac{9}{8}-1\frac{6}{8}$

$=(2-1)+\left(\frac{9}{8}-\frac{6}{8}\right)$

$=1+\frac{3}{8}=1\frac{3}{8}$

방법 2 $3\frac{1}{8}-1\frac{3}{4}=\frac{25}{8}-\frac{7}{4}=\frac{25}{8}-\frac{14}{8}$

$=\frac{11}{8}=1\frac{3}{8}$

08 > **09** $5\frac{13}{24}$, $3\frac{1}{24}$ **10** $3\frac{29}{30}$ L

11 $6\frac{10}{21}$ **12** ㉠, ㉡, ㉣, ㉢

13 영주네 집, $\frac{1}{24}$ km **14** $\frac{4}{9}$

15 6 **16** $1\frac{5}{12}$ m **17** $\frac{1}{18}$

18 예 대분수를 가분수로 고쳐서 계산했습니다. ▸5점

19 예 ❶ 만들 수 있는 가장 큰 대분수는 $7\frac{3}{5}$이고, 가장 작은 대분수는 $3\frac{5}{7}$입니다. ▸2점

❷ $7\frac{3}{5}-3\frac{5}{7}=7\frac{21}{35}-3\frac{25}{35}=6\frac{56}{35}-3\frac{25}{35}$

$=3\frac{31}{35}$ ▸3점 / $3\frac{31}{35}$

20 예 ❶ (아버지가 사용한 페인트의 양)

$=2\frac{2}{3}+\frac{1}{7}=2\frac{17}{21}$(L)

(삼촌이 사용한 페인트의 양)

$=1\frac{5}{7}+1\frac{1}{3}=3\frac{1}{21}$(L) ▸2점

❷ $3\frac{1}{21}>2\frac{17}{21}$이므로 삼촌이 사용한 페인트의 양이 $3\frac{1}{21}-2\frac{17}{21}=2\frac{22}{21}-2\frac{17}{21}=\frac{5}{21}$(L) 더 많습니다. ▸3점 / 삼촌, $\frac{5}{21}$ L

03 $4\frac{5}{12}-2\frac{7}{8}=4\frac{10}{24}-2\frac{21}{24}=3\frac{34}{24}-2\frac{21}{24}=1\frac{13}{24}$

04 $6\frac{8}{15}-2\frac{2}{5}=6\frac{8}{15}-2\frac{6}{15}=4\frac{2}{15}$ ➜ $4\frac{2}{15}<4\frac{7}{15}$

05 • $3\frac{5}{6}+1\frac{1}{4}=5\frac{1}{12}$ • $\frac{2}{3}+\frac{4}{9}=1\frac{1}{9}$

• $3\frac{5}{6}-\frac{2}{3}=3\frac{1}{6}$ • $1\frac{1}{4}-\frac{4}{9}=\frac{29}{36}$

06 • $\frac{1}{2}+\frac{3}{7}=\frac{13}{14}<1$ • $\frac{3}{4}+\frac{2}{9}=\frac{35}{36}<1$

• $\frac{2}{3}+\frac{3}{8}=1\frac{1}{24}>1$

08 • $\frac{7}{8}+\frac{1}{2}-\frac{3}{4}=\frac{7}{8}+\frac{4}{8}-\frac{6}{8}=\frac{5}{8}$

• $1\frac{1}{6}-\frac{1}{4}-\frac{2}{3}=1\frac{2}{12}-\frac{3}{12}-\frac{8}{12}=\frac{3}{12}=\frac{1}{4}$

➜ $\frac{5}{8}>\frac{1}{4}\left(=\frac{2}{8}\right)$

09 $1\frac{2}{3}+3\frac{7}{8}=1\frac{16}{24}+3\frac{21}{24}=4\frac{37}{24}=5\frac{13}{24}$

➜ $5\frac{13}{24}-2\frac{1}{2}=5\frac{13}{24}-2\frac{12}{24}=3\frac{1}{24}$

10 $1\frac{7}{10}+2\frac{4}{15}=1\frac{21}{30}+2\frac{8}{30}=3\frac{29}{30}$(L)

11 $3\frac{6}{7}\left(=3\frac{12}{14}\right)>3\frac{9}{14}>2\frac{13}{21}$

➜ $3\frac{6}{7}+2\frac{13}{21}=3\frac{18}{21}+2\frac{13}{21}=5\frac{31}{21}=6\frac{10}{21}$

12 ㉠ $2\frac{2}{3}+2\frac{7}{9}=5\frac{4}{9}$ ㉡ $2\frac{3}{8}+2\frac{1}{4}=4\frac{5}{8}$

㉢ $5\frac{5}{7}-2\frac{1}{3}=3\frac{8}{21}$ ㉣ $8\frac{3}{10}-3\frac{4}{5}=4\frac{1}{2}$

➜ $5\frac{4}{9}>4\frac{5}{8}>4\frac{1}{2}\left(=4\frac{4}{8}\right)>3\frac{8}{21}$

13 $5\frac{7}{8}\left(=5\frac{21}{24}\right)>5\frac{5}{6}\left(=5\frac{20}{24}\right)$이므로 영주네 집이 $5\frac{7}{8}-5\frac{5}{6}=5\frac{21}{24}-5\frac{20}{24}=\frac{1}{24}$ (km) 더 멉니다.

14 $\square=1\frac{13}{36}-\frac{11}{12}=1\frac{13}{36}-\frac{33}{36}=\frac{49}{36}-\frac{33}{36}=\frac{4}{9}$

15 $1\frac{2}{5}+2\frac{3}{10}=1\frac{4}{10}+2\frac{3}{10}=3\frac{7}{10}$

$3\frac{7}{10}>3\frac{\square}{10}$ ➜ $\square=6$

16 (종이테이프 2장의 길이의 합)$=\frac{7}{8}+\frac{7}{8}=1\frac{3}{4}$(m)

(이어 붙인 종이테이프의 전체 길이)

$=1\frac{3}{4}-\frac{1}{3}=1\frac{9}{12}-\frac{4}{12}=1\frac{5}{12}$(m)

17 어떤 수를 □라 하면 $\square+2\frac{5}{9}=5\frac{1}{6}$입니다.

$\square=5\frac{1}{6}-2\frac{5}{9}=5\frac{3}{18}-2\frac{10}{18}=2\frac{11}{18}$

바른 계산: $2\frac{11}{18}-2\frac{5}{9}=2\frac{11}{18}-2\frac{10}{18}=\frac{1}{18}$

18

채점 기준	계산 방법 설명하기	5점

19

채점 기준	❶ 가장 큰 대분수와 가장 작은 대분수 구하기	2점
	❷ 두 수의 차 구하기	3점

20

채점 기준	❶ 아버지와 삼촌이 사용한 페인트의 양 구하기	2점
	❷ 누가 페인트를 몇 L 더 많이 사용했는지 구하기	3점

6. 다각형의 둘레와 넓이

STEP 1 개념 완성하기 128~129쪽

1 4, 4, 4, 4, 24
2 4, 6, 24
3 6, 6 / 6, 42
4 (1) 21 cm (2) 48 cm
5 26 cm
6 (1) 24 cm (2) 28 cm
7 21 cm
8 (왼쪽부터) 12, 6
9 11 cm

1 (정육각형의 둘레)$=4+4+4+4+4+4$
$=24$(cm)

2 정다각형은 모든 변의 길이가 같으므로 정다각형의 한 변의 길이에 변의 수를 곱합니다.
➜ (정다각형의 둘레)$=$(한 변의 길이)$\times$(변의 수)

3 (직사각형의 둘레)$=$(가로)$+$(세로)$+$(가로)$+$(세로)
$=$(가로$+$세로)$\times 2$
중요 직사각형은 마주 보는 변의 길이가 각각 같기 때문에 가로와 세로를 더하여 2배 하는 것이 더 간단하게 계산할 수 있습니다.

4 (1) (정삼각형의 둘레)$=7\times3=21$(cm)
(2) (정팔각형의 둘레)$=6\times8=48$(cm)

5 (직사각형의 둘레)$=(7+6)\times2=26$(cm)

6 (1) (평행사변형의 둘레)$=(8+4)\times2=24$(cm)
(2) (마름모의 둘레)$=7\times4=28$(cm)

7 명함의 가로가 7 cm이고, 세로가 3.5 cm입니다.
➜ (명함의 둘레)$=7+3.5+7+3.5=21$(cm)

8 (정다각형의 한 변의 길이)$=$(둘레)$\div$(변의 수)
(정삼각형의 한 변의 길이)$=36\div3=12$(cm)
(정육각형의 한 변의 길이)$=36\div6=6$(cm)

9 직사각형의 둘레가 40 cm이므로
$(\square+9)\times2=40$, $\square+9=20$, $\square=11$입니다.

STEP 1 개념 완성하기 130~131쪽

1
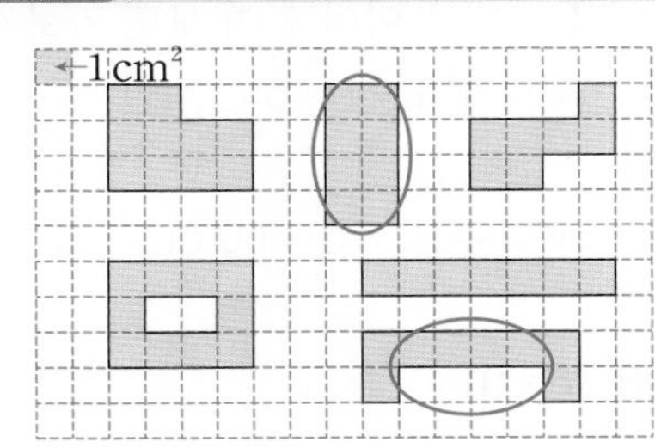

2 5, 2, 5, 2, 10
3 15 cm², 12 cm²
4 9 / 12 / 15
5 (1) × (2) ○
6 84 cm²
7 81 cm²
8 20, 500
9 (1) 72, 70 (2) 가

1 모눈 한 칸의 넓이가 1 cm²이므로 모눈 8칸으로 된 도형을 모두 찾습니다.

2 (직사각형의 넓이)$=$(가로)$\times$(세로)

3 모눈 한 칸의 넓이가 1 cm²입니다. 도형 가는 15칸이므로 15 cm², 도형 나는 12칸이므로 12 cm²입니다.

5 (1) 세로가 1 cm씩 커질 때마다 넓이는 3 cm²씩 커집니다.
(2) 넷째 직사각형의 가로는 3 cm, 세로는 6 cm이므로 넓이는 $3\times6=18$(cm²)입니다.

6 (직사각형의 넓이)$=12\times7=84$(cm²)

7 (정사각형의 넓이)$=9\times9=81$(cm²)

8 (직사각형의 넓이)$=$(가로)$\times$(세로)

9 (1) 가: $9\times8=72$(cm²), 나: $7\times10=70$(cm²)
(2) $72>70$이므로 가가 더 넓습니다.

STEP 1 개념 완성하기 132~133쪽

1 (1) 1 m² / 1 제곱미터
(2) 4 km² / 4 제곱킬로미터
2 (1) 1 (2) 60000 (3) 1 (4) 9000000
3 (1) 15 (2) 15
4 (1) 21 (2) 21
5 (1) m² (2) m² (3) 60000000
6 (1) m²에 ○표 (2) cm²에 ○표 (3) km²에 ○표
7 (1) < (2) >
8 5, 5, 30
9 9, 9, 6, 54

1 1 m²와 4 km²를 쓰고 읽어 봅니다.

2 (2) 1 m²$=$10000 cm² ➜ 6 m²$=$60000 cm²
(4) 1 km²$=$1000000 m² ➜ 9 km²$=$9000000 m²

3 (1) 500 cm$=$5 m, 300 cm$=$3 m이므로 직사각형 안에 1 m²가 $5\times3=15$(번) 들어갑니다.

4 (1) 7000 m=7 km, 3000 m=3 km이므로 직사각형 안에 1 km^2가 7×3=21(번) 들어갑니다.

5 1 m^2=10000 cm^2, 1 km^2=1000000 m^2를 이용하여 넓이 단위 사이의 관계를 알아봅니다.

6 운동장의 넓이는 m^2, 공책의 넓이는 cm^2, 울릉도의 넓이는 km^2로 나타내는 것이 알맞습니다.

7 단위를 한 가지로 나타낸 후 넓이를 비교합니다.
(1) 50 km^2=50000000 m^2
➔ 500000 m^2<50 km^2
(2) 8 m^2=80000 cm^2 ➔ 8 m^2>9000 cm^2

8 500 cm=5 m
➔ (직사각형의 넓이)=6×5=30(m^2)

9 9000 m=9 km
➔ (땅의 넓이)=9×6=54(km^2)

STEP 2 실력 다지기 134~139쪽

01 15+13+15+13=56(cm) / (15+13)×2=56(cm) / 56 cm

02 ㉡, ㉠, ㉢ **03** 가, 34 cm

04 1 cm 1 cm

05 예 1 cm 1 cm

06 예 ❶ 평행사변형의 둘레는 (7+5)×2=24(cm)입니다. ▸2점
❷ 평행사변형과 마름모의 둘레가 같으므로 마름모의 한 변의 길이는 24÷4=6(cm)입니다. ▸3점
/ 6 cm

07 나, 가, 다, 라 **08** 12 cm^2

09 76 cm^2 **10** 396 cm^2

11 ❶ 예 직사각형의 넓이는 (가로)×(세로)로 계산해. 그러니까 7×5로 구하면 돼. ▸3점
❷ 35 cm^2 ▸2점

12 빨간 색종이 **13** (1) 30 (2) 32

14 ㉢ **15** 20 m^2

16 (1) m^2 (2) km^2 (3) cm^2

17 ❶ 예 운동장의 넓이는 m^2로 나타내어야 알맞습니다. ▸3점
❷ 우리 학교 운동장의 넓이는 350 m^2야. ▸2점

18 9 m^2 **19** 40 cm **20** 42 cm

21 예 ❶ (정사각형의 한 변의 길이)
=(직사각형의 둘레)÷12와 같습니다. ▸3점
❷ 정사각형의 한 변의 길이는 84÷12=7(cm)입니다. ▸2점 / 7 cm

22 46 cm **23** 60 m **24** 66 cm

25 33 m^2 **26** 225 cm^2

27 예 ❶ 세로를 □ cm라 하면
가로는 (□+4) cm입니다. 둘레가 48 cm이므로
(□+□+4)×2=48, □+□+4=24,
□+□=20, □=10입니다. 직사각형의 가로는 14 cm이고, 세로는 10 cm입니다. ▸3점
❷ 따라서 넓이는 14×10=140(cm^2)입니다. ▸2점
/ 140 cm^2

28

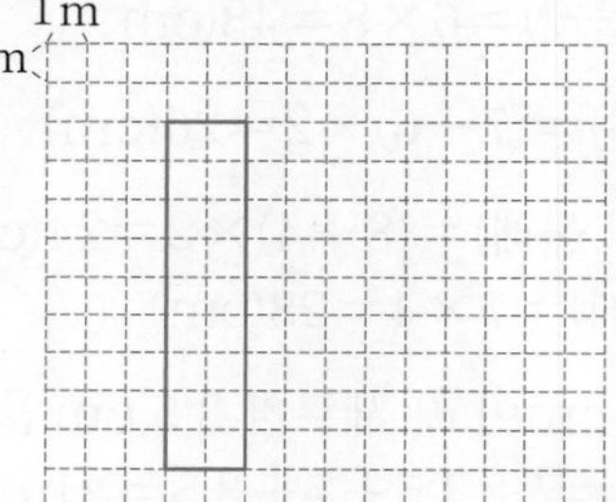

29 예

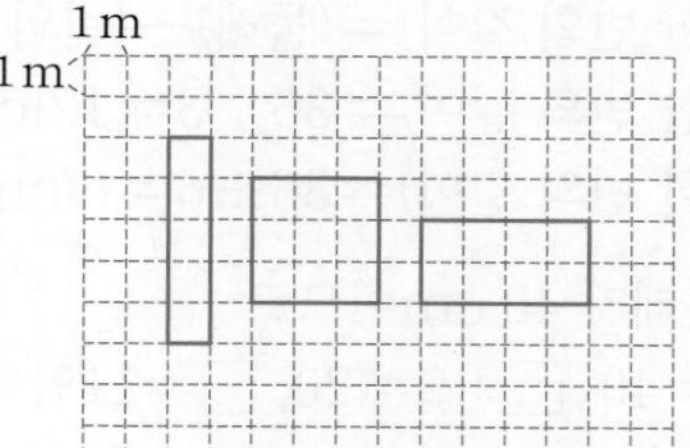

(왼쪽부터) 1, 5, 5 / 2, 4, 8 / 3, 3, 9 / 4, 2, 8 / 5, 1, 5 / 3 m, 3 m

30 171 cm^2

31 예 ❶ 색칠한 부분을 그대로 이어 붙여 보면 가로가 14−2=12(cm), 세로가 6−1=5(cm)인 직사각형이 됩니다. ▸3점
❷ (색칠한 부분의 넓이)=12×5=60(cm^2) ▸2점
/ 60 cm^2

32 40 cm **33** 78 cm

02 (정다각형의 둘레)＝(한 변의 길이)×(변의 수)
㉠ (정칠각형의 둘레)＝4×7＝28(cm)
㉡ (정사각형의 둘레)＝8×4＝32(cm)
㉢ (정삼각형의 둘레)＝7×3＝21(cm)
➡ ㉡＞㉠＞㉢

03 가: (직사각형의 둘레)＝(11＋6)×2＝34(cm)
나: (마름모의 둘레)＝7×4＝28(cm)
다: (평행사변형의 둘레)＝(8＋4)×2＝24(cm)
라: (정사각형의 둘레)＝3×4＝12(cm)

04 (정사각형의 한 변의 길이)＝(둘레)÷(변의 수)
➡ (정사각형의 한 변의 길이)＝12÷4＝3(cm)

05 둘레가 14 cm이고 세로가 3 cm인 직사각형의 가로는 4 cm이고, 둘레가 14 cm이고 가로가 6 cm인 직사각형의 세로는 1 cm입니다.

06

채점 기준	❶ 평행사변형의 둘레 구하기	2점
	❷ 마름모의 한 변의 길이 구하기	3점

07 모눈의 칸 수를 세어 보면 가는 9칸, 나는 10칸, 다는 6칸, 라는 5칸입니다. ➡ 나＞가＞다＞라

08 ▦ 한 개의 넓이는 4 cm^2입니다. 그림에서 ▦이 3개이므로 ▦로 채워진 부분의 넓이는 12 cm^2입니다.

09 모양 조각 한 칸의 넓이는 1 cm^2이고 그림에서 모양 조각으로 채워진 부분은 전체 7×12＝84(칸) 중에서 빈 공간 8칸을 뺀 만큼이므로 76 cm^2입니다.

10 (직사각형의 넓이)＝18×22＝396(cm^2)

11

채점 기준	❶ 바르게 고치기	3점
	❷ 직사각형의 넓이 구하기	2점

12 (빨간 색종이의 넓이)＝15×12＝180(cm^2)
(노란 색종이의 넓이)＝13×13＝169(cm^2)
➡ 180＞169이므로 빨간 색종이가 더 넓습니다.

13 (1) 500 cm＝5 m이므로 직사각형 안에 1 m^2가 6×5＝30(번) 들어갑니다. ➡ 30 m^2
(2) 8000 m＝8 km이므로
(직사각형의 넓이)＝8×4＝32(km^2)입니다.

14 ㉠ (넓이)＝6×4＝24(m^2)
㉡ 500 cm＝5 m이므로 (넓이)＝5×5＝25(m^2)
㉢ 가로: 7 m, 세로: 7－3＝4(m)이므로
(넓이)＝7×4＝28(m^2)
➡ 28＞25＞24이므로 ㉢이 가장 넓습니다.

15 가로가 25 cm, 세로가 40 cm인 타일을 20개씩 10줄 붙였으므로 타일을 붙인 벽의 가로와 세로는 다음과 같습니다.
가로: 25×20＝500(cm) ➡ 5 m
세로: 40×10＝400(cm) ➡ 4 m
➡ (타일을 붙인 벽의 넓이)＝5×4＝20(m^2)

16 교실의 넓이는 m^2, 광역시의 넓이는 km^2, 색종이의 넓이는 cm^2로 나타내는 것이 알맞습니다.

17

채점 기준	❶ 잘못된 이유 쓰기	3점
	❷ 옳게 고치기	2점

18 서진이 방은 가로가 3000 mm＝300 cm＝3 m, 세로가 3000 mm＝300 cm＝3 m인 정사각형 모양이므로 넓이는 3×3＝9(m^2)입니다.
참고 방의 넓이를 나타낼 때에는 m^2가 적당합니다.

19 (정사각형의 둘레)＝25×4＝100(cm)
직사각형의 가로를 □cm라 하면 세로는 (□×4) cm입니다.
□＋□×4＋□＋□×4＝100,
□×10＝100, □＝10
➡ (세로)＝10×4＝40(cm)

20 (정사각형의 한 변의 길이)＝12÷4＝3(cm)
➡ (도형의 둘레)
＝(정사각형의 한 변의 길이)×14
＝3×14＝42(cm)

21

채점 기준	❶ 정사각형의 한 변의 길이와 직사각형의 둘레의 관계 알아보기	3점
	❷ 정사각형의 한 변의 길이 구하기	2점

22 도형의 둘레는 가로가 14 cm, 세로가 9 cm인 직사각형의 둘레와 같습니다.
➡ (도형의 둘레)＝(14＋9)×2＝46(cm)

23 도형의 둘레는 가로가 12 m, 세로가 18 m인 직사각형의 둘레와 같습니다.
➡ (도형의 둘레)＝(12＋18)×2＝60(m)

24 도형의 둘레는 가로가 18 cm, 세로가 10 cm인 직사각형의 둘레보다 5＋5＝10(cm) 더 깁니다.
➡ (도형의 둘레)＝(18＋10)×2＋10＝66(cm)

25 세로를 □m라 하면
(11＋□)×2＝28, 11＋□＝14, □＝3
➡ (화단의 넓이)＝11×3＝33(m^2)

26 (정사각형의 둘레)=(한 변의 길이)$\times$4
60=(한 변의 길이)$\times$4
(한 변의 길이)=60$\div$4=15(cm)
➜ (정사각형의 넓이)=15$\times$15=225(cm^2)

27

채점 기준		
	❶ 둘레를 이용하여 가로와 세로 구하기	3점
	❷ 직사각형의 넓이 구하기	2점

28 (직사각형의 둘레)=(가로+세로)$\times$2
➜ 22=(가로+세로)$\times$2, (가로)+(세로)=11
(직사각형의 넓이)=(가로)$\times$(세로)에서 (가로, 세로)라고 할 때 넓이가 18 m^{2}이고 (가로)<(세로)인 경우는 (1, 18), (2, 9), (3, 6)입니다. 이 중에서 가로와 세로의 합이 11인 경우는 가로가 2 m, 세로가 9 m일 때입니다.

29 (직사각형의 둘레)=(가로+세로)$\times$2이므로 (가로)+(세로)=6이 되는 표를 만듭니다.

가로(m)	1	2	3	4	5
세로(m)	5	4	3	2	1
넓이(m^2)	5	8	9	8	5

가로와 세로가 각각 3 m일 때 넓이가 가장 넓습니다.

30 약점 포인트 정답률 70%

주어진 도형을 한 변의 길이가 6 cm인 정사각형과 가로가 15 cm, 세로가 9 cm인 직사각형으로 나누어 넓이를 각각 구한 후 두 넓이의 합을 구합니다.

도형을 직사각형 가와 나로 나누어 두 넓이를 각각 구한 후 넓이를 더합니다.

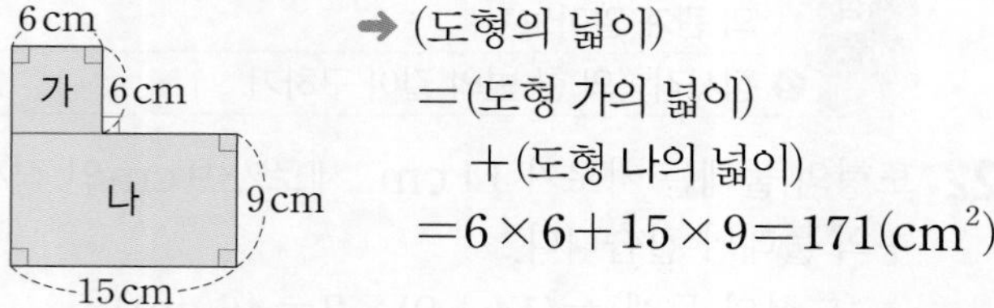

➜ (도형의 넓이)
=(도형 가의 넓이)
+(도형 나의 넓이)
=6$\times$6+15$\times$9=171(cm^2)

31

채점 기준		
	❶ 색칠한 부분을 이어 붙여 만든 직사각형의 가로와 세로 구하기	3점
	❷ 색칠한 부분의 넓이 구하기	2점

32 약점 포인트 정답률 65%

① 노란색 정사각형의 한 변의 길이를 구합니다.
② ①에서 구한 길이를 이용하여 하늘색 정사각형의 한 변의 길이를 구합니다.
③ ①과 ②에서 구한 길이를 이용하여 주황색 정사각형의 한 변의 길이를 구합니다.
④ 큰 정사각형의 한 변의 길이를 구한 후 둘레를 구합니다.

• 노란색 정사각형의 넓이: 16 cm^2
노란색 정사각형의 한 변의 길이: 4 cm
• 하늘색 정사각형의 한 변의 길이는 노란색 정사각형의 한 변의 길이의 반이므로 2 cm입니다.
• 주황색 정사각형의 한 변의 길이는 (노란색 정사각형의 한 변의 길이+하늘색 정사각형의 한 변의 길이)이므로 4+2=6(cm)입니다.
➜ 큰 정사각형의 한 변의 길이: 10 cm
(큰 정사각형의 둘레)=10$\times$4=40(cm)

33 (직사각형 ㅂㄷㄹㅁ의 넓이)=(변 ㅂㅁ)$\times$(변 ㅁㄹ)
=189(cm^2)
(변 ㅁㄹ의 길이)=21 cm
(정사각형 ㄱㄴㄷㅅ의 넓이)=270−189=81(cm^2)
(정사각형 ㄱㄴㄷㅅ의 한 변의 길이)=9 cm
도형의 둘레는 가로가 (9+9) cm, 세로가 21 cm인 직사각형의 둘레와 같습니다.
➜ (9+9+21)$\times$2=78(cm)

STEP 1 개념 완성하기 140~141쪽

1 20 cm^2 **2** 12, 12 **3** 16, 8
4 60 cm^2 **5** 63 cm^2
6 (왼쪽부터) 2, 4, 4 / 2, 4, 4 / 2, 4, 4 / 높이, 넓이
7 나 **8** 12, 9, 2, 54
9 18, 270

1 1 cm^{2}가 20개 있으므로 넓이는 20 cm^{2}입니다.

2 평행사변형의 밑변과 높이는 직사각형의 가로와 세로가 되었으므로 평행사변형의 넓이는 직사각형의 넓이 구하는 방법으로 구할 수 있습니다.
➜ 3$\times$4=12(cm^2)

3 평행사변형의 넓이는 삼각형의 넓이의 2배가 되므로 삼각형의 넓이는 평행사변형의 넓이의 반과 같습니다.

4 (평행사변형의 넓이)=12$\times$5=60(cm^2)

5 (삼각형의 넓이)=(밑변)$\times$(높이)$\div$2
➜ 14$\times$9$\div$2=63(cm^2)

6 도형 가, 나, 다는 모두 밑변의 길이와 높이가 각각 2 cm, 4 cm인 삼각형입니다. 따라서 세 삼각형은 밑변의 길이와 높이가 같으므로 넓이가 모두 같습니다.

7 가, 나, 다의 높이는 모두 같습니다. 가, 다의 밑변은 같고, 나의 밑변만 다르므로 넓이가 다른 평행사변형은 나입니다.

8 먼저 삼각형의 밑변과 높이를 찾아봅니다.
➡ $12\times9\div2=54(\mathrm{m}^2)$

9 (평행사변형의 넓이)$=15\times18=270(\mathrm{cm}^2)$

STEP 1 개념 완성하기 142~143쪽

1 4, 4, 16　**2** 24, 12
3 $36\ \mathrm{cm}^2$　**4** $30\ \mathrm{cm}^2$
5 (왼쪽부터) 4, 16 / 8, 16 / 8, 4, 16
/ 합에 ○표, 같습니다에 ○표
6 $252\ \mathrm{cm}^2$　**7** $12\ \mathrm{cm}^2$　**8** 10, 2, 70

1 마름모의 넓이는 만들어진 직사각형의 넓이와 같습니다. 직사각형의 세로는 마름모의 한 대각선의 길이와 같고, 가로는 다른 대각선의 길이의 반과 같습니다.
➡ $8\times4\div2=16(\mathrm{cm}^2)$

2 평행사변형의 밑변의 길이는 사다리꼴의 윗변의 길이와 아랫변의 길이의 합과 같고, 평행사변형의 높이는 사다리꼴의 높이와 같습니다. 따라서 사다리꼴의 넓이는 평행사변형의 넓이의 반입니다.
➡ $(4+2)\times4\div2=12(\mathrm{cm}^2)$

3 (마름모의 넓이)$=$(한 대각선)$\times$(다른 대각선)$\div2$
➡ $9\times8\div2=36(\mathrm{cm}^2)$

4 (사다리꼴의 넓이)$=$(윗변$+$아랫변)$\times$(높이)$\div2$
➡ $(5+7)\times5\div2=30(\mathrm{cm}^2)$

5 사다리꼴의 윗변의 길이와 아랫변의 길이의 합은 모두 8 m이고, 높이는 모두 4 m입니다.
따라서 사다리꼴의 넓이는 모두 $8\times4\div2=16(\mathrm{m}^2)$입니다.

6 직사각형의 넓이는 마름모의 넓이의 2배가 되므로 직사각형의 넓이를 구한 후 2로 나눕니다.
➡ $28\times18\div2=252(\mathrm{cm}^2)$

7 자로 재어 보면 윗변의 길이는 5 cm, 아랫변의 길이는 3 cm, 높이는 3 cm입니다.
➡ (사다리꼴의 넓이)$=(5+3)\times3\div2=12(\mathrm{cm}^2)$

8 (땅의 넓이)$=14\times10\div2=70(\mathrm{m}^2)$

STEP 2 실력 다지기 144~149쪽

01 ㉠, ㉢　**02** ①, ③
03 11 m, 8 m　**04** 나, 가, 다
05 예 평행사변형의 밑변의 길이와 높이가 모두 같기 때문입니다. ▸5점
06 시후
07 (위에서부터) 4, 6 / $24\ \mathrm{cm}^2$
08 예 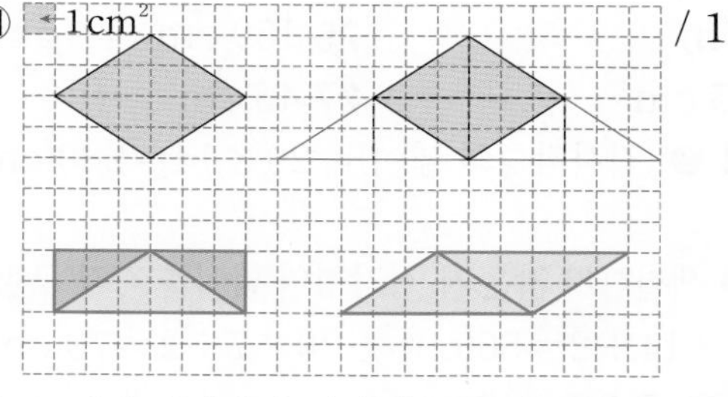

/ $12\ \mathrm{cm}^2$
09 예 ❶ 평행사변형과 삼각형으로 나누어 구합니다.
$15\times12+(27-15)\times12\div2=252(\mathrm{cm}^2)$ ▸3점
❷ 똑같은 사다리꼴 2개를 평행사변형으로 만들어 구합니다. $(27+15)\times12\div2=252(\mathrm{cm}^2)$ ▸2점
/ $252\ \mathrm{cm}^2$
10 가, 다, 바 / 나, 라, 마
11 예 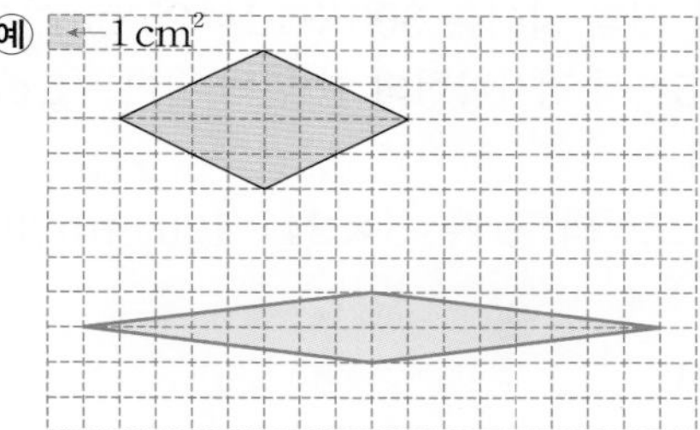

12 예 1cm²
13 가
14 예 ❶ (사다리꼴의 넓이)$=(16+7)\times14\div2$
$=161(\mathrm{cm}^2)$ ▸2점
❷ (마름모의 넓이)$=28\times12\div2=168(\mathrm{cm}^2)$ ▸2점
❸ 따라서 두 도형의 넓이의 차는
$168-161=7(\mathrm{cm}^2)$입니다. ▸1점 / $7\ \mathrm{cm}^2$
15 ㉢, ㉠, ㉣, ㉡　**16** $70\ \mathrm{m}^2$
17 $722\ \mathrm{m}^2$　**18** $250\ \mathrm{cm}^2$
19 20 m　**20** 6

진도북 6 단원

21 예 ❶ (사다리꼴의 넓이)
$=$(윗변의 길이$+$아랫변의 길이)$\times$(높이)$\div 2$
이므로 높이를 □cm라 하면
$(15+23)\times□\div 2=114$입니다. ▸2점
❷ $38\times□\div 2=114$, $38\times□=228$, □$=6$입니다. 따라서 사다리꼴의 높이는 6 cm입니다. ▸3점
/ 6 cm

22 21
23 24
24 8 m
25 159 cm^2
26 55 cm^2
27 45 cm^2

28 예 ❶ (직사각형의 넓이)$=20\times 14=280(cm^2)$ ▸2점
❷ 색칠하지 않은 세 삼각형의 넓이를 각각 구합니다.
$8\times 14\div 2=56(cm^2)$, $20\times 7\div 2=70(cm^2)$, $12\times 7\div 2=42(cm^2)$ ▸2점
❸ (색칠한 부분의 넓이)$=280-56-70-42$
$=112(cm^2)$ ▸1점
/ 112 cm^2

29 64 cm

30 예 ❶ 정사각형 12개의 넓이가 300 cm^2이므로 정사각형 한 개의 넓이는 $300\div 12=25(cm^2)$이고, $25=5\times 5$에서 정사각형의 한 변의 길이는 5 cm입니다. ▸3점
❷ 따라서 도형의 둘레는 $5\times 24=120(cm)$입니다. ▸2점
/ 120 cm

31 40
32 6

01 평행사변형에서 높이는 평행한 두 밑변 사이의 거리로 두 밑변과 수직인 선분을 찾습니다.

02 밑변과 마주 보는 꼭짓점에서 밑변에 수직으로 그은 선분이 높이입니다.

03 사다리꼴에서 두 밑변과 높이는 서로 수직입니다.

04 삼각형의 높이가 모두 7 cm로 같으므로 밑변의 길이가 길수록 넓이가 더 넓습니다.
참고 삼각형과 평행사변형은 모양에 상관없이 밑변의 길이와 높이가 같으면 넓이가 같습니다.

05

채점 기준	넓이가 모두 같은 이유 쓰기	5점

06 마름모의 둘레에 직사각형을 그리면 마름모의 넓이는 직사각형의 넓이의 반이 됩니다.

07 삼각형을 잘라 직사각형으로 만들면 높이가 반이 됩니다.
➡ $6\times 8\div 2=24(cm^2)$

09

채점 기준	❶ 한 가지 방법으로 구한 경우	3점
	❷ 다른 한 가지 방법으로 구한 경우	2점

10 도형의 넓이를 구하여 넓이에 따라 분류합니다.
➡ 가, 다, 바: 8 cm^2 / 나, 라, 마: 9 cm^2

11 주어진 마름모의 넓이는 $8\times 4\div 2=16(cm^2)$이므로 두 대각선의 길이를 곱하여 32가 되는 여러 가지 모양의 마름모를 그립니다.

12 넓이가 8 cm^2이므로 밑변의 길이와 높이를 곱하여 16이 되는 여러 가지 모양의 삼각형을 그립니다.

13 가: $7\times 8=56(cm^2)$, 나: $12\times 9\div 2=54(cm^2)$
➡ $56>54$이므로 도형 가가 더 넓습니다.

14

채점 기준	❶ 사다리꼴의 넓이 구하기	2점
	❷ 마름모의 넓이 구하기	2점
	❸ 넓이의 차 구하기	1점

15 ㉠ $12\times 8=96(cm^2)$
㉡ $15\times 4\div 2=30(cm^2)$
㉢ $(20+16)\times 8\div 2=144(cm^2)$
㉣ $14\times 10\div 2=70(cm^2)$
➡ ㉢$>$㉠$>$㉣$>$㉡

16 (꽃밭의 넓이)$=(9+11)\times 7\div 2=70(m^2)$

17 두 대각선의 길이가 각각 38 m입니다.
➡ (내야의 넓이)$=38\times 38\div 2=722(m^2)$

18 (표지판의 넓이)$=25\times 20\div 2=250(cm^2)$

19 (삼각형의 넓이)$=$(밑변)$\times$(높이)$\div 2$
➡ (높이)$=$(넓이)$\times 2\div$(밑변)$=90\times 2\div 9=20(m)$

20 (마름모의 넓이)$=$(한 대각선)$\times$(다른 대각선)$\div 2$
➡ $20\times□\div 2=60$, $20\times□=120$, □$=6$

21

채점 기준	❶ 사다리꼴의 높이를 □cm라 하고 넓이 구하는 식 쓰기	2점
	❷ 사다리꼴의 높이 구하기	3점

22 (가의 넓이)$=14\times 9=126(m^2)$
(나의 넓이)$=126\ m^2$
➡ $6\times□=126$, □$=21$

23 가의 넓이가 $20\times18\div2=180(cm^2)$이므로 나의 넓이도 $180\ cm^2$입니다.
➡ $\square\times15\div2=180$, $\square\times15=360$, $\square=24$
다른 풀이 두 삼각형의 넓이가 같으려면 밑변과 높이의 곱이 같아야 합니다. ➡ $20\times18=\square\times15$, $\square=24$

24 (가의 넓이)$=12\times10\div2=60(m^2)$
나의 넓이도 $60\ m^2$이므로 높이를 $\square$ m라 하면 $15\times\square\div2=60$입니다.
➡ $15\times\square\div2=60$, $15\times\square=120$, $\square=8$

25 약점 포인트 정답률 75%
다각형을 사다리꼴과 삼각형으로 나누어 넓이를 각각 구한 후 두 넓이를 더합니다.

(다각형의 넓이)
$=$(사다리꼴의 넓이)$+$(삼각형의 넓이)
$=(14+18)\times6\div2+18\times7\div2=159(cm^2)$

26 (다각형의 넓이)
$=$(정사각형의 넓이)$+$(사다리꼴의 넓이)
$=5\times5+(6+9)\times4\div2=25+30=55(cm^2)$

27 약점 포인트 정답률 75%
전체를 사다리꼴 모양으로 생각하면 색칠한 부분의 넓이는 사다리꼴의 넓이에서 안쪽의 삼각형의 넓이를 빼서 구합니다.

(색칠한 부분의 넓이)
$=$(사다리꼴의 넓이)$-$(삼각형의 넓이)
$=(7+12)\times6\div2-12\times2\div2=45(cm^2)$

28

채점 기준		
채점 기준	❶ 직사각형의 넓이 구하기	2점
	❷ 세 삼각형의 넓이 구하기	2점
	❸ 색칠한 부분의 넓이 구하기	1점

29 약점 포인트 정답률 70%
정사각형의 네 변의 가운데를 이어 그린 마름모도 정사각형이므로 색칠한 마름모의 두 대각선의 길이는 같습니다. 이 대각선의 길이를 이용하여 가장 큰 정사각형의 한 변의 길이를 구합니다.

마름모의 한 대각선의 길이를 $\square$ cm라 하면 다른 대각선의 길이도 $\square$ cm입니다.
(마름모의 넓이)$=\square\times\square\div2=32$
$\square\times\square=64$, $\square=8$
➡ (가장 큰 정사각형의 둘레)$=(8+8)\times4=64(cm)$

30

채점 기준		
채점 기준	❶ 정사각형의 한 변의 길이 구하기	3점
	❷ 도형의 둘레 구하기	2점

31 약점 포인트 정답률 70%
(삼각형의 넓이)$=$(밑변)$\times$(높이)$\div2$이므로 밑변의 길이가 50 cm, 높이가 24 cm인 삼각형으로 생각하여 넓이를 구한 후 넓이를 이용하여 모르는 길이를 구합니다.

삼각형에서 밑변이 $\square$ cm일 때 높이는 30 cm이고, 밑변이 50 cm일 때 높이는 24 cm입니다.
$\square\times30\div2=50\times24\div2$, $\square\times30\div2=600$,
$\square\times30=1200$, $\square=40$

32
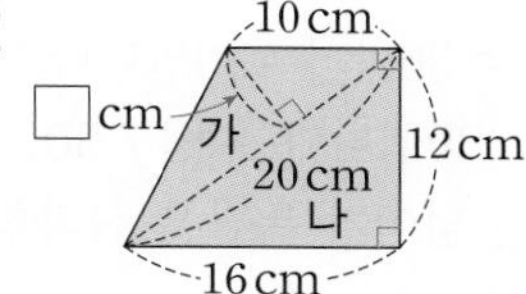

(사다리꼴의 넓이)$=(10+16)\times12\div2=156(cm^2)$
(삼각형 가의 넓이)$+$(삼각형 나의 넓이)$=156\ cm^2$
$20\times\square\div2+16\times12\div2=156$,
$20\times\square\div2+96=156$,
$20\times\square\div2=60$,
$20\times\square=120$, $\square=6$

STEP 3 서술형 해결하기 150~153쪽

01 ❶ 가로, 세로, $18\times■=270$, 15, 15 ▸3점
❷ $(18+15)\times2=66$ ▸2점
/ 66 m

02 예 ❶ 직사각형의 세로를 $\square$ cm라 하면 가로는 $(\square\times4)$ cm입니다.
직사각형의 넓이는 $\square\times4\times\square=144$에서 $\square\times\square=36$이므로 $\square=6$입니다.
➡ 가로: $6\times4=24(cm)$, 세로: 6 cm ▸3점
❷ (직사각형의 둘레)$=(24+6)\times2$
$=60(cm)$ ▸2점
/ 60 cm

03 예 ❶ 직사각형의 세로를 $\square$ cm라 하면 가로는 $(\square+3)$ cm입니다.
직사각형의 둘레는 $\square+3+\square+\square+3+\square=34$에서 $\square\times4=28$이므로 $\square=7$입니다.
➡ 가로: $7+3=10(cm)$, 세로: 7 cm ▸3점
❷ (직사각형의 넓이)$=10\times7=70(cm^2)$ ▸2점
/ $70\ cm^2$

04 ❶ $11\times6\div2=33$, 33, 99 ▸3점
❷ 11, 99, 9, 9 ▸2점 / 9

진도북 6단원

05 예 ❶ 색칠한 부분의 넓이는 사다리꼴 ㄱㄴㅁㅂ의 넓이에서 평행사변형 ㄱㄷㄹㅂ의 넓이를 뺀 것이므로 사다리꼴 ㄱㄴㅁㅂ의 넓이는 평행사변형 ㄱㄷㄹㅂ의 넓이의 3배입니다.
(평행사변형 ㄱㄷㄹㅂ의 넓이)$=6\times8=48(cm^2)$
(사다리꼴 ㄱㄴㅁㅂ의 넓이)$=48\times3$
$=144(cm^2)$ ▸3점
❷ (사다리꼴 ㄱㄴㅁㅂ의 넓이)
$=(6+\square)\times8\div2=144$이므로
$(6+\square)\times8=288$, $6+\square=36$, $\square=30$입니다.
따라서 □ 안에 알맞은 수는 30입니다. ▸2점 / 30

06 예 ❶ 색칠한 부분의 넓이는 넓이가 똑같은 삼각형 3개의 넓이의 합과 같습니다.
색칠한 삼각형 한 개의 밑변을 ▲ cm라 하면
(색칠한 부분의 넓이)$=▲\times15\div2\times3=90(cm^2)$
이므로 ▲$=4$입니다. ▸3점
❷ $\square=▲\times4=4\times4=16(cm)$ ▸2점 / 16

07 ❶ $8\times■\div2=32$, 8 ▸3점
❷ 8, $(12+14)\times8\div2=104$ ▸2점 / 104 m^2

08 예 ❶ (삼각형 ㄱㄴㄷ의 넓이)
$=26\times20\div2=260(cm^2)$
(삼각형 ㄹㄴㄷ의 넓이)$=260\div2$
$=130(cm^2)$ ▸3점
❷ 변 ㄹㄷ의 길이를 □ cm라 하면
$26\times\square\div2=130$에서 $\square=10$입니다.
따라서 변 ㄹㄷ의 길이는 10 cm입니다. ▸2점
/ 10 cm

09 예 ❶ (삼각형 나의 넓이)$=7\times12\div2=42(m^2)$
평행사변형 가의 넓이는 삼각형 나의 넓이의 4배이므로 $42\times4=168(m^2)$입니다. ▸3점
❷ 선분 ㄴㄷ의 길이를 □ m라 하면 $\square\times12=168$에서 $\square=14$입니다. 따라서 선분 ㄴㄷ의 길이는 14 m입니다. ▸2점 / 14 m

10 ❶ $24\times19\div2=228$ ▸2점
❷ $28\times36\div2=504$ ▸2점
❸ 228, 504, 732 ▸1점 / 732 cm^2

11 예 ❶ (정사각형 3개의 넓이의 합)
$=9\times9+6\times6+3\times3=81+36+9$
$=126(cm^2)$ ▸2점
❷ (색칠하지 않은 삼각형의 넓이)
$=(9+6+3)\times9\div2=81(cm^2)$ ▸2점
❸ (색칠한 부분의 넓이)$=126-81=45(cm^2)$ ▸1점
/ 45 cm^2

12 예 ❶ (큰 마름모의 넓이)$=(8\times2)\times(5\times2)\div2$
$=80(cm^2)$ ▸2점
❷ 겹쳐진 부분의 넓이는 큰 마름모의 넓이를 4등분 한 것 중의 1입니다.
(겹쳐진 부분의 넓이)=(큰 마름모의 넓이)$\div4$
$=80\div4=20(cm^2)$ ▸2점
❸ (만든 도형의 넓이)$=80\times2-20=140(cm^2)$ ▸1점
/ 140 cm^2

번호	채점 기준		점수
01	채점 기준	❶ 직사각형의 세로 구하기	3점
		❷ 직사각형의 둘레 구하기	2점
02	채점 기준	❶ 직사각형의 가로와 세로 구하기	3점
		❷ 직사각형의 둘레 구하기	2점
03	채점 기준	❶ 직사각형의 가로와 세로 구하기	3점
		❷ 직사각형의 넓이 구하기	2점
04	채점 기준	❶ 마름모 나의 넓이 구하기	3점
		❷ ▲에 알맞은 수 구하기	2점
05	채점 기준	❶ 평행사변형과 사다리꼴의 넓이 구하기	3점
		❷ □ 안에 알맞은 수 구하기	2점
06	채점 기준	❶ 색칠한 삼각형 한 개의 밑변 구하기	3점
		❷ □ 안에 알맞은 수 구하기	2점
07	채점 기준	❶ 삼각형 ㅁㄷㄹ의 높이 구하기	3점
		❷ 사다리꼴 ㄱㄴㄷㅁ의 넓이 구하기	2점
08	채점 기준	❶ 삼각형 ㄱㄴㄷ의 넓이를 이용하여 삼각형 ㄹㄴㄷ의 넓이 구하기	3점
		❷ 변 ㄹㄷ의 길이 구하기	2점
09	채점 기준	❶ 삼각형 나의 넓이를 이용하여 평행사변형 가의 넓이 구하기	3점
		❷ 선분 ㄴㄷ의 길이 구하기	2점
10	채점 기준	❶ 삼각형 ㄱㄴㄷ의 넓이 구하기	2점
		❷ 삼각형 ㄱㄷㄹ의 넓이 구하기	2점
		❸ 사각형 ㄱㄴㄷㄹ의 넓이 구하기	1점
11	채점 기준	❶ 정사각형 3개의 넓이의 합 구하기	2점
		❷ 색칠하지 않은 삼각형의 넓이 구하기	2점
		❸ 색칠한 부분의 넓이 구하기	1점
12	채점 기준	❶ 큰 마름모의 넓이 구하기	2점
		❷ 겹쳐진 부분의 넓이 구하기	2점
		❸ 만든 도형의 넓이 구하기	1점

단원 마무리 154~156쪽

01 4, 22 **02** 12 cm², 16 cm²
03 4 cm **04** 6, 50000
05 18 **06** 10 **07** 56 m²
08 $(11+9)\times10\div2=100(cm^2)$ / 100 cm²
09 ㉠, ㉣, ㉡, ㉢ **10** 750 cm²
11 30 m² **12** 6 **13** 14
14 50 cm **15** 276 cm²
16 12 **17** 336 cm²
18 예 정사각형의 한 변의 길이를 □cm라 하면 □×□=36, □=6입니다. 따라서 정사각형의 한 변의 길이는 6 cm입니다. ▸5점 / 6 cm
19 예 ❶ 가로를 □cm라 하면 세로는 (□+6) cm입니다. 둘레가 64 cm이므로 (□+□+6)×2=64, □+□+6=32, □+□=26, □=13에서 가로는 13 cm이고, 세로는 19 cm입니다. ▸3점
❷ 따라서 직사각형의 넓이는 $13\times19=247(cm^2)$입니다. ▸2점 / 247 cm²
20 예 ❶ (사다리꼴의 넓이)$=(6+12)\times9\div2$
$=81(cm^2)$ ▸2점
❷ (마름모의 넓이)$=10\times14\div2=70(cm^2)$ ▸2점
❸ 넓이의 차는 $81-70=11(cm^2)$입니다. ▸1점
/ 11 cm²

01 (직사각형의 둘레)=(가로+세로)×2

02 모눈 한 칸의 넓이가 1 cm²입니다. 모눈의 칸 수를 세어 보면 가는 12칸이므로 12 cm², 나는 16칸이므로 16 cm²입니다.

03 두 밑변 사이의 거리를 나타내는 길이를 찾습니다.

04 • 10000 cm²=1 m² ➜ 60000 cm²=6 m²
• 1 m²=10000 cm² ➜ 5 m²=50000 cm²

05 6000 m=6 km
➜ (직사각형의 넓이)$=6\times3=18(km^2)$

06 (정다각형의 둘레)=(한 변의 길이)×(변의 수)
(정사각형의 둘레)$=15\times4=60(cm)$
➜ (정육각형의 한 변의 길이)$=60\div6=10(cm)$

07 (삼각형의 넓이)$=8\times14\div2=56(m^2)$

08 (사다리꼴의 넓이)=(윗변+아랫변)×(높이)÷2

09 ㉠ $10\times9=90(cm^2)$
㉡ $16\times8\div2=64(cm^2)$
㉢ $(7+13)\times5\div2=50(cm^2)$
㉣ $12\times12\div2=72(cm^2)$
➜ ㉠>㉣>㉡>㉢

10 (마름모의 넓이)$=50\times30\div2=750(cm^2)$

11 가로가 40 cm, 세로가 30 cm인 타일을 25개씩 10줄 붙였으므로 타일을 붙인 벽의 가로와 세로는 다음과 같습니다.
가로: $40\times25=1000(cm)$ ➜ 10 m
세로: $30\times10=300(cm)$ ➜ 3 m
➜ (타일을 붙인 벽의 넓이)$=10\times3=30(m^2)$

12 (평행사변형의 넓이)=(밑변)×(높이)
➜ (높이)=(넓이)÷(밑변)$=42\div7=6(cm)$

13 (마름모의 넓이)$=14\times12\div2=84(cm^2)$
➜ (사다리꼴의 넓이)$=(8+4)\times$□$\div2=84(cm^2)$
12×□÷2=84, 12×□=168, □=14

14 도형의 둘레는 가로가 15 cm이고, 세로가 $3+7=10(cm)$인 직사각형의 둘레와 같습니다.
➜ (도형의 둘레)$=(15+10)\times2=50(cm)$

15 (다각형의 넓이)
=(사다리꼴의 넓이)+(삼각형의 넓이)
$=(24+12)\times10\div2+24\times8\div2$
$=180+96=276(cm^2)$

16 밑변이 25 cm일 때 높이는 □cm이고, 밑변이 20 cm일 때 높이는 15 cm입니다.
25×□÷2=20×15÷2, 25×□÷2=150,
25×□=300, □=12

17 삼각형의 높이를 □cm라 하면
8×□÷2=64에서 8×□=128, □=16입니다.
사다리꼴의 높이도 16 cm이므로
(사다리꼴의 넓이)$=(15+27)\times16\div2=336(cm^2)$

18

채점 기준	넓이를 이용하여 정사각형의 한 변의 길이 구하기	5점

19

채점 기준	❶ 둘레를 이용하여 가로와 세로 구하기	3점
	❷ 직사각형의 넓이 구하기	2점

20

채점 기준	❶ 사다리꼴의 넓이 구하기	2점
	❷ 마름모의 넓이 구하기	2점
	❸ 넓이의 차 구하기	1점

진도북 6단원

매칭북 정답 및 풀이

1. 자연수의 혼합 계산

STEP1 한번더 개념 완성하기 01쪽

1 ㉢ 2 42, 6, 35
3 > 4 ② 5 19
6 1200, 8000, 3, 6000 / 6000원

1 ㉠ $(34-15)+12=19+12=31$
㉡ $34-15+12=19+12=31$
㉢ $34-(15+12)=34-27=7$

3 • $60\div4+8-4=15+8-4=23-4=19$
• $60\div(4+8)-4=60\div12-4=5-4=1$

4 (남은 거리)
=(서울에서 대전까지의 거리)
−(한 시간 동안 가는 거리)×(달린 시간)
$=161-70\times2$

6 (사과 한 개의 값)+(배 3개의 값)
$=1200+8000\div5\times3=1200+1600\times3$
$=1200+4800=6000$(원)

STEP2 한번더 실력 다지기 02~04쪽

01 나라 02 ㉢, ㉠, ㉡
03 $19-27\div9+5=21$
04 $39\div(24-7\times2+3)\times4-5=7$
또는 $24-(39\div13\times4-5)\times2+3=13$
05 예 뺄셈과 곱셈이 섞여 있을 때에는 곱셈을 먼저 계산해야 하는데 뺄셈을 먼저 계산했습니다. ▸5점
06 ㉠ 07 $21-8\times2+2=7$ / 7명
08 $15\times40-(15-4)\times50=50$ / 50번
09 약 5kg 10 25℃
11 2 12 3
13 $780-(1200-780)\div2\times3=150$ / 150g
14 800원 15 −, ÷, +, ×
16 예 7, 4, 6, 3, 5 / 7, 5, 6, 3, 4 / ① 13 ② 10
17 예 혜진이는 수수깡 15개를 받아서 친구 2명에게 4개씩 나누어 주고 7개를 더 받았습니다. 지금 혜진이가 가지고 있는 수수깡은 몇 개인가요? / 14개
18 예 ❶ $4★2=4\times4\div2-2$
$=16\div2-2=8-2=6$ ▸3점
❷ $12★(4★2)=12★6=12\times12\div6-6$
$=144\div6-6=24-6=18$ ▸2점 / 18
19 18, 6, 3 또는 6, 18, 3 / 36
20 예 ❶ 오른쪽 식을 먼저 계산합니다.
$35-(4+8)\div3\times7=35-12\div3\times7$
$=35-4\times7=35-28=7$ ▸3점
❷ □<7이므로 □ 안에 들어갈 수 있는 가장 큰 자연수는 6입니다. ▸2점 / 6

01 • 훈이: $3+15\div5-1=3+3-1=5$
• 재연: $2\times10\div(13-8)=2\times10\div5=4$
• 나라: $15-(10-4)\div3\times2$
$=15-6\div3\times2=15-2\times2$
$=15-4=11$
➜ $11>5>4$

02 ㉠ $20-2\times8+5=20-16+5=4+5=9$
㉡ $12+54\div6\times2-8=12+9\times2-8$
$=12+18-8=22$
㉢ $13+25\div5-4\times3=13+5-4\times3$
$=18-12=6$
➜ ㉢<㉠<㉡

04 • $24-7\times2+3=13$, $39\div13\times4-5=7$
➜ $39\div(24-7\times2+3)\times4-5=7$
• $24-7\times2+3=13$, $39\div13\times4-5=7$
➜ $24-(39\div13\times4-5)\times2+3=13$

05

채점 기준	잘못된 이유 쓰기	5점

06 ㉠ $25\times2-12\div4=50-12\div4=50-3=47$(○)
㉡ $36-(12-8)\times4=36-4\times4$
$=36-16=20$(×)

07 발야구를 한 학생 수: 8×2
호준이네 반에서 응원을 한 학생 수: $21-8\times2$
➜ 응원한 학생 수: $21-8\times2+2=7$(명)

09 (지구에서 잰 우진이와 은이의 몸무게의 합)÷6
−(달에서 잰 서현이의 몸무게)
$=(39+33)\div6-7=72\div6-7=12-7=5$(kg)

10 (섭씨온도)=((화씨온도)−32)×10÷18
➡ (77−32)×10÷18=45×10÷18=450÷18
=25(℃)

11 24−(13+□)÷3−6=13,
24−(13+□)÷3=19,
(13+□)÷3=24−19=5, 13+□=5×3=15,
□=15−13=2

12 3+(28÷7−■)×6=9, 3+(4−■)×6=9,
(4−■)×6=9−3=6, 4−■=6÷6=1,
■=4−1=3

13 주스 한 병의 무게: (1200−780)÷2
(상자만의 무게)=780−(1200−780)÷2×3
=780−420÷2×3
=780−210×3=780−630
=150(g)

14 (당근 한 개의 값)
=((낸 돈)−(거스름돈)−(양파 4개의 값))
÷(당근의 수)
=(10000−2400−900×4)÷5
=(10000−2400−3600)÷5
=4000÷5=800(원)

15 7−10÷2+4×3=7−5+4×3
=7−5+12
=2+12=14

16 ① 7−4+6÷3×5=7−4+2×5=7−4+10
=3+10=13
② 7−5+6÷3×4=7−5+2×4=7−5+8
=2+8=10

17 (혜진이가 가지고 있는 수수깡의 수)
=15−4×2+7=15−8+7=7+7=14(개)

18

채점 기준		
	❶ 4★2의 값 구하기	3점
	❷ 12★(4★2)의 값 구하기	2점

19 계산 결과가 가장 크려면 나누는 수를 가장 작게 해야 합니다.
➡ 18×6÷3=108÷3=36

20

채점 기준		
	❶ 오른쪽 혼합 계산식 계산하기	3점
	❷ □ 안에 들어갈 수 있는 가장 큰 자연수 구하기	2점

STEP3 한번더 서술형 해결하기 05쪽

01 예 ❶ 언니는 은지보다 2살이 많으므로 언니의 나이는 12+2=14(살)입니다. ▸2점
❷ 어머니의 나이는 언니 나이의 3배보다 3살이 많으므로 (12+2)×3+3=42+3=45(살)입니다.
따라서 어머니의 나이는 45살입니다. ▸3점 / 45살

02 예 ❶ 승주는 언니보다 4살이 적으므로 언니의 나이를 먼저 구합니다.
(언니의 나이)=(어머니의 나이)÷3
=45÷3=15(살)
(승주의 나이)=15−4=11(살) ▸2점
❷ 아버지의 나이는 승주 나이의 5배보다 7살이 적으므로 (45÷3−4)×5−7=55−7=48(살)입니다. ▸2점
❸ (아버지의 나이)−(승주의 나이)
=48−11=37(살) ▸1점 / 37살

03 예 ❶ 어떤 수를 □라 하고 식을 세우면
(□÷3+4)×2−5=11입니다. ▸3점
❷ (□÷3+4)×2−5=11,
(□÷3+4)×2=16, □÷3+4=8, □÷3=4,
□=12이므로 어떤 수는 12입니다. ▸2점 / 12

04 예 ❶ 어떤 수를 □라 하고 잘못 계산한 식을 세우면
(□−4)×6÷5=12, (□−4)×6=12×5=60,
□−4=60÷6=10, □=10+4=14이므로 어떤 수는 14입니다. ▸3점
❷ 바르게 계산하면
(14+4)×7÷6=18×7÷6=21입니다. ▸2점
/ 21

01

채점 기준		
	❶ 언니의 나이 구하기	2점
	❷ 어머니의 나이 구하기	3점

02

채점 기준		
	❶ 승주의 나이 구하기	2점
	❷ 아버지의 나이 구하기	2점
	❸ 승주와 아버지의 나이의 차 구하기	1점

03

채점 기준		
	❶ 어떤 수를 □라 하고 식 세우기	3점
	❷ 어떤 수 구하기	2점

04

채점 기준		
	❶ 어떤 수 구하기	3점
	❷ 바르게 계산한 값 구하기	2점

2. 약수와 배수

STEP 1 한번더 개념 완성하기 06쪽

1 (1) 12 (2) 16　　2 35, 21, 7, 42
3 1, 25　　4 84, 21, 7
5 예 5　　6 ①, ⑤

5 주어진 수가 어떤 수의 배수이거나 어떤 수의 약수가 되는 경우로 나누어 생각합니다.

STEP2 한번더 실력 다지기 07~08쪽

01 ❶ 7은 247의 약수가 아닙니다. ▸1점
❷ 예 큰 수를 작은 수로 나누었을 때 나누어떨어지면 작은 수는 큰 수의 약수입니다.
247÷7=35 ⋯ 2로 나누어떨어지지 않으므로 7은 247의 약수가 아닙니다. ▸4점

02 5가지　　03 48　　04 372
05 242　　06 11번
07 15, 30, 45, 60, 75, 90

08 예 ❶ 23의 배수는 23, 46, 69, 92, 115⋯⋯입니다. ▸3점
❷ 따라서 23의 배수 중에서 가장 큰 두 자리 수는 92입니다. ▸2점 / 92

09 1, 2, 19, 38

10 예 ❶ 큰 수를 작은 수로 나누었을 때 나누어떨어지면 두 수는 약수와 배수의 관계입니다. ▸2점
❷ ㉠ 28÷2=14(○)　㉡ 28÷4=7(○)
㉢ 28÷7=4(○)　㉣ 56÷28=2(○)
㉤ 60÷28=2 ⋯ 4(×)
따라서 ♥에 알맞은 수가 아닌 것은 ㉤입니다. ▸3점
/ ㉤

11 4　　12 580　　13 7

14 예 ❶ 24의 배수는 □의 배수이므로 □는 24의 약수입니다. 24의 약수는 1, 2, 3, 4, 6, 8, 12, 24입니다. ▸3점
❷ 1부터 9까지의 수 중에서 □ 안에 들어갈 수 있는 수는 1, 2, 3, 4, 6, 8입니다. ▸2점
/ 1, 2, 3, 4, 6, 8

01

채점 기준		
	❶ 약수인지 아닌지 쓰기	1점
	❷ 이유 쓰기	4점

04 (150의 약수의 합)
=1+2+3+5+6+10+15+25+30+50+75+150=372

06 출발 시각: 8시, 8시 12분, 8시 24분, 8시 36분, 8시 48분, 9시, 9시 12분, 9시 24분, 9시 36분, 9시 48분, 10시 ➔ 11번

08

채점 기준		
	❶ 23의 배수 구하기	3점
	❷ 23의 배수 중에서 가장 큰 두 자리 수 구하기	2점

09 38은 □의 배수이므로 □는 38의 약수입니다.
38의 약수: 1, 2, 19, 38
➔ □ 안에 들어갈 수 있는 수: 1, 2, 19, 38

10

채점 기준		
	❶ 두 수가 약수와 배수의 관계가 되는 조건 알기	2점
	❷ ♥에 알맞은 수가 아닌 것 구하기	3점

11 6의 배수는 2의 배수이면서 3의 배수입니다.
3의 배수는 각 자리 숫자의 합이 3의 배수이므로 4+5+2+□=11+□에서 (11+□)는 3의 배수입니다. 11+□가 3의 배수가 되려면 □ 안에 1, 4, 7이 들어갈 수 있습니다. 이 중에서 452□가 2의 배수가 되려면 일의 자리 숫자가 짝수이어야 하므로 □ 안에 알맞은 수는 4입니다.

12 만들 수 있는 세 자리 수: 508, 580, 805, 850
4의 배수는 끝의 두 자리 수가 00이거나 4의 배수이므로 만들 수 있는 가장 큰 4의 배수는 580입니다.

14

채점 기준		
	❶ □는 24의 약수임을 알고 24의 약수 구하기	3점
	❷ □ 안에 들어갈 수 있는 수 구하기	2점

STEP 1 한번더 개념 완성하기 09쪽

1 1, 2, 4, 5, 10, 20　　2 ④

3 예 방법 1 27=3×3×3　36=2×2×3×3
➔ 27과 36의 최대공약수: 3×3=9

방법 2
3) 27　36
3) 9　12
　　3　4
➔ 27과 36의 최대공약수: 3×3=9

4 14, 28, 42　　5 60

6 예 방법 1 $54=2\times3\times3\times3$
$72=2\times2\times2\times3\times3$
➡ 54와 72의 최소공배수:
$2\times2\times2\times3\times3\times3=216$

방법 2
```
2 ) 54  72
3 ) 27  36
3 )  9  12
     3   4
```
➡ 54와 72의 최소공배수: $2\times3\times3\times3\times4=216$

4 두 수의 공배수는 두 수의 최소공배수의 배수와 같습니다. ➡ 두 수의 공배수: 14, 28, 42……

STEP2 한번더 실력 다지기 10~12쪽

01 ❶ 현애 ▸1점
❷ 예 두 수의 공약수는 두 수를 모두 나누어떨어지게 할 수 있습니다. ▸4점

02 (○) (   )
03 24
04 6개
05 144
06 4번
07 60, 120, 180, 240

08 예 ❶ 4와 18의 최소공배수가 36이므로 4와 18의 공배수는 36, 72, 108……입니다. ▸3점
❷ 따라서 두 수의 공배수 중 두 자리 수는 36과 72로 모두 2개입니다. ▸2점 / 2개

09 5개, 4개
10 117장
11 2번
12 8월 19일

13 예 ❶ 띠는 모두 12가지이므로 띠가 서로 같으면 나이의 차는 12의 배수가 됩니다. 혜란이가 12살이므로 아버지의 나이는 12의 배수입니다. ▸2점
❷ 12의 배수는 24, 36, 48……이므로 37보다 크고 60보다 작은 12의 배수는 48입니다. 따라서 아버지의 나이는 48살입니다. ▸3점 / 48살

14 2개
15 ㉠
16 20개, 20개
17 6

18 예 ❶ 어떤 수를 8로 나누어도 18로 나누어도 나머지가 모두 3이므로 어떤 수는 8과 18의 공배수보다 3 큰 수입니다. 8과 18의 최소공배수는 72이므로 8과 18의 공배수는 72, 144, 216……입니다. ▸3점
❷ 따라서 어떤 수가 될 수 있는 수 중에서 가장 작은 수는 $72+3=75$입니다. ▸2점 / 75

19 예 ❶ 32와 어떤 수를 각각 두 수의 최대공약수인 8과 다른 수의 곱으로 나타내면 (어떤 수)$=8\times\square$, $32=8\times4$입니다. ▸3점
❷ 어떤 수와 32의 최소공배수는 $8\times4\times\square=160$이고 $160=8\times4\times5$에서 $\square=5$이므로 어떤 수는 $8\times5=40$입니다. ▸2점 / 40

01

채점 기준		
채점 기준	❶ 잘못 말한 사람 쓰기	1점
	❷ 이유 쓰기	4점

08

채점 기준		
채점 기준	❶ 4와 18의 공배수 구하기	3점
	❷ 두 수의 공배수 중 두 자리 수는 모두 몇 개인지 구하기	2점

13

채점 기준		
채점 기준	❶ 아버지의 나이는 어떤 수의 배수인지 구하기	2점
	❷ 아버지의 나이 구하기	3점

15 ㉠ 2와 15의 공배수인 30의 배수 중에서 100보다 작으면서 100에 가장 가까운 수: 90
㉡ 5와 35의 공배수인 35의 배수 중에서 100보다 작으면서 100에 가장 가까운 수: 70
㉢ 7과 21의 공배수인 21의 배수 중에서 100보다 작으면서 100에 가장 가까운 수: 84
➡ 100보다 작으면서 100에 가장 가까운 것: ㉠

16 1 km=1000 m
- 놀이터 둘레에 의자를 놓을 때 필요한 의자 수:
  $1000\div40=25$(개)
- 놀이터 둘레에 가로등을 세울 때 필요한 가로등 수:
  $1000\div50=20$(개)

40과 50의 최소공배수는 200이므로 의자를 놓을 곳과 가로등을 세울 곳이 겹쳐지는 곳은
$1000\div200=5$(군데)입니다.
➡ 의자: $25-5=20$(개), 가로등: 20개

17 어떤 수는 $(27-3)$과 $(21-3)$의 공약수입니다. 24와 18의 최대공약수는 6이므로 공약수는 1, 2, 3, 6입니다.
따라서 나누는 수는 나머지보다 커야 하므로 어떤 수는 나머지인 3보다 큰 6입니다.

18

채점 기준		
채점 기준	❶ 8과 18의 공배수 구하기	3점
	❷ 어떤 수가 될 수 있는 수 중에서 가장 작은 수 구하기	2점

19

채점 기준		
채점 기준	❶ 32와 어떤 수를 곱셈식으로 나타내기	3점
	❷ 어떤 수 구하기	2점

STEP3 한번더 서술형 해결하기 13~14쪽

01 예 ❶ ■는 모든 약수의 합이 28이고 ■와 60은 약수와 배수의 관계이므로 ■는 60의 약수입니다.
60의 약수는 1, 2, 3, 4, 5, 6, 10, 12, 15, 20, 30, 60입니다. ▸1점
❷ 60의 약수 중에서 모든 약수의 합이 28인 수를 찾아보면
(12의 약수의 합)$=1+2+3+4+6+12=28$
따라서 60의 약수 중에서 모든 약수의 합이 28인 수는 12이므로 ■는 12입니다. ▸4점 / 12

02 예 ❶ 7의 약수의 합은 $1+7=8$로 48보다 작으므로 어떤 수는 7의 배수입니다. 7의 배수는 7, 14, 21, 28, 35…… 입니다. ▸1점
❷ (14의 약수의 합)$=1+2+7+14=24$
(21의 약수의 합)$=1+3+7+21=32$
(28의 약수의 합)$=1+2+4+7+14+28=56$
(35의 약수의 합)$=1+5+7+35=48$
따라서 어떤 수는 35입니다. ▸4점 / 35

03 예 ❶ 두 기차가 15분, 35분마다 각각 출발하므로 두 기차는 15와 35의 최소공배수인 105분마다 동시에 출발합니다. ▸3점
❷ 두 기차는 105분(=1시간 45분)마다 동시에 출발하므로 다음에 처음으로 동시에 출발하는 시각은 오전 7시 45분입니다. ▸2점 / 오전 7시 45분

04 예 ❶ 행운 버스는 15분마다, 사랑 버스는 9분마다 출발하므로 두 버스는 15와 9의 최소공배수인 45분마다 동시에 출발합니다. ▸3점
❷ 오전 5시에 처음으로 동시에 출발했으므로 다섯 번째로 동시에 출발하는 시각은
오전 5시+45분+45분+45분+45분=오전 8시입니다. ▸2점 / 오전 8시

05 예 ❶ 남는 부분 없이 크기가 같은 가장 큰 정사각형 모양을 만들어야 하므로 가로와 세로의 최대공약수를 구합니다.

$$\begin{array}{r|rr} 6 & 18 & 24 \\ \hline & 3 & 4 \end{array}$$

➡ 최대공약수: 6 ▸3점
❷ 직사각형의 가로와 세로의 최대공약수가 6이므로 정사각형의 한 변의 길이는 6 cm로 해야 합니다. ▸2점 / 6 cm

06 예 ❶ 될 수 있는 대로 작은 정사각형을 만들어야 하므로 직사각형의 가로와 세로의 최소공배수를 구합니다.

$$\begin{array}{r|rr} 8 & 40 & 24 \\ \hline & 5 & 3 \end{array}$$

➡ 최소공배수: $8\times5\times3=120$
정사각형의 한 변의 길이는 120 cm가 되어야 합니다. ▸3점
❷ 정사각형의 한 변의 길이가 120 cm이므로 직사각형 모양의 카드를 가로로 $120\div40=3$(장), 세로로 $120\div24=5$(장) 놓아야 합니다. 따라서 카드는 모두 $3\times5=15$(장) 필요합니다. ▸2점 / 15장

07 예 ❶ 어떤 수는 $42-2=40$과 $60-4=56$의 공약수입니다. 40과 56의 최대공약수는 8이므로 40과 56의 공약수는 1, 2, 4, 8입니다. ▸3점
❷ 어떤 수는 나머지보다 커야 하므로 어떤 수는 8입니다. ▸2점 / 8

08 예 ❶ 어떤 수는 $69-5=64$와 $55-7=48$의 공약수입니다. 64와 48의 최대공약수는 16이므로 64와 48의 공약수는 1, 2, 4, 8, 16입니다. ▸3점
❷ 어떤 수는 나머지보다 커야 하므로 어떤 수가 될 수 있는 수는 8, 16으로 모두 2개입니다. ▸2점 / 2개

01	채점 기준	❶ 60의 약수 구하기	1점
		❷ ■의 값 구하기	4점
02	채점 기준	❶ 7의 배수 구하기	1점
		❷ 어떤 수 구하기	4점
03	채점 기준	❶ 두 기차가 몇 분마다 동시에 출발하는지 구하기	3점
		❷ 다음에 처음으로 동시에 출발하는 시각 구하기	2점
04	채점 기준	❶ 두 버스가 몇 분마다 동시에 출발하는지 구하기	3점
		❷ 다섯 번째로 동시에 출발하는 시각 구하기	2점
05	채점 기준	❶ 가로와 세로의 최대공약수 구하기	3점
		❷ 정사각형의 한 변의 길이 구하기	2점
06	채점 기준	❶ 정사각형의 한 변의 길이 구하기	3점
		❷ 필요한 카드는 모두 몇 장인지 구하기	2점
07	채점 기준	❶ 40과 56의 공약수 구하기	3점
		❷ 어떤 수 구하기	2점
08	채점 기준	❶ 64와 48의 공약수 구하기	3점
		❷ 어떤 수가 될 수 있는 수는 모두 몇 개인지 구하기	2점

3. 규칙과 대응

STEP 1 한번더 개념 완성하기 15쪽

1 24, 60, 84 **2** (1) 12 (2) 12
3 각의 수, 오각형의 수, 5
4 (1) ㉡ (2) ㉢
5 다래가 말한 수, ◎×2+1=◇ 또는 (◇−1)÷2=◎
6 ▽×12=☆ 또는 ☆÷12=▽

5 • (다래가 말한 수)×2+1=(영우가 답한 수)
➡ ◎×2+1=◇
• ((영우가 답한 수)−1)÷2=(다래가 말한 수)
➡ (◇−1)÷2=◎

STEP 2 한번더 실력 다지기 16~17쪽

01 예 수 카드의 수는 배열 순서보다 2 큽니다.
02 예 하트 조각의 수는 삼각형 조각의 수보다 2개 많습니다.
03 예 판매 금액은 팔린 볼펜의 수의 800배입니다.
04 예 ❶ 변의 수는 팔각형의 수의 8배입니다. ▸3점
❷ 변의 수를 8로 나누면 팔각형의 수와 같습니다. ▸2점
05 (왼쪽부터) 12, 24, 5
/ △×6=□ 또는 □÷6=△
06 11, 10, 9, 8 / 예 연주가 가진 사탕 수(○)와 오빠가 가진 사탕 수(▽)의 합은 14개입니다.
07 □×15=○ 또는 ○÷15=□
08 ○×50=△ 또는 △÷50=○
09 나현 **10** 4, 5 / 9
11 예 ❶ ♡가 1씩 늘어날 때마다 ▽는 21씩 늘어나므로 두 양 사이의 대응 관계를 식으로 나타내면
♡×21=▽입니다. ▸3점
❷ 따라서 ♡=14일 때 ▽=14×21=294이므로
㉠은 294입니다. ▸2점 / 294
12 196개
13 예 ❶ 배열 순서를 ○, 구슬의 수를 △라고 할 때 두 양 사이의 대응 관계를 식으로 나타내면
○×3−2=△입니다. ▸3점
❷ 따라서 10째에 놓는 구슬은
10×3−2=28(개)입니다. ▸2점 / 28개

02 • 하트 조각의 수는 3, 4, 5……로 1씩 늘어납니다.
• 삼각형 조각의 수는 1, 2, 3……으로 1씩 늘어납니다.
➡ 하트 조각의 수는 삼각형 조각의 수보다 2개 많습니다.

04

채점 기준		
채점 기준	❶ 대응 관계를 한 가지로 쓴 경우	3점
	❷ 대응 관계를 다른 한 가지로 쓴 경우	2점

06 ○와 ▽를 더하면 14가 되므로 합이 14인 대응 관계를 나타내는 두 양을 찾아 상황을 만듭니다.

07

물이 나온 시간(분)	1	2	3	4
나온 물의 양(L)	15	30	45	60

08 희주가 하루 동안 운동을 한 시간:
20+30=50(분)
운동을 한 전체 시간은 운동을 한 날수의 50배입니다.
➡ ○×50=△ 또는 △÷50=○

10 □÷11=☆ ➡
- □=44, ☆=44÷11=4
- □=55, ☆=55÷11=5
- □=99, ☆=99÷11=9

11

채점 기준		
채점 기준	❶ ♡와 ▽ 사이의 대응 관계를 식으로 나타내기	3점
	❷ ㉠의 값 구하기	2점

12 빨간색 사각형의 수는 배열 순서와 같습니다. 빨간색 사각형의 수를 ☆, 초록색 사각형의 수를 ○라 하고 두 양 사이의 대응 관계를 식으로 나타내면
☆×☆=○입니다.
➡ (14째에 필요한 초록색 사각형의 수)
=14×14=196(개)

13

채점 기준		
채점 기준	❶ 배열 순서와 구슬의 수 사이의 대응 관계를 식으로 나타내기	3점
	❷ 10째에 놓는 구슬의 수 구하기	2점

STEP 3 한번더 서술형 해결하기 18쪽

01 예 ❶ 마름모의 수와 성냥개비의 수 사이의 대응 관계를 식으로 나타내면
(마름모의 수)×3+1=(성냥개비의 수) ▸3점
❷ 따라서 마름모를 10개 만들려면 성냥개비는 모두 10×3+1=31(개)가 필요합니다. ▸2점 / 31개

매칭북 한번더

02 예 ❶ 자음 ㅂ 모양의 수와 성냥개비의 수 사이의 대응 관계를 표로 나타내면 다음과 같습니다.

ㅂ 모양의 수(개)	1	2	3	……
성냥개비의 수(개)	6	10	14	……

➜ (ㅂ 모양의 수)×4+2=(성냥개비의 수) ▸3점

❷ 성냥개비 42개로 만들 수 있는 자음 ㅂ 모양의 수를 □개라 하면 □×4+2=42, □=10입니다. 따라서 성냥개비 42개로 만들 수 있는 자음 ㅂ 모양은 모두 10개입니다. ▸2점 / 10개

03 예 ❶ □와 △ 사이의 대응 관계를 식으로 나타내면 □×7=△이므로 □=2일 때 2×7=14에서 ㉠=14입니다. ▸2점

❷ □와 ○ 사이의 대응 관계를 식으로 나타내면 □+5=○이므로 □=4일 때 4+5=9에서 ㉡=9입니다. ▸2점

❸ 따라서 ㉠+㉡=14+9=23입니다. ▸1점 / 23

04 예 ❶ ○와 ◇ 사이의 대응 관계를 식으로 나타내면 ○+◇=10이므로 ◇=5일 때 ㉠+5=10, ㉠=5이고, ○=2일 때 2+㉡=10이므로 ㉡=8입니다. ▸3점

❷ ○와 ☆ 사이의 대응 관계를 식으로 나타내면 ○×9=☆이므로 ○=3일 때 3×9=27에서 ㉢=27입니다. ▸1점

❸ 따라서 ㉠×㉡−㉢=5×8−27=13입니다. ▸1점

/ 13

01

채점 기준		
	❶ 마름모의 수와 성냥개비의 수 사이의 대응 관계를 식으로 나타내기	3점
	❷ 마름모를 10개 만들 때 필요한 성냥개비의 수 구하기	2점

02

채점 기준		
	❶ 자음 ㅂ 모양의 수와 성냥개비의 수 사이의 대응 관계를 식으로 나타내기	3점
	❷ 성냥개비 42개로 만들 수 있는 자음 ㅂ 모양의 수 구하기	2점

03

채점 기준		
	❶ ㉠에 알맞은 수 구하기	2점
	❷ ㉡에 알맞은 수 구하기	2점
	❸ ㉠+㉡의 값 구하기	1점

04

채점 기준		
	❶ ㉠, ㉡에 알맞은 수 구하기	3점
	❷ ㉢에 알맞은 수 구하기	1점
	❸ ㉠×㉡−㉢의 값 구하기	1점

4. 약분과 통분

STEP 1 한번더 개념 완성하기 19쪽

1 (1) $\frac{6}{9}$, $\frac{10}{15}$에 ○표 (2) $\frac{12}{15}$, $\frac{20}{25}$에 ○표

2 $\frac{3}{10}$, $\frac{6}{20}$

3 $\frac{6}{14}$, $\frac{9}{21}$, $\frac{12}{28}$

4 (1) ㉢ (2) ㉡ (3) ㉠

5 ②, ⑤

6 8

1 (1) $\frac{2}{3}=\frac{2\times3}{3\times3}=\frac{6}{9}$, $\frac{2}{3}=\frac{2\times5}{3\times5}=\frac{10}{15}$

2 $\frac{12}{40}=\frac{12\div4}{40\div4}=\frac{3}{10}$, $\frac{12}{40}=\frac{12\div2}{40\div2}=\frac{6}{20}$

3 $\frac{3}{7}=\frac{3\times2}{7\times2}=\frac{3\times3}{7\times3}=\frac{3\times4}{7\times4}$ ➜ $\frac{6}{14}=\frac{9}{21}=\frac{12}{28}$

4 (1) $\frac{6}{15}=\frac{6\div3}{15\div3}=\frac{2}{5}$ (2) $\frac{6}{9}=\frac{6\div3}{9\div3}=\frac{2}{3}$

(3) $\frac{6}{8}=\frac{6\div2}{8\div2}=\frac{3}{4}$

5 분모와 분자의 공약수를 각각 구해 봅니다.

① $\frac{8}{28}$ ➜ 1, 2, 4 ② $\frac{3}{19}$ ➜ 1 ③ $\frac{4}{6}$ ➜ 1, 2

④ $\frac{13}{169}$ ➜ 1, 13 ⑤ $\frac{22}{59}$ ➜ 1

6 $\frac{24}{64}=\frac{24\div8}{64\div8}=\frac{3}{8}$

STEP 2 한번더 실력 다지기 20~21쪽

01 (○)(○)(×)

02 ㉠

03 $\frac{14}{30}$

04 형규, 나리

05 15

06 $\frac{35}{45}$

07 지연

08 14

09 $\frac{8}{28}$

10 3개

11 3개

12 6개

13 $\frac{56}{96}$

14 $\frac{23}{60}$

02 ㉠ $\frac{1}{5}=\frac{1\times3}{5\times3}=\frac{3}{15}$

03 분수의 분모와 분자에 0이 아닌 같은 수를 곱하거나 나누면 크기가 같은 분수를 만들 수 있습니다.

➡ $\frac{7}{15}=\frac{7\times2}{15\times2}=\frac{14}{30}$

04 형규와 나리는 분모와 분자를 각각 0이 아닌 같은 수로 나누어서 크기가 같은 분수를 구했습니다.

05 $32\div4=8$이므로 ★$=60\div4=15$입니다.

06 분모가 45인 분수의 분자를 □라 하면

$\frac{□}{45}=\frac{□\div5}{45\div5}=\frac{7}{9}$입니다.

➡ $□\div5=7$, $□=35$이므로 $\frac{35}{45}$입니다.

07 $\frac{12}{48}$를 약분하여 만들 수 있는 분수는 $\frac{6}{24}$, $\frac{4}{16}$, $\frac{3}{12}$, $\frac{2}{8}$, $\frac{1}{4}$로 모두 5개입니다.

08 54와 30의 최대공약수인 6으로 분모와 분자를 나누어 기약분수로 나타내면 $\frac{30}{54}=\frac{30\div6}{54\div6}=\frac{5}{9}$입니다.

➡ $5+9=14$

09 $\frac{2}{7}$와 크기가 같은 분수인 $\frac{4}{14}$, $\frac{6}{21}$, $\frac{8}{28}$ …… 중에서 분모와 분자의 합이 36인 분수를 찾으면 $\frac{8}{28}$입니다.

10 $\frac{5}{12}$와 크기가 같은 분수 $\frac{10}{24}$, $\frac{15}{36}$, $\frac{20}{48}$, $\frac{25}{60}$, $\frac{30}{72}$ …… 중에서 분모가 30보다 크고 70보다 작은 분수는 $\frac{15}{36}$, $\frac{20}{48}$, $\frac{25}{60}$로 모두 3개입니다.

11 $\frac{1}{18}$부터 $\frac{10}{18}$까지 분모가 18인 분수 중에서 분모와 분자의 공약수가 1뿐인 분수: $\frac{1}{18}$, $\frac{5}{18}$, $\frac{7}{18}$

12 분모가 14인 진분수:

$\frac{1}{14}$, $\frac{2}{14}$, $\frac{3}{14}$ …… $\frac{11}{14}$, $\frac{12}{14}$, $\frac{13}{14}$

기약분수: $\frac{1}{14}$, $\frac{3}{14}$, $\frac{5}{14}$, $\frac{9}{14}$, $\frac{11}{14}$, $\frac{13}{14}$ ➡ 6개

13 $12\times8=96$, $12\times9=108$이므로 분모가 될 수 있는 가장 큰 두 자리 수는 96입니다.

➡ $\frac{7\times8}{12\times8}=\frac{56}{96}$

14 6으로 약분하기 전의 분수: $\frac{3\times6}{10\times6}=\frac{18}{60}$

➡ 분자에서 5를 빼기 전의 처음 분수: $\frac{18+5}{60}=\frac{23}{60}$

STEP 1 한번더 **개념 완성하기** 22쪽

1 예 $3\frac{2}{48}$, $2\frac{15}{48}$ / $3\frac{4}{96}$, $2\frac{30}{96}$ **2** ㉡

3 $\frac{35}{60}$, $\frac{32}{60}$ **4** (1) >, <, > (2) $\frac{7}{15}$, $\frac{1}{2}$, $\frac{9}{10}$

5 (1) > (2) > **6** 연아네 집

1 두 분수의 공통분모가 될 수 있는 수는 분모 24와 16의 공배수인 48, 96, 144…… 입니다.

$3\frac{1\times2}{24\times2}=3\frac{2}{48}$, $2\frac{5\times3}{16\times3}=2\frac{15}{48}$

➡ $\left(3\frac{2}{48}, 2\frac{15}{48}\right)$

$3\frac{1\times4}{24\times4}=3\frac{4}{96}$, $2\frac{5\times6}{16\times6}=2\frac{30}{96}$

➡ $\left(3\frac{4}{96}, 2\frac{30}{96}\right)$

2 6과 8의 공배수: 24, 48, 72……

㉡ $\frac{5}{6}=\frac{5\times4}{6\times4}=\frac{20}{24}$, $\frac{7}{8}=\frac{7\times3}{8\times3}=\frac{21}{24}$

3 $\left(\frac{7}{12}, \frac{8}{15}\right)$ ➡ $\left(\frac{7\times5}{12\times5}, \frac{8\times4}{15\times4}\right)$ ➡ $\left(\frac{35}{60}, \frac{32}{60}\right)$

4 두 분수씩 차례로 통분하여 크기를 비교합니다.

(1) $\frac{9}{10}\left(=\frac{27}{30}\right)>\frac{7}{15}\left(=\frac{14}{30}\right)$

$\frac{7}{15}\left(=\frac{14}{30}\right)<\frac{1}{2}\left(=\frac{15}{30}\right)$

$\frac{9}{10}>\frac{1}{2}\left(=\frac{5}{10}\right)$

(2) $\frac{7}{15}<\frac{1}{2}<\frac{9}{10}$

5 (1) $\frac{1}{2}=\frac{1\times5}{2\times5}=\frac{5}{10}=0.5$ ➡ $0.5>0.2$

(2) $\frac{7}{8}=\frac{7\times125}{8\times125}=\frac{875}{1000}=0.875$ ➡ $0.875>0.8$

6 $\left(\frac{1}{4}, \frac{3}{16}\right)$ ➡ $\left(\frac{4}{16}, \frac{3}{16}\right)$ ➡ $\frac{1}{4}>\frac{3}{16}$

매칭북 한번더

STEP2 한번더 실력 다지기 23~25쪽

01 ㉡ **02** 90, 135

03 예 ❶ 가장 작은 수를 공통분모로 하여 통분하려면 분모 15와 7의 최소공배수인 105로 통분해야 합니다. ▸2점

❷ $3\frac{4}{15}=3\frac{4\times7}{15\times7}=3\frac{28}{105}$,

$2\frac{3}{7}=2\frac{3\times15}{7\times15}=2\frac{45}{105}$ 이므로 통분하면

$3\frac{28}{105}$, $2\frac{45}{105}$ 입니다. ▸3점 / $3\frac{28}{105}$, $2\frac{45}{105}$

04 ㉡

05 예 ❶ $1\frac{9}{20}$와 $1\frac{2}{5}$를 통분하여 크기를 비교합니다.

$\left(1\frac{9}{20}, 1\frac{2}{5}\right) \rightarrow \left(1\frac{9}{20}, 1\frac{8}{20}\right)$ ▸3점

❷ $1\frac{9}{20}>1\frac{2}{5}\left(=1\frac{8}{20}\right)$이므로 서현이가 더 큽니다. ▸2점 / 서현

06 $4\frac{7}{25}$, $4\frac{1}{5}$, $3\frac{4}{17}$ **07** 서점

08 3.2, $3\frac{1}{2}$, $5\frac{1}{5}$, 5.4

09 예 ❶ $4\frac{7}{25}$을 소수로 나타내면

$4\frac{7}{25}=4\frac{28}{100}=4.28$입니다. ▸3점

❷ $4\frac{7}{25}(=4.28)<4.8$이므로 플라스틱이 더 많이 있습니다. ▸2점

/ 플라스틱

10 $\frac{3}{4}$, $\frac{7}{15}$ **11** $\frac{5}{18}$, $\frac{3}{8}$ / 72

12 수학 **13** $\frac{1}{4}$, $\frac{3}{7}$, $\frac{9}{10}$

14 0.625 **15** 우유갑

16 $\frac{7}{15}$ **17** 10, 11, 12

18 예 ❶ $\frac{13}{24}<\frac{\square}{48}<\frac{11}{16}$ 이므로 공통분모를 48로 하여 통분하면 $\frac{26}{48}<\frac{\square}{48}<\frac{33}{48}$ 입니다. ▸3점

❷ $\frac{27}{48}$, $\frac{28}{48}$, $\frac{29}{48}$, $\frac{30}{48}$, $\frac{31}{48}$, $\frac{32}{48}$ 중에서 기약분수는 $\frac{29}{48}$, $\frac{31}{48}$ 입니다. ▸2점 / $\frac{29}{48}$, $\frac{31}{48}$

19 4개

03

채점 기준		
	❶ 가장 작은 공통분모 구하기	2점
	❷ 가장 작은 공통분모로 통분하기	3점

05

채점 기준		
	❶ 두 분수 통분하기	3점
	❷ 키가 더 큰 사람 구하기	2점

09

채점 기준		
	❶ 분수를 소수로 나타내기	3점
	❷ 크기를 비교하여 더 많이 있는 것 구하기	2점

12 다른 풀이 $1\frac{1}{5}=1\frac{11}{55} \rightarrow 1\frac{1}{5}>1\frac{3}{55}$

13 $\left(\frac{1}{4}, \frac{3}{7}\right) \rightarrow \left(\frac{3}{12}, \frac{3}{7}\right) \rightarrow \frac{1}{4}<\frac{3}{7}$

$\left(\frac{3}{7}, \frac{9}{10}\right) \rightarrow \left(\frac{9}{21}, \frac{9}{10}\right) \rightarrow \frac{3}{7}<\frac{9}{10}$

$\rightarrow \frac{1}{4}<\frac{3}{7}<\frac{9}{10}$

14 만들 수 있는 진분수: $\frac{1}{3}$, $\frac{1}{5}$, $\frac{3}{5}$, $\frac{1}{8}$, $\frac{3}{8}$, $\frac{5}{8}$

가장 큰 분수: $\frac{5}{8}=\frac{625}{1000}=0.625$

15 모은 우유갑의 무게: $1\frac{1}{5}+1\frac{3}{5}=2\frac{4}{5}$(kg)

$2\frac{3}{7}\left(=2\frac{15}{35}\right)<2\frac{4}{5}\left(=2\frac{28}{35}\right)$이므로 우유갑이 더 무겁습니다.

16 ① $\frac{1}{2}$보다 작은 분수는 분자를 2배 한 수가 분모보다 작아야 하므로 $\frac{3}{10}$, $\frac{7}{15}$, $\frac{12}{35}$ 입니다.

② $\frac{3}{10}$, $\frac{7}{15}$, $\frac{12}{35}$와 $\frac{3}{7}$을 통분하여 크기를 비교합니다.

$\left(\frac{3}{7}, \frac{3}{10}\right) \rightarrow \left(\frac{30}{70}, \frac{21}{70}\right) \rightarrow \frac{3}{7}>\frac{3}{10}$

$\left(\frac{3}{7}, \frac{7}{15}\right) \rightarrow \left(\frac{45}{105}, \frac{49}{105}\right) \rightarrow \frac{3}{7}<\frac{7}{15}$

$\left(\frac{3}{7}, \frac{12}{35}\right) \rightarrow \left(\frac{15}{35}, \frac{12}{35}\right) \rightarrow \frac{3}{7}>\frac{12}{35}$

따라서 조건을 모두 만족하는 분수는 $\frac{7}{15}$ 입니다.

17 세 분수를 60을 공통분모로 하여 통분하면

$\frac{28}{60}<\frac{\square\times3}{60}<\frac{38}{60}$, $28<\square\times3<38$ 이므로

□ 안에 들어갈 수 있는 자연수는 10, 11, 12입니다.

18

채점 기준		
	❶ 두 분수 통분하기	3점
	❷ 분모가 48인 기약분수 모두 구하기	2점

19 $0.125=\frac{125}{1000}=\frac{1}{8}$, $0.75=\frac{75}{100}=\frac{3}{4}$

➜ $\frac{1}{8}<\frac{\square}{8}<\frac{3}{4}$이므로 $\frac{1}{8}<\frac{\square}{8}<\frac{6}{8}$입니다.

$1<\square<6$이므로 □ 안에 들어갈 수 있는 자연수는 2, 3, 4, 5로 모두 4개입니다.

STEP3 한번더 서술형 해결하기 26~27쪽

01 예 ❶ $\frac{3}{16}$이 기약분수이므로 크기가 같은 분수를 만들려면 분모와 분자에 각각 0이 아닌 같은 수를 곱해야 합니다. ▶3점

❷ $\frac{3}{16}$과 크기가 같은 분수는 $\frac{6}{32}$, $\frac{9}{48}$, $\frac{12}{64}$...... 입니다. 따라서 ㉠에 들어갈 수는 9, ㉡에 들어갈 수는 48입니다. ▶2점 / 9, 48

02 예 ❶ $\frac{6}{㉠}=\frac{36}{66}$에서 $\frac{36\div6}{66\div6}=\frac{6}{11}$이므로 ㉠에 알맞은 수는 11입니다. ▶3점

❷ $\frac{6}{11}=\frac{18}{㉡}$에서 $\frac{6\times3}{11\times3}=\frac{18}{33}$이므로 ㉡에 알맞은 수는 33입니다. ▶2점 / 11, 33

03 예 ❶ $\frac{7}{15}$과 크기가 같은 분수는 $\frac{14}{30}$, $\frac{21}{45}$, $\frac{28}{60}$, $\frac{35}{75}$...... 입니다. ▶3점

❷ 이 중 분모와 분자에서 각각 같은 수를 빼어 $\frac{3}{35}$이 되는 수는 $\frac{28}{60}$이므로 $\frac{3}{35}$의 분모와 분자에 각각 25를 더해야 합니다. ▶2점 / 25

04 예 ❶ 분모에 10을 더하면 $5+10=15$이므로 $5\times3=15$에서 분모에 3을 곱해야 합니다. ▶3점

❷ 분수의 크기가 변하지 않으려면 분자에도 3을 곱해야 하므로 분자는 $3\times3=9$가 됩니다. 따라서 분자에는 $9-3=6$을 더해야 합니다. ▶2점 / 6

05 예 ❶

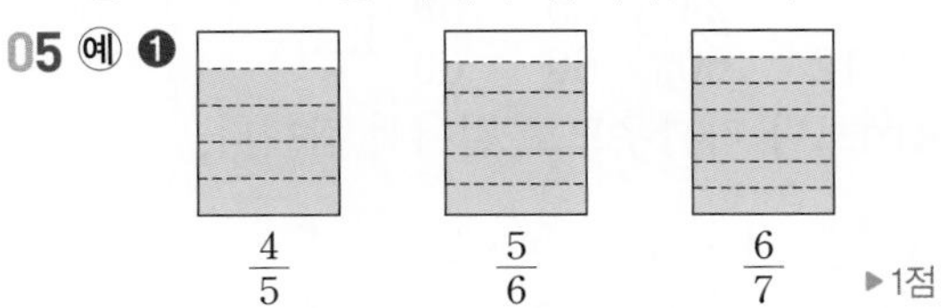

$\frac{4}{5}$ $\frac{5}{6}$ $\frac{6}{7}$ ▶1점

❷ 분자가 분모보다 1 작은 분수는 분모가 클수록 더 큽니다. / $\frac{6}{7}$, $\frac{5}{6}$, $\frac{4}{5}$ ▶4점

06 예 ❶ 분자가 같은 분수는 분모가 작을수록 더 큽니다. 분자가 같은 분수끼리 크기를 비교하면 $\frac{3}{5}>\frac{3}{10}$, $\frac{9}{20}>\frac{9}{25}$입니다. ▶3점

❷ $\frac{3}{5}\left(=\frac{12}{20}\right)>\frac{9}{20}$이므로 가장 큰 수는 $\frac{3}{5}$입니다. ▶2점 / $\frac{3}{5}$

07 예 ❶ 수의 크기를 비교하면 $8>4>2$이므로 만들 수 있는 가장 큰 소수 두 자리 수는 8.42입니다. ▶2점

❷ 소수를 기약분수로 나타내면

$8.42=8\frac{42}{100}=8\frac{42\div2}{100\div2}=8\frac{21}{50}$ 입니다. ▶3점

/ $8\frac{21}{50}$

08 예 ❶ 만들 수 있는 가장 큰 대분수는 $9\frac{7}{8}$입니다. ▶2점

❷ 따라서 $9\frac{7}{8}=9\frac{7\times125}{8\times125}=9\frac{875}{1000}=9.875$입니다. ▶3점 / 9.875

번호	채점 기준		
01	채점 기준	❶ 크기가 같은 분수 만드는 방법 쓰기	3점
		❷ ㉠과 ㉡에 들어갈 수 구하기	2점
02	채점 기준	❶ ㉠에 알맞은 수 구하기	3점
		❷ ㉡에 알맞은 수 구하기	2점
03	채점 기준	❶ $\frac{7}{15}$과 크기가 같은 분수 구하기	3점
		❷ 분모와 분자에 각각 더해야 하는 수 구하기	2점
04	채점 기준	❶ $\frac{3}{5}$과 크기가 같은 분수 중에서 분모가 (5+10)인 분수를 만들 때 분모에 곱해야 하는 수 구하기	3점
		❷ 분자에 더해야 하는 수 구하기	2점
05	채점 기준	❶ 분수만큼 색칠하기	1점
		❷ 분수의 크기 비교 방법을 설명하고, 큰 수부터 차례로 쓰기	4점
06	채점 기준	❶ 분자가 같은 분수의 크기 비교 방법으로 크기 비교하기	3점
		❷ 가장 큰 수 구하기	2점
07	채점 기준	❶ 만들 수 있는 가장 큰 소수 두 자리 수 구하기	2점
		❷ 소수를 기약분수로 나타내기	3점
08	채점 기준	❶ 만들 수 있는 가장 큰 대분수 구하기	2점
		❷ 대분수를 소수로 나타내기	3점

5. 분수의 덧셈과 뺄셈

STEP1 한번더 개념 완성하기 28쪽

1 $\frac{5}{6}+\frac{2}{3}=\frac{5\times3}{6\times3}+\frac{2\times6}{3\times6}=\frac{15}{18}+\frac{12}{18}=\frac{27}{18}$
$=1\frac{9}{18}=1\frac{1}{2}$

2 $\frac{5}{6}+\frac{2}{3}=\frac{5}{6}+\frac{2\times2}{3\times2}=\frac{5}{6}+\frac{4}{6}=\frac{9}{6}=1\frac{3}{6}=1\frac{1}{2}$

3 $\frac{7}{10}$, $1\frac{13}{40}$　　4 <

5 $3\frac{7}{12}$　　6 $4\frac{5}{12}$, $8\frac{7}{36}$

4 $3\frac{2}{5}+\frac{5}{6}=3\frac{12}{30}+\frac{25}{30}=3\frac{37}{30}=4\frac{7}{30}$
➡ $4\frac{7}{30}<4\frac{17}{30}$

5 $1\frac{1}{4}+2\frac{1}{3}=1\frac{3}{12}+2\frac{4}{12}=3\frac{7}{12}$

6 (수현이가 산 수박의 무게)+(나라가 산 수박의 무게)
$=3\frac{7}{9}+4\frac{5}{12}=3\frac{28}{36}+4\frac{15}{36}=7\frac{43}{36}=8\frac{7}{36}$(kg)

STEP2 한번더 실력 다지기 29~30쪽

01 $7\frac{31}{35}$ m　　02 $7\frac{31}{40}$

03 예 ❶ 분모를 통분한 후 분모끼리 더했습니다. ▸3점
❷ $\frac{3}{20}+\frac{1}{5}=\frac{3}{20}+\frac{1\times4}{5\times4}=\frac{3}{20}+\frac{4}{20}=\frac{7}{20}$ ▸2점

04 예 방법 1 $5\frac{1}{6}+2\frac{3}{4}=5\frac{2}{12}+2\frac{9}{12}$
$=(5+2)+\left(\frac{2}{12}+\frac{9}{12}\right)$
$=7+\frac{11}{12}=7\frac{11}{12}$

방법 2 $5\frac{1}{6}+2\frac{3}{4}=\frac{31}{6}+\frac{11}{4}=\frac{62}{12}+\frac{33}{12}$
$=\frac{95}{12}=7\frac{11}{12}$

05 여주　　06 ㉢, ㉡, ㉠　　07 $8\frac{5}{6}$ m

08 걷기　　09 5　　10 $5\frac{5}{6}$

11 ㉡　　12 $2\frac{5}{42}$ m

13 예 ❶ 은혜가 만들 수 있는 가장 큰 대분수: $8\frac{3}{5}$
영미가 만들 수 있는 가장 큰 대분수: $5\frac{2}{4}$ ▸2점
❷ 따라서 두 수의 합은
$8\frac{3}{5}+5\frac{2}{4}=8\frac{12}{20}+5\frac{10}{20}=14\frac{2}{20}=14\frac{1}{10}$입니다. ▸3점 / $14\frac{1}{10}$

14 7, 9

02 $2\frac{2}{5}<5\frac{1}{6}\left(=5\frac{4}{24}\right)<5\frac{3}{8}\left(=5\frac{9}{24}\right)$
➡ $5\frac{3}{8}+2\frac{2}{5}=5\frac{15}{40}+2\frac{16}{40}=7\frac{31}{40}$

03

채점 기준	❶ 잘못된 이유 쓰기	3점
	❷ 옳게 계산하기	2점

05 여주: $2\frac{1}{3}+3\frac{1}{8}=2\frac{8}{24}+3\frac{3}{24}=5\frac{11}{24}$
혜리: $1\frac{3}{4}+3\frac{1}{2}=1\frac{3}{4}+3\frac{2}{4}=4\frac{5}{4}=5\frac{1}{4}\left(=5\frac{6}{24}\right)$

06 ㉠ $5\frac{3}{4}+2\frac{7}{8}=8\frac{5}{8}$　　㉡ $4\frac{5}{6}+3\frac{1}{2}=8\frac{1}{3}$
㉢ $2\frac{1}{2}+4\frac{1}{8}=6\frac{5}{8}$
➡ $6\frac{5}{8}<8\frac{1}{3}\left(=8\frac{8}{24}\right)<8\frac{5}{8}\left(=8\frac{15}{24}\right)$

07 (흰색 끈의 길이)
$=6\frac{7}{10}+2\frac{2}{15}=6\frac{21}{30}+2\frac{4}{30}=8\frac{25}{30}=8\frac{5}{6}$(m)

08 (진이네 집에서 체육관까지의 거리)
$=\frac{2}{5}+\frac{7}{12}=\frac{24}{60}+\frac{35}{60}=\frac{59}{60}$(km)
➡ 1km보다 가까우므로 걸어서 갑니다.

09 $\frac{5}{6}+\frac{㉠}{3}=2\frac{1}{2}$, $\frac{5}{6}+\frac{㉠\times2}{3\times2}=2\frac{1}{2}$
$2\frac{1}{2}=2\frac{3}{6}=\frac{15}{6}$이므로 $5+㉠\times2=15$,
$㉠\times2=15-5=10$, $㉠=10\div2=5$입니다.

10 어떤 수를 □라 하면 $\square-3\frac{1}{4}=2\frac{7}{12}$입니다.

$\square=2\frac{7}{12}+3\frac{1}{4}=2\frac{7}{12}+3\frac{3}{12}=5\frac{10}{12}=5\frac{5}{6}$

따라서 어떤 수는 $5\frac{5}{6}$입니다.

11 ㉠ $\frac{1}{3}+\frac{1}{5}+\frac{4}{15}=\frac{5}{15}+\frac{3}{15}+\frac{4}{15}=\frac{12}{15}$

㉡ $\frac{2}{5}+\frac{1}{30}+\frac{7}{10}=\frac{12}{30}+\frac{1}{30}+\frac{21}{30}=\frac{34}{30}=1\frac{2}{15}$

➜ $\frac{12}{15}<1\frac{2}{15}$

12 $\frac{3}{7}+\frac{3}{14}+1\frac{10}{21}=\frac{18}{42}+\frac{9}{42}+1\frac{20}{42}$

$=2\frac{5}{42}$(m)

13

채점 기준	❶ 두 사람이 만들 수 있는 가장 큰 대분수 각각 구하기	2점
	❷ 두 수의 합 구하기	3점

14 63의 약수 1, 3, 7, 9, 21, 63 중에서 합이 분자인 16이 되는 두 수를 찾으면 7, 9입니다.

➜ $\frac{16}{63}=\frac{7}{63}+\frac{9}{63}=\frac{1}{9}+\frac{1}{7}$

가<나이므로 가는 7, 나는 9입니다.

STEP 1 한번더 개념 완성하기 31쪽

1 $\frac{7}{8}-\frac{5}{18}=\frac{7\times18}{8\times18}-\frac{5\times8}{18\times8}=\frac{126}{144}-\frac{40}{144}$

$=\frac{86}{144}=\frac{43}{72}$

2 $\frac{7}{8}-\frac{5}{18}=\frac{7\times9}{8\times9}-\frac{5\times4}{18\times4}=\frac{63}{72}-\frac{20}{72}=\frac{43}{72}$

3 $\frac{1}{6}$, $\frac{11}{24}$ **4** $\frac{59}{60}$

5 < **6** ㉠

3 $\frac{5}{8}-\frac{1}{6}=\frac{15}{24}-\frac{4}{24}=\frac{11}{24}$(m)

4 $2\frac{7}{12}-1\frac{3}{5}=2\frac{35}{60}-1\frac{36}{60}=1\frac{95}{60}-1\frac{36}{60}$

$=\frac{59}{60}$

5 $6\frac{1}{15}-2\frac{4}{5}=6\frac{1}{15}-2\frac{12}{15}=5\frac{16}{15}-2\frac{12}{15}=3\frac{4}{15}$

➜ $3\frac{4}{15}\left(=3\frac{8}{30}\right)<3\frac{3}{10}\left(=3\frac{9}{30}\right)$

6 ㉠ $3\frac{7}{20}-2\frac{1}{5}=3\frac{7}{20}-2\frac{4}{20}=1\frac{3}{20}$(○)

㉡ $2\frac{5}{12}-1\frac{1}{5}=2\frac{25}{60}-1\frac{12}{60}=1\frac{13}{60}$(×)

STEP 2 한번더 실력 다지기 32~34쪽

01 $\frac{9}{20}$ **02** $5\frac{11}{12}$, $1\frac{3}{4}$ / $4\frac{1}{6}$

03 $4\frac{1}{20}-2\frac{1}{4}=\frac{81}{20}-\frac{9}{4}=\frac{81}{20}-\frac{45}{20}=\frac{36}{20}=1\frac{4}{5}$

04 예 방법 1 $6\frac{2}{7}-2\frac{3}{4}=6\frac{8}{28}-2\frac{21}{28}$

$=5\frac{36}{28}-2\frac{21}{28}$

$=(5-2)+\left(\frac{36}{28}-\frac{21}{28}\right)$

$=3+\frac{15}{28}=3\frac{15}{28}$

방법 2 $6\frac{2}{7}-2\frac{3}{4}=\frac{44}{7}-\frac{11}{4}=\frac{176}{28}-\frac{77}{28}$

$=\frac{99}{28}=3\frac{15}{28}$

05 나라, 혜진, 수아 **06** ㉡

07 $1\frac{1}{6}$ km

08 예 ❶ $37\frac{4}{15}>35\frac{4}{5}$이므로 현준이가 더 무겁습니다. ▸1점

❷ $37\frac{4}{15}-35\frac{4}{5}=37\frac{4}{15}-35\frac{12}{15}$

$=36\frac{19}{15}-35\frac{12}{15}=1\frac{7}{15}$(kg)

▸4점 / 현준, $1\frac{7}{15}$ kg

09 $1\frac{11}{18}$ **10** $5\frac{5}{36}$

11 예 ❶ ㉠ $\frac{5}{7}+\frac{1}{3}-\frac{4}{15}=\frac{75}{105}+\frac{35}{105}-\frac{28}{105}$

$=\frac{110}{105}-\frac{28}{105}=\frac{82}{105}$

매칭북 한번더

㉡ $\frac{2}{15}+1\frac{2}{3}-\frac{9}{10}=\frac{4}{30}+1\frac{20}{30}-\frac{27}{30}$

$=1\frac{24}{30}-\frac{27}{30}=\frac{54}{30}-\frac{27}{30}$

$=\frac{27}{30}=\frac{9}{10}$ ▸3점

❷ $\frac{82}{105}\left(=\frac{164}{210}\right)<\frac{9}{10}\left(=\frac{189}{210}\right)$ ▸2점 / ㉡

12 $2\frac{31}{60}$ kg **13** 놀이터, $\frac{1}{9}$ km

14 15, 8, $\frac{7}{10}$ **15** $6\frac{3}{8}$ **16** $8\frac{2}{5}$ m

17 4개 **18** 오전 11시 34분

02 가장 큰 수: $5\frac{11}{12}$, 가장 작은 수: $1\frac{3}{4}$

➜ $5\frac{11}{12}-1\frac{3}{4}=5\frac{11}{12}-1\frac{9}{12}=4\frac{2}{12}=4\frac{1}{6}$

05 수아: $2\frac{1}{3}-\frac{3}{7}=1\frac{28}{21}-\frac{9}{21}=1\frac{19}{21}$

혜진: $6\frac{9}{14}-5\frac{1}{7}=6\frac{9}{14}-5\frac{2}{14}=1\frac{7}{14}=1\frac{1}{2}$

나라: $\frac{1}{2}-\frac{1}{7}=\frac{7}{14}-\frac{2}{14}=\frac{5}{14}$

➜ $\frac{5}{14}<1\frac{1}{2}<1\frac{19}{21}$

06 ㉠ $\frac{7}{10}-\frac{3}{25}=\frac{35}{50}-\frac{6}{50}=\frac{29}{50}$

㉡ $4\frac{3}{5}-4\frac{1}{2}=4\frac{6}{10}-4\frac{5}{10}=\frac{1}{10}$

➜ $\frac{29}{50}>\frac{1}{10}\left(=\frac{5}{50}\right)$

07 (학교에서 유미네 집까지의 거리)

$=2\frac{7}{15}-1\frac{3}{10}=2\frac{14}{30}-1\frac{9}{30}=1\frac{5}{30}=1\frac{1}{6}$(km)

08

채점 기준		
	❶ 누가 더 무거운지 구하기	1점
	❷ 몸무게가 몇 kg 더 무거운지 구하기	4점

09 $4\frac{7}{9}-1\frac{5}{6}=4\frac{14}{18}-1\frac{15}{18}$

$=3\frac{32}{18}-1\frac{15}{18}=2\frac{17}{18}$

$\square+1\frac{1}{3}=2\frac{17}{18}$, $\square=2\frac{17}{18}-1\frac{1}{3}=1\frac{11}{18}$

10 가운데 빈칸에 알맞은 수 구하기

➜ $8\frac{13}{18}-2\frac{5}{12}=8\frac{26}{36}-2\frac{15}{36}=6\frac{11}{36}$

㉠에 알맞은 수 구하기

➜ $6\frac{11}{36}-1\frac{1}{6}=6\frac{11}{36}-1\frac{6}{36}=5\frac{5}{36}$

11

채점 기준		
	❶ ㉠과 ㉡ 각각 계산하기	3점
	❷ 계산 결과가 더 큰 것 구하기	2점

12 (처음에 있던 양)−(버린 양)−(밥을 짓는 데 사용한 양)

$=3-\frac{7}{20}-\frac{2}{15}=2\frac{20}{20}-\frac{7}{20}-\frac{2}{15}=2\frac{13}{20}-\frac{2}{15}$

$=2\frac{39}{60}-\frac{8}{60}=2\frac{31}{60}$(kg)

13 (학교~빵집~도서관)$=1\frac{1}{3}+\frac{5}{9}=1\frac{8}{9}$(km)

(학교~놀이터~도서관)$=\frac{1}{2}+1\frac{5}{18}=1\frac{7}{9}$(km)

$1\frac{8}{9}>1\frac{7}{9}$이므로 놀이터를 거쳐서 가는 길이

$1\frac{8}{9}-1\frac{7}{9}=\frac{1}{9}$(km) 더 가깝습니다.

15 가장 큰 수: $8\frac{3}{4}$, 가장 작은 수: $2\frac{3}{8}$

➜ $8\frac{3}{4}-2\frac{3}{8}=8\frac{6}{8}-2\frac{3}{8}=6\frac{3}{8}$

16 (색 테이프 4장의 길이의 합)

$=2\frac{4}{15}+2\frac{4}{15}+2\frac{4}{15}+2\frac{4}{15}=8\frac{16}{15}=9\frac{1}{15}$(m)

(겹쳐진 부분의 길이의 합)

$=\frac{2}{9}+\frac{2}{9}+\frac{2}{9}=\frac{6}{9}=\frac{2}{3}$(m)

(이어 붙인 색 테이프의 전체 길이)

$=9\frac{1}{15}-\frac{2}{3}=8\frac{16}{15}-\frac{10}{15}=8\frac{6}{15}=8\frac{2}{5}$(m)

17 $3\frac{1}{2}-\frac{5}{12}=3\frac{6}{12}-\frac{5}{12}=3\frac{1}{12}$

$9\frac{7}{24}-1\frac{5}{6}=9\frac{7}{24}-1\frac{20}{24}=8\frac{31}{24}-1\frac{20}{24}=7\frac{11}{24}$

$3\frac{1}{12}<\square<7\frac{11}{24}$이므로 □ 안에 들어갈 수 있는 자연수는 4, 5, 6, 7로 모두 4개입니다.

18 (드론을 만든 시간)+(체험 일지를 쓴 시간)

$=1\frac{1}{15}+\frac{1}{3}=1\frac{1}{15}+\frac{5}{15}=1\frac{6}{15}=1\frac{2}{5}$(시간)

$1\frac{2}{5}$시간$=1\frac{24}{60}$시간 ➜ 1시간 24분

(과학관 체험이 끝난 시각)

=오전 10시+1시간 24분+10분=오전 11시 34분

STEP3 한번더 서술형 해결하기 35~36쪽

01 예 ❶ 전체의 값을 구하면

$4\frac{1}{12}+2\frac{3}{4}=4\frac{1}{12}+2\frac{9}{12}=6\frac{10}{12}=6\frac{5}{6}$ ▸2점

❷ $\square+3\frac{1}{2}=6\frac{5}{6}$ 이므로

$\square=6\frac{5}{6}-3\frac{1}{2}=6\frac{5}{6}-3\frac{3}{6}=3\frac{2}{6}=3\frac{1}{3}$ 입니다.

따라서 □ 안에 알맞은 수는 $3\frac{1}{3}$ 입니다. ▸3점 / $3\frac{1}{3}$

02 예 ❶ (㉠~㉢)+(㉡~㉣)

$=5\frac{1}{3}+4\frac{7}{10}=5\frac{10}{30}+4\frac{21}{30}=10\frac{1}{30}$(m) ▸2점

❷ (㉠~㉣)$=10\frac{1}{30}-2\frac{3}{5}=9\frac{31}{30}-2\frac{18}{30}$

$=7\frac{13}{30}$(m) ▸3점 / $7\frac{13}{30}$ m

03 예 ❶ 어떤 수를 □라 하면

$\square-1\frac{8}{15}=2\frac{9}{25}$ 입니다. ▸2점

❷ $\square=2\frac{9}{25}+1\frac{8}{15}=2\frac{27}{75}+1\frac{40}{75}=3\frac{67}{75}$

따라서 어떤 수는 $3\frac{67}{75}$ 입니다. ▸3점 / $3\frac{67}{75}$

04 예 ❶ 어떤 수를 □라 하면 $\square+2\frac{6}{11}=7\frac{1}{3}$,

$\square=7\frac{1}{3}-2\frac{6}{11}=7\frac{11}{33}-2\frac{18}{33}=6\frac{44}{33}-2\frac{18}{33}$

$=4\frac{26}{33}$ 이므로 어떤 수는 $4\frac{26}{33}$ 입니다. ▸2점

❷ 바르게 계산하면

$4\frac{26}{33}-2\frac{6}{11}=4\frac{26}{33}-2\frac{18}{33}=2\frac{8}{33}$ ▸3점 / $2\frac{8}{33}$

05 예 ❶ $2\frac{1}{8}+㉠=6\frac{7}{12}$ 에서

$㉠=6\frac{7}{12}-2\frac{1}{8}=6\frac{14}{24}-2\frac{3}{24}=4\frac{11}{24}$ 입니다. ▸2점

❷ $㉠-3\frac{2}{3}=㉡$에서 $㉠=4\frac{11}{24}$을 넣어 ㉡을 구합니다.

$㉡=4\frac{11}{24}-3\frac{2}{3}=3\frac{35}{24}-3\frac{16}{24}=\frac{19}{24}$ 이므로

$㉡=\frac{19}{24}$ 입니다. ▸3점 / $\frac{19}{24}$

06 예 ❶ $■=7\frac{5}{16}-2\frac{1}{12}=7\frac{15}{48}-2\frac{4}{48}=5\frac{11}{48}$

▸2점

❷ $■-\frac{5}{6}=▲$에서 $■=5\frac{11}{48}$ 이므로

$▲=5\frac{11}{48}-\frac{5}{6}=4\frac{59}{48}-\frac{40}{48}=4\frac{19}{48}$ ▸2점

❸ $■+▲=♥$에서 $■=5\frac{11}{48}$, $▲=4\frac{19}{48}$ 이므로

$♥=5\frac{11}{48}+4\frac{19}{48}=9\frac{30}{48}=9\frac{5}{8}$ ▸1점 / $9\frac{5}{8}$

07 예 ❶ (페인트의 절반의 무게)

$=2\frac{4}{15}-1\frac{1}{5}=2\frac{4}{15}-1\frac{3}{15}=1\frac{1}{15}$(kg) ▸2점

❷ (빈 통의 무게)$=1\frac{1}{5}-1\frac{1}{15}=1\frac{3}{15}-1\frac{1}{15}$

$=\frac{2}{15}$(kg) ▸3점 / $\frac{2}{15}$ kg

08 예 ❶ (책 20권의 무게)

$=3\frac{5}{12}+3\frac{5}{12}+3\frac{5}{12}+3\frac{5}{12}=13\frac{2}{3}$(kg) ▸2점

❷ (상자만의 무게)

=(책 20권이 들어 있는 상자의 무게)

−(책 20권의 무게)

$=15-13\frac{2}{3}=14\frac{3}{3}-13\frac{2}{3}=1\frac{1}{3}$(kg)

상자만의 무게는 $1\frac{1}{3}$ kg입니다. ▸3점 / $1\frac{1}{3}$ kg

번호		채점 기준	점수
01	채점 기준	❶ 전체의 값 구하기	2점
		❷ □ 안에 알맞은 수 구하기	3점
02	채점 기준	❶ (㉠~㉢)+(㉡~㉣) 구하기	2점
		❷ ㉠에서 ㉣까지의 거리 구하기	3점
03	채점 기준	❶ 어떤 수를 □라 하고 식 세우기	2점
		❷ 어떤 수 구하기	3점
04	채점 기준	❶ 잘못 계산한 식을 세워 어떤 수 구하기	2점
		❷ 바르게 계산한 값 구하기	3점
05	채점 기준	❶ ㉠의 값 구하기	2점
		❷ ㉡에 알맞은 기약분수 구하기	3점
06	채점 기준	❶ ■의 값 구하기	2점
		❷ ▲의 값 구하기	2점
		❸ ♥의 값 구하기	1점
07	채점 기준	❶ 페인트의 절반의 무게 구하기	2점
		❷ 빈 통의 무게 구하기	3점
08	채점 기준	❶ 책 20권의 무게 구하기	2점
		❷ 상자만의 무게 구하기	3점

매칭북 한번더

매칭북 정답 및 풀이

6. 다각형의 둘레와 넓이

STEP1 한번더 개념 완성하기 37쪽

1 18 cm **2** 13 cm **3** 64 cm^2
4 15, 450 **5** 3, 3, 21 **6** 12, 12, 60

1 명함의 가로가 5.5 cm이고, 세로가 3.5 cm입니다.
➡ (명함의 둘레)=5.5+3.5+5.5+3.5=18(cm)

STEP2 한번더 실력 다지기 38~40쪽

01 ㉡, ㉠, ㉢ **02** 가, 24 cm
03 예

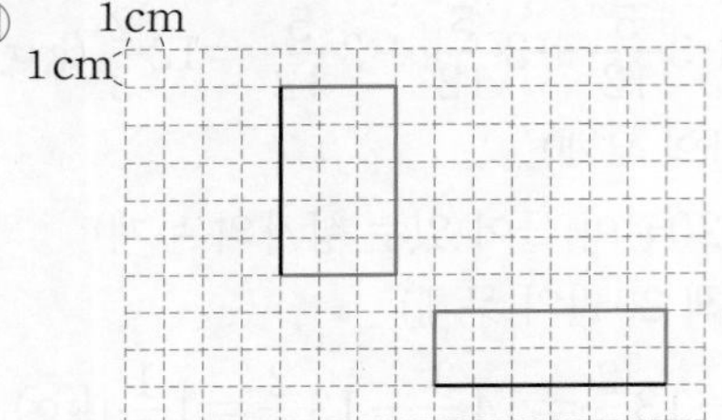

04 7 cm **05** 16 cm^2 **06** 44 cm^2
07 (가로)×(세로), 6×6에 밑줄 / 24 cm^2
08 파란 카드 **09** ㉡ **10** 36 m^2
11 ❶ 예 수학 공책의 넓이는 cm^2로 나타내어야 알맞습니다. ▸3점
❷ 수학 공책의 넓이는 500 cm^2야. ▸2점
12 12 m^2 **13** 64 cm **14** 8 cm
15 56 m **16** 82 cm **17** 400 cm^2
18 예 ❶ 세로를 □ cm라 하면 가로는 (□−3) cm입니다. 둘레가 42 cm이므로 (□−3+□)×2=42, □−3+□=21, □+□=24, □=12입니다. 직사각형의 가로는 9 cm이고, 세로는 12 cm입니다. ▸3점
❷ 따라서 넓이는 9×12=108(cm^2)입니다. ▸2점
/ 108 cm^2
19 (왼쪽부터) 1, 6, 6 / 2, 5, 10 / 3, 4, 12 / 3 m, 4 m
20 144 cm^2 **21** 62 cm

05 ⊞ 한 개의 넓이는 4 cm^2이고, ⊞로 채워진 부분의 넓이는 16 cm^2입니다.

08 (파란 카드의 넓이)=16×9=144(cm^2)
(초록 카드의 넓이)=11×11=121(cm^2)

10 가로: 15×40=600(cm) ➡ 6 m
세로: 20×30=600(cm) ➡ 6 m
➡ (타일을 붙인 벽의 넓이)=6×6=36(m^2)

11

채점 기준	❶ 잘못된 이유 쓰기	3점
	❷ 옳게 고치기	2점

12 아영이 방은 가로가 3000 mm=3 m, 세로가 4000 mm=4 m인 직사각형 모양이므로 넓이는 3×4=12(m^2)입니다.
참고 방의 넓이를 나타낼 때에는 m^2가 적당합니다.

13 (정사각형의 한 변의 길이)=16÷4=4(cm)
➡ (도형의 둘레)=(정사각형의 한 변의 길이)×16
=4×16=64(cm)

14 (정사각형의 한 변의 길이)=(직사각형의 둘레)÷14
➡ (정사각형의 한 변의 길이)=112÷14=8(cm)

15 도형의 둘레는 가로가 16 m, 세로가 12 m인 직사각형의 둘레와 같습니다.
➡ (도형의 둘레)=(16+12)×2=56(m)

16 도형의 둘레는 가로가 20 cm이고, 세로가 15 cm인 직사각형의 둘레보다 6+6=12(cm) 더 깁니다.
➡ (도형의 둘레)=(20+15)×2+12=82(cm)

17 (정사각형의 둘레)=(한 변의 길이)×4
(한 변의 길이)=80÷4=20(cm)
➡ (정사각형의 넓이)=20×20=400(cm^2)

18

채점 기준	❶ 둘레를 이용하여 가로와 세로 구하기	3점
	❷ 직사각형의 넓이 구하기	2점

19 (직사각형의 둘레)=(가로+세로)×2이므로 (가로)+(세로)=7이 되는 표를 만듭니다.
가로가 3 m, 세로가 4 m일 때 넓이가 가장 넓습니다.

20 색칠한 부분을 그대로 이어 붙여 보면 색칠한 부분은 가로가 20−4=16(cm), 세로가 12−3=9(cm)인 직사각형이 됩니다. ➡ 16×9=144(cm^2)

21 (직사각형 ㄱㄴㄷㅅ의 넓이)
=(변 ㄱㅅ)×(변 ㄱㄴ)=7×(변 ㄱㄴ)=112(cm^2)
➡ (변 ㄱㄴ)=112÷7=16(cm)
(정사각형 ㅂㄷㄹㅁ의 넓이)=176−112=64(cm^2)
(정사각형 ㅂㄷㄹㅁ의 한 변의 길이)=8 cm
도형의 둘레는 가로가 (7+8) cm, 세로가 16 cm인 직사각형의 둘레와 같습니다.
➡ (7+8+16)×2=62(cm)

STEP 1 한번더 개념 완성하기 41쪽

1 나
2 18, 7, 2, 63
3 9, 126
4 80 cm^2
5 26 cm^2
6 24, 2, 144

5 자로 재어 보면 윗변의 길이는 6 cm, 아랫변의 길이는 7 cm, 높이는 4 cm입니다.
➜ (사다리꼴의 넓이)$=(6+7)\times4\div2=26(cm^2)$

STEP 2 한번더 실력 다지기 42~44쪽

01 ㉡
02 15 m, 10 m
03 같습니다.
04 상희
05 예

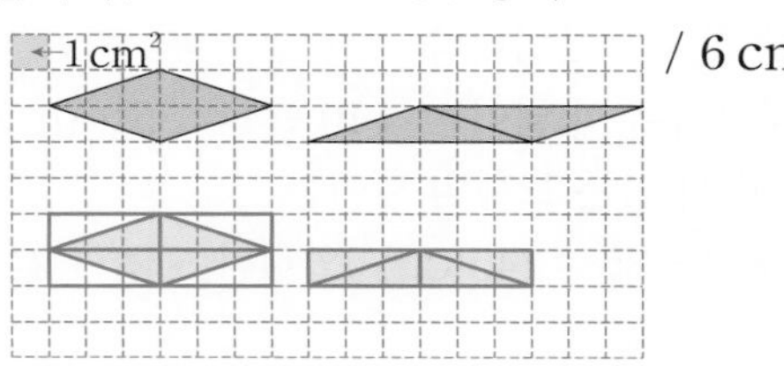

/ 6 cm^2

06 예 ❶ 평행사변형과 삼각형으로 나누어 구합니다.
$8\times14+(15-8)\times14\div2=161(cm^2)$ ▸3점
❷ 똑같은 사다리꼴 2개를 평행사변형으로 만들어 구합니다. $(15+8)\times14\div2=161(cm^2)$ ▸2점
/ 161 cm^2

07 예

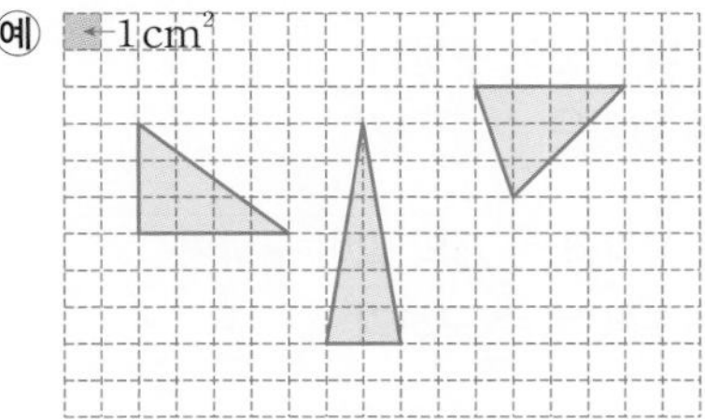

08 예 ❶ (평행사변형의 넓이)
$=12\times5=60(cm^2)$ ▸2점
❷ (마름모의 넓이)$=15\times4\times2\div2=60(cm^2)$ ▸2점
❸ 따라서 두 도형의 넓이의 합은
$60+60=120(cm^2)$입니다. ▸1점 / 120 cm^2

09 ㉡, ㉢, ㉠
10 200 cm^2
11 209 cm^2
12 18

13 예 ❶ (사다리꼴의 넓이)
=(윗변+아랫변)×(높이)÷2이므로
높이를 □ cm라 하면 $(9+21)\times\square\div2=225$입니다. ▸2점
❷ $30\times\square\div2=225$, $30\times\square=450$, $\square=15$입니다. 따라서 사다리꼴의 높이는 15 cm입니다. ▸3점
/ 15 cm

14 16
15 18 cm
16 439 cm^2

17 예 ❶ (직사각형의 넓이)
$=24\times15=360(cm^2)$ ▸2점
❷ 색칠하지 않은 세 삼각형의 넓이를 각각 구합니다.
$10\times15\div2=75(cm^2)$,
$24\times(15-6)\div2=108(cm^2)$,
$(24-10)\times6\div2=42(cm^2)$ ▸2점
❸ (색칠한 부분의 넓이)
$360-75-108-42=135(cm^2)$ ▸1점
/ 135 cm^2

18 90 cm
19 30

06

채점 기준		
	❶ 한 가지 방법으로 구한 경우	3점
	❷ 다른 한 가지 방법으로 구한 경우	2점

08

채점 기준		
	❶ 평행사변형의 넓이 구하기	2점
	❷ 마름모의 넓이 구하기	2점
	❸ 넓이의 합 구하기	1점

09 ㉠ $16\times10\div2=80(cm^2)$
㉡ $(14+8)\times10\div2=110(cm^2)$
㉢ $16\times12\div2=96(cm^2)$
➜ ㉡>㉢>㉠

10 (가오리연의 넓이)$=20\times20\div2=200(cm^2)$

12 (마름모의 넓이)$=21\times\square\div2=189$, $\square=18$

13

채점 기준		
	❶ 사다리꼴의 높이를 □cm라 하고 넓이 구하는 식 쓰기	2점
	❷ 사다리꼴의 높이 구하기	3점

15 (가의 넓이)$=12\times9\div2=54(cm^2)$이므로 나의 넓이도 54 cm^2입니다. 삼각형의 높이를 □ cm라 하면 $6\times\square\div2=54$, $6\times\square=108$, $\square=18$입니다.

16 (다각형의 넓이)
=(사다리꼴의 넓이)+(정사각형의 넓이)
$=(20+25)\times12\div2+13\times13$
$=270+169=439(cm^2)$

17

채점 기준		
	❶ 직사각형의 넓이 구하기	2점
	❷ 세 삼각형의 넓이 구하기	2점
	❸ 색칠한 부분의 넓이 구하기	1점

18 정사각형 14개의 넓이: $126\,cm^2$
정사각형 한 개의 넓이: $126 \div 14 = 9(cm^2)$
$9 = 3 \times 3$에서 (정사각형의 한 변의 길이)$= 3\,cm$
➜ (도형의 둘레)$= 3 \times 30 = 90(cm)$

19 (사다리꼴의 넓이)
$=(15+24) \times 18 \div 2 = 351(cm^2)$
$24 \times 18 \div 2 + \square \times 9 \div 2 = 351$,
$216 + \square \times 9 \div 2 = 351$,
$\square \times 9 \div 2 = 135$, $\square \times 9 = 270$, $\square = 30$

STEP3 한번 더 서술형 해결하기 45~46쪽

01 예 ❶ (직사각형의 넓이)=(가로)×(세로)이므로 직사각형의 가로는 16 m이고, 세로를 □m라 하면 $16 \times \square = 320$에서 $\square = 20$입니다. ▸3점
❷ (직사각형의 둘레)$=(16+20) \times 2 = 72(m)$ ▸2점
/ 72 m

02 예 ❶ 직사각형의 세로를 □ cm라 하면 가로는 ($\square - 2$)cm입니다.
직사각형의 둘레는 $(\square - 2 + \square) \times 2 = 40$,
$\square - 2 + \square = 20$, $\square + \square = 22$, $\square = 11$입니다.
➜ 가로: $11 - 2 = 9(cm)$, 세로: 11 cm ▸3점
❷ (직사각형의 넓이)$= 9 \times 11 = 99(cm^2)$ ▸2점
/ $99\,cm^2$

03 예 ❶ (마름모 가의 넓이)
$= 28 \times 12 \div 2 = 168(cm^2)$
(마름모 나의 넓이)$= 168 \div 2 = 84(cm^2)$ ▸3점
❷ (마름모 나의 넓이)$= \square \times 8 \div 2 = 84$에서 $\square = 21$입니다. ▸2점 / 21

04 예 ❶ 색칠한 부분의 넓이는 넓이가 똑같은 삼각형 3개의 넓이의 합과 같습니다. 색칠한 삼각형 한 개의 밑변을 ▲cm라 하면
(색칠한 부분의 넓이)
$= ▲ \times 12 \div 2 \times 3 = 126(cm^2)$, ▲$=7$입니다. ▸3점
❷ $\square = ▲ \times 3 = 7 \times 3 = 21$입니다. ▸2점 / 21

05 예 ❶ 삼각형 ㅁㄷㄹ에서 높이를 □m라 하면 넓이는 $9 \times \square \div 2 = 27$, $\square = 6$입니다. ▸3점
❷ 사다리꼴과 삼각형의 높이가 같으므로 사다리꼴 ㄱㄴㄷㅁ의 높이도 6 m입니다.
(사다리꼴의 넓이)$=(10+13) \times 6 \div 2 = 69(m^2)$ ▸2점
/ $69\,m^2$

06 예 ❶ (삼각형 나의 넓이)$= 10 \times 18 \div 2 = 90(m^2)$
평행사변형 가의 넓이는 삼각형 나의 넓이의 6배이므로 $90 \times 6 = 540(m^2)$입니다. ▸3점
❷ 선분 ㄱㅁ의 길이를 □m라 하면 가의 넓이는 $\square \times 18 = 540$에서 $\square = 30$입니다. ▸2점 / 30 m

07 예 ❶ 사각형 ㄱㄴㄷㄹ을 삼각형 ㄱㄴㄷ과 삼각형 ㄱㄷㄹ의 넓이의 합으로 구합니다.
(삼각형 ㄱㄴㄷ의 넓이)
$= 28 \times 9 \div 2 = 126(cm^2)$ ▸2점
❷ (삼각형 ㄱㄷㄹ의 넓이)
$= 22 \times 18 \div 2 = 198(cm^2)$ ▸2점
❸ 따라서 사각형 ㄱㄴㄷㄹ의 넓이는 $126 + 198 = 324(cm^2)$입니다. ▸1점 / $324\,cm^2$

08 예 ❶ (큰 마름모의 넓이)
$=(10 \times 2) \times (7 \times 2) \div 2 = 140(cm^2)$ ▸2점
❷ 겹쳐진 부분의 넓이는 큰 마름모의 넓이를 4등분 한 것 중의 1입니다.
(겹쳐진 부분의 넓이)$= 140 \div 4 = 35(cm^2)$ ▸2점
❸ 따라서 만든 도형의 넓이는 $140 \times 2 - 35 = 245(cm^2)$입니다. ▸1점 / $245\,cm^2$

문항	채점 기준		점수
01	채점 기준	❶ 직사각형의 세로 구하기	3점
		❷ 직사각형의 둘레 구하기	2점
02	채점 기준	❶ 직사각형의 가로와 세로 구하기	3점
		❷ 직사각형의 넓이 구하기	2점
03	채점 기준	❶ 마름모 나의 넓이 구하기	3점
		❷ □ 안에 알맞은 수 구하기	2점
04	채점 기준	❶ 색칠한 삼각형 한 개의 밑변 구하기	3점
		❷ □ 안에 알맞은 수 구하기	2점
05	채점 기준	❶ 삼각형의 높이 구하기	3점
		❷ 사다리꼴의 넓이 구하기	2점
06	채점 기준	❶ 평행사변형 가의 넓이 구하기	3점
		❷ 선분 ㄱㅁ의 길이 구하기	2점
07	채점 기준	❶ 삼각형 ㄱㄴㄷ의 넓이 구하기	2점
		❷ 삼각형 ㄱㄷㄹ의 넓이 구하기	2점
		❸ 사각형 ㄱㄴㄷㄹ의 넓이 구하기	1점
08	채점 기준	❶ 큰 마름모의 넓이 구하기	2점
		❷ 겹쳐진 부분의 넓이 구하기	2점
		❸ 만든 도형의 넓이 구하기	1점

단원 평가 매칭북 47~64쪽

1. 자연수의 혼합 계산 47~49쪽

01 ㉡
02 (계산 순서대로) 42, 16, 25, 25
03 $35-56\div8+16\times2=60$
04 (　　) (○)　05 재민
06 ㉡, 2600원　07 >
08 ㉠, ㉣　09 $13+21\div3\times6=55$
10 $9+6\times(7-3)=33$
11 $30-(4+2)\times2=18$ / 18송이
12 800원
13 $15000-(5600\div2+600\times4+6000)=3800$ / 3800원
14 57살　15 34 kg
16 3, 6, 9(또는 6, 3, 9) / 2
17 −, ×, +, ÷
18 예 ❶ 어떤 수를 □라 하면 (□+7)×5−17=58입니다. ▸2점
❷ (□+7)×5−17=58, (□+7)×5=75, □+7=15, □=8이므로 어떤 수는 8입니다. ▸3점
/ 8
19 예 ❶ 11+6×(5+9)÷□=23, 11+6×14÷□=23, 11+84÷□=23, 84÷□=12 ▸3점
❷ 84÷□=12에서 84÷12=□이므로 □=7입니다. ▸2점 / 7
20 예 ❶ (파란색 테이프 한 도막의 길이) =87÷3=29 (cm) ▸2점
❷ (노란색 테이프 한 도막의 길이) =72÷6=12 (cm) ▸2점
❸ 따라서 이어 붙인 테이프의 전체 길이는 87÷3+72÷6−5=36 (cm)입니다. ▸1점
/ 36 cm

04 • $(17+43)\div4=60\div4=15$
• $12-49\div7+8=12-7+8=5+8=13$

05 • 재민: $(12-7)\times16\div8=5\times16\div8=80\div8=10$
• 현수: $42\div14\times7-3=3\times7-3=21-3=18$

06 ㉡ $500+700\times3=500+2100=2600$(원)

07 • $50-42\div7\times4=50-6\times4=50-24=26$
• $9\times12\div18+15=108\div18+15=6+15=21$
➜ $26>21$

08 ㉠ $12+(53-27)=12+26=38$
$12+53-27=65-27=38$
㉡ $24\div3+3=8+3=11$
$24\div(3+3)=24\div6=4$
㉢ $12\times(6+3)=12\times9=108$
$12\times6+3=72+3=75$
㉣ $7\times36\div9=252\div9=28$
$7\times(36\div9)=7\times4=28$

09 $21\div3=7$, $13+7\times6=55$
➜ $13+21\div3\times6=55$

10 $9+6\times(7-3)=9+6\times4=9+24=33$

11 (남은 장미의 수)$=30-(4+2)\times2$
$=30-6\times2=30-12=18$(송이)

12 (귤 한 봉지의 값)+(오렌지 한 개의 값) −(사과 한 봉지의 값)
$=3500+5200\div4-4000$
$=3500+1300-4000$
$=4800-4000=800$(원)

14 (어머니의 나이)
=((연수의 나이)+(동생의 나이))×3−6
$=(12+9)\times3-6=63-6=57$(살)

15 $43+45-9\times6=43+45-54$
$=88-54=34$(kg)

16 계산 결과가 가장 작으려면 나누는 수를 가장 크게 해야 합니다. ➜ $3\times6\div9=18\div9=2$

17 $15-2\times7+12\div3=15-14+4=1+4=5$

18

채점 기준	❶ 어떤 수를 □라 하고 식 세우기	2점
	❷ 어떤 수 구하기	3점

19

채점 기준	❶ 계산 순서를 거꾸로 생각하여 식 계산하기	3점
	❷ □ 안에 알맞은 수 구하기	2점

20

채점 기준	❶ 파란색 테이프 한 도막의 길이 구하기	2점
	❷ 노란색 테이프 한 도막의 길이 구하기	2점
	❸ 이어 붙인 테이프의 전체 길이 구하기	1점

매칭북 단원 평가지

2. 약수와 배수 50~52쪽

01 1, 3, 5, 15 / 1, 3, 5, 15
02 8, 24, 32에 ○표 03 2, 3, 6
04 1, 2, 4, 7, 14, 28
05 (위에서부터) 12, 2, 4, 6, 2, 3 / 48
06 ㉢ 07 민기 08 6, 252
09 1, 2, 4, 8, 16 10 54, 108, 162
11 120 12 ② 13 8명
14 108 15 6개 16 9월 19일
17 20개
18 ❶ 아중 ▸1점
❷ 예 두 수의 최소공배수의 배수는 두 수의 공배수와 같습니다. ▸4점
19 예 ❶ 민희는 검-검-검-검-검-흰의 순서로, 아라는 검-검-검-흰의 순서로 바둑돌을 놓습니다. ▸2점
❷ 6과 4의 최소공배수인 12의 배수일 때 같은 자리에 흰 바둑돌을 놓으므로 12번째, 24번째, 36번째, 48번째로 모두 4번입니다. ▸3점 / 4번
20 예 ❶ 7) 28 21 → 28과 21의 최소공배수:
4 3 $7 \times 4 \times 3 = 84$
두 버스는 84분마다 동시에 출발합니다. ▸2점
❷ 따라서 다음에 처음으로 동시에 출발하는 시각은 오전 9시에서 84분(=1시간 24분) 후인 오전 10시 24분입니다. ▸3점 / 오전 10시 24분

03 두 곱셈식에 공통으로 들어 있는 부분이 두 수의 최대공약수입니다. → 12와 30의 최대공약수: $2 \times 3 = 6$

04 $28 \div 1 = 28$, $28 \div 2 = 14$, $28 \div 4 = 7$,
$28 \div 7 = 4$, $28 \div 14 = 2$, $28 \div 28 = 1$

05 16과 24의 최소공배수: $2 \times 2 \times 2 \times 2 \times 3 = 48$

06 큰 수를 작은 수로 나누었을 때 나누어떨어지면 두 수는 약수와 배수의 관계입니다.
㉠ $50 \div 7 = 7 \cdots 1$(×) ㉡ $64 \div 9 = 7 \cdots 1$(×)
㉢ $33 \div 11 = 3$(○)

07 45와 60의 공약수: 1, 3, 5, 15

08 2) 36 42 → 36과 42의 최대공약수: $2 \times 3 = 6$
3) 18 21 → 36과 42의 최소공배수:
6 7 $2 \times 3 \times 6 \times 7 = 252$

09 어떤 두 수의 공약수는 두 수의 최대공약수의 약수와 같습니다. → 두 수의 공약수: 1, 2, 4, 8, 16

10 9) 18 27 → 18과 27의 최소공배수:
2 3 $9 \times 2 \times 3 = 54$
18과 27의 공배수: 54, 108, 162……

11 4) 20 8 → 20과 8의 최소공배수:
5 2 $4 \times 5 \times 2 = 40$
20과 8의 공배수: 40, 80, 120……
→ 가장 작은 세 자리 수: 120

12 ① (4, 18) → 2 ② (13, 65) → 13
③ (20, 50) → 10 ④ (42, 24) → 6
⑤ (60, 72) → 12

13 8) 32 56
4 7 → 32와 56의 최대공약수: 8
따라서 최대 8명에게 나누어 줄 수 있습니다.

14 9, 18, 27, 36……은 9의 배수입니다.
(12번째의 수)$= 9 \times 12 = 108$

15 32가 □의 배수이므로 □는 32의 약수입니다.
32의 약수: 1, 2, 4, 8, 16, 32 → 6개

16 다음에 같은 날 시장에 가는 날은 6과 9의 최소공배수만큼 지났을 때입니다.
3) 6 9
2 3 → 6과 9의 최소공배수: $3 \times 2 \times 3 = 18$
따라서 9월 1일에서 18일 후인 9월 19일입니다.

17 3) 45 36
3) 15 12
5 4 → 45와 36의 최대공약수: $3 \times 3 = 9$
한 변의 길이가 9 cm인 정사각형 모양으로 자르면 가로로 $45 \div 9 = 5$(조각), 세로로 $36 \div 9 = 4$(조각)이 됩니다.
→ (접을 수 있는 종이배의 수)$= 5 \times 4 = 20$(개)

18

채점 기준	❶ 잘못 말한 사람 찾기	1점
	❷ 이유 설명하기	4점

19

채점 기준	❶ 민희와 아라의 규칙 찾기	2점
	❷ 같은 자리에 흰 바둑돌을 놓는 경우는 모두 몇 번인지 구하기	3점

20

채점 기준	❶ 28과 21의 최소공배수 구하기	2점
	❷ 다음에 처음으로 동시에 출발하는 시각 구하기	3점

3. 규칙과 대응 53~55쪽

01 4, 6, 8 02 2
03 30, 40, 50 / 달걀의 수, 달걀판의 수, 10
04 예 (위에서부터) 3, 6 / 4, 8 / 5, 10
05 오토바이의 수, 2, 바퀴의 수
06 ☆×2=◇ 또는 ◇÷2=☆
07 ③
08 ⊙×4=◇ 또는 ◇÷4=⊙
09 36 10 (1) ㉡ (2) ㉢
11 △×3000=☆ 또는 ☆÷3000=△
12 32명 13 17, 15, 11, 5
14 (왼쪽부터) 13, 21, 11
/ ○−9=▽ 또는 ▽+9=○
15 ☆−7=△ 또는 △+7=☆
16 21, 28, 35 / 210 kcal
17 41개
18 예 한 모둠에 학생이 5명씩 있으면 학생 수는 모둠의 수의 5배입니다. ▸5점
19 ❶ 현민 ▸1점
❷ 예 대응 관계를 나타낸 식 □÷3=△에서 □는 꽃의 수를 나타내. ▸4점
20 예 ❶ 배열 순서를 ◇, 구슬의 수를 ○라고 할 때 두 양 사이의 대응 관계를 식으로 나타내면 ○=◇×2−1입니다. ▸3점
❷ 따라서 12째에 놓는 구슬은 12×2−1=23(개)입니다. ▸2점 / 23개

02 사각판의 수가 1, 2, 3, 4……로 1씩 늘어날 때마다 삼각판의 수는 2, 4, 6, 8……로 2씩 늘어납니다.
➜ 사각판의 수를 2배 하면 삼각판의 수와 같습니다.

03 달걀판의 수가 1개씩 늘어날 때마다 달걀의 수는 10개씩 늘어납니다.

04 오토바이의 수가 1대씩 늘어날 때마다 바퀴의 수는 2개씩 늘어납니다.

05 (바퀴의 수)÷2=(오토바이의 수)라고 나타낼 수도 있습니다.

07 • 메뚜기 다리의 수는 메뚜기의 수의 6배입니다.
➜ □×6=△
• 메뚜기의 수는 메뚜기 다리의 수를 6으로 나눈 몫입니다. ➜ △÷6=□

08 • ◇는 ⊙의 4배입니다.
➜ ⊙×4=◇
• ⊙는 ◇를 4로 나눈 몫입니다.
➜ ◇÷4=⊙

09 ⊙×4=◇이므로 ⊙=9일 때 ◇=9×4=36입니다.

10 (1) △는 □보다 7 큽니다.
➜ □+7=△
(2) 9에서 □를 빼면 △입니다.
➜ 9−□=△

11 • 성인 입장료는 성인 입장객 수의 3000배입니다.
➜ △×3000=☆
• 성인 입장객 수는 성인 입장료를 3000으로 나눈 몫입니다.
➜ ☆÷3000=△

12 (성인 입장객 수)=96000÷3000=32(명)

13 ⊙+♡=20이므로 20−⊙=♡입니다.

14 • ▽는 ○보다 9 작습니다.
➜ ○−9=▽
• ○는 ▽보다 9 큽니다.
➜ ▽+9=○

15 나라가 답한 수는 수진이가 말한 수에서 7을 빼는 규칙입니다. ➜ ☆−7=△

16 윗몸일으키기를 1분 할 때마다 7 kcal가 소모됩니다. 윗몸일으키기를 30분 동안 하면 소모된 열량은 30×7=210(kcal)입니다.

17 정육각형을 1개 만들 때 필요한 면봉은 6개이고, 정육각형을 1개 더 만들 때마다 면봉은 5개씩 더 필요합니다.
➜ (정육각형의 수)×5+1=(필요한 면봉의 수)
따라서 정육각형 8개를 만들려면 면봉이 적어도 8×5+1=41(개) 필요합니다.

18

채점 기준	식에 해당하는 상황을 한 가지 쓴 경우	5점

19

채점 기준	❶ 잘못 말한 사람 찾기	1점
	❷ 바르게 고치기	4점

20

채점 기준	❶ 배열 순서와 구슬의 수 사이의 대응 관계를 식으로 나타내기	3점
	❷ 12째에 놓는 구슬의 수 구하기	2점

매칭북 단원 평가지

4. 약분과 통분 56~58쪽

01 4, 6, 28 **02** $\frac{9}{15}$에 ○표 **03** ④

04 18, 36, 72에 ○표 **05** 예 $\frac{20}{56}$, $\frac{21}{56}$

06 $\frac{1}{2}$, $\frac{4}{7}$, $\frac{5}{13}$ **07** >

08 $\frac{10}{15}$, $\frac{4}{6}$, $\frac{2}{3}$ **09** $1\frac{3}{10}$, $1\frac{7}{20}$, $1\frac{5}{8}$

10 $\frac{4}{5}$, $\frac{5}{9}$ **11** 수아 **12** $\frac{11}{56}$

13 4개 **14** $\frac{7}{5}$, 1.7, 2.5, $2\frac{3}{4}$

15 6, 7, 8 **16** 0.375 **17** 6개

18 ❶ 예준 ▸1점

❷ 예 $\frac{27}{36}$을 약분하여 만들 수 있는 분수는 $\frac{9}{12}$, $\frac{3}{4}$으로 모두 2개입니다. ▸4점

19 예 ❶ $\frac{4}{11}$와 크기가 같은 분수는 $\frac{8}{22}$, $\frac{12}{33}$, $\frac{16}{44}$ …… 입니다. ▸3점

❷ 각 분수의 분모와 분자의 차는 $22-8=14$, $33-12=21$, $44-16=28$ …… 이므로 조건에 맞는 분수는 $\frac{16}{44}$입니다. ▸2점 / $\frac{16}{44}$

20 예 ❶ $\frac{3}{8}<\frac{\square}{24}<\frac{7}{12}$ ➜ $\frac{9}{24}<\frac{\square}{24}<\frac{14}{24}$

➜ $9<\square<14$

□ 안에는 10, 11, 12, 13이 들어갈 수 있으므로 분모가 24인 분수는 $\frac{10}{24}$, $\frac{11}{24}$, $\frac{12}{24}$, $\frac{13}{24}$입니다. ▸3점

❷ 기약분수는 $\frac{11}{24}$, $\frac{13}{24}$으로 모두 2개입니다. ▸2점 / 2개

07 $\left(\frac{5}{21}, \frac{2}{9}\right)$ ➜ $\left(\frac{15}{63}, \frac{14}{63}\right)$ ➜ $\frac{5}{21}>\frac{2}{9}$

09 $\left(1\frac{5}{8}, 1\frac{3}{10}\right)$ ➜ $\left(1\frac{25}{40}, 1\frac{12}{40}\right)$ ➜ $1\frac{5}{8}>1\frac{3}{10}$

$\left(1\frac{3}{10}, 1\frac{7}{20}\right)$ ➜ $\left(1\frac{6}{20}, 1\frac{7}{20}\right)$ ➜ $1\frac{3}{10}<1\frac{7}{20}$

$\left(1\frac{5}{8}, 1\frac{7}{20}\right)$ ➜ $\left(1\frac{25}{40}, 1\frac{14}{40}\right)$ ➜ $1\frac{5}{8}>1\frac{7}{20}$

➜ $1\frac{3}{10}<1\frac{7}{20}<1\frac{5}{8}$

10 $\left(\frac{36}{45}, \frac{25}{45}\right)$ ➜ $\left(\frac{36\div 9}{45\div 9}, \frac{25\div 5}{45\div 5}\right)$ ➜ $\left(\frac{4}{5}, \frac{5}{9}\right)$

11 $\left(\frac{7}{15}, \frac{4}{9}\right)$ ➜ $\left(\frac{21}{45}, \frac{20}{45}\right)$ ➜ $\frac{7}{15}>\frac{4}{9}$

따라서 더 많이 걸은 사람은 수아입니다.

12 8로 약분하기 전의 분수: $\frac{2}{7}=\frac{2\times 8}{7\times 8}=\frac{16}{56}$

분자에 5를 더하기 전의 분수: $\frac{16-5}{56}=\frac{11}{56}$

13 분모가 8인 진분수: $\frac{1}{8}$, $\frac{2}{8}$, $\frac{3}{8}$, $\frac{4}{8}$, $\frac{5}{8}$, $\frac{6}{8}$, $\frac{7}{8}$

기약분수: $\frac{1}{8}$, $\frac{3}{8}$, $\frac{5}{8}$, $\frac{7}{8}$ ➜ 4개

14 분수를 소수로 나타내어 크기를 비교합니다.

$2\frac{3}{4}=2\frac{75}{100}=2.75$, $\frac{7}{5}=1\frac{2}{5}=1\frac{4}{10}=1.4$

➜ $\frac{7}{5}<1.7<2.5<2\frac{3}{4}$

15 공통분모를 15로 하여 통분하면

$\frac{1}{3}<\frac{\square}{15}<\frac{3}{5}$ ➜ $\frac{5}{15}<\frac{\square}{15}<\frac{9}{15}$

$5<\square<9$이므로 □ 안에 들어갈 수 있는 자연수는 6, 7, 8입니다.

16 만들 수 있는 진분수: $\frac{3}{5}$, $\frac{3}{7}$, $\frac{5}{7}$, $\frac{3}{8}$, $\frac{5}{8}$, $\frac{7}{8}$

가장 작은 수: $\frac{3}{8}=\frac{375}{1000}=0.375$

17 $4\frac{4}{25}=4\frac{16}{100}=4.16$, $4\frac{3}{4}=4\frac{75}{100}=4.75$

$4.16<\square<4.75$이므로 □ 안에 들어갈 수 있는 소수 한 자리 수는 4.2, 4.3, 4.4, 4.5, 4.6, 4.7로 모두 6개입니다.

18

채점 기준		
	❶ 잘못 말한 사람 찾기	1점
	❷ 이유 설명하기	4점

19

채점 기준		
	❶ $\frac{4}{11}$와 크기가 같은 분수 구하기	3점
	❷ 분모와 분자의 차가 28인 분수 구하기	2점

20

채점 기준		
	❶ $\frac{3}{8}$보다 크고 $\frac{7}{12}$보다 작은 분수 중 분모가 24인 분수 구하기	3점
	❷ 분모가 24인 기약분수는 모두 몇 개인지 구하기	2점

5. 분수의 덧셈과 뺄셈 59~61쪽

01 9, 4, 13, $1\frac{1}{12}$

02 $\frac{9}{10}-\frac{1}{4}=\frac{18}{20}-\frac{5}{20}=\frac{13}{20}$

03 $3\frac{19}{24}$ **04** $\frac{17}{40}$ **05** $2\frac{1}{14}$

06 < **07** (1) ㉡ (2) ㉠ (3) ㉢

08 (위에서부터) $1\frac{7}{9}$, $\frac{11}{21}$ **09** $5\frac{5}{12}$ cm

10 $\frac{3}{16}$ **11** ㉠, ㉢, ㉡ **12** 호박, $1\frac{1}{28}$ kg

13 $4\frac{5}{8}$, $1\frac{2}{5}$ / $3\frac{9}{40}$ **14** $8\frac{3}{28}$

15 $1\frac{26}{45}$ m **16** $\frac{7}{20}$ **17** 지민, $\frac{1}{2}$ kg

18 예 방법 1 ❶ 분모의 곱을 공통분모로 하여 계산하기

$\frac{1}{6}-\frac{1}{8}=\frac{8}{48}-\frac{6}{48}=\frac{2}{48}=\frac{1}{24}$ ▸3점

방법 2 ❷ 분모의 최소공배수를 공통분모로 하여 계산하기

$\frac{1}{6}-\frac{1}{8}=\frac{4}{24}-\frac{3}{24}=\frac{1}{24}$ ▸2점

19 예 ❶ 어떤 수를 □라 하면 $7\frac{1}{5}-□=3\frac{5}{6}$입니다.

$□=7\frac{1}{5}-3\frac{5}{6}=7\frac{6}{30}-3\frac{25}{30}=6\frac{36}{30}-3\frac{25}{30}$

$=3\frac{11}{30}$ ▸2점

❷ 바르게 계산하면

$7\frac{1}{5}+3\frac{11}{30}=7\frac{6}{30}+3\frac{11}{30}=10\frac{17}{30}$ ▸3점 / $10\frac{17}{30}$

20 예 ❶ 가장 큰 대분수: $9\frac{3}{4}$,

가장 작은 대분수: $3\frac{4}{9}$ ▸2점

❷ (가장 큰 대분수)+(가장 작은 대분수)

$=9\frac{3}{4}+3\frac{4}{9}=9\frac{27}{36}+3\frac{16}{36}=12\frac{43}{36}=13\frac{7}{36}$ ▸3점

/ $13\frac{7}{36}$

06 $1\frac{3}{5}+3\frac{1}{2}=1\frac{6}{10}+3\frac{5}{10}=4\frac{11}{10}=5\frac{1}{10}$

$7\frac{3}{4}-2\frac{2}{5}=7\frac{15}{20}-2\frac{8}{20}=5\frac{7}{20}$

➜ $5\frac{1}{10}\left(=5\frac{2}{20}\right)<5\frac{7}{20}$

11 ㉠ $3\frac{5}{36}$ ㉡ $2\frac{17}{36}$ ㉢ $2\frac{31}{36}$

➜ $3\frac{5}{36}>2\frac{31}{36}>2\frac{17}{36}$

12 호박이 $3\frac{3}{4}-2\frac{5}{7}=1\frac{1}{28}$(kg) 더 무겁습니다.

13 차가 가장 크려면 가장 큰 수에서 가장 작은 수를 빼야 합니다.

➜ $4\frac{5}{8}-1\frac{2}{5}=4\frac{25}{40}-1\frac{16}{40}=3\frac{9}{40}$

14 가운데 빈칸에 알맞은 수 구하기

➜ $5\frac{9}{14}+3\frac{3}{4}=5\frac{18}{28}+3\frac{21}{28}=8\frac{39}{28}=9\frac{11}{28}$

㉠에 알맞은 수 구하기

➜ $9\frac{11}{28}-1\frac{2}{7}=9\frac{11}{28}-1\frac{8}{28}=8\frac{3}{28}$

15 (승기가 가지고 있는 철사의 길이)

$=\frac{5}{9}+\frac{7}{15}=\frac{25}{45}+\frac{21}{45}=\frac{46}{45}=1\frac{1}{45}$(m)

(두 사람이 가지고 있는 철사의 길이)

$=\frac{5}{9}+1\frac{1}{45}=\frac{25}{45}+1\frac{1}{45}=1\frac{26}{45}$(m)

16 밭 전체를 1이라 하면 고구마는 밭 전체의

$1-\frac{1}{5}-\frac{9}{20}=\frac{5}{5}-\frac{1}{5}-\frac{9}{20}$

$=\frac{4}{5}-\frac{9}{20}$

$=\frac{16}{20}-\frac{9}{20}=\frac{7}{20}$

17 지민: $5\frac{4}{5}+4\frac{1}{10}=5\frac{8}{10}+4\frac{1}{10}=9\frac{9}{10}$(kg)

선영: $3\frac{1}{4}+6\frac{3}{20}=3\frac{5}{20}+6\frac{3}{20}=9\frac{8}{20}=9\frac{2}{5}$(kg)

➜ $9\frac{9}{10}-9\frac{2}{5}=9\frac{9}{10}-9\frac{4}{10}=\frac{5}{10}=\frac{1}{2}$(kg)

18

채점 기준		
	❶ 분모의 곱을 공통분모로 하여 계산하기	3점
	❷ 분모의 최소공배수를 공통분모로 하여 계산하기	2점

19

채점 기준		
	❶ 어떤 수 구하기	2점
	❷ 바르게 계산한 값 구하기	3점

20

채점 기준		
	❶ 만들 수 있는 가장 큰 대분수와 가장 작은 대분수 구하기	2점
	❷ 가장 큰 대분수와 가장 작은 대분수의 합 구하기	3점

매칭북 단원 평가지

6. 다각형의 둘레와 넓이 62~64쪽

01 32 cm 02 7000000 03 가
04 16 cm^2 05 81 cm^2 06 45 cm^2
07 현아 08 64 cm^2
09 예

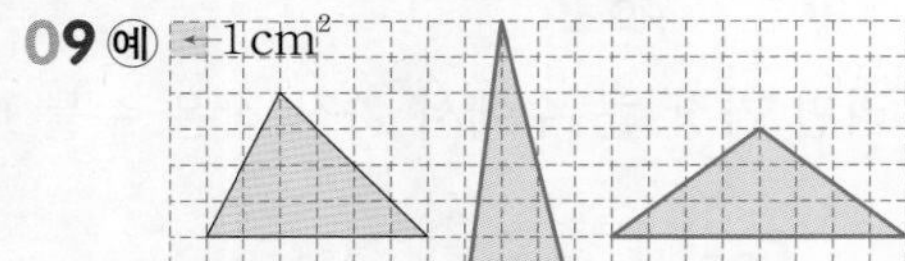

10 5 11 225 cm^2 12 13
13 32 cm^2 14 7 cm 15 74 cm^2
16 512 m^2 17 90 cm
18 ❶ 다 ▸1점
❷ 예 세 도형 가, 나, 다의 높이는 4칸입니다. 밑변은 도형 가, 나는 2칸, 도형 다는 3칸이므로 넓이가 다른 하나는 다입니다. ▸4점
19 예 ❶ (정사각형의 한 변의 길이)
$=56\div4=14$(cm) ▸2점
❷ (정사각형의 넓이)
$=14\times14=196$(cm^2) ▸3점 / 196 cm^2
20 예 ❶ 사다리꼴의 높이를 □cm라 하면
$(9+15)\times\square\div2=216$입니다. ▸2점
❷ $(9+15)\times\square\div2=216$, $24\times\square\div2=216$,
$24\times\square=432$, $\square=18$
따라서 사다리꼴의 높이는 18 cm입니다. ▸3점
/ 18 cm

01 (직사각형의 둘레)$=(6+10)\times2=32$(cm)

02 1 km^2=1000000 m^2 ➜ 7 km^2=7000000 m^2

03 가: 1 cm^2가 9개이므로 9 cm^2입니다.
나: 1 cm^2가 8개이므로 8 cm^2입니다.
➜ $9>8$이므로 넓이가 더 넓은 도형은 가입니다.

04 1 cm^2가 16개이므로 16 cm^2입니다.

05 (정사각형의 넓이)$=9\times9=81$(cm^2)

06 (사다리꼴의 넓이)
=(윗변의 길이+아랫변의 길이)×(높이)÷2
$=(11+7)\times5\div2=45$(cm^2)

07 교실의 넓이는 m^2로 나타내는 것이 알맞습니다.

08 (마름모의 넓이)
=(한 대각선의 길이)×(다른 대각선의 길이)÷2
$=16\times8\div2=64$(cm^2)

09 주어진 삼각형의 넓이는 $6\times4\div2=12$(cm^2)입니다.
넓이가 12 cm^2인 삼각형을 2개 그립니다.
➜ $3\times8\div2=12$(cm^2), $8\times3\div2=12$(cm^2)

10 $12\times\square=60$ ➜ $\square=60\div12=5$

11 만들 수 있는 가장 큰 정사각형의 한 변의 길이는 직사각형의 세로와 같은 15 cm입니다.
➜ (가장 큰 정사각형의 넓이)$=15\times15=225$(cm^2)

12 한 대각선의 길이가 $5\times2=10$(m)이므로
$10\times\square\div2=65$, $10\times\square=65\times2=130$,
$\square=13$입니다.

13 (색칠한 부분의 넓이)
=(큰 삼각형의 넓이)
−(색칠하지 않은 삼각형의 넓이)
$=11\times8\div2-3\times8\div2$
$=44-12=32$(cm^2)

14 (마름모의 넓이)$=14\times11\div2=77$(cm^2)
사다리꼴의 넓이도 77 cm^2이므로
$(9+13)\times\square\div2=77$, $22\times\square\div2=77$,
$22\times\square=154$, $\square=154\div22$, $\square=7$

15 (다각형의 넓이)
=(삼각형의 넓이)+(사다리꼴의 넓이)
$=12\times4\div2+(12+8)\times5\div2$
$=24+50=74$(cm^2)

16 길을 뺀 공원 부분을 그대로 이어 붙이면
가로가 $36-4=32$(m), 세로가 $20-4=16$(m)인 직사각형이 됩니다.
➜ (길을 뺀 공원의 넓이)$=32\times16=512$(m^2)

17 (정사각형의 한 변의 길이)$=20\div4=5$(cm)
(만든 도형의 둘레)
=(정사각형의 한 변의 길이)×18
$=5\times18=90$(cm)

18

채점 기준		
	❶ 넓이가 다른 것 찾기	1점
	❷ 넓이가 다른 이유 설명하기	4점

19

채점 기준		
	❶ 정사각형의 한 변의 길이 구하기	2점
	❷ 정사각형의 넓이 구하기	3점

20

채점 기준		
	❶ 높이를 □cm라 하고 사다리꼴의 넓이 구하는 식 세우기	2점
	❷ 사다리꼴의 높이 구하기	3점

독해의 핵심은 비문학

지문 분석으로 독해를 깊이 있게!

비문학 독해 | 1~6단계

올바른 문학 독서법

문학 갈래별 작품 이해를 풍성하게!

문학 독해 | 1~6단계

NEW

결국은 어휘력

비문학 독해로 어휘 이해부터 어휘 확장까지!

어휘 X 독해 | 1~6단계

초등 문해력의 빠른시작

동아출판

정답 및 풀이 5·1

개념부터 응용문제 학습까지 딱 1권으로 완료!

닉네임 좋***

개념만 하기에는 너무 쉽거나 부족할 것 같은데 그렇다고 심화를 하기엔 두 권을 풀어내는 게 역부족이다 싶을 때 정말 딱 괜찮은 책! 개념부터 약간의 응용까지 건드려줘서 아이도 한 권이라 부담이 덜하고 엄마 입장에서도 너무 어렵지 않은 문제를 고루 만날 수 있다는 게 가장 큰 장점이에요. 개념부터 응용까지 폭넓게 다루는 교재는 큐브수학 개념응용밖에 없어요.

다양한 난이도 문제로 수학 자신감 UP!

닉네임 유*

세분화된 개념으로 개념을 꽉 잡을 수 있고, 문제는 간단한 기본문제부터 응용문제까지 난이도와 유형이 다양하게 구성되어 있어 단조롭지 않더라고요. 서술형 문제도 꼼꼼히 살펴보았는데 역시 짧은 서술형 문제부터 좀 더 사고를 요하는 긴 문장의 문제까지 갖춰져 있어서 지루하지 않았어요. **제대로 개념을 이해하면서, 시간이 걸리더라도 다양한 문제를 마주하고 익힐 수 있는 책이에요.**

수학 1등 되는 개념+응용 완성
큐브 수학 개념 응용

개념응용

서술형 문제 집중 훈련이 필요할 땐! 큐브수학 실력

닉네임 삼**

서술형 코너는 연습→단계→실전의 3단계 학습으로 구성되어 있어요. 저는 이 부분이 가장 좋았어요. '연습'은 풀이 과정을 자연스럽게 익히면서 스스로 풀 수 있을만큼 쉽게 느껴졌고, '단계'는 연습의 복습, '실전'은 혼자 푸는 건데도 두 번의 연습으로 완벽하게 풀 수 있어 **서술형 문제를 내 것으로 만든다는 느낌이 강하게 들었습니다. 답안 쓰기 훈련을 완벽하게 할 수 있어요.**

반복 학습으로 모든 유형을 제대로 익히기!

닉네임 슈****

다양한 유형 문제가 있고, **문제마다 유형-확인-강화 순으로 반복 학습이 가능해요. 유사 유형의 문제를 반복적으로 풀어 볼 수 있으니 실력 향상에 도움이 많이 됩니다.** 또 서술형도 3단계 학습으로 답안 쓰기 훈련이 정말 잘 됩니다. 그리고 해설지도 문제에 따라 약점 포인트, 정답률까지 나와 있어서 참고하기 너무 편하게 되어 있더라고요.

상위권 도전 첫 교재로 강력 추천!

닉네임 블***

개념과 유형 문제집까지 다 끝냈는데 심화를 안 풀고 넘어갈 수는 없잖아요? 심화 문제집도 아이에게 맞는 난이도를 선택하는 것이 무엇보다 중요한데요. **군더더기 없고 깔끔한 문제 구성과 적절하게 나누어진 난이도 덕분에 심화 시작 교재로 강력 추천합니다.**

심화

유아부터-초등까지 키우자 공부힘!

더 많은 정보, 동아맘 카페에서 확인하세요!
cafe.naver.com/dongamom

· 동아출판 초등 교재 체험! 서포터즈 도전
· 초등 공부 습관 쌓는 학습단 참여 기회
· 초등 교육 학습 자료와 최신 학습 정보
· 즐겁고 풍성한 선물이 함께하는 이벤트

동아맘 카페 바로가기!

믿고 보는 동아출판
초등 교재
기초학습서부터 교과서 개념 다지기, 과목별 전문서까지!
초등학교 입학 전부터, 예비 중등까지!
초등학생에게 꼭 필요한 영역을 빠짐없이! 동아출판 초등 교재 라인업
BEST
초능력
맞춤법 + 받아쓰기
초등 국어 1·2
쉽고 빠른 맞춤법 학습
받아쓰기 단계별 연습
국어 교과서 어휘 학습
초등 영역별 기초학습서
초능력 국어/수학/과학/한국사/한자
초고필
비문학 독해 1
5~6학년 예비 중등
예비 중등
초고필 국어/수학/한국사
적중 반편성 배치고사 + 진단평가